JEFFERY DEAVER
Carte Blanche

D0512866

Jeffery Deaver

Carte Blanche

Ein James-Bond-Roman

Aus dem Englischen übersetzt
von Thomas Haufschild

blanvalet

Die Originalausgabe erschien unter dem Titel *Carte Blanche*
bei Hodder & Stoughton, an Hachette Company, London

Verlagsgruppe Random House FSC® N001967
Das FSC®-zertifizierte Papier *Holmen Book Cream*
für dieses Buch liefert Holmen Paper, Hallstavik, Schweden

1. Auflage
Taschenbucherstausgabe Januar 2014
bei Blanvalet, einem Unternehmen der
Verlagsgruppe Random House GmbH, München
Copyright © 2011 by Ian Fleming Publications Limited
Copyright © der deutschsprachigen Ausgabe 2012
by Blanvalet, in der Verlagsgruppe Random House GmbH, München
James Bond and 007 are trademarks of Danjaq LLC,
used under licence by Ian Fleming Publications Ltd.
James Bond und 007 sind Trademarks von Danjaq LLC und werden
genutzt unter Lizensierung durch Ian Fleming Publications Ltd.
Umschlagmotiv: © www.buerosued.de
Redaktion: Dr. Rainer Schöttle
AF · Herstellung: sam
Druck und Einband: GGP Media GmbH, Pößneck
Printed in Germany
ISBN: 978-3-442-37859-3
www.blanvalet.de

Für Ian Fleming,
der uns gelehrt hat,
dass wir immer noch an Helden glauben dürfen.

Anmerkung des Verfassers

Der Inhalt dieses Romans ist frei erfunden. Allerdings erwähne ich darin reale Orte, einige historische Persönlichkeiten sowie bekannte Marken und Produkte wie Audi, Bentley, InterContinental, iPhone, Mercedes, Maserati und Oakley. Mit ein paar Ausnahmen entstammen auch die im Werk vorkommenden Geheimdienstorganisationen der Wirklichkeit. Dagegen sind sämtliche Charaktere, deren Unternehmen und ihre Handlungen in *Carte Blanche* frei erfunden. Eventuelle Ähnlichkeiten mit realen Unternehmen und lebenden Personen wären rein zufälliger Natur.

Die Welt der Spionage, Gegenspionage und Nachrichtendienste ist voller Akronyme und Abkürzungen. Um diese Buchstabensuppe etwas bekömmlicher zu machen, habe ich ein Glossar hinzugefügt. Es befindet sich am Ende des Buches.

»Wir benötigen eine neue Organisation, um die Bevölkerung der unterdrückten Länder zu koordinieren, zu inspirieren, zu kontrollieren und zu unterstützen ... Es ist dazu absolute Geheimhaltung erforderlich, ferner eine gewisse fanatische Begeisterung, die Bereitschaft zur Arbeit mit Personen unterschiedlicher Nationalitäten sowie uneingeschränkte politische Zuverlässigkeit. Die Organisation sollte meines Erachtens vollständig von der Maschinerie des Kriegsministeriums abgetrennt sein.«

Hugh Dalton, Minister für Kriegswirtschaft, über die Gründung von Großbritanniens Special Operations Executive, einer Gruppe für Spionage- und Sabotageaktionen, bei Ausbruch des Zweiten Weltkriegs.

SONNTAG

Die rote Donau

1

Der Führer der serbischen Diesellok hatte eine Hand auf dem Totmannschalter und verspürte das prickelnde Gefühl, das ihn auf diesem Teil der Strecke stets überkam. Er befand sich nördlich von Belgrad und näherte sich Novi Sad.

Dies war die Route des berühmten Arlberg-Orient-Express, der von den 1930er- bis in die 1960er-Jahre von Griechenland aus durch Belgrad und weiter nach Norden gefahren war. Natürlich saß der Mann nicht im Führerhaus einer schimmernden Pacific-231-Dampflokomotive, die elegante Speise-, Abteil- und Schlafwagen aus Mahagoni und Messing zog, in denen die Reisenden in Luxus und Vorfreude schwelgten. Er befehligte vielmehr ein verbeultes altes Ungetüm aus Amerika, an das halbwegs verlässliche Frachtwaggons mit ganz alltäglicher Ladung angehängt waren.

Gleichwohl empfand er bei jedem Anblick dieser Reise den Schauder der Geschichte, vor allem, je näher sie dem Fluss kamen, *seinem* Fluss.

Trotzdem war ihm unbehaglich zumute.

Zwischen den Waggons, die für Budapest bestimmt waren und Kohle, Altmetall, Konsumgüter und Nutzholz geladen hatten, gab es einen, der ihm Sorgen machte. Er enthielt Fässer voller MIC – Methylisocyanat –, das in Ungarn bei der Herstellung von Gummi benutzt werden sollte.

Der Lokführer – ein rundlicher Mann mit schütterem Haar, abgenutzter Schirmmütze und fleckigem Overall – war durch seinen Vorgesetzten und einen Idioten von der serbischen Aufsichtsbehörde für Sicherheit und Wohlergehen im Transportwesen ausführlich über die tödliche Chemikalie in Kenntnis gesetzt worden. Vor einigen Jahren hatte das Zeug im indischen Bhopal achttausend Menschen getötet – und das innerhalb weniger Tage, nachdem in dem dortigen Chemiewerk ein Leck aufgetreten war.

Er hatte begriffen, welche Gefahr die Fracht bedeutete, als erfahrener Eisenbahner und Gewerkschaftsmitglied aber dennoch gefragt: »Was genau bedeutet das für die Fahrt nach Budapest?«

Der Boss und der Bürokrat hatten sich wissend angesehen und nach einigem Überlegen auf »Seien Sie einfach nur sehr vorsichtig« beschränkt.

In der Ferne zeichneten sich nun die Lichter von Novi Sad ab, Serbiens zweitgrößter Stadt, und die Donau erschien als blasser Streifen in der Abenddämmerung. Der Fluss wurde in Geschichte und Musik gerühmt. In Wahrheit war er braun, unscheinbar und wurde von Lastkähnen und Tankern befahren, nicht von Booten mit Liebespaaren und Wiener Orchestern im Kerzenschein – jedenfalls nicht hier. Aber Donau blieb Donau, der ganze Stolz des Balkans, und so schwoll auch jedes Mal die Brust des Eisenbahners, wenn er mit seinem Zug über die Brücke fuhr.

Sein Fluss…

Er spähte durch die schmutzige Scheibe auf die Schienen im Scheinwerferlicht der General-Electric-Diesellok und konnte nichts Ungewöhnliches entdecken.

Der Gashebel hatte acht mögliche Einstellungen, wobei die Nummer eins der langsamsten Geschwindigkeit entsprach. Gegenwärtig stand er auf fünf. Der Lokführer schaltete auf drei herunter, denn es kam eine Reihe von Kehren. Die mehr als viertausend PS starke Maschine wurde etwas leiser, und die Leistung verringerte sich.

Als der Zug den geraden Streckenteil vor der Brücke erreichte, schaltete der Lokführer wieder auf Stufe fünf, dann auf sechs. Die Maschine dröhnte lauter und schneller, und von hinten ertönte mehrmals ein deutliches Klirren. Es stammte von den Kupplungen zwischen den Waggons, die auf die Beschleunigung reagierten, und der Lokführer hatte es schon unzählige Male gehört. Doch diesmal gaukelte seine Fantasie ihm vor, das Geräusch wäre durch die Metallbehälter mit der tödlichen Chemikalie in Waggon Nummer drei hervorgerufen worden. Die Fässer prallten gegeneinander und würden womöglich ihr Gift verspritzen.

Unsinn, tadelte er sich und achtete darauf, die Geschwindigkeit zu halten. Dann zog er an dem Griff des Signalhorns. Es gab eigentlich keinen Anlass, aber er fuhlte sich dabei irgendwie besser.

2

Ein Mann mit ernster Miene lag wie ein Jäger im Gras einer Hügelkuppe und hörte in einigen Kilometern Entfernung ein Horn ertönen. Ein Blick durch sein Nachtsichtfernrohr verriet ihm, dass das Signal von dem Zug stammte, der aus Richtung Süden nahte und in zehn oder fünfzehn Minuten hier eintreffen würde. Der Mann fragte sich, welche Auswirkungen das auf die heikle Operation haben könnte, die unmittelbar bevorstand.

Er rückte ein Stück herum und musterte durch das Fernrohr die Diesellokomotive und den langen Strang Waggons.

Nachdem er zu dem Schluss gelangt war, dass der Zug für ihn und seine Pläne wohl keine Rolle spielte, richtete James Bond das Fernrohr wieder auf das Restaurant des Kurhotels und nahm erneut sein Ziel in Augenschein. Das große Gebäude mit der gelb verputzten Fassade und den braunen Leisten hatte schon bessere Tage gesehen, schien bei den Einheimischen aber überaus beliebt zu sein, denn auf dem Parkplatz standen zahlreiche Limousinen der Marken Zastava und Fiat.

Es war zwanzig Uhr vierzig an einem klaren Sonntagabend hier in der Nähe von Novi Sad, wo die pannonische Ebene zu einer Landschaft anstieg, die von den Serben »bergig« genannt wurde, wenngleich Bond vermutete, dass mit dieser Bezeichnung lediglich Touristen angelockt werden sollten. Für ihn, einen begeisterten Skifahrer, konnte hier allenfalls von Hügeln die Rede sein. Die Mailuft war trocken und kühl, die Gegend so ruhig wie eine Friedhofskapelle.

Bond verlagerte abermals seine Position. Er war Mitte dreißig, maß einen Meter dreiundachtzig und wog siebenundsiebzig Kilogramm. Sein schwarzes Haar war seitlich gescheitelt, und einige Strähnen fielen ihm ins Gesicht. Auf der rechten Wange verlief eine acht Zentimeter lange Narbe.

Die Kleidung für den heutigen Abend hatte er sorgfältig ausgewählt. Er trug eine dunkelgrüne Jacke und eine wasserfeste Hose des amerikanischen Herstellers 5.11, des besten Anbieters auf dem Markt für taktische Ausrüstung. An seinen Füßen steckten abgetragene Lederstiefel, die sowohl bei einer Verfolgungsjagd als auch in einem Kampf stets sicheren Halt verliehen.

Je dunkler es wurde, desto heller schimmerten im Norden die Lichter des alten Novi Sad. Mochte die Stadt heutzutage auch lebhaft und anziehend wirken, wusste Bond doch um ihre finstere Vergangenheit. Nachdem die Ungarn im Januar 1942 Tausende der Einwohner niedergemetzelt und ihre Leichen in die eisige Donau geworfen hatten, war Novi Sad eine maßgebliche Triebfeder des Partisanenwiderstands geworden. Bond wollte hier heute Abend eine weitere Gräueltat verhindern, zwar anders geartet, aber von gleichem oder gar größerem Ausmaß.

Am gestrigen Samstag war in den britischen Nachrichtendiensten Alarm ausgelöst worden. Das GCHQ in Cheltenham hatte ein elektronisches Raunen entschlüsselt. Demnach stand in der folgenden Woche ein Anschlag bevor.

besprechung in noahs büro, bestätigen vorfall für freitag, den 20., abends, rechnen mit tausenden unmittelbaren opfern und nachteiligen auswirkungen auf britische interessen, transfer der zahlungen wie vereinbart.

Wenig später hatten die Lauscher der Regierung zudem eine zweite SMS geknackt, die vom selben Telefon mit demsel-

ben Verschlüsselungsalgorithmus an eine andere Nummer geschickt worden war.

treffen sonntag im restaurant rostilj bei novi sad, 20.00 uhr.
ich bin knapp eins neunzig groß, mit irischem akzent.

Dann hatte der Ire – der netterweise, wenn auch unfreiwillig,
für seinen eigenen Spitznamen gesorgt hatte – das Telefon zerstört oder den Akku herausgenommen, genau wie die Empfänger der beiden Nachrichten.

In London waren am Abend das Joint Intelligence Committee und Mitglieder des COBRA, des Großen Krisenstabs,
zusammengekommen, um eine Risikoeinschätzung des Vorfalls Zwanzig vorzunehmen, so benannt nach dem Datum des
Freitags.

Zum Initiator oder zur Natur der Bedrohung gab es keine
konkreten Erkenntnisse, aber nach Ansicht des MI6 lag der
Ursprung in den Stammesregionen Afghanistans, wo al-Qaida
und ihre Ableger dazu übergegangen waren, in den Ländern
Europas westliche Handlanger zu engagieren. Die britischen
Agenten in Kabul holten nun in großem Umfang weitere Informationen ein. Auch die serbische Spur musste verfolgt werden.
Und so hatten die langen Tentakel dieser Ereignisse am Sams-
tagabend um zweiundzwanzig Uhr nach Bond gegriffen und
ihn gepackt, als er gerade in einem exklusiven Restaurant an
der Charing Cross Road saß und einer schönen Frau lauschte,
die ihm ausführlich und ermüdend ihr Leben als verkannte Ma-
lerin schilderte. Die SMS in Bonds Mobiltelefon hatte gelautet:

NA-EIN, kontaktieren Sie Leitstelle.

»Na-ein« – der Hinweis auf einen Nachteinsatz bedeutete,
dass Bond unverzüglich reagieren musste, wann auch immer

die Nachricht empfangen wurde. Das Telefonat mit seinem Stabschef hatte zum Glück das Ende der abendlichen Verabredung bedeutet, und bald darauf war Bond auf dem Weg nach Serbien gewesen. Er hatte einen Einsatzbefehl der Stufe 2 erhalten und war autorisiert, den Iren zu identifizieren sowie Peilsender und andere Zielgeber zu nutzen, um ihm zu folgen. Falls das nicht möglich war, durfte Bond den Iren gewaltsam außer Gefecht setzen und zurück nach England schmuggeln oder ihn zu einem der geheimen Verhörzentren auf dem Kontinent verfrachten.

Daher lag Bond nun inmitten weißer Narzissen und achtete darauf, die Blätter jener hübschen, aber giftigen Frühlingsblume nicht zu berühren. Er konzentrierte sich auf den Blick durch das Vorderfenster des Restaurants Roštilj, in dem der Ire vor einem nahezu unberührten Teller saß und mit seinem bislang unbekannten, aber slawisch aussehenden Gegenüber sprach. Der Einheimische hatte an anderer Stelle geparkt und war zu Fuß hergekommen, womöglich aus Nervosität. Jedenfalls gab es kein Nummernschild, das Bond hätte überprüfen können.

Der Ire war weniger schüchtern gewesen und vierzig Minuten zuvor in einem unauffälligen Mercedes eingetroffen. Das Kennzeichen hatte ergeben, dass der Wagen an jenem Tag gegen Barzahlung und unter einem Decknamen gemietet worden war. Der Mann hatte dabei einen gefälschten britischen Führerschein und Reisepass vorgelegt. Er war ungefähr in Bonds Alter, vielleicht etwas älter, einen Meter achtundachtzig groß und schlank. Auf dem Weg ins Restaurant war er regelrecht gewatschelt, mit den Füßen nach außen gedreht. Eine seltsame blonde Ponyfrisur hing ihm über die hohe Stirn, und seine Wangenknochen wiesen nach unten auf ein markantes Kinn.

Bond war überzeugt, dass es sich bei diesem Mann um die

gesuchte Person handelte. Vor zwei Stunden hatte er in dem Restaurant eine Tasse Kaffee getrunken und am Eingang eine Wanze platziert. Zum angekündigten Zeitpunkt war dann der besagte Mann eingetroffen und hatte sich auf Englisch an den Oberkellner gewandt – langsam und laut, wie Ausländer dies häufig tun, wenn sie mit Einheimischen sprechen. Bond, der mittels einer App auf seinem Telefon aus dreißig Metern Entfernung zuhörte, hielt den Akzent für eindeutig aus Ulster stammend – höchstwahrscheinlich Belfast oder Umgebung. Das Treffen zwischen dem Iren und seinem hiesigen Kontakt fand leider außer Reichweite der Wanze statt.

Durch sein Fernrohr nahm Bond den Widersacher nun genau ins Visier und prägte sich alle Details ein. »Kleine Anhaltspunkte können dich retten, kleine Fehler dich töten«, hatten die Ausbilder in Fort Monckton stets gemahnt. Er registrierte, dass der Ire kontrolliert wirkte, ohne überflüssige Gesten. Als der andere eine Skizze zeichnete, zog der Ire sie mit dem Radiergummi eines Drehbleistifts zu sich heran, um keine Fingerabdrücke zu hinterlassen. Er saß mit dem Rücken zum Fenster und verdeckte sein Gegenüber; die Überwachungs-Apps in Bonds Mobiltelefon konnten bei keinem der beiden die Lippen lesen. Einmal drehte der Ire sich um und schaute nach draußen, als hätte sein sechster Sinn sich gemeldet. Die hellen Augen waren ausdruckslos. Nach einer Weile wandte er sich wieder dem Essen zu, das ihn offenbar nicht interessierte.

Das Treffen schien sich dem Ende zuzuneigen. Bond verließ die Hügelkuppe und schlich den Hang hinunter, vorbei an vereinzelten Fichten und Kiefern und durch karges Unterholz, in dem überall die weißen Blumen wuchsen. Er sah erneut das verblasste Schild mit serbischer, französischer und englischer Aufschrift, über das er sich schon bei seiner Ankunft amüsiert hatte:

KURHOTEL UND RESTAURANT ROŠTILJ
Gelegen in ein erklärte Erholungsgebiet,
empfohlen von allen für Genesung nach Chirurgie,
besonders hilfreich bei akute und chronische Krankheit
von Atemorgane und Blutarmut.
Besuchen Sie unsere gut sortierte Bar!

Er kehrte zurück zu dem Treffpunkt hinter dem baufälligen Schuppen, der nach Motoröl, Benzin und Pisse stank, unweit der Auffahrt zum Restaurant. Seine beiden »Genossen«, wie er sie insgeheim nannte, warteten hier auf ihn.

James Bond zog es eigentlich vor, allein zu arbeiten, aber sein Plan erforderte zwei einheimische Agenten. Sie gehörten zum BIA, dem serbischen Sicherheitsinformationsdienst, was so ziemlich die harmloseste Bezeichnung für eine Spionagetruppe war, die man sich vorstellen konnte. Zur Tarnung trugen die Männer die Uniform der Polizei von Novi Sad mit dem goldenen Abzeichen des Innenministeriums.

Sie hatten vierschrötige Gesichter, runde Köpfe, nie ein Lächeln auf den Lippen und kurz geschorene Haare unter blauen Schirmmützen. Die Wolluniformen hatten die gleiche Farbe. Einer der Kerle war etwa vierzig, der andere fünfundzwanzig. Ungeachtet ihrer vermeintlichen Zugehörigkeit zur gewöhnlichen Polizei hatten sie genügend Waffen mitgebracht, um einen Krieg vom Zaun zu brechen. Am Leib trugen sie schwere Beretta-Pistolen und haufenweise Munition. Auf der Rückbank des geliehenen Polizeiwagens, eines VW Jetta, lagen zwei Kalaschnikow-Sturmgewehre mit grünem Tarnanstrich, eine Uzi sowie ein Leinenbeutel voller Handgranaten – und zwar ernst zu nehmende, Schweizer HG 85er.

Bond wandte sich an den älteren Agenten, doch noch bevor er etwas sagen konnte, hörte er hinter sich ein lautes Klatschen. Er fuhr herum, griff nach seiner Walther PPS – und sah den

21

jüngeren Serben, der mit einer Schachtel Zigaretten fest auf die Handfläche schlug. Bond, ein ehemaliger Raucher, hatte dieses Ritual schon immer völlig lächerlich und überflüssig gefunden.

Was *dachte* der Kerl sich nur dabei?

»Ruhe!«, flüsterte Bond eisig. »Und stecken Sie die weg. Hier wird nicht geraucht.«

Die dunklen Augen musterten ihn verblüfft. »Mein Bruder raucht die ganze Zeit, wenn er im Außeneinsatz ist. In Serbien wirkt das normaler, als *nicht* zu rauchen.« Auf der Fahrt hierher hatte der junge Mann endlos von seinem Bruder geschwafelt, einem leitenden Angehörigen der berüchtigten JSO, technisch gesehen einer Abteilung des Geheimdienstes, wenngleich Bond wusste, dass es sich in Wahrheit um eine paramilitärische Spezialeinheit für verdeckte Operationen handelte. Der junge Agent hatte durchblicken lassen – vermutlich absichtlich, denn er war dabei hörbar stolz gewesen –, dass sein großer Bruder zu Arkans Tigern gehört hatte, einer skrupellosen Bande, auf deren Konto einige der schlimmsten Gräueltaten der Kämpfe in Kroatien, Bosnien und im Kosovo gingen.

»Auf den Straßen von Belgrad mag das so sein, aber das hier ist ein taktischer Einsatz«, murmelte Bond. »Stecken Sie sie ein.«

Der Agent gehorchte zögernd. Er schien etwas zu seinem Partner sagen zu wollen, besann sich dann aber eines Besseren. Vielleicht war ihm eingefallen, dass Bond etwas Serbokroatisch verstand.

Bond sah wieder in das Restaurant, wo der Ire soeben einige Scheine auf das kleine Metalltablett legte – selbstverständlich benutzte er keine zurückverfolgbare Kreditkarte. Der andere Mann zog gerade seine Jacke an.

»Okay, es geht los.« Bond wiederholte den Plan. Sie würden dem Mercedes des Iren mit dem Polizeiwagen folgen, bis er sich etwa anderthalb Kilometer von dem Restaurant entfernt hatte. Dann würden die serbischen Agenten das Fahrzeug anhalten und behaupten, es passe zur Beschreibung eines Wagens, der bei einem Drogenverbrechen in Novi Sad benutzt worden sei. Der Ire würde höflich zum Aussteigen aufgefordert und mit Handschellen gefesselt werden. Sein Mobiltelefon, seine Brieftasche und alle Papiere würden auf den Kofferraum des Mercedes gelegt. Dann würde man ihn wegführen und mit dem Rücken zum Fahrzeug am Straßenrand Platz nehmen lassen.

Bond würde sich unterdessen von der Rückbank des Jetta schleichen, die Dokumente fotografieren, den Inhalt des Telefons herunterladen, etwaige Laptops und Gepäckstücke durchsuchen und dann diverse Peilsender installieren.

Der Ire würde den Eindruck bekommen, dass die Polizei ihn als Ausländer anscheinend schikanieren wollte. Daraufhin würde er ein angemessenes Bestechungsgeld anbieten und dann seinen Weg fortsetzen können.

Falls der einheimische Partner das Restaurant zusammen mit ihm verließ, würden sie denselben Plan durchführen, nur eben mit beiden Beteiligten.

»Also, ich bin mir zu neunzig Prozent sicher, dass er Ihnen die Vorstellung abkauft«, sagte Bond. »Falls jedoch nicht und er greift Sie an, vergessen Sie nicht, dass er unter keinen Umständen getötet werden darf. Ich brauche ihn lebend. Zielen Sie auf den Arm, den er bevorzugt, und zwar in die Nähe des Ellbogens, nicht auf die Schulter.« Im Gegensatz zu dem, was man im Kino zu sehen bekam, war eine Schulterverletzung meistens ebenso tödlich wie ein Schuss in den Bauch oder die Brust.

Der Ire trat nun nach draußen, die Füße auswärts gewandt. Er blieb stehen und schaute sich um. Hatte sich etwas verändert?, würde er denken. Es waren seit seiner Ankunft weitere Fahrzeuge eingetroffen; kam ihm daran irgendwas ungewöhnlich vor? Er schöpfte offenbar keinen Verdacht. Die beiden Männer stiegen in den Mercedes.

»Sie fahren zu zweit los«, sagte Bond. »Wir bleiben bei unserem Plan.«

»*Da*.«

Der Ire ließ den Motor an. Schaltete die Scheinwerfer ein.

Bond vergewisserte sich, dass seine Walther fest in ihrem Lederholster steckte, und stieg hinten in den Polizeiwagen ein. Auf dem Fahrzeugboden lag eine leere Getränkedose. Während Bond auf Beobachtungsposten gewesen war, hatte einer seiner Genossen sich ein Jelen Pivo gegönnt, das Bier mit dem Hirschkopf. Die Insubordination ärgerte ihn mehr als die Sorglosigkeit. Der Ire könnte Verdacht schöpfen, wenn er von einem Polizisten angehalten wurde, dessen Atem nach Bier roch. Das Ego und die Gier eines Mannes kann man sich zunutze machen, glaubte Bond, doch Inkompetenz stellt lediglich eine unentschuldbare Gefahr dar.

Die Serben nahmen auf den Vordersitzen Platz. Der Motor erwachte zum Leben. Bond klopfte gegen den Ohrhörer seines SRAC, des Short-Range Agent Communication Device, mit dem im Verlauf taktischer Operationen ein verschlüsselter Funkverkehr möglich war. »Kanal zwei«, erinnerte er sie.

»*Da, da*«. Der ältere Mann klang gelangweilt. Die beiden steckten sich die Knöpfe ins Ohr.

Und James Bond fragte sich erneut: Hatte er das hier gründlich genug bedacht? Trotz aller Eile, mit der dieser Einsatz veranlasst worden war, hatte Bond vier Stunden auf die Planung verwandt. Er glaubte, alle denkbaren Möglichkeiten in Erwägung gezogen zu haben.

Außer einer, wie es schien.

Der Ire tat nicht, was er unbedingt tun musste.

Er fuhr nicht weg.

Der Mercedes bog nicht etwa in die Auffahrt ein, sondern

rollte vom Parkplatz auf den Rasen neben dem Restaurant, verdeckt durch eine hohe Hecke, sodass Personal und Gäste ihn nicht sehen konnten. Er steuerte auf ein mit Unkraut bewachsenes Feld im Osten zu.

»*Govno!*«, rief der jüngere Agent. »Was macht er denn da?« Die drei Männer stiegen aus, um besser sehen zu können. Der Ältere zog seine Pistole und wollte dem Wagen hinterherlaufen.

Bond hielt ihn zurück. »Nein! Warten Sie.«

»Er entkommt. Er hat uns bemerkt!«

»Nein – das hat einen anderen Grund.« Der Ire fuhr nicht, als würde er verfolgt, sondern ließ den Mercedes langsam voranrollen, wie ein Boot in der sanften Morgendünung. Außerdem gab es nichts, *wohin* er hätte fliehen können. Das Gelände wurde eingerahmt durch die Klippen oberhalb der Donau, den Bahndamm und den Wald auf den Hängen der Fruška Gora.

Bond beobachtete, wie der Mercedes in etwa hundert Metern Entfernung die Schienen erreichte. Der Wagen bremste, machte eine Kehrtwende und hielt an. Die Haube zeigte nun wieder in Richtung des Restaurants. In der Nähe stand ein Schuppen der Bahn, und es gab eine Weiche, an der ein zweites Gleis vom Hauptstrang abzweigte. Die beiden Männer stiegen aus, und der Ire holte etwas aus dem Kofferraum.

Du musst auf Handlungen des Gegners angemessen reagieren – Bond rezitierte in Gedanken eine weitere Grundregel aus dem Ausbildungszentrum von Fort Monckton bei Gosport. Du musst die Absicht des anderen ergründen.

Doch was hatte der Ire vor?

Bond nahm abermals das Fernrohr zur Hand, schaltete den Restlichtverstärker ein und stellte das Bild scharf. Der Partner öffnete soeben die Klappe eines der Signale neben den Schienen und fing an, im Innern herumzufummeln. Bond sah, dass das abzweigende Gleis verrostet und stillgelegt war. Es endete auf einem Hügel an einer Barriere.

Demnach ging es um Sabotage. Sie wollten den Zug umleiten und entgleisen lassen. Die Waggons würden den Hügel hinunterstürzen und in einem Bach landen, der in die Donau mündete.

Aber warum?

Bond richtete das Fernrohr auf die Diesellok und ihre Waggons und sah die Antwort. Die ersten beiden Wagen hatten bloß Altmetall geladen, doch hinter ihnen stand auf der Plane eines Tiefladers *Opasnost!* geschrieben. *Gefahr!* Außerdem prangte dort das international gültige diamantförmige Symbol für Gefahrgut, das im Notfall den Rettern Aufschluss über den genauen Inhalt einer Ladung gab. Beunruhigenderweise hatte dieser Diamant hier hohe Werte in allen drei Kategorien: Gesundheitsrisiko, Instabilität und Entzündlichkeit. Das *W* darunter bedeutete, dass die Substanz auf kritische Weise mit Wasser reagieren würde. Was auch immer auf diesem Waggon verladen war, es zählte zur tödlichsten Gefahrenstufe, abgesehen von nuklearem Material.

Der Zug befand sich nur noch etwas mehr als einen Kilometer von der Weiche entfernt und legte vor der Steigung zur Brücke an Tempo zu.

Du musst auf Handlungen des Gegners angemessen reagieren...

Er wusste nicht, inwiefern – falls überhaupt – dieser Sabotageakt mit Vorfall Zwanzig zusammenhing, aber die unmittelbare Absicht der beiden Männer war klar. Ebenso die Reaktion, die Bond nun instinktiv beschloss. »Falls die zwei verschwinden wollen, stoppen Sie sie in der Auffahrt und nehmen sie fest«, wandte er sich an die Genossen. »Ohne die Anwendung tödlicher Gewalt.«

Er sprang auf den Fahrersitz des Jetta, visierte die Wiese an, von der aus er zuvor das Restaurant beobachtet hatte, trat das Gaspedal durch und ließ die Kupplung kommen. Unter lautstarkem Protest von Motor und Getriebe schoss der leichte Wagen voran und pflügte über Büsche, Schösslinge, Narzissen und die in Serbien allgegenwärtigen Himbeersträucher hinweg. Hunde ergriffen die Flucht, und in den kleinen Häusern der Nachbarschaft gingen die Lichter an. Manch Anwohner drohte wütend von seinem Garten aus.

Bond ignorierte die Leute und konzentrierte sich darauf, die Geschwindigkeit zu halten, während er sein Ziel ansteuerte, angeleitet allein durch zwei spärliche Lichtquellen: ein zunehmender Mond über ihm und der Scheinwerfer des Unglückszuges, der weitaus heller und runder als die Himmelsleuchte war.

3

Der bevorstehende Tod machte ihm zu schaffen.

Niall Dunne hockte keine zehn Meter von der Weiche entfernt im hohen Gras. Er kniff die Augen zusammen und spähte durch die Abenddämmerung dem Führerhaus des serbischen Lokführers entgegen, der mit seinem Frachtzug immer näher kam. Erneut dachte er: eine Tragödie.

Zunächst mal war Tod für gewöhnlich eine Verschwendung, und Dunne konnte Verschwendung nicht ausstehen – sie kam ihm fast wie eine Sünde vor. Dieseltriebwerke, Hydraulikpumpen, Zugbrücken, Elektromotoren, Computer, Fließbänder … alle Maschinen waren so konstruiert, dass sie ihre Arbeit möglichst effizient erledigten.

Tod war eine Vergeudung von Ressourcen.

Doch heute Abend schien kein Weg daran vorbeizuführen.

Er schaute nach Süden, zu den weiß schimmernden Schienen im Licht des Zugscheinwerfers. Dann sah er sich um. Der Mercedes stand so, dass er vom Zug aus nicht entdeckt werden konnte. Auch dieser Stellplatz zählte zu den von Dunne präzise bedachten Details des heutigen Abends. Er erinnerte sich an die Stimme seines Bosses.

Das ist Niall. Er ist brillant. Er ist bei mir für die Planung zuständig …

Dunne glaubte im Führerhaus der Lok nun den Umriss eines Kopfes ausmachen zu können.

Tod … Er versuchte, den Gedanken abzuschütteln.

Der Zug war noch vier- oder fünfhundert Meter entfernt.

Aldo Karic gesellte sich zu ihm.

»Was ist mit der Geschwindigkeit?«, wandte Dunne sich an den Serben mittleren Alters. »Ist die in Ordnung? Er kommt mir so langsam vor.«

»Nein, ist gut«, radebrechte der Serbe auf Englisch. »Wird jetzt schneller – sehen Sie. Sie können erkennen. Ist gut.« Karic, ein brummiger Mann, atmete tief durch. Er wirkte schon den ganzen Abend nervös – nicht etwa, so hatte er eingeräumt, weil man ihn verhaften oder feuern könnte, sondern weil es so schwierig sein würde, die zehntausend Euro vor allen anderen geheim zu halten, auch vor seiner Frau und den beiden Kindern.

Dunne musterte abermals den Zug und zog dessen Geschwindigkeit und Masse sowie die Steigung des Geländes in Betracht. Ja, es *war* gut. Mittlerweile würde es physikalisch unmöglich sein, den Zug zum Stehen zu bringen, bevor er die manipulierte Weiche erreichte, ganz gleich, ob nun jemand versuchen würde, dem Lokführer von draußen ein Zeichen zu geben, oder ob sogar ein Vorgesetzter in Belgrad mitbekam, dass etwas nicht stimmte, im Führerhaus anrief und eine Notbremsung befahl.

Manchmal ist der Tod eben unvermeidbar, rief Dunne sich ins Gedächtnis.

Der Zug war nun noch dreihundert Meter entfernt.

In neunzig Sekunden würde alles vorbei sein. Und dann…

Doch was war das? Dunne registrierte auf einem nahen Feld plötzlich eine Bewegung. Irgendein undefinierbarer Schemen raste über den unebenen Boden direkt auf das Gleis zu. »Sehen Sie das?«, fragte er Karic.

Der Serbe erschrak. »Ja, ich sehe… Das ist ein Auto! Was ist los?«

Tatsache. Im fahlen Mondschein erkannte nun auch Dunne

das helle Fahrzeug, das über Bodenwellen hinwegschoss und Bäumen und Zaunresten auswich. Wie konnte der Fahrer auf so einem Untergrund nur ein dermaßen hohes Tempo beibehalten? Es schien unmöglich.

Vielleicht irgendwelche Teenager, die eines ihrer dämlichen Spiele spielten? Dunne stellte aufs Neue einige Berechnungen an. Falls der Wagen nicht langsamer wurde, könnte er die Schienen einige Sekunden vor dem Zug überqueren… aber der Fahrer würde das Gleis überspringen müssen; es gab hier keinen regulären Bahnübergang. Falls das Fahrzeug auf dem Gleis hängen blieb, würde die Diesellok es wie eine Konservendose zerquetschen. Wie dem auch sei, es hatte keine Auswirkungen auf Dunnes Mission. Das winzige Auto würde beiseitegeschleudert werden, und der Zug würde seinen Weg auf das tödliche Gleis fortsetzen.

Halt – Moment – was war *das*? Dunne erkannte, dass es sich um einen Streifenwagen handelte. Aber wieso ohne Blaulicht oder Sirene? Das Fahrzeug musste gestohlen sein. Ein Selbstmord?

Doch der Fahrer des Polizeiwagens hatte nicht die Absicht, auf den Schienen zu halten oder sie gar zu überqueren. Nach einem letzten Satz über eine Bodenwelle krachte der Wagen auf die Erde und kam schlitternd zum Stehen, gleich neben dem Bahndamm, ungefähr fünfzig Meter vor dem Zug. Der Fahrer sprang heraus – ein Mann. Er trug dunkle Kleidung. Dunne konnte ihn nicht deutlich sehen, doch er schien kein Polizist zu sein. Und er versuchte auch nicht, dem Lokführer ein Zeichen zu geben. Er rannte mitten auf das Gleis und kniete sich ruhig hin, direkt vor die Lokomotive, die mit achtzig oder neunzig Kilometern pro Stunde auf ihn zuraste.

Das Signalhorn dröhnte hektisch durch die Nacht, und orangefarbene Funken stoben von den blockierenden Rädern auf.

Als der Zug nur noch wenige Meter entfernt war, hechtete der Mann von den Schienen und verschwand im Graben.

»Was geht da vor sich?«, flüsterte Karic.

In diesem Moment blitzte es vor der Lok gelblich weiß auf, und gleich darauf vernahm Dunne einen Knall, den er wiedererkannte: die Explosion einer kleinen Sprengladung oder einer Granate. Sekunden später ging die nächste Ladung hoch.

Wie es schien, hatte der Fahrer des Polizeiwagens eigene Pläne.

Mit denen er Dunnes Plan durchkreuzte.

Nein, das war kein Polizist oder Selbstmordkandidat, sondern ein Profi mit Sprengstoffkenntnissen. Die erste Explosion hatte die Schienennägel herausgerissen, mit denen das Gleis auf den hölzernen Schwellen befestigt war, die zweite dann die gelockerte Schiene ein Stück zur Seite geschoben, sodass die linken vorderen Räder der Diesellok entgleisen würden.

Karic murmelte etwas auf Serbisch. Dunne ignorierte ihn und sah den runden Scheinwerfer der Lok ins Schwanken geraten. Dann glitten die Lok und die schweren Waggons hinter ihr mit lautem Rattern und furchtbarem Kreischen von den Schienen und frästen sich einen Weg durch die Erde und den Schotter des Gleisbetts. Eine gewaltige Staubwolke stieg auf.

4

Vom Graben aus beobachtete James Bond, wie die Lokomotive und die Waggons sich in den weichen Boden gruben und immer langsamer wurden, während sie die Schienen von den Schwellen schälten und Sand, Dreck und Steine in alle Richtungen schleuderten. Schließlich stand er auf, um sich einen besseren Überblick zu verschaffen. Ihm waren nur wenige Minuten geblieben, um das Unglück zu verhindern, bei dem eine tödliche Substanz in die Donau gelangt wäre. Nachdem er den Jetta zum Stehen gebracht hatte, hatte er sich zwei der Granaten von der Rückbank geschnappt und sie auf den Schienen platziert.

Die Lokomotive und Waggons waren wie erwartet aufrecht geblieben und nicht in den Bach gekippt. Bond hatte *seine* Entgleisung auf einem ebenen Stück Boden durchgeführt, im Gegensatz zu der beabsichtigten Sabotage des Iren. Nun kam der Zug zischend, ächzend und knarrend unweit des Iren und seines Partners zum Stillstand, wenngleich Bond sie in all dem Staub und Rauch nicht sehen konnte.

»Hier Teamführer Eins«, sprach er in das Mikrofon des SRAC. »Hören Sie mich?« Stille. »Sind Sie da?«, knurrte er. »Antworten Sie.« Bond massierte sich die Schulter, wo ein heißer Metallsplitter seine Jacke zerfetzt und die Haut aufgeschlitzt hatte.

Ein Knistern. Dann endlich: »Der Zug ist entgleist!« Es war die Stimme des älteren Serben. »Haben Sie das gesehen? Wo sind Sie?«

»Hören Sie genau zu.«

»Was ist passiert?«

»Hören Sie! Wir haben nicht viel Zeit. Ich schätze, die beiden werden versuchen, die Gefahrgutbehälter zu sprengen oder unter Beschuss zu nehmen. Denen bleibt keine andere Möglichkeit, um den Inhalt freizusetzen. Ich werde das Feuer eröffnen und die zwei Männer zu ihrem Wagen zurückdrängen. Warten Sie, bis der Mercedes die schlammige Stelle in der Nähe des Restaurants erreicht. Dann zerschießen Sie die Reifen und lassen die beiden nicht aussteigen.«

»Wir sollten sie uns sofort schnappen!«

»Nein. Tun Sie nichts, bis die Männer beim Restaurant sind. In dem Mercedes haben sie keine Deckung und müssen sich ergeben. Haben Sie mich verstanden?«

Das SRAC blieb stumm.

Verdammt. Bond lief durch den Staub zu der Stelle, wo der dritte Waggon, der mit dem Gefahrgut, darauf wartete, auseinandergenommen zu werden.

Niall Dunne versuchte zu begreifen, was da gerade geschehen war. Er hatte gewusst, dass er vielleicht würde improvisieren müssen, aber hiermit hatte er nicht gerechnet: mit einem Präventivschlag durch einen unbekannten Gegner.

Er spähte vorsichtig hinter dem Gebüsch hervor. Die Lokomotive stand ganz in der Nähe, rauchte, klickte, zischte. Der Angreifer war unsichtbar, verborgen im Dunkel der Nacht, dem Staub und Qualm. Womöglich war der Mann zerquetscht worden. Oder geflohen. Dunne warf sich den Rucksack über die Schulter und schlich auf die andere Seite der Lok, wo die entgleisten Waggons ihm Deckung bieten würden – für den Fall, dass der Feind noch am Leben und vor Ort war.

Dunne empfand sogar eine gewisse Erleichterung, so seltsam das klingen mochte. Der Tod war abgewendet worden. Dunne hatte sich darauf vorbereitet, sich gewappnet – der Wunsch seines Bosses war ihm natürlich Befehl –, aber die Einmischung des Fremden hatte ihnen einen Strich durch die Rechnung gemacht.

Beim Anblick der riesigen Diesellok verspürte er unwillkürlich Bewunderung. Es war eine amerikanische General Electric Dash 8-40B, alt und verbeult, wie man sie auf dem Balkan häufig zu sehen bekam, aber dennoch eine klassische Schönheit mit viertausend Pferdestärken. Er betrachtete die Stahlbleche, die Räder, Abzugsöffnungen, Achslager und Ventile, die Federn, Schläuche und Leitungen... alle so prächtig und elegant in ihrer schlichten Funktionalität. Ja, es war wirklich eine große Erleichterung, dass...

Er erschrak, denn ein Mann torkelte auf ihn zu und flehte um Hilfe. Der Lokführer. Dunne schoss ihm zweimal in den Kopf.

Es war eine wirklich große Erleichterung, dass Dunne entgegen seiner Befürchtung nicht gezwungen gewesen war, den Tod dieser wundervollen Maschine zu verursachen. Er strich mit der Hand über die Flanke der Lokomotive, so wie ein Vater das Haar seines kranken Kindes streicheln würde, dessen Fieber endlich zurückging. In ein paar Monaten würde die Lok wieder im Einsatz sein.

Niall Dunne zog den Rucksack höher die Schulter hinauf und schob sich zwischen die Waggons, um mit der Arbeit zu beginnen.

5

Die beiden Schüsse, die James Bond gehört hatte, hatten nicht dem Gefahrgutwaggon gegolten – den behielt er aus fünfundzwanzig Metern Entfernung im Blick. Er vermutete, dass der Lokführer und eventuell ein Begleiter nun tot waren.

Dann entdeckte er inmitten der Staubschwaden den Iren. Er stand mit einer schwarzen Pistole in der Hand zwischen den beiden schräg stehenden Altmetallwaggons direkt hinter der Lok. Ein offenbar voller Rucksack hing über seiner Schulter. Falls er vorhatte, die Gefahrgutbehälter zu sprengen, hatte er die Ladungen anscheinend noch nicht angebracht.

Bond zielte und schoss zweimal dicht neben den Iren, um ihn zu dem Mercedes zurückzutreiben. Der Mann duckte sich erschrocken und verschwand sogleich.

Bond schaute in Richtung des Restaurants und des geparkten Mercedes. Seine Miene verhärtete sich. Die serbischen Agenten waren seinen Anweisungen nicht gefolgt. Sie hatten den Komplizen des Iren überwältigt und ihm eine Nylonfessel angelegt. Nun umrundeten sie den Bahnschuppen und näherten sich dem Zug.

Inkompetenz…

Bond rappelte sich auf und lief geduckt auf sie zu.

Die Serben deuteten auf die Schienen. Der Rucksack stand mittlerweile unweit der Lok zwischen einigen hohen Pflanzen auf dem Boden, und dahinter lag ein Mann. Die Agenten hielten vorsichtig darauf zu.

Der Rucksack war der des Iren ... aber der war natürlich nicht der Mann dahinter. Wahrscheinlich handelte es sich um den toten Lokführer.

»Nein«, flüsterte Bond in das SRAC. »Das ist ein Trick! ... Können Sie mich hören?«

Doch der ältere Agent beachtete ihn nicht, sondern trat vor und rief: » *Ne mrdaj!* Keine Bewegung!«

In diesem Moment beugte der Ire sich aus dem Führerhaus der Lok und gab aus seiner Pistole mehrere Schüsse ab. Der Serbe wurde am Kopf getroffen und sackte zu Boden.

Sein jüngerer Kollege nahm an, dass der Mann hinter dem Rucksack gefeuert hatte, und entleerte seine automatische Waffe in den Leichnam des Lokführers.

» *Opasnost!*«, rief Bond.

Aber es war zu spät. Der Ire beugte sich erneut aus dem Führerhaus und schoss dem jüngeren Agenten oberhalb des Ellbogens in den rechten Arm. Der Serbe ließ schreiend die Waffe fallen und kippte nach hinten.

Während der Ire vom Zug sprang, gab er ein halbes Dutzend Schüsse auf Bond ab, der das Feuer erwiderte und dabei die Füße und Knöchel anvisierte. Doch die Rauch- und Staubschwaden waren immer noch dicht, und er verfehlte sein Ziel. Der Ire steckte die Waffe ein, schulterte den Rucksack und zerrte den jüngeren Agenten in Richtung des Mercedes. Sie verschwanden außer Sicht.

Bond lief zurück zu dem Jetta, sprang hinein und fuhr los. Wenig später schoss er über eine Hügelkuppe und landete schlitternd auf dem Feld hinter dem Restaurant Roštilj. Es herrschte absolutes Chaos. Personal und Gäste flohen panisch. Der Mercedes war weg. Bond schaute zurück zu dem entgleisten Zug. Der Ire hatte nicht nur den älteren Agenten getötet, sondern auch seinen eigenen Komplizen – den Serben, mit dem er zu Abend gegessen hatte. Der Mann lag noch immer gefesselt auf dem Bauch. Der Ire hatte ihn einfach erschossen.

Bond stieg aus dem Wagen und filzte den Toten, aber der Ire hatte dem Mann die Brieftasche und auch alles andere abgenommen. Bond zog seine Sonnenbrille aus der Tasche, wischte sie sauber und presste Daumen und Zeigefinger des Leichnams auf die Gläser. Er kehrte zum Jetta zurück und nahm die Verfolgung des Mercedes auf, raste mit hundertzehn Kilometern pro Stunde über die gewundene Straße voller Schlaglöcher.

Nach einigen Minuten sah er in einer Parkbucht etwas Helles liegen. Er stieg auf die Bremse, konnte mit Mühe das Ausbrechen des Hecks verhindern und hielt an. Der Wagen wurde vom Qualm der eigenen Reifen eingehüllt. Am Straßenrand lag der jüngere Agent. Bond stieg aus und beugte sich über den zitternden und jammernden Mann. Die Schussverletzung am Arm war ernst, und er hatte viel Blut verloren. Einer seiner Schuhe fehlte, desgleichen ein Zehennagel. Der Ire hatte ihn gefoltert.

Bond klappte sein Messer auf, schnitt mit der rasiermesserscharfen Klinge einen Streifen vom Hemd des Mannes ab, nahm einen Zweig vom Wegesrand und drehte damit den Wollstreifen immer enger, um den Oberarm abzubinden. Dann beugte er sich vor und wischte dem Serben den Schweiß von der Stirn. »Wo ist er hin?«

Keuchend und mit schmerzverzerrter Miene plapperte der Verwundete auf Serbokroatisch los. Dann begriff er, wer Bond war. »Verständigen Sie meinen Bruder … Sie müssen mich ins Krankenhaus bringen, dann nenne ich Ihnen einen Ort.«

»Ich muss wissen, wo er ist.«

»Ich habe nichts verraten. Er hat es versucht. Aber ich habe nichts über Sie gesagt.«

Der Junge hatte mit Sicherheit alles ausgeplaudert, was er über die Operation wusste, aber das war jetzt nicht das Thema. »Wo ist er hin?«, wiederholte Bond.

»Das Krankenhaus… Bringen Sie mich hin, und ich sage Ihnen, wo er ist.«

»Reden Sie, oder Sie sind in fünf Minuten tot«, erwiderte Bond ruhig und löste die Aderpresse am rechten Arm des jungen Mannes. Blut schoss hervor.

Der Serbe blinzelte. Er hatte Tränen in den Augen. »Also gut! Scheißkerl! Er hat gefragt, wie er von der M-21, der Schnellstraße, zur E-75 kommt, der Autobahn. Die führt nach Ungarn. Er will nach Norden. Bitte!«

Bond band den Arm wieder ab. Er wusste natürlich, dass der Ire nicht nach Norden unterwegs war; der Mann war ein skrupelloser, schlauer Taktiker und brauchte nicht nach dem Weg zu fragen. Bond sah in dem Iren die eigene Hingabe an das Handwerk widergespiegelt. Noch vor seiner Ankunft in Serbien würde der Mann sich die Umgebung von Novi Sad in allen Einzelheiten eingeprägt haben. Und er würde auf der M-21, der einzigen größeren Straße in der Nähe, nach *Süden* fahren. Sein Ziel dürfte Belgrad oder ein vorbereiteter Ort zur Evakuierung sein.

Bond klopfte die Taschen des jungen Agenten ab, nahm dessen Mobiltelefon und wählte die 112, den Notruf. Als eine Frau sich meldete, legte er das Telefon neben den Mund des Mannes und rannte zurück zu dem Jetta. Dann erforderte die unebene Straße bei hoher Geschwindigkeit seine volle Aufmerksamkeit, und er konzentrierte sich aufs Bremsen und Lenken.

Er raste in eine Kurve, und der Wagen rutschte über die weiße Mittellinie. Ein großer Lastwagen mit kyrillischem Logo kam ihm entgegen und wich seitlich aus. Der Fahrer ließ wütend die Hupe ertönen. Bond riss das Steuer herum, kehrte auf die rechte Fahrspur zurück und vermied eine Kollision um nur wenige Zentimeter. Dann jagte er weiter. Der Ire war die einzige Verbindung zu Noah und den für Freitag angekündigten Tausenden von Opfern.

Fünf Minuten später, kurz vor der M-21, verringerte Bond das Tempo. Ein Stück voraus sah er ein orangefarbenes Flackern, dazu aufsteigende Rauchschwaden, die Mond und Sterne verhüllten. Kurz darauf traf er an der Unfallstelle ein. Der Ire war aus einer engen Kehre und auf einen vermeintlich breiten Seitenstreifen gerutscht, hinter dessen Büschen es jedoch steil nach unten ging. Dort lag der Wagen nun auf dem Dach. Der Motorraum brannte.

Bond hielt an, zog den Zündschlüssel des Jetta ab und stieg aus. Dann nahm er die Walther und eilte halb laufend, halb schlitternd den Hügel hinunter auf den Mercedes zu. Dabei hielt er nach Gefahren Ausschau, konnte aber keine entdecken. Kurz vor dem Wagen blieb er stehen. Der Ire war tot. Er hing angeschnallt kopfüber im Fahrersitz, und die Arme baumelten nach unten. Blut bedeckte Gesicht und Hals und tropfte auf den Fahrzeughimmel.

Der Qualm ließ Bond die Augen zusammenkneifen. Er trat das Seitenfenster ein, um den Leichnam zu bergen und ihm die Taschen zu leeren. Dann würde er den Kofferraum nach Gepäck und Laptops durchsuchen.

Er klappte sein Messer auf, um den Sicherheitsgurt zu durchtrennen. Aus der Ferne näherten sich Sirenen. Bond sah zur Straße hinauf. Die Löschfahrzeuge waren noch mehrere Meilen entfernt, würden aber bald eintreffen. Beeilung! Die Flammen schlugen immer höher aus dem Motorraum. Der Rauch war beißend.

Bond setzte die Klinge an und dachte plötzlich: Die Feuerwehr? So schnell?

Das ergab keinen Sinn. Die Polizei, ja. Aber nicht die Feuerwehr. Er packte den Mann bei den blutigen Haaren und drehte den Kopf.

Das war nicht der Ire. Der Tote trug eine Jacke mit der gleichen kyrillischen Aufschrift wie der Laster, mit dem Bond beinahe zusammengestoßen wäre. Der Ire hatte den Lkw angehalten, dem Fahrer die Kehle durchgeschnitten, ihn in den Mercedes gesetzt und den Wagen über die Kante geschoben. Dann hatte er die örtliche Feuerwehr verständigt, um den Verkehr zu verlangsamen und Bond abzuhängen.

Den Rucksack und alles andere aus dem Kofferraum hatte der Ire natürlich mitgenommen. In Höhe der Rückbank lagen allerdings zwei Stücke Papier auf dem Fahrzeughimmel. Bond schnappte sie sich und steckte sie ein, bevor die Flammen ihn zum Rückzug zwangen. Er lief zurück zu dem Jetta und raste in Richtung M-21 davon. Die sich nähernden Blinklichter blieben hinter ihm zurück.

Dann zog er sein Mobiltelefon aus der Tasche. Es ähnelte einem iPhone, war aber etwas größer und mit besonderen Optik-, Audio- und anderen Systemen ausgestattet. Außerdem enthielt es zwei Telefone – eines, das auf die offizielle oder inoffizielle Tarnidentität eines Agenten registriert werden konnte, sowie eine versteckte Einheit mit diversen Verschlüsselungspaketen und Hunderten von Apps für den taktischen Einsatz. (Da das Gerät von der Abteilung Q entwickelt worden war, hatte es keinen Tag gedauert, bis irgendein Witzbold im Büro die Dinger »iQPhones« taufte.)

Bond öffnete eine App, die ihn sogleich mit einer Lauschstation des GCHQ verband. Dann gab er dem Stimmerkennungssystem eine mündliche Beschreibung des gelben Lastwagens vom Typ Zastava Eurozeta, den der Ire fuhr. Der Computer in Cheltenham würde automatisch Bonds gegenwärtigen Standort sowie die möglichen Routen des Lkw ermitteln und dann den Satelliten anweisen, alle passenden Fahrzeuge in der näheren Umgebung ausfindig zu machen und zu verfolgen.

Fünf Minuten später summte das Telefon. Hervorragend. Bond sah auf das Display.

Doch die Nachricht stammte nicht von den Schnüfflern.

Sie kam von Bill Tanner, Bonds Stabschef. Der Betreff lautete ABTAUCHEN – also ein dringender Notfall.

Bond schaute fortwährend zwischen Straße und Telefon hin und her und las weiter.

GCHQ hat Meldung aufgefangen: Serbischer Agent aus Vorfall-20-Einsatz auf Weg ins Krankenhaus gestorben. Hat angegeben, Sie hätten ihn im Stich gelassen. Serben haben Ihre Festnahme angeordnet. Sofort abbrechen und evakuieren.

MONTAG

Der Lumpensammler

6

Nach dreieinhalb Stunden Schlaf wurde James Bond in seiner Wohnung in Chelsea um sieben Uhr morgens durch den elektronischen Weckton seines Mobiltelefons geweckt. Seine Augen richteten sich auf die weiße Decke des kleinen Schlafzimmers. Er blinzelte zweimal und rollte sich aus dem Doppelbett. Die Schmerzen in Schulter, Kopf und Knien schob er beiseite. Er wollte unbedingt die Fährten von Noah und dem Iren aufnehmen.

Die Kleidung vom Vortag lag auf dem Hartholzboden. Bond verstaute die taktische Ausrüstung in einer Sporttasche, hob die restlichen Sachen auf und warf sie in die Wäschetonne. Er wollte May, seiner schottischen Haushälterin, nicht zumuten, seine Klamotten vom Boden aufzusammeln. Sie war ein echter Schatz und kam dreimal pro Woche, um seine Wohnung in Ordnung zu bringen.

Bond ging nackt ins Badezimmer, stellte die Dusche so heiß, dass er es gerade noch aushielt, und schrubbte sich mit unparfümierter Seife ab. Dann schaltete er auf kaltes Wasser um und blieb darunter stehen, bis er auch *das* nicht mehr aushielt, trat aus der Dusche und trocknete sich ab. Er untersuchte die Verletzungen vom letzten Abend: zwei große auberginefarbene Blutergüsse am Bein, ein paar Kratzer und die Schulterwunde von dem Granatsplitter. Nichts Ernstes.

Er rasierte sich mit einem schweren Rasierhobel, dessen Griff aus hellem Büffelhorn gefertigt war. Bond benutzte dieses edle

Gerät nicht etwa, weil es umweltverträglicher war als die Einwegrasierer aus Plastik, die von den meisten Männern bevorzugt wurden, sondern einfach weil die Rasur gründlicher ausfiel – und etwas Geschick erforderte. James Bond suchte auch die kleinen Herausforderungen.

Um Viertel nach sieben war er angezogen: ein marineblauer Anzug von Canali, ein weißes Hemd aus Sea-Island-Baumwolle und eine burgunderfarbene Grenadine-Krawatte, die letzteren beiden von Turnbull & Asser. Dazu schwarze Slipper. Bond trug nie Schnürsenkel, außer bei Einsatzkleidung oder wenn das Handwerk es erforderte, etwa um einem Agentenkollegen mittels der Form der Schleife eine stumme Nachricht zu übermitteln.

Aufs Handgelenk schob Bond sich seine stählerne Rolex Oyster Perpetual, das 34mm-Modell, mit einer Datumsanzeige als einziger Komplikation. Er brauchte weder die Mondphasen zu wissen noch den exakten Zeitpunkt des höchsten Flutwasserstands bei Southampton. Und er vermutete, dass auch sonst kaum jemand Verwendung für solche Spielereien hatte.

Das Frühstück – seine Lieblingsmahlzeit – nahm er meistens in einem kleinen Hotel in der nahen Pont Street ein. Hin und wieder bereitete er sich auch selbst eines der wenigen Gerichte zu, die er beherrschte: drei Eier, sanft verrührt mit irischer Butter. Dazu gab es Speck und knusprigen Vollkorntoast mit noch mehr irischer Butter und Marmelade.

Heute jedoch saß ihm der Vorfall Zwanzig im Nacken, und es blieb keine Zeit fürs Essen. Stattdessen begnügte er sich mit einem ultrastarken Jamaica Blue Mountain Kaffee, den er aus einem Porzellanbecher trank und dabei Radio 4 hörte, um herauszufinden, ob die Zugentgleisung und die nachfolgenden Todesfälle es in die internationalen Nachrichten geschafft hatten. Sie hatten es nicht.

Seine Brieftasche und sein Geld steckten bereits in seiner

Tasche, sein Autoschlüssel ebenfalls. Er nahm die Plastiktüte mit den Gegenständen, die er aus Serbien mitgebracht hatte, sowie die verschlossene Stahlkassette mit seiner Waffe und Munition, die er innerhalb Großbritanniens nicht legal am Körper tragen durfte.

Dann eilte er die Treppe seiner Etagenwohnung nach unten. Früher waren dies zwei geräumige Ställe gewesen. Er schloss die Tür auf und betrat die Garage. Hier war gerade genug Platz für die beiden Wagen sowie einige Ersatzreifen und Werkzeuge. Er stieg in das neuere der Fahrzeuge, einen aktuellen Bentley Continental GT, der Lack im charakteristischen Granitgrau der Firma, der Innenraum in geschmeidigem schwarzem Leder.

Der W12-Turbomotor erwachte leise zum Leben. Bond schaltete mit der Lenkradwippe in den ersten Gang, bog auf die Straße ein und ließ seinen anderen Wagen hinter sich zurück, einen weniger leistungsstarken, aber dafür temperamentvolleren und ebenso eleganten 1960er Jaguar E-Type, der seinem Vater gehört hatte.

Er reihte sich in den Verkehr nach Norden ein, zusammen mit Zehntausenden anderen, die genau wie er am Beginn einer neuen Woche zur Arbeit in die Londoner Innenstadt fuhren – obwohl Bonds Tätigkeit natürlich alles andere als durchschnittlich war.

Und das Gleiche galt für seinen Arbeitgeber.

Drei Jahre zuvor hatte James Bond noch im monolithisch grauen Gebäude des Verteidigungsministeriums in Whitehall an einem grauen Schreibtisch gesessen, während der Himmel draußen keineswegs grau, sondern so blau wie ein schottischer Hochlandsee an einem schönen Sommertag gewesen war. Nach seiner Entlassung aus der Royal Naval Reserve hatte Bond kein Interesse daran gehabt, ab jetzt bei Saatchi & Saatchi die Bücher zu führen oder für NatWest Bilanzen zu prüfen.

Ein ehemaliger Fechtkamerad vom Fettes College hatte ihm geraten, es bei der Defence Intelligence zu versuchen.

Nachdem er dort eine Reihe von Analysen verfasst hatte, die als präzise und wertvoll geschätzt wurden, hatte er seinen Vorgesetzten gefragt, ob die Möglichkeit bestünde, eine etwas aufregendere Tätigkeit zugewiesen zu bekommen.

Nicht lange nach diesem Gespräch hatte er eine geheimnisvolle Einladung zum Mittagessen im Travellers Club an der Pall Mall erhalten. Die Nachricht erreichte ihn handschriftlich auf Papier, nicht etwa per E-Mail.

Am fraglichen Tag war Bond dann zu einem Ecktisch im Speisesaal geführt worden und hatte gegenüber von einem stämmigen Mann Mitte sechzig Platz genommen, der ihm lediglich als der »Admiral« vorgestellt wurde. Der Fremde trug einen grauen Anzug, dessen Farbe perfekt zu der seiner Augen passte. Sein Gesicht war fleischig, und auf seiner Kopfhaut waren unter dem spärlichen, nach hinten gekämmten braungrauen Haar einige Muttermale zu erkennen. Der Admiral musterte Bond ruhig, aber nicht herausfordernd, hochmütig oder allzu prüfend. Bond hielt dem Blick mühelos stand – ein Mann, der im Kampf getötet hat und beinahe selbst gestorben ist, lässt sich nicht durch irgendwelche Blicke einschüchtern. Ihm wurde jedoch klar, dass er nicht die geringste Ahnung hatte, was im Kopf des Admirals vorging.

Sie reichten einander nicht die Hände.

Ein Kellner nahm die Bestellung auf. Bond wählte gedünsteten Heilbutt mit Sauce hollandaise, Salzkartoffeln und gegrilltem Spargel. Der Admiral entschied sich für gegrillte Niere mit Speck und fragte Bond: »Wein?«

»Ja, bitte.«

»Wählen Sie einen aus.«

»Burgunder, würde ich sagen. Côte de Beaune? Oder einen Chablis?«

»Vielleicht den Alex Gambal Puligny?«, schlug der Kellner vor.

»Perfekt.«

Die Flasche kam kurz darauf. Der Kellner zeigte Bond mit gewandter Geste das Etikett vor und schenkte ihm einen Schluck ein. Der Wein hatte die Farbe heller Butter, roch erdig und hervorragend und war genau richtig temperiert, nicht zu kalt. Bond nippte daran, nickte beifällig, und ihre Gläser wurden zur Hälfte gefüllt.

Nachdem der Kellner gegangen war, sagte der ältere Mann in barschem Ton: »Sie sind ein Veteran, ich ebenfalls. Keiner von uns hat Interesse an Small Talk. Ich habe Sie hergebeten, um Ihren weiteren beruflichen Werdegang zu besprechen.«

»Das habe ich mir schon gedacht, Sir.« Bond hatte nicht beabsichtigt, das letzte Wort hinzuzufügen, doch es war ihm schlicht unmöglich gewesen.

»Sie haben womöglich davon gehört, dass es im Travellers Club als unschicklich gilt, Geschäftsunterlagen hervorzuholen. Ich fürchte, wir müssen gegen diese Regel verstoßen.« Der ältere Mann zog einen Umschlag aus der Innentasche seines Jacketts und reichte ihn Bond. »Das ist eine Geheimhaltungs-erklärung.«

»Ich habe bereits eine unterschrieben...«

»Gewiss haben Sie das – für die Defence Intelligence«, fiel der Mann ihm schroff ins Wort, weil es ihm merklich missfiel, das Offensichtliche tatsächlich aussprechen zu müssen. »Die hier hat etwas mehr Biss. Lesen Sie.«

Bond las. Mehr Biss, in der Tat, gelinde formuliert.

»Falls Sie nicht gewillt sind, das Dokument zu unterzeichnen, werden wir bei unserem Mittagessen über die Wahlergebnisse plaudern oder über das Forellenangeln im Norden oder darüber, wie diese verdammten Kiwis uns letzte Woche mal wieder geschlagen haben. Danach kehren wir in unsere Büros zurück.« Der Admiral hob fragend eine buschige Augenbraue.

Bond zögerte nur einen Moment, schrieb dann seinen Namen auf die Linie und reichte das Dokument zurück. Es verschwand wieder in dem Jackett.

Ein Schluck Wein. »Haben Sie schon mal von der Special Operations Executive gehört?«, fragte der Admiral.

»Ja, habe ich.« Bond hatte nur wenige Vorbilder, aber Winston Churchill stand weit oben auf der Liste. In seinen jungen Tagen als Reporter und Soldat auf Kuba und im Sudan hatte Churchill großen Respekt für Guerillaoperationen entwickelt. Später, nach Ausbruch des Zweiten Weltkriegs, hatten er und der Minister für Kriegswirtschaft, Hugh Dalton, die SOE geschaffen, um Partisanen hinter den deutschen Linien mit Waffen zu versorgen und britische Spione und Saboteure per Fallschirm abzusetzen. Die Organisation, die auch als Churchills Geheimarmee bezeichnet wurde, hatte den Nazis unermesslichen Schaden zugefügt.

»Gute Truppe«, sagte der Admiral. »Nach dem Krieg wurde sie dichtgemacht«, brummte er. »Wegen unsinnigen Kompetenzgerangels, Organisationsschwierigkeiten und Hickhack beim MI6 und in Whitehall.« Er trank einen Schluck von dem duftenden Wein. Dann wurde das Essen serviert, und das Gespräch verlangsamte sich. Es schmeckte vorzüglich. Bond sagte es. »Der Küchenchef weiß, was er tut«, bestätigte der Admiral. »Er ist jedenfalls nicht bestrebt, eines Tages im amerikanischen Fernsehen zu kochen. Ist Ihnen bekannt, wie Five und Six entstanden sind?«

»Ja, Sir – ich habe eine Menge darüber gelesen.«

Admiralität und Kriegsministerium hatten 1909 das Secret Service Bureau ins Leben gerufen, und zwar als Reaktion auf die Sorge, die Deutschen könnten England mit Spionen infiltrieren und letztlich eine Invasion versuchen. (Den Anstoß zu dieser Befürchtung hatten kurioserweise einige populäre Kriminalromane geliefert.) Wenig später wurde das SSB aufgeteilt, und zwar in das Directorate of Military Intelligence Section 5 – oder MI5 – für die innere Sicherheit und Section 6 – oder MI6 – für die Auslandsspionage. Six war die älteste durchgängig tätige Spionageorganisation der Welt, trotz Chinas gegenteiliger Behauptung.

»Was ist die eine große Gemeinsamkeit der beiden?«, fragte der Admiral.

Bond hatte keine Ahnung.

»Die glaubhafte Abstreitbarkeit«, murmelte der ältere Mann. »Sowohl Five als auch Six wurden als eigenständige Dienste konzipiert, damit die Krone, der Premierminister, das Kabinett und das Kriegsministerium sich im verhassten Spionagegeschäft nicht die Finger schmutzig machen mussten. So ist es heute immer noch. Five und Six stehen häufig im Fokus des Interesses. Sex-Dossiers, Verletzung der Privatsphäre, Ausschnüffeln von Politikern, Gerüchte über illegale Eliminierungen… Alle schreien nach *Transparenz*. Dabei scheint es niemanden zu interessieren, dass das Wesen des Krieges sich verändert und dass die andere Seite sich kaum mehr an die Regeln hält.« Noch ein Schluck Wein. »In manchen Kreisen ist man zu der Ansicht gelangt, dass auch *wir* uns an andere Spielregeln halten sollten. Vor allem nach dem elften September und dem siebten Juli.«

»Falls ich Sie richtig verstehe, reden Sie also von einer neuen Version der SOE, die formal allerdings weder zu Five, Six noch dem MoD gehört«, sagte Bond.

Der Admiral sah Bond ins Gesicht. »Ich habe die Berichte über Ihre Einsätze in Afghanistan gelesen – Royal Naval Reserve, und doch ist es Ihnen gelungen, den vordersten Kampfverbänden der Infanterie zugeteilt zu werden. Das hat einiges an Initiative erfordert.« Die kühlen Augen verengten sich. »Es heißt, Sie hätten hinter den Linien auch ein paar weniger offizielle Missionen durchgeführt. Dank Ihnen wurde einigen Zeitgenossen, die großes Unheil hätten anrichten können, ein dicker Strich durch die Rechnung gemacht.«

Bond wollte gerade an seinem Puligny-Montrachet nippen, der höchsten Daseinsform der Chardonnay-Traube. Doch er stellte das Glas wieder ab. Wie, zum Teufel, hatte der alte Mann bloß *davon* erfahren?

Der Admiral fuhr leise und ruhig fort. »Es herrscht kein Mangel an Burschen vom Special Air oder Boat Service, die mit einem Messer oder Scharfschützengewehr umgehen können. Aber die können nicht notwendigerweise auch in anderen, sagen wir *subtileren* Situationen bestehen. Und dann gibt es jede Menge talentierter Mitarbeiter von Five und Six, die den Unterschied zwischen…« Er warf einen Blick auf Bonds Glas. »…einem Côte de Beaune und einem Côte de Nuits kennen und flüssig Französisch und Arabisch sprechen, aber beim Anblick von Blut – ob nun eigenes oder fremdes – in Ohnmacht fallen.« Der stählerne Blick fixierte ihn. »Bei Ihnen scheint es sich um die eher seltene Kombination des Besten aus beiden Welten zu handeln.«

Der Admiral legte Messer und Gabel auf dem Knochenporzellan ab. »Ihre Frage.«

»Meine…?«

»Hinsichtlich einer neuen Version der Special Operations Executive. Die Antwort lautet Ja. Sie existiert sogar schon. Hätten Sie Interesse, ihr beizutreten?«

»Ja«, erwiderte Bond, ohne zu zögern. »Obwohl ich gern wissen würde: Was genau macht sie eigentlich?«

Der Admiral überlegte kurz, als bemühe er sich um eine möglichst geschliffene Antwort. »Unsere Mission ist einfach«, sagte er dann. »Wir schützen das Königreich… was auch immer zu diesem Zweck nötig ist.«

7

Bond näherte sich in seinem schnittigen, leise schnurrenden Bentley nun dem Hauptquartier der besagten Organisation in der Nähe von Regent's Park. Die dank der Verkehrsführung unerlässliche Zickzackfahrt durch Londons Innenstadt hatte eine halbe Stunde gedauert.

Der Name seines Arbeitgebers war fast so vage wie der der Special Operations Executive: die Overseas Development Group. Ihr Generaldirektor war der Admiral, nur bekannt als M.

Formell unterstützte die ODG britische Firmen dabei, im Ausland Filialen zu gründen oder zu erweitern oder Investitionen zu tätigen. Bonds OT – oder offizielle Tarnung – war eine Anstellung als Sicherheits- und Integritätsanalytiker, zu dessen Aufgaben zählte, die Welt zu bereisen und Geschäftsrisiken zu bewerten.

Sobald er am jeweiligen Zielort eingetroffen war, nahm er allerdings stets eine IOT – oder *inoffizielle* Tarnung – mit einer fiktiven Identität an, legte die Excel-Tabellen beiseite, streifte die Einsatzkleidung über und bewaffnete sich mit einem Gewehr Kaliber 308 samt Zielfernrohr. Es konnte auch sein, dass er sich in einen fein geschnittenen Savile-Row-Anzug hüllte, um in einem Privatclub in Kiew Poker mit einem tschetschenischen Waffenhändler zu spielen und sich einen Eindruck von dessen Leibwächtern zu verschaffen, bevor er zum wahren Grund des Besuchs kam: der Auslieferung des Mannes an ein geheimes Verhörzentrum in Polen.

Die ODG war unauffällig in die Hierarchie des Foreign and Commonwealth Office, also des Außenministeriums eingegliedert und in einem schmalen sechsgeschossigen edwardianischen Gebäude in einer Nebenstraße untergebracht, die von der Devonshire Street abzweigte. Zwischen ihr und der geschäftigen Marylebone Road lagen farblose – aber tarnende – Anwaltskanzleien, Arztpraxen und Büros von Nichtregierungsorganisationen.

Bond bog in den Tunnel ein, der zu der Tiefgarage unter dem Gebäude führte. Er blickte in den Irisscanner und wurde danach ein zweites Mal überprüft, diesmal durch einen Menschen. Die Barriere senkte sich, und Bond suchte sich einen Parkplatz.

Auch der Aufzug kontrollierte Bonds blaue Augen, bevor er ihn ins Erdgeschoss brachte. Dort betrat Bond die Waffenkammer neben dem Schießstand und händigte die verschlossene Stahlkassette an den rothaarigen Freddy Menzies aus, ehemals Corporal beim SAS und einer der besten Waffenmeister der Branche. Er würde sicherstellen, dass die Walther gereinigt, geölt und auf Schäden überprüft wurde und dass die Magazine Bonds bevorzugte Munition enthielten.

»In einer halben Stunde ist sie fertig«, sagte Menzies. »Hat sie sich gut benommen, 007?«

»Ich kann nicht klagen«, entgegnete Bond.

Er fuhr in den dritten Stock, bog aus dem Aufzug nach links ab und folgte einem schmucklosen, weiß gestrichenen Korridor mit vereinzelten Schrammen an den Wänden. Die Monotonie wurde durch einige Drucke aufgelockert. Sie zeigten London in der Zeit zwischen Cromwell und Viktoria sowie zahlreiche Schlachtfelder. Jemand hatte Töpfe mit Grünpflanzen auf die Fensterbänke gestellt – natürlich Plastikpflanzen, denn echtes Grünzeug hätte externes Personal zum Gießen und Beschneiden bedeutet.

Am Ende eines weiträumigen Bereichs mit mehreren Computerarbeitsplätzen saß eine junge Frau an einem Schreibtisch. Wie außergewöhnlich, hatte Bond einen Monat zuvor bei ihrem ersten Zusammentreffen gedacht. Ihr Gesicht war herzförmig, mit hohen Wangenknochen und umrahmt von Rossetti-rotem Haar, das von ihren fabelhaften Schläfen bis weit über ihre Schultern wogte. Am Kinn hatte sie ein winziges, nicht ganz mittig gelegenes Grübchen, das Bond absolut bezaubernd fand. Ihre haselnussbraunen Augen blickten aufmerksam drein, und ihre Figur entsprach ganz Bonds Geschmack: schlank und elegant. Die unlackierten Fingernägel waren kurz geschnitten. Heute trug sie einen knielangen schwarzen Rock und eine aprikosenfarbene hochgeschlossene Bluse, die aber dünn genug war, um die Spitze darunter erahnen zu lassen. Auf diese Weise gelang es ihr, gleichzeitig geschmackvoll und aufreizend auszusehen. Ihre Beine waren in milchkaffeefarbene Nylonstrümpfe gehüllt.

Mit Halter oder ohne?, fragte Bond sich unwillkürlich.

Ophelia Maidenstone war eine Nachrichtenanalytikerin des MI6 und als Verbindungsoffizierin der ODG zugeteilt worden, da es sich bei der Group nicht um einen klassischen Nachrichtendienst, sondern in erster Linie um eine taktische Einsatzgruppe handelte. Folglich wurde die ODG, genau wie das Kabinett und der Premierminister, von dritter Seite mit Informationen versorgt. Und der Hauptlieferant war der MI6.

Zugegeben, Bonds Interesse war ursprünglich durch Phillys Aussehen und ihre offene Art geweckt worden, und ihr unermüdlicher Arbeitseifer und Einfallsreichtum hatten es wachgehalten. Ebenso verführerisch war jedoch ihre Vorliebe für schnelle Motoren. Ihr Lieblingsgefährt war eine BSA Spitfire, Baujahr 1966 – die A 65, eines der schönsten je gebauten Motorräder. Es war nicht das leistungsstärkste Modell der Birmingham Small Arms Company, aber ein echter Klassiker, und mit dem richtigen Tuning (das Philly Gott sei Dank eigenhändig in die Tat umsetzte) hinterließ die Spitfire beim Start einen breiten Streifen Gummi auf dem Asphalt. Die junge Frau hatte Bond erzählt, dass sie bei jedem Wetter fuhr und zu diesem Zweck extra eine wasserfeste Lederkombi besaß. Er hatte sich das Kleidungsstück in dem Moment als überaus eng vorgestellt und eine Augenbraue hochgezogen. Sie hatte darauf mit einem sardonischen Lächeln reagiert und ihn eiskalt abblitzen lassen.

Wie sich herausstellte, war sie verlobt. Der zugehörige Ring, den er sogleich bemerkt hatte, trug irreführenderweise einen Rubin.

Damit war die Sache geklärt.

Philly blickte nun mit ansteckendem Lächeln auf. »James, hallo! … Warum sehen Sie mich so an?«

»Ich brauche Sie.«

Sie schob sich eine Haarsträhne hinter das Ohr. »Ich wäre wirklich gern behilflich, aber ich bin hier gerade mit einer Sache für John beschäftigt. Er ist im Sudan, und die Lage spitzt sich immer weiter zu.«

Die Sudanesen führten schon seit mehr als hundert Jahren Krieg – gegen die Briten, die Ägypter, andere afrikanische Nachbarstaaten und untereinander. Die Östliche Allianz, ein Zusammenschluss mehrerer sudanesischer Organisationen aus den Regionen am Roten Meer, wollte sich abspalten und einen moderaten säkularen Staat gründen. Das Regime in Khartum, das schon genug mit der jüngsten Unabhängigkeitsbewegung im Süden zu tun hatte, die es später tatsächlich schaffen sollte, einen eigenen Staat Südsudan zu errichten, war nicht begeistert.

»Ich weiß«, sagte Bond. »Anfangs war ich für diesen Einsatz vorgesehen. Stattdessen bin ich in Belgrad gelandet.«

»Das Essen ist besser«, erwiderte sie mit gespieltem Ernst. »Sofern man Pflaumen mag.«

»Es ist nur so, dass ich einige Dinge aus Serbien mitgebracht habe, die sich mal jemand ansehen sollte.«

»Bei Ihnen ist es nie ›nur so‹, James.«

Ihr Mobiltelefon summte. Sie runzelte die Stirn, ohne den Monitor aus den Augen zu lassen. Kaum hatte sie das Gespräch angenommen, richteten ihre braunen Augen sich fragend und halbwegs belustigt auf Bond. »Ich verstehe«, sagte sie in den Hörer. Nachdem das Gespräch beendet war, wandte sie sich an Bond. »Sie haben ein paar Gefallen eingefordert. Oder jemanden gepiesackt.«

»Ich? Niemals.«

»Es scheint, dass die Lage in Afrika ohne mich eskalieren muss. Sozusagen.« Sie ging zu einer anderen Workstation und übergab den Khartum-Auftrag an einen Kollegen.

Bond setzte sich. Phillys Arbeitsplatz schien sich irgendwie von den anderen zu unterscheiden, aber Bond konnte nicht festmachen, woran das lag. Vielleicht hatte sie mal gründlich aufgeräumt oder das Mobiliar umgestellt – so gut das in diesen winzigen Abteilen eben ging.

Als sie zurückkam, sah sie ihn aufmerksam an. »Also gut. Ich gehöre ganz Ihnen. Worum geht's?«

»Vorfall Zwanzig.«

»Ah, der. Ich stand nicht auf dem Verteiler, also geben Sie mir bitte eine kurze Zusammenfassung.«

Genau wie Bond besaß auch Ophelia Maidenstone eine umfassende Sicherheitsfreigabe von Defence Vetting Agency, FCO und Scotland Yard, wodurch sie nahezu uneingeschränkten Zugang zu hochgeheimem Material erhielt, mit Ausnahme von gewissen Einzelheiten des nuklearen Waffenarsenals. Bond berichtete ihr von Noah, dem Iren, dem für Freitag angedrohten Zwischenfall und den Ereignissen in Serbien. Sie machte sich sorgfältig Notizen.

»Sie müssen für mich Detektiv spielen. Das hier ist alles, was wir haben.« Er reichte ihr die Plastiktüte mit seiner Sonnenbrille und den Papierstücken, die er aus dem brennenden Wagen außerhalb von Novi Sad geborgen hatte. »Ich benötige so schnell wie möglich Ergebnisse. Und alles, was Sie sonst noch ausgraben können.«

Sie nahm den Hörer ihres Telefons und erbat die Abholung der Gegenstände zwecks Untersuchung im Labor des MI6 oder – falls das nicht reichte – in der großen forensischen Abteilung des Dezernats Specialist Crimes bei Scotland Yard. Sie legte auf. »Der Bote ist unterwegs.« Dann nahm sie eine Pinzette aus ihrer Handtasche und holte damit die beiden Stücke Papier aus der Tüte. Eines war eine Rechnung jüngeren Datums aus einem Pub in der Nähe von Cambridge. Leider war sie bar beglichen worden.

Auf dem anderen Zettel stand: *Boots – March. 17. Nicht später.* War das ein Code oder einfach eine zwei Monate alte Gedächtnisstütze hinsichtlich einer Besorgung in der Apotheke?

»Und die Brille?« Sie schaute in die Tüte.

»Auf den Gläsern sind zwei Fingerabdrücke. Daumen und Zeigefinger vom Partner des Iren. Seine Taschen waren leer.«

Sie fotokopierte die beiden Zettel, gab einen Satz Bond, behielt einen für sich und legte die Originale wieder zurück in die Tüte zu der Sonnenbrille.

Dann erzählte Bond ihr von dem Gefahrgut, das der Ire in die Donau hatte befördern wollen. »Ich muss wissen, was das war. Und welchen Schaden es hätte anrichten können. Ich fürchte, die Serben sind nicht gut auf mich zu sprechen und werden eine Zusammenarbeit vermutlich ablehnen.«

»Mal abwarten.«

Da klingelte sein Mobiltelefon. Er sah auf das Display, obwohl er den charakteristischen Klingelton sofort erkannt hatte. Er nahm das Gespräch an. »Moneypenny.«

»Hallo, James«, sagte eine leise Frauenstimme. »Willkommen zurück.«

»M?«, fragte er.

»M.«

8

Auf dem Schild neben dem Büro in der obersten Etage stand *Generaldirektor*.

Bond betrat das Vorzimmer, in dem eine Frau Mitte dreißig an einem ordentlichen Schreibtisch saß. Sie trug ein cremefarbenes Camisole unter einer Jacke, die fast die gleiche Farbe wie Bonds Anzug hatte. Ein längliches Gesicht, hübsch und anmutig, mit Augen, deren Blick schneller von streng auf mitfühlend umschalten konnte als ein Formel-eins-Getriebe.

»Hallo, Moneypenny.«

»Nur noch einen Moment, James. Er hat mal wieder Whitehall in der Leitung.«

Sie hielt sich aufrecht und gestikulierte nur sparsam. Jedes einzelne Haar saß an seinem Platz. Bond dachte, wie schon so oft, dass die Jahre beim Militär sie unauslöschlich geprägt hatten. Sie hatte ihren Dienst bei der Royal Navy quittiert, um für M als persönliche Assistentin zu arbeiten.

An einem seiner ersten Tage bei der ODG hatte Bond sich auf ihren Bürostuhl fallen lassen und breit gegrinst. »So, Sie waren also Lieutenant, Moneypenny«, hatte er anzüglich gewitzelt. »Ich muss gestehen, ich hätte es lieber, Sie *über* mir zu sehen.« Bond war als Commander aus dem Dienst ausgeschieden.

Als Antwort hatte er nicht etwa die verdiente scharfe Zurechtweisung erhalten, sondern eine elegante Replik. »Ach, wissen Sie, James, ich habe die Erfahrung gemacht, dass man sich jede Stellung verdienen muss. Und ich schätze, da spielen Sie und ich nicht mal annähernd in derselben Liga.«

Die Schlagfertigkeit dieser Erwiderung, der Gebrauch seines Vornamens und dazu Moneypennys strahlendes Lächeln definierten im selben Moment und ein für alle Mal den Charakter ihrer Beziehung: Sie hatte ihm seine Grenzen aufgezeigt, aber gleichzeitig ihre Freundschaft angeboten. Und so war es seitdem geblieben: fürsorglich und vertraut, aber stets professionell. (Trotzdem war er überzeugt, dass sie ihn von allen Agenten der Sektion 00 am liebsten mochte.)

Moneypenny musterte ihn von oben bis unten und runzelte die Stirn. »Ich habe gehört, es ist da drüben ganz schön rau zugegangen.«

»Das könnte man so sagen.«

Sie schaute zu Ms geschlossener Tür. »Diese Noah-Situation ist ziemlich ernst, James. Überall gehen die Warnleuchten an. Er ist gestern Abend bis neun Uhr im Büro geblieben und war heute Morgen um fünf schon wieder da.« Sie senkte die Stimme. »Er hat sich Sorgen um Sie gemacht. Sie waren gestern Abend phasenweise nicht zu erreichen gewesen. Er hat ständig telefoniert.«

Dann erlosch eine kleine Lampe an ihrem Telefon. Moneypenny drückte einen Knopf. »007 ist hier, Sir.«

Sie nickte in Richtung der Tür. Bond ging darauf zu, während im selben Moment über dem Rahmen das Nicht-Stören-Schild aufleuchtete. Dies geschah natürlich völlig lautlos, aber Bond stellte sich dabei immer das Geräusch eines metallenen Riegels vor, der quietschend zurückgezogen wurde, damit ein neuer Gefangener das mittelalterliche Verlies betreten konnte.

»Guten Morgen, Sir.«

M sah genauso aus wie bei dem Mittagessen im Travellers Club vor drei Jahren. Vielleicht trug er sogar denselben grauen

Anzug. Er wies auf einen der beiden zweckmäßigen Stühle, die vor dem großen Schreibtisch aus Eichenholz standen. Bond setzte sich.

Das Büro war mit Teppichboden ausgelegt, und an den Wänden reihten sich Bücherregale. Das Gebäude stand an der Nahtstelle zwischen altem und neuem London, wie ein Blick aus den Fenstern von Ms Eckbüro bestätigte. Die viktorianischen Gebäude der Marylebone High Street im Westen unterschieden sich deutlich von den Wolkenkratzern aus Glas und Stahl, die an der Euston Road aufragten – durchkonstruierte Gebilde von fragwürdiger Ästhetik und mit Aufzugsystemen, die cleverer waren als ihre Benutzer.

Der Ausblick blieb jedoch halbdunkel, auch an sonnigen Tagen, denn die Scheiben waren nicht nur bomben- und kugelsicher, sondern zudem verspiegelt, damit nicht irgendein findiger Gegner sie von einem Heißluftballon über dem Regent's Park aus beobachten konnte.

M blickte von seinen Notizen auf und nahm Bond genau in Augenschein. »Ich nehme an, Sie mussten sich nicht in ärztliche Behandlung begeben.«

Ihm entging nicht das Geringste. Niemals.

»Ein oder zwei Kratzer. Nichts Ernstes.«

Auf dem Schreibtisch lagen beziehungsweise standen ein gelber Notizblock, ein kompliziertes Festnetztelefon, ein Mobiltelefon, eine edwardianische Messinglampe und ein Humidor mit den dünnen schwarzen Zigarren, die M sich bisweilen genehmigte, wenn er nach Whitehall oder wieder zurück fuhr oder einen kurzen Spaziergang durch den Regent's Park unternahm, allein mit seinen Überlegungen und den beiden Personenschützern. Bond wusste sehr wenig über Ms Privatleben, nur dass er in einem Herrenhaus aus dem frühen neunzehnten Jahrhundert am Rand des Windsor Forest wohnte, gern Bridge spielte, angeln ging und ansehnliche Aquarelle mit Blumenmotiven malte. Ein sympathischer und begabter Navy-Corporal namens Andy Smith chauffierte ihn in einem auf Hochglanz polierten, zehn Jahre alten Rolls-Royce.

»Ihr Bericht, 007.«

Bond ordnete seine Gedanken. M hatte kein Verständnis für wirres Gestammel oder Ausschmückungen. »Ähms« und »Ähs« waren ebenso inakzeptabel wie offensichtliche Gemeinplätze. Bond wiederholte, was sich bei Novi Sad zugetragen hatte, und fügte hinzu: »Ich habe in Serbien ein paar Dinge gefunden, die uns vielleicht weiterhelfen. Philly geht sie gerade durch und bringt mehr über das Gefahrgut auf dem Zug in Erfahrung.«

»Philly?«

Bond fiel ein, dass M es nicht mochte, wenn die anderen Spitznamen benutzten, obwohl er derjenige war, den die gesamte Organisation nur unter einem Buchstaben kannte. »Ophelia Maidenstone«, erklärte Bond. »Unsere Verbindungsfrau von Six. Falls es etwas zu finden gibt, wird sie es herausbekommen.«

»Ihre Tarnung in Serbien?«

»Ich habe mich mit fremden Federn geschmückt. Die hohen Tiere beim BIA in Belgrad wissen, dass ich zur ODG gehöre und was mein Auftrag war, aber deren zwei Agenten vor Ort haben wir erzählt, ich würde zu einer erfundenen Friedenstruppe der UN gehören. Ich musste Noah und den Vorfall am Freitag erwähnen, damit ihnen entsprechende Hinweise auffallen würden. Aber was auch immer der Ire aus dem jüngeren Kerl herausbekommen hat, war nicht kompromittierend.«

»Der Yard und Five fragen sich angesichts des Zugs bei Novi Sad, ob Vorfall Zwanzig womöglich einen Anschlag auf eine unserer Bahnlinien vorsieht. Könnte Serbien ein Probelauf gewesen sein?«

»Das habe ich mich auch gefragt, Sir. Doch eine solche Operation würde keinen großartigen Test erfordern. Außerdem konnte der Partner des Iren die Weiche innerhalb von etwa drei Minuten manipulieren. Unsere Signalsysteme hier dürften etwas komplexer sein als die an einer Frachttrasse in der serbischen Provinz.«

Eine buschige Augenbraue hob sich, vielleicht aus Zweifel. Doch M sagte: »Sie haben recht. Es wirkt nicht wie ein Auftakt zu Vorfall Zwanzig.«

»Also.« Bond beugte sich vor. »Ich würde gern umgehend via Ungarn zur Station Y zurückkehren und eine Suchaktion nach dem Iren starten. Dazu bräuchte ich zwei unserer Doppel-Eins-Agenten. Wir können den Laster aufspüren, den er gestohlen hat. Es wird nicht ganz einfach sein, aber…«

M schüttelte den Kopf und lehnte sich auf seinem abgewetzten Thron zurück. »Die Sachlage hat sich drastisch geändert, 007.«

»Was auch immer Belgrad behauptet, dieser junge Agent, der gestorben ist…«

M winkte ungehalten ab. »Ja, ja, es war natürlich *deren* Schuld. Daran bestand nie der geringste Zweifel. Rechtfertigungen sind ein Zeichen von Schwäche, 007. Ich weiß nicht, weshalb Sie sich zu einer bemüßigt fühlen.«

»Verzeihung, Sir.«

»Ich rede von etwas anderem. Cheltenham konnte den Lastwagen, mit dem der Ire geflohen ist, gestern Abend per Satellit ausfindig machen.«

»Sehr gut, Sir.« Demnach hatte seine Taktik anscheinend funktioniert.

Doch Ms finstere Miene ließ erkennen, dass Bond sich zu früh freute. »Der Lkw hat knapp fünfundzwanzig Kilometer südlich von Novi Sad angehalten, und der Ire ist in einen Hubschrauber gestiegen. Ohne amtliche Registrierung oder Kennung, aber das GCHQ konnte ein MASINT-Profil erstellen.«

Measurement and Signature Intelligence war der neueste Schrei auf dem Gebiet der Hightech-Spionage. Falls die Informationen auf elektronischen Quellen wie Hochfrequenzübertragungen oder Funk basierten, sprach man von ELINT; bei Fotos und Satellitenbildern von IMINT; bei Mobiltelefonen und E-Mails von SIGINT und bei menschlichen Quellen von HUMINT. Bei MASINT sammelten und analysierten die Instrumente unter anderem Daten wie Wärmebilder, Schallwellen, Strömungs- und Geschwindigkeitsmuster, die Vibrationen von Propellern und Rotoren oder die Abgase von Flugzeugturbinen, Zügen und Autos.

»Und Five hat letzte Nacht das MASINT-Profil dieses Fluchthelikopters registriert«, fuhr der Generaldirektor fort.

Verdammter Mist... Wenn der MI5 den Hubschrauber entdeckt hatte, musste die Maschine sich in England befinden. Der Ire – die einzige Spur zu Noah und Vorfall Zwanzig – befand sich an dem einen Ort, an dem James Bond nicht ermächtigt war, ihn zu verfolgen.

»Der Helikopter ist gegen ein Uhr morgens nordöstlich von London gelandet und komplett von der Bildfläche verschwunden«, fügte M hinzu und schüttelte den Kopf. »Ich begreife nicht, wieso Whitehall uns nicht mehr Spielraum gelassen hat, was Einsätze in der Heimat betrifft. Es wäre ganz einfach gewesen. Zum Teufel, was hätten Sie denn tun sollen, falls Sie dem Iren zum London Eye oder Madame Tussaud's gefolgt wären? Den Notruf wählen? Herrje, wir leben im Zeitalter der Globalisierung, des Internet, der EU, aber wir dürfen Spuren im eigenen Land nicht nachgehen.«

Das Prinzip hinter dieser Regelung war jedoch klar. Der MI5 führte erstklassige Ermittlungen durch. Der MI6 sammelte erfolgreich Nachrichten im Ausland und infiltrierte zum Beispiel Terrorzellen, um sie mit falschen Informationen zu füttern. Die Overseas Development Group ging noch etwas weiter. Es kam sogar vor, wenngleich selten, dass einem Agenten der Sektion 00 befohlen wurde, einem Staatsfeind aufzulauern und ihn zu erschießen. Doch dies innerhalb des Vereinigten Königreichs zu tun, wie moralisch gerechtfertigt oder taktisch zweckdienlich es auch sein mochte, würde bei den Bloggern und den Schreiberlingen aus der Fleet Street nicht gut ankommen.

Ganz zu schweigen davon, dass auch die Staatsanwaltschaft der Krone ein Wörtchen würde mitreden wollen.

Doch Politik hin oder her, Bond wollte Vorfall Zwanzig unbedingt weiterverfolgen. Vor allem der Ire war ihm aufrichtig zuwider. »Ich glaube, ich bin am ehesten in der Lage, diesen Mann und Noah aufzuspüren und herauszufinden, was sie vorhaben«, sagte er ruhig. »Ich möchte am Ball bleiben, Sir.«

»Das habe ich mir schon gedacht. Und ich will das ebenfalls, 007. Aus diesem Grund habe ich heute Morgen mit Five und den Specialist Operations beim Yard gesprochen. Die sind beide bereit, Sie in beratender Funktion hinzuzuziehen.«

»In beratender Funktion?«, sagte Bond mürrisch, bevor ihm klar wurde, dass M ein mittleres Wunder vollbracht haben musste, um auch nur dieses kleine Zugeständnis zu erreichen. »Vielen Dank, Sir.«

M wischte die Worte mit einer Kopfbewegung beiseite. »Sie werden mit jemandem von der Division Three zusammenarbeiten, einem Mann namens Osborne-Smith.«

Division Three… Großbritanniens Sicherheits- und Polizeiorganisationen waren wie menschliche Wesen: Sie wurden geboren, heirateten, produzierten Nachkommen, starben und – so hatte Bond einst gescherzt – wechselten sogar ihr Geschlecht. Division Three zählte zu den jüngeren Ablegern. Sie war locker mit Five verknüpft, auf ganz ähnliche Weise wie die ODG kaum merklich mit Six assoziiert war.

Glaubhafte Abstreitbarkeit…

Five besaß zwar erhebliche Ermittlungs- und Überwachungsbefugnisse, durfte aber keine Verhaftungen vornehmen und verfügte nicht über eigene Einsatzkommandos. Im Gegensatz zu Division Three. Es handelte sich um eine verschlossene, abgeschottete Gruppe von Hightech-Zauberkünstlern, Bürokraten und ehemaligen SAS- und SBS-Kämpfern mit schwerer Bewaffnung. Sie hatten in letzter Zeit einige Erfolge verbuchen können und Terrorzellen in Oldham, Leeds und London ausgeschaltet. Bond war beeindruckt gewesen.

M betrachtete ihn ruhig. »Ich weiß, dass Sie gewohnt sind, hinsichtlich der Durchführung Ihrer Missionen Carte blanche zu haben, 007. Sie lieben Ihre Unabhängigkeit und sind bislang auch gut damit zurechtgekommen.« Ein finsterer Blick. »*Meistens* jedenfalls. Doch hier in der Heimat sind Ihre Befugnisse begrenzt. Sogar beträchtlich. Haben Sie verstanden?«

»Ja, Sir.«

Also nicht länger Carte blanche, sondern eher Carte grise, dachte Bond verärgert.

Ein weiterer missmutiger Blick von M. »Jetzt zu einer Komplikation. Der Sicherheitskonferenz.«

»Sicherheitskonferenz?«

»Haben Sie Ihr Whitehall-Briefing etwa nicht gelesen?«, fragte M gereizt.

Das waren administrative Bekanntmachungen zu internen Regierungsbelangen, und daher las Bond sie tatsächlich nicht. »Tut mir leid, Sir.«

Ms Mund wurde schmal. »Wir haben hier im Vereinigten Königreich dreizehn Sicherheitsbehörden. Seit heute Morgen vielleicht sogar noch mehr. Die Leiter von Five, Six, SOCA, JTAC, SO Thirteen, DI, wir alle zusammen dürfen in dieser Woche drei Tage in Whitehall zubringen. Ach, die CIA und ein paar Kollegen vom Kontinent auch. Briefings über Islamabad, Pjöngjang, Venezuela, Peking, Jakarta. Und vermutlich wird irgendein junger Analytiker mit Harry-Potter-Brille die Theorie vertreten, dass die tschetschenischen Rebellen für diesen verfluchten Vulkan auf Island verantwortlich sind. Die ganze Angelegenheit ist wirklich mehr als lästig.« Er seufzte. »Ich werde größtenteils nicht erreichbar sein. Für die ODG übernimmt unser Stabschef die Leitung der Operation ›Vorfall Zwanzig‹.«

»Ja, Sir. Ich stimme mich mit ihm ab.«

»Machen Sie sich an die Arbeit, 007. Und denken Sie daran: Sie agieren im Vereinigten Königreich. Verhalten Sie sich, als wären Sie noch nie in diesem Land gewesen. Was im Klartext heißt, gehen Sie gefälligst pfleglich mit den Einheimischen um.«

9

»Es ist ziemlich schlimm, Sir. Sind Sie sicher, dass Sie es sehen wollen?«, fragte der Vorarbeiter.

»Ja«, erwiderte der Mann sofort.

»Also gut. Ich fahre Sie hin.«

»Wer weiß noch davon?«

»Nur der Schichtführer und der Bursche, der es gefunden hat.« Er warf seinem Boss einen Blick zu. »Die beiden werden den Mund halten. Falls Sie das wünschen.«

Severan Hydt sagte nichts.

Der Himmel war graubraun bewölkt. Die beiden Männer verließen die Laderampe der uralten Firmenzentrale und gingen zu einem nahen Parkplatz. Dort stiegen sie in einen Kleinbus der Green Way International Disposal and Recycling; der Schriftzug war quer über die grazile Zeichnung eines grünen Laubblattes gedruckt. Hydt konnte dem Design, das er auf alberne Weise modisch fand, nicht viel abgewinnen, aber man hatte ihm gesagt, das Bild sei bei den Fokusgruppen gut angekommen und eigne sich für die Öffentlichkeitsarbeit. (»Ah, die *Öffentlichkeit*«, hatte er mit verhohlener Geringschätzung entgegnet und widerwillig zugestimmt.)

Er war groß gewachsen – einen Meter neunzig –, breitschultrig und hatte seinen säulenförmigen Oberkörper in einen Maßanzug aus schwarzer Wolle gehüllt. Sein massiger Kopf war von dichtem lockigem Haar bedeckt, schwarz mit weißen Strähnen, und er trug einen ebensolchen Vollbart. Seine gelblichen Nägel reichten bis weit über die Fingerspitzen, waren aber sorgfältig gefeilt. Er trug sie absichtlich lang, nicht aus Nachlässigkeit.

Hydts Blässe betonte seine dunklen Nasenlöcher und die noch dunkleren Augen, umrahmt von einem langen Gesicht, das jünger wirkte als seine sechsundfünfzig Jahre. Er war immer noch ein baumstarker Mann und hatte sich die Muskelkraft seiner Jugend weitgehend bewahren können.

Der Wagen bog auf das ungepflegte Firmengelände ein, mehr als vierzig Hektar niedriger Bauten, Müllhalden, Abfallcontainer, Möwenschwärme, Qualm, Staub...

Und Zerfall...

Während sie über die holprigen Wege fuhren, richtete Hydts Aufmerksamkeit sich vorübergehend auf eine Baustelle in einem knappen Kilometer Entfernung. Ein neues Gebäude näherte sich dort der Fertigstellung. Es war identisch mit zwei anderen, die bereits auf dem Gelände standen: fünfgeschossige Kästen mit Schornsteinen, über denen die Luft in der Hitze flimmerte. Die Gebilde wurden als Destruktoren bezeichnet, ein viktorianischer Begriff, den Severan Hydt liebte. England war das weltweit erste Land gewesen, das Energie aus Abfall gewann. Die erste entsprechende Verbrennungsanlage war in den Siebzigerjahren des neunzehnten Jahrhunderts in Nottingham errichtet worden, und bald darauf gab es Hunderte im ganzen Land, die Dampf produzierten und damit Strom erzeugten.

Der Destruktor, der nun inmitten des Entsorgungs- und Recyclingbetriebs entstand, unterschied sich theoretisch nicht von seinen düsteren Dickens'schen Vorfahren, nur dass er Reinigungs- und Filteranlagen besaß, um die gefährlichen Abgase zu säubern, und deutlich effizienter arbeitete. Er verbrannte geschredderten Müll und produzierte Energie, die in die südenglischen Versorgungsnetze eingespeist wurde – natürlich gegen Bezahlung.

Genau genommen handelte es sich bei Green Way International lediglich um den jüngsten Vertreter einer langen britischen Tradition der Abfallentsorgung und -verwertung. Heinrich IV. hatte unter Androhung von Strafe verfügt, dass Müll gesammelt und von den Straßen der Dörfer und Städte entfernt werden musste, Gassenjungen hatten die Ufer der Themse sauber gehalten – um daran zu verdienen, nicht als Angestellte der Behörden –, und Lumpensammler hatten Wollreste an Mühlen verkauft, die daraus billiges Tuch namens Shoddy produzierten. In London hatte man schon Anfang des neunzehnten Jahrhunderts Frauen und Mädchen eingestellt, die den gesammelten Abfall nach Verwertbarem durchsuchen und die Funde sortieren sollten. Die britische Paper Company war gegründet worden, um Recyclingpapier zu produzieren – im Jahre 1890.

Green Way lag rund dreißig Kilometer östlich von London, ein gutes Stück hinter den kastenförmigen Bürogebäuden der Isle of Dogs und der O2 Arena, die aussah wie eine riesige Seemine, vorbei an der Flussschleife von Canning Town und Silvertown inmitten der Docklands. Um dorthin zu gelangen, bog man von der A 13 nach Südosten ab und fuhr in Richtung Themse. Schon bald befand man sich auf einer schmalen Straße, wenig einladend, sogar abweisend, umgeben von nichts als Unterholz und dürrem Gestrüpp, bleich und durchscheinend wie die Haut eines Sterbenden. Der Asphaltstreifen schien ins Nirgendwo zu führen… bis er eine flache Steigung erklomm und man voraus den gewaltigen Komplex von Green Way in seinem ewigen Dunst sehen konnte.

Mitten in diesem Wunderland des Abfalls hielt der Kleinbus nun bei einem verbeulten Container, ein Meter achtzig hoch, sechs Meter lang. Zwei Arbeiter in gelbbraunen Green-Way-Overalls, beide etwa Mitte vierzig, standen unbehaglich daneben. Die Tatsache, dass der Boss höchstpersönlich hier auftauchte, trug nicht gerade zu ihrer Beruhigung bei.

»O Mann«, flüsterte einer dem anderen zu.

Hydt wusste, dass sie außerdem von seinen schwarzen Augen eingeschüchtert wurden, dem dichten Vollbart, der massigen Statur.

Nicht zu vergessen die Fingernägel.

»Da drin?«, fragte er.

Die zwei Männer blieben sprachlos.

»Ganz recht, Sir«, sagte stattdessen der Vorarbeiter, auf dessen Overall der Name *Jack Dennison* eingestickt war. Dann herrschte er einen der Arbeiter an: »Trödelt hier nicht so rum, Freunde. Mr. Hydt hat schließlich nicht den ganzen Tag Zeit.«

Der Angestellte lief zur Seite des Containers und zog die große federgelagerte Tür auf. Im Innern fanden sich die üblichen Haufen grüner Müllbeutel und loser Abfall – Flaschen, Zeitschriften und Zeitungen –, den die Leute aus Faulheit nicht zum Recycling ausgesondert hatten.

Und es lag dort noch etwas Weggeworfenes: eine menschliche Leiche.

Eine Frau oder ein halbwüchsiger Junge, der Statur nach zu urteilen. Viel mehr konnte man nicht erkennen, denn der Tod lag eindeutig schon mehrere Monate zurück. Hydt bückte sich und stocherte mit seinen langen Fingernägeln.

Die Untersuchung machte Spaß und bestätigte: Es war die Leiche einer Frau.

Hydt starrte die sich lösende Haut an, die herausstehenden Knochen, die Spuren von Insekten- und sonstigem Tierfraß an den Fleischresten. Sein Herzschlag beschleunigte sich.

»Ihr behaltet das für euch«, sagte er zu den zwei Arbeitern.

Die beiden werden den Mund halten.

»Ja, Sir.«

»Gewiss, Sir.«

»Wartet da drüben.«

Sie trollten sich. Hydt schaute zu Dennison, der nickend

bekräftigte, dass die Männer gehorchen würden. Hydt bezweifelte es nicht. Er leitete Green Way eher wie einen Militärstützpunkt als wie eine Mülldeponie und Recyclingfirma. Die Sicherheitsvorschriften waren strikt – Mobiltelefone waren verboten, alle ausgehenden Gespräche wurden überwacht –, und es herrschte strenge Disziplin. Zum Ausgleich bezahlte Severan Hydt seine Leute sehr, sehr gut. Die Geschichte lehrte, dass Profis viel verlässlicher waren als Amateure, vorausgesetzt, man besaß das nötige Kleingeld. Und daran hatte es bei Green Way noch nie gemangelt. Die Entsorgung dessen, was die Leute nicht mehr wollten, war seit jeher ein profitables Geschäft gewesen und würde es auch stets sein.

Hydt hockte sich nun allein neben die Leiche.

Es wurden hier immer mal wieder menschliche Überreste gefunden. Die Arbeiter der Abteilung für Bauschutt und Rodungsreste stießen in alten Fundamenten bisweilen auf Knochen aus viktorianischer Zeit oder vertrocknete Skelette. Oder ein Obdachloser starb an Witterungseinflüssen, Alkohol oder Drogen und wurde unsanft in eine Mülltonne geworfen. Manchmal handelte es sich um Mordopfer – aber dann waren die Täter meistens so freundlich und brachten die Leichen direkt hierher.

Hydt meldete die Toten nie. Die Anwesenheit der Polizei war das Letzte, was er gewollt hätte.

Außerdem – wieso sollte er auf einen solchen Schatz verzichten?

Er rückte näher an die Leiche heran, bis seine Knie sich gegen das pressten, was von der Jeans der Frau übrig war. Der Geruch der Fäulnis – wie bittere, nasse Pappe – wäre den meisten Leuten unangenehm gewesen, aber Hydt hatte schon sein ganzes Leben mit Abfall zu tun und fühlte sich dadurch ebenso wenig abgestoßen wie ein Automechaniker sich am Schmieröl stört oder ein Schlachter am Blut und an den dampfenden Eingeweiden.

Dennison, der Vorarbeiter, hielt jedoch einigen Abstand.

Hydt streckte die Hand aus und strich mit einem seiner gelben Nägel über die Schädeldecke, auf der das meiste Haar fehlte, dann über den Kiefer und die Fingerknochen, die während der Verwesung als Erstes freigelegt wurden. Ihre Nägel waren ebenfalls lang, aber nicht etwa, weil sie noch nach dem Tod weitergewachsen wären; das war ein Märchen. Sie *schienen* lediglich länger zu sein, weil das Fleisch unter ihnen eingeschrumpft war.

Er musterte seine neue Freundin eine Weile und zog sich dann widerstrebend zurück. Hydt sah auf die Uhr. Er holte sein iPhone aus der Tasche und schoss ein Dutzend Fotos von der Leiche.

Dann schaute er sich um und zeigte auf einen freien Fleck zwischen zwei großen Müllhalden, die wie Hügelgräber für Phalangen gefallener Soldaten wirkten. »Weisen Sie die Männer an, sie dort zu begraben.«

»Ja, Sir«, erwiderte Dennison.

»Nicht zu tief«, sagte Hydt und ging zurück zu dem Kleinbus. »Und markieren Sie die Stelle, damit ich Sie wiederfinden kann.«

Eine halbe Stunde später saß Hydt in seinem Büro und scrollte gedankenverloren durch die Bilder, die er von der Leiche angefertigt hatte. Als Schreibtisch diente ihm eine dreihundert Jahre alte Zellentür mit angeschraubten Beinen. Schließlich steckte er das Telefon ein und richtete den Blick seiner dunklen Augen auf andere Dinge. Und davon gab es viele. Green Way zählte zu den weltweit führenden Entsorgungs- und Recyclingunternehmen.

Das Büro war geräumig und nur gedämpft beleuchtet. Es lag in der obersten Etage von Green Ways Firmenzentrale, einem ehemaligen Fleischverarbeitungsbetrieb, erbaut 1896, renoviert und von schäbigem Schick, wie ein Innenausstatter es vielleicht ausdrücken würde.

An den Wänden hingen Relikte aus Gebäuden, die Hydts Firma niedergerissen hatte: Fensterrahmen mit abblätternder Farbe und geborstenem Buntglas, Wasserspeier aus Beton, Tierfiguren, Bildnisse, Mosaiken. Der heilige Georg und der Drache kamen mehrere Male vor, ebenso die heilige Johanna. Ein großes Basrelief zeigte Zeus in der Gestalt eines Schwans, der sich mit der schönen Leda vergnügte.

Hydts Sekretärin kam und ging mit Briefen, die er unterschreiben, Berichten, die er lesen, Memos, die er genehmigen, und Bilanzen, von denen er Kenntnis erhalten musste. Green Way florierte. Bei einer Branchenkonferenz hatte Hydt einst gescherzt, dass das Sprichwort über Gewissheiten im Leben nicht auf die üblichen zwei beschränkt bleiben sollte. Die Leute mussten Steuern zahlen, sie mussten sterben... und sie brauchten jemanden, der ihren Abfall einsammelte und wegschaffte.

Sein Computer gab ein melodisches Signal von sich, und Hydt öffnete die verschlüsselte E-Mail eines Kollegen im Ausland. Es ging um ein wichtiges Treffen am morgigen Dienstag; Zeiten und Orte wurden bestätigt. Die letzte Zeile gefiel ihm besonders: *Die Zahl der Toten morgen wird bedeutsam sein – knapp 100. Hoffe, es passt.*

Das tat es allerdings. Und die Begierde, die ihn beim ersten Anblick der Leiche in dem Container gepackt hatte, brannte nur umso heißer.

Er blickte auf. Eine schlanke Frau Mitte sechzig in dunklem Hosenanzug und schwarzer Bluse betrat das Büro. Sie hatte weißes Haar, geschnitten zur Kurzhaarfrisur einer Geschäftsfrau. Um ihren schmalen Hals hing an einer Platinkette ein großer und ansonsten schmuckloser Diamant. Ähnliche Steine, wenngleich in etwas aufwendigeren Fassungen, zierten ihre Handgelenke und mehrere Finger.

»Die Probeabzüge gehen in Ordnung.« Jessica Barnes war Amerikanerin. Sie stammte aus einer Kleinstadt in der Nähe von Boston, was man ihrem Tonfall auch heute noch auf charmante Weise anhörte. Die einstige Schönheitskönigin hatte Hydt als Hostess in einem eleganten New Yorker Restaurant kennengelernt. Sie lebten nun schon viele Jahre zusammen, und um sie in seiner Nähe zu haben, hatte er sie als Leiterin von Green Ways Werbeabteilung eingestellt, einem weiteren Geschäftszweig, für den Hydt weder Respekt noch Interesse empfand. Ihm war aber zugetragen worden, dass Jessica im Hinblick auf die Marketingbemühungen der Firma mitunter gute Entscheidungen getroffen hatte.

Als Hydt sie nun ansah, kam ihm irgendetwas anders vor als sonst.

Er musterte ihr Gesicht. Das war es. Er zog es vor, *bestand darauf*, dass sie sich nur schwarz und weiß kleidete und nicht schminkte. Heute jedoch hatte sie einen Hauch Puder und womöglich – da war er sich nicht ganz sicher – etwas Lippenstift aufgetragen. Er runzelte nicht die Stirn, aber sie bemerkte seinen Blick, veränderte minimal ihre Körperhaltung und atmete etwas anders. Ihre Finger hoben sich zur Wange. Dann hielt sie mitten in der Bewegung inne.

Doch die Botschaft war angekommen. Sie hielt ihm die Werbeanzeigen hin. »Möchtest du einen Blick darauf werfen?«

»Ich bin sicher, sie sind gut«, sagte er.

»Dann schicke ich sie los.« Sie verließ das Büro. Hydt wusste, dass sie als Erstes nicht etwa die Werbeabteilung, sondern die Damentoilette aufsuchen würde, um sich das Gesicht abzuwaschen.

Jessica war nicht dumm; sie hatte ihre Lektion gelernt.

Dann verschwand sie aus seinen Gedanken. Er starrte aus dem Fenster auf seinen neuen Destruktor. Das am Freitag bevorstehende Ereignis war ihm nur zu bewusst, doch im Augenblick bekam er den morgigen Tag einfach nicht aus dem Kopf.

Die Zahl der Toten ... knapp 100.

Sein Magen zog sich auf angenehme Weise zusammen.

In diesem Moment meldete sich die Sekretärin über die Gegensprechanlage. »Mr. Dunne ist hier, Sir.«

»Ah, gut.«

Gleich darauf trat Niall Dunne ein und schloss die Tür hinter sich, damit sie ungestört sein würden. Das trapezförmige Gesicht des unbeholfen wirkenden Mannes hatte in den neun Monaten, die sie sich nun kannten, kaum jemals eine Regung erkennen lassen. Severan Hydt konnte mit den meisten Leuten nichts anfangen und interessierte sich nicht für gesellschaftliche Gepflogenheiten. Aber Dunne jagte sogar ihm einen Schauder über den Rücken.

»Also, was war da drüben los?«, fragte Hydt. Dunne hatte nach dem Zwischenfall in Serbien gesagt, sie sollten ihre Telefonate auf ein Minimum beschränken.

Der Mann richtete die blassblauen Augen auf Hydt und erklärte in seinem Belfaster Akzent, dass er und Karic, der serbische Kontaktmann, von mehreren Männern überrascht worden seien – mindestens zwei serbischen BIA-Agenten, getarnt als Polizisten, und einem Westler, der behauptet hatte, er gehöre zur European Peacekeeping and Monitoring Group.

Hydt runzelte die Stirn. »Ist das ...«

»Eine solche Gruppe existiert nicht«, sagte Dunne ruhig. »Das war keine staatlich gelenkte Aktion. Es gab keine Verstärkung, keine Leitstelle, keine Sanitäter. Der Westler hat sich die Hilfe der Agenten vermutlich erkauft. Es ist und bleibt schließlich der Balkan. Vielleicht war er ein Konkurrent. Womöglich hat einer Ihrer Partner oder ein Arbeiter hier etwas über den Plan ausgeplaudert.«

Er spielte natürlich auf Gehenna an. Sie bemühten sich nach

Kräften, das Projekt geheim zu halten, aber es umfasste eine Reihe von Leuten auf der ganzen Welt. Daher war es nicht unmöglich, dass es eine undichte Stelle gegeben hatte und irgendein Verbrechersyndikat nun daran interessiert war, mehr zu erfahren.

»Ich will die Angelegenheit nicht herunterspielen«, fuhr Dunne fort. »Die haben sich ziemlich geschickt angestellt. Aber es war keine große, koordinierte Aktion. Ich bin zuversichtlich, dass wir weitermachen können.«

Dunne reichte Hydt ein Mobiltelefon. »Benutzen Sie dies für unsere Gespräche. Die Verschlüsselung ist besser.«

Hydt betrachtete das Gerät. »Haben Sie den Westler aus der Nähe gesehen?«

»Nein. Es hing viel Qualm in der Luft.«

»Und Karic?«

»Den habe ich getötet.« Dabei verzog er keine Miene, so als hätte er gesagt: »Ja, es ist heute kühl draußen.«

Hydt ließ sich die neuen Informationen durch den Kopf gehen. Wenn es um Analysen ging, war niemand präziser oder umsichtiger als Niall Dunne. Und wenn Dunne überzeugt war, dass der Zwischenfall kein Problem darstellte, würde Hydt sich auf dieses Urteil verlassen.

»Ich mache mich jetzt auf den Weg zu der Anlage«, fügte Dunne hinzu. »Das Team sagt, sobald ich den Rest des Materials gebracht habe, dauert es nur wenige Stunden.«

In Hydt loderte ein Feuer, angefacht durch das Bild der Frauenleiche in dem Container – und den Gedanken an das, was im Norden auf ihn wartete. »Ich komme mit.«

Dunne sagte zunächst nichts. »Halten Sie das für eine gute Idee?«, fragte er schließlich mit gleichförmiger Stimme. »Es könnte riskant sein.« Es war, als hätte er die Ungeduld in Hydts Stimme gehört – Dunne schien zu glauben, dass eine emotional getroffene Entscheidung zu nichts Gutem führen konnte.

»Darauf lasse ich es ankommen.« Hydt vergewisserte sich, dass sein Telefon in seiner Tasche steckte. Vielleicht ergab sich ja die Gelegenheit, einige weitere Fotos zu schießen.

10

Bond verließ Ms Refugium und folgte dem Korridor. Er grüßte eine elegant gekleidete Asiatin, die flink etwas in die Tastatur eines großen Computers eintippte, und trat durch die Tür hinter ihr.

»Wie ich höre, haben Sie das große Los gezogen«, sagte Bond zu dem Mann, dessen Schreibtisch voller Papiere und Akten das genaue Gegenteil von Ms leerer Arbeitsfläche war.

»Das habe ich in der Tat.« Bill Tanner blickte auf. »Ich bin nun der Herr und Meister von Vorfall Zwanzig. Nehmen Sie Platz, James.« Er wies auf einen – genau genommen *den* – freien Stuhl. Es gab hier eigentlich mehrere Sitzgelegenheiten, aber die anderen dienten als zusätzliche Aktenständer. Bond setzte sich. »Gab es an Bord der SAS Air gestern Abend denn auch anständigen Wein und ein leckeres Essen?«, fragte der Stabschef der ODG.

Ein Apache-Hubschrauber des Special Air Service hatte Bond von einem Feld südlich der Donau aufgesammelt und zu einem NATO-Stützpunkt in Deutschland geflogen. Eine Hercules voller Lkw-Teile brachte ihn von dort nach London. »Man hatte offenbar vergessen, die Küche aufzufüllen«, sagte Bond.

Tanner lachte. Der ehemalige Lieutenant Colonel der Armee war ein stämmiger Mann Mitte fünfzig mit rötlicher Gesichtsfarbe und gerader Haltung – in jeglicher Hinsicht. Er trug seine übliche Uniform: eine dunkle Hose und ein hellblaues Hemd mit hochgekrempelten Ärmeln. Tanner hatte die schwierige Aufgabe, den alltäglichen Betrieb der ODG zu leiten. Von daher hätte man bei ihm von Rechts wegen kaum einen Sinn für Humor vermuten dürfen, doch das Gegenteil war der Fall. Als Bond der ODG beigetreten war, hatte Tanner als sein Mentor fungiert, und heute war er innerhalb der Organisation sein engster Freund. Tanner war ein begeisterter Golfer, und alle paar Wochen versuchten er und Bond sich an einem der schwierigeren Plätze wie Royal Cinque Ports, Royal St. George's oder, falls die Zeit drängte, Sunningdale in der Nähe von Windsor.

Selbstverständlich war Tanner in groben Zügen mit Vorfall Zwanzig und der Jagd nach Noah vertraut, aber Bond brachte ihn nun auf den neuesten Stand – und berichtete ihm auch von seiner eigenen eingeschränkten Rolle bei diesem Einsatz auf heimatlichem Terrain.

Der Stabschef lachte mitfühlend auf. »Carte grise, ja? Ich muss sagen, Sie tragen es wie ein Mann.«

»Mir bleibt kaum eine andere Wahl«, räumte Bond ein. »Ist Whitehall weiterhin davon überzeugt, dass der Ursprung der Bedrohung in Afghanistan liegt?«

»Sagen wir mal, man *hofft* eher, dass es sich so verhält«, erwiderte Tanner leise. »Aus mehreren Gründen. Sie können sie sich wahrscheinlich selbst denken.«

Er meinte natürlich politische Gründe.

Dann nickte er in Richtung von Ms Büro. »Haben Sie mitbekommen, was er von der Sicherheitskonferenz hält, zu deren Teilnahme man ihn diese Woche verdonnert hat?«

»Das war ziemlich eindeutig«, sagte Bond.

Tanner lachte in sich hinein.

Bond sah auf die Uhr und stand auf. »Ich muss mich mit jemandem von der Division Three treffen. Osborne-Smith. Wissen Sie was über ihn?«

»Ah, Percy.« Bill Tanner hob aus unerfindlichem Grund eine Augenbraue und lächelte. »Viel Glück, James«, sagte er. »Lassen wir es am besten dabei bewenden.«

Die Abteilung O nahm fast die gesamte vierte Etage ein.

Es handelte sich um einen großen offenen Bereich, umgeben von den Büros der Agenten. In der Mitte gab es Arbeitsplätze für die persönlichen Assistenten und die anderen Hilfskräfte. Das hier hätte auch die Verkaufsabteilung eines großen Supermarktes sein können, wären da nicht an jeder Bürotür ein Irisscanner und ein elektronisches Schloss mit Tastenfeld gewesen. In der Mitte gab es zwar viele Flachbildschirme, aber keinen der gigantischen Monitore, die in Fernsehen und Kino für jeden Geheimdienst unerlässlich zu sein schienen.

Bond durchquerte den geschäftigen Bereich und nickte grüßend einer Blondine Mitte zwanzig zu, die vorgebeugt auf ihrem Bürostuhl an einem ordentlichen Schreibtisch saß. Hätte Mary Goodnight in irgendeiner der anderen Abteilungen gearbeitet, hätte Bond sie vielleicht mal zum Abendessen eingeladen und abgewartet, was sich daraus ergeben mochte. Doch sie war nicht für eine der anderen Abteilungen tätig, sondern saß fünf Meter von seiner Bürotür entfernt und stellte seinen menschlichen Terminkalender dar, sein Fallgatter und seine Zugbrücke. Sie war in der Lage, unangemeldete Anrufer entschieden, aber überaus taktvoll abzuweisen, was in ihrem Job als Regierungsangestellte unabdingbar war. Auch wenn nichts davon offen herumlag – Goodnight erhielt von ihren Arbeitskollegen, Freunden oder Rendezvouspartnern gelegentlich Karten oder Souvenirs geschenkt, die mit dem Film *Titanic* zu tun hatten, so sehr sah sie Kate Winslet ähnlich.

»Guten Morgen, Goodnight.«

Dieses Wortspiel und andere seiner Art waren schon seit langer Zeit nicht mehr kokett gemeint, sondern spiegelten aufrichtige Zuneigung wider. Sie waren wie eine zärtliche Geste zwischen Eheleuten geworden, fast automatisch, aber niemals lästig.

Goodnight ging die Termine für den Tag durch, doch Bond wies sie an, alles abzusagen. Er würde einen Mann der Division Three treffen, der vom Thames House herüberkam, und danach musste er auf Abruf bereitstehen.

»Soll ich auch die Rapporte hierbehalten?«, fragte sie.

Bond überlegte. »Nein, die kann ich mir gleich mal vornehmen. Ich sollte ohnehin lieber meinen Schreibtisch aufräumen. Falls ich weg muss, möchte ich hinterher nicht eine Woche Lesestoff nachholen müssen.«

Sie reichte ihm die streng geheimen grün gestreiften Ordner. Mit Genehmigung des Tastenfeldes und des Irisscanners neben seiner Tür betrat Bond das Büro und schaltete das Licht ein. Nach Londoner Begriffen war der Raum gar nicht mal klein für ein Büro, etwa viereinhalb mal viereinhalb Meter, aber dafür eher steril. Der hier allseits übliche Schreibtisch war ein wenig größer als Bonds früherer Tisch bei der Defence Intelligence, hatte aber die gleiche Farbe. Die vier hölzernen Regale waren mit Büchern und Zeitschriften gefüllt, die sich für ihn als hilfreich erwiesen hatten oder erweisen könnten. Die Themen reichten von den neuesten Methoden, mit denen die Bulgaren in fremde Computersysteme eindrangen, über die diversen Thai-Idiome bis hin zu der Anleitung, wie man Scharfschützengewehre mit der 338er Lapua-Munition nachlud. Kaum ein persönlicher Gegenstand lockerte den Raum auf. Nicht mal das Conspicuous Gallantry Cross, das man ihm für seine Verdienste in Afghanistan verliehen hatte, hing in einem Rahmen an der Wand; es lag in der untersten Schreibtischschublade. Er hatte die Auszeichnung bereitwillig entgegengenommen, aber für Bond zählte Tapferkeit schlicht zum Handwerkszeug eines Soldaten, und er sah keinen Sinn darin, die Anwendung dieser

Eigenschaft nachträglich zu dokumentieren. Da hätte er sich auch einen alten Chiffrierschlüssel auf den Tisch legen können.

Bond setzte sich nun auf seinen Stuhl und begann mit der Lektüre der Rapporte. Dies waren nachrichtendienstliche Meldungen, herausgegeben und entsprechend kondensiert und aufbereitet vom MI6. Die erste stammte aus dem Russlandbüro. Dessen Station R hatte es geschafft, einen Regierungsserver in Moskau zu knacken und einige Verschlusssachen zu kopieren. Bond, der von Natur aus sprachbegabt war und in Fort Monckton Russisch gelernt hatte, übersprang die englischsprachige Zusammenfassung und widmete sich dem Originaltext.

Schon nach einem Absatz in dem langweiligen Bürokratentext ließ ein Begriff ihn innehalten. Das russische Wort für »Steel Cartridge«, Stahlpatrone.

Irgendwas klingelte da bei ihm, tief im Innern, so wie das Sonar eines U-Boots ein fernes, aber eindeutiges Ziel erfasste.

Steel Cartridge schien der Codename einer »aktiven Maßnahme« zu sein, wie die Russen eine taktische Operation nannten. Es sei in diesem Zusammenhang zu »einigen Todesfällen« gekommen.

Doch genauere Einzelheiten standen dort nicht.

Bond lehnte sich zurück und starrte an die Decke. Er hörte Frauenstimmen vor der Tür und sah hin. Philly, die mehrere Akten hielt, plauderte mit Mary Goodnight. Bond nickte. Die Six-Agentin trat ein und setzte sich auf einen hölzernen Stuhl vor seinem Schreibtisch.

»Was haben Sie gefunden, Philly?«

Sie beugte sich vor und schlug die Beine übereinander. Bond glaubte, das reizvolle Rascheln von Nylon zu hören. »Zunächst mal, Sie sind ein recht begabter Fotograf, James, aber das Licht war zu schlecht. Ich konnte das Gesicht des Iren nicht hoch genug auflösen, um ihn zu identifizieren. Und auf den zwei

Papierstücken waren keine Fingerabdrücke, nur ein Teilabdruck von Ihnen.«

Der Mann würde also vorläufig anonym bleiben müssen.

»Aber die Abdrücke auf der Brille waren gut. Der Einheimische war ein gewisser Aldo Karic. Er hat in Belgrad gewohnt und dort für die Eisenbahn gearbeitet.« Sie schürzte enttäuscht die Lippen, wodurch das entzückende Grübchen betont wurde. »Es wird etwas länger dauern als gedacht, bis ich mehr über ihn weiß. Das Gleiche gilt für das Gefahrgut auf dem Zug. Niemand redet. Sie hatten recht – Belgrad ist nicht zur Zusammenarbeit aufgelegt. Nun noch mal zu den Zetteln aus dem brennenden Wagen. Ich habe ein paar mögliche Orte.«

Bond sah sie einige Ausdrucke aus dem Ordner ziehen. Wie das markante Logo bewies, stammten sie von MapQuest, einem Online-Anbieter. »Wird bei Six das Budget knapp? Ich rufe für Sie gern mal im Finanzministerium an.«

Sie lachte auf. »Ich habe natürlich Proxy-Server benutzt. Nur um einen Eindruck davon zu erhalten, wo auf dem Spielfeld wir uns befinden.« Sie wies auf eines der Blätter. »Die Rechnung? Der Pub liegt hier.« Am Rande der Autobahn bei Cambridge.

Bond musterte die Karte. Wer hatte dort gegessen? Der Ire? Noah? Andere Komplizen? Oder jemand, der den Wagen letzte Woche gemietet hatte und in keinerlei Verbindung zu Vorfall Zwanzig stand?

»Was ist mit dem anderen Stück Papier? Dem mit der Notiz?«

Boots – March. 17. Nicht später.

Sie brachte eine lange Liste zum Vorschein. »Ich habe versucht, an alle möglichen Kombinationen zu denken. Daten, Schuhwerk, geographische Orte, die Apothekenkette ›Boots‹.« Ihr Mund verzog sich erneut. Sie war unzufrieden, so wenig erreicht zu haben. »Leider sticht nichts hervor.«

Er stand auf und zog mehrere Hefte mit Generalstabskarten aus dem Regal, schlug eines auf und studierte es sorgfältig.

Mary Goodnight erschien im Eingang. »James, unten ist jemand für Sie eingetroffen. Von der Division Three, sagt er. Percy Osborne-Smith.«

Philly musste Bonds Miene den plötzlichen Stimmungswechsel angesehen haben. »Ich mache mich wieder an die Arbeit, James, und setze den Serben weiter zu. Die kriegen wir schon klein, das garantiere ich.«

»Ach, eines noch, Philly.« Er reichte ihr den Rapport, in dem er gerade gelesen hatte. »Sie müssen mir alles über eine sowjetische oder russische Operation namens Steel Cartridge heraussuchen. Hier steht ein wenig darüber, aber nicht viel.«

Sie warf einen Blick auf den Text.

»Tut mir leid, dass es nicht übersetzt ist, aber Sie können vermutlich…«

»*Ja govorju po russki.*«

Bond lächelte matt. »Und Ihr Akzent ist viel besser als meiner.« Er ermahnte sich, sie nie mehr zu unterschätzen.

Philly untersuchte den Ausdruck genauer. »Das stammt aus einer Online-Quelle. Wer hat die ursprüngliche Datei?«

»Einer unserer Leute, nehme ich an. Das hier kommt von Station R.«

»Ich setze mich mit dem Russlandbüro in Verbindung«, sagte sie. »Mich interessieren die Metadaten, die in die Datei eingebettet sind, zum Beispiel das Erstelldatum, der Autor und vielleicht sogar Querverweise auf andere Quellen.« Sie schob das russische Dokument in einen leeren Ordner und nahm einen Stift, um eines der Kästchen auf dem Umschlag anzukreuzen. »Wie wollen Sie es eingestuft haben?«

Er überlegte kurz. »Streng geheim. Nur für uns.«

»›Uns‹?«, fragte sie. Diese Einstufung war offiziell nicht vorgesehen.

»Für Sie und für mich«, sagte er leise. »Für niemanden sonst.«

Sie zögerte. Dann schrieb sie: *Streng geheim. Vertraulich. SIS-Agent Maidenstone. ODG-Agent James Bond.* »Und mit welcher Priorität?«, grübelte sie laut.

Bei dieser Frage brauchte Bond keine Sekunde zu überlegen. »Dringend.«

11

Bond saß über seinen Schreibtisch gebeugt und stellte einige eigene Nachforschungen in Regierungsdatenbanken an, als er Schritte näher kommen hörte, begleitet von einer lauten Stimme.

»Es ist alles in bester Ordnung, wirklich. Sie können mich jetzt allein lassen, bitte und danke – ich brauche keinen Lotsen.«

Mit diesen Worten betrat ein Mann in einem engen gestreiften Anzug Bonds Büro und ließ den Sicherheitsbeamten der Sektion P, der ihn begleitet hatte, hinter sich zurück. Er hatte außerdem Mary Goodnight übergangen, die stirnrunzelnd von ihrem Platz aufgestanden war, als der Mann an ihr vorbeistürmte, ohne sie eines Blickes zu würdigen.

Er ging nun zu Bonds Tisch und streckte eine fleischige Pranke aus. Er war nicht dick, aber schlaff, alles andere als beeindruckend, hatte zudem einen anmaßenden Blick und große Hände an den Enden langer Arme. Genau die Art Mann, die einem fast die Finger zerquetschen würde. Bond aktivierte den Bildschirmschoner, stand auf und streckte den eigenen Arm bis dicht vor den Leib des anderen aus, um ihm den Hebelweg zu verkürzen.

Percy Osborne-Smiths Händedruck erwies sich dann aber als kurz und harmlos, wenngleich unangenehm feucht.

»Bond. James Bond.« Er bot dem Mann von der Division Three den Stuhl an, auf dem eben noch Philly gesessen hatte, und nahm sich vor, sich von der Frisur – zur Seite gekämmtes und dort offenbar angeklebtes dunkelblondes Haar –, den aufgeworfenen Lippen und dem gereckten Hals nicht täuschen zu lassen. Ein schwaches Kinn bedeutete nicht automatisch einen schwachen Mann, wie jeder bestätigen konnte, der mit der Karriere von Field Marshal Montgomery vertraut war.

»Da wären wir also«, sagte Osborne-Smith. »Alle sind ganz aus dem Häuschen wegen dieses Vorfalls Zwanzig. Da fragt man sich doch, wer denkt sich diese Namen aus? Das Intelligence Committee, schätze ich.«

Bond nickte unverbindlich.

Der Blick des Mannes schweifte durch das Büro, verweilte kurz bei einer Plastikpistole mit orangefarbener Mündung, wie sie im Nahkampftraining benutzt wurde, und kehrte zurück zu Bond. »Also, nach dem, was ich gehört habe, schaufeln Verteidigungsministerium und Six ordentlich Kohle in die Heizkessel, um ihre Dampfer ins afghanische Hinterland zu steuern und dort nach Bösewichten zu suchen. Damit sind Sie und ich die lästigen kleinen Brüder, die zurückbleiben müssen und diese Sache in Serbien am Hals haben. Aber manchmal wird das Spiel durch einen Bauern entschieden, nicht wahr?«

Er tupfte sich Nase und Mund mit einem Taschentuch ab. Bond konnte sich nicht entsinnen, wann er zum letzten Mal jemanden, der jünger als siebzig Jahre war, bei einem solchen Verhalten beobachtet hatte. »Ich habe schon von Ihnen gehört, Bond… *James*. Lassen Sie uns unsere Vornamen benutzen, ja? Mein Nachname ist ein bisschen umständlich. Man hat's nicht leicht im Leben. Genau wie mit meinem Titel – Deputy Senior Director of Field Operations.«

Den er mir ziemlich ungeschickt unter die Nase reibt, dachte Bond.

»Percy und James also. Klingt wie ein Komiker-Duo bei einer Wohltätigkeitsveranstaltung. Jedenfalls, ich habe schon von Ihnen gehört, James. Ihr Ruf eilt Ihnen voraus. Und das mit Fug und Recht. Zumindest soweit mir zugetragen wurde.«

O mein Gott, dachte Bond, der sich bereits mächtig zusammenreißen musste. Er unterbrach den Monolog und schilderte detailliert, was in Serbien geschehen war.

Osborne-Smith hörte aufmerksam zu und machte sich Notizen. Dann beschrieb er die Ereignisse auf der britischen Seite des Ärmelkanals, die jedoch nicht sonderlich ergiebig ausgefallen waren. Sogar unter Einsatz der eindrucksvollen Überwachungsmaschinerie der Abteilung A des MI5 – bekannt als die Wächter – hatte niemand sich in der Lage gesehen, den Landeplatz des Hubschraubers mit dem Iren an Bord genauer einzugrenzen als »irgendwo nordöstlich von London«. Seitdem hatte es keine MASINT- oder sonstigen Spuren des Helikopters mehr gegeben.

»Und unsere Strategie?«, sagte Osborne-Smith, aber nicht als Frage, sondern als Einleitung zu einer Direktive: »Während Verteidigungsministerium, Six und alle anderen die Wüste nach Massenvernichtungsafghanen durchkämmen, will ich hier eine kompromisslose Fahndung nach diesem Iren und Noah, um sie sauber verschnürt abzuliefern.«

»Wo denn?«

»Natürlich im Untersuchungsgefängnis.«

»Ich bin mir nicht sicher, ob das der beste Ansatz ist«, gab Bond zu bedenken.

Gehen Sie gefälligst pfleglich mit den Einheimischen um...

»Warum nicht? Wir haben nicht die Zeit für langwierige Überwachungen.« Bond registrierte ein schwaches Lispeln. »Nur für Verhöre.«

»Falls Tausende von Leben auf dem Spiel stehen, können der Ire und Noah nicht die einzigen Beteiligten sein. Womöglich stehen sie in der Rangordnung sogar ziemlich weit unten. Wir wissen lediglich, dass es ein Treffen in Noahs Büro gegeben hat. Nichts hat je konkret darauf hingedeutet, dass er der Leiter der Operation ist. Und der Ire? Der ist definitiv ein Mann fürs Grobe. Er weiß zwar, was er tut, aber er ist im Wesentlichen ein Handlanger. Ich glaube, wir sollten die beiden identifizieren und weiter im Spiel belassen, bis wir mehr wissen.«

Osborne-Smith nickte freundlich. »Ah, Sie sind offenbar nicht vertraut mit meiner Vorgeschichte, James, meinem Lebenslauf.« Das Lächeln und die Öligkeit verschwanden. »Ich habe mir meine Lorbeeren damit verdient, Häftlinge zu grillen. In Nordirland. Und im Belmarsh.«

Dem berüchtigten sogenannten »Terroristenknast« in London.

»Auch auf Kuba habe ich etwas Sonne bekommen«, fuhr er fort. »In Guantánamo. Ja, in der Tat. Am Ende kriege ich die Leute zum Reden, James. Nachdem ich mich ein paar Tage mit ihnen beschäftigt habe, verraten sie mir das Versteck ihres leiblichen Bruders, glauben Sie mir. Oder das ihres Sohnes. Oder ihrer Tochter. Oh, sie erzählen mir alles, worum ich sie bitte … ganz höflich.«

Bond gab nicht auf. »Doch falls Noah Partner hat und die erfahren, dass er geschnappt wurde, könnten sie ihre Pläne für Freitag beschleunigen. Oder von der Bildfläche verschwinden – und wir hören erst wieder von ihnen, wenn sie in sechs oder acht Monaten erneut zuschlagen, nachdem alle Spuren erkaltet sind. Dieser Ire hat derartige Eventualitäten bedacht, da bin ich mir sicher.«

Die weiche Nase legte sich bedauernd in Falten. »Tja, wie soll ich sagen? Falls wir irgendwo auf dem Kontinent wären oder über den Roten Platz schlendern würden, wäre es mir das größte Vergnügen, mich zurückzulehnen und Ihnen dabei zuzusehen, wie Sie ganz nach Ihrem Dafürhalten die Bälle werfen und das Schlagholz schwingen, aber, nun ja, das hier ist *unsere* Partie Cricket.«

Dieser Peitschenknall war wohl unvermeidlich gewesen. Bond gelangte zu dem Schluss, dass es keinen Sinn hatte, Einwände zu erheben. Der geschniegelte Stutzer besaß ein stählernes Rückgrat. Er besaß außerdem umfassende Befehlsgewalt und konnte Bond komplett ausschließen, falls er das wünschte.

»Die Entscheidung liegt natürlich bei Ihnen«, lenkte Bond ein. »Der erste Schritt dürfte also sein, die beiden zu finden. Lassen Sie mich Ihnen zeigen, was wir haben.« Er reichte ihm Fotokopien der Pub-Rechnung und der Notiz: *Boots – March. 17. Nicht später.*

Osborne-Smith musterte die Blätter stirnrunzelnd. »Was wissen Sie bisher?«, fragte er.

»Nicht allzu viel«, sagte Bond. »Der Pub liegt bei Cambridge. Und die Notiz gibt uns einige Rätsel auf.«

»Der siebzehnte März? Eine Erinnerung, in der Apotheke einzukaufen?«

»Kann sein«, sagte Bond zweifelnd. »Ich halte es eher für eine Art Code.« Er schob Phillys MapQuest-Ausdruck über den Tisch. »Wenn Sie mich fragen, ist der Pub wahrscheinlich eine Sackgasse. Ich kann nichts Besonderes daran finden – da liegt nichts Wichtiges in der Nähe. Am Rand der M 11, bei der Wimpole Road.« Er berührte das Blatt. »Vermutlich reine Zeitverschwendung. Aber wir sollten auf Nummer sicher gehen. Das kann ich ja übernehmen. Ich fahre hin und schaue mich mal in der Gegend von Cambridge um. Sie könnten derweil ja die Notiz an die Codespezialisten von Five weiterreichen und sehen, was deren Computer dazu sagen. Das Ding ist der Schlüssel, glaube ich.«

»Einverstanden. Aber falls es Ihnen nichts ausmacht, James, ist es wohl am besten, wenn ich den Pub selbst übernehme. Ich kenne mich da aus. Ich war in Cambridge auf der Uni – Magdalene College.« Die Karte und die Pub-Rechnung verschwanden in Osborne-Smiths Aktentasche, dazu die Kopie der March-Notiz. Dann zog er ein anderes Blatt Papier hervor. »Können Sie mal das Mädchen reinrufen?«

Bond zog eine Augenbraue hoch. »Welches?«

»Das hübsche junge Ding da draußen. Unverheiratet, wie ich sehe.«

»Sie meinen meine persönliche Assistentin«, merkte Bond trocken an. Er stand auf und ging zur Tür. »Miss Goodnight, würden Sie bitte hereinkommen?«

Sie gehorchte stirnrunzelnd.

»Unser Freund Percy hat eine Bitte an Sie.«

Osborne-Smith entging die Ironie in Bonds Wahl der Namen. Er reichte Goodnight das Blatt Papier. »Fotokopieren Sie das mal, seien Sie so gut, ja?«

Sie sah Bond an. Er nickte. Sie nahm das Dokument und ging zum Fotokopierer. Osborne-Smith rief ihr hinterher: »Beidseitig natürlich. Verschwendung nützt nur dem Gegner, oder?«

Gleich darauf kam Goodnight zurück. Osborne-Smith verstaute das Original in seiner Aktentasche und gab Bond die Kopie. »Sind Sie hin und wieder mal auf dem Schießstand?«

»Gelegentlich«, sagte Bond. Er fügte nicht hinzu: sechs Stunden jede Woche, ausnahmslos, mit Faustfeuerwaffen hier im Gebäude, mit allem Größeren draußen in Bisley. Und alle zwei Wochen trainierte er auf der FATS-Anlage von Scotland Yard – dem computerisierten Firearms Training Simulator mit hochauflösender Grafik, bei dem der Proband eine Elektrode auf dem Rücken trug. Falls der Terrorist dich erwischte, bevor du ihn erschießen konntest, zwangen die unerträglichen Schmerzen dich auf die Knie.

»Wir müssen uns an die Vorschriften halten, nicht wahr?« Osborne-Smith deutete auf das Blatt in Bonds Hand. »Der Antrag auf vorübergehenden Status als AFO.«

Im Vereinigten Königreich durften nur sehr wenige Sicherheitsbeamte – nämlich die Authorized Firearms Officers – Schusswaffen mit sich führen.

»Es ist eher keine gute Idee, meinen Namen hier einzutragen«, gab Bond zu bedenken.

Osborne-Smith schien nicht daran gedacht zu haben. »Sie könnten recht haben. Nun, dann benutzen Sie eben eine inoffizielle Tarnidentität. John Smith dürfte ausreichen. Schreiben Sie das einfach hin, und dann beantworten Sie die Fragen auf der Rückseite – Sicherheitsregeln im Umgang mit Waffen und all das. Falls Sie nicht weiterwissen, fragen Sie ruhig. Ich helfe Ihnen.«

»Ich mache mich gleich ans Werk.«

»Guter Mann. Schön, dass wir das geregelt haben. Wir sprechen uns später ab – nach unseren jeweiligen Geheimmissionen.« Er klopfte auf die Aktentasche. »Und jetzt ab nach Cambridge.«

Er stand auf, machte kehrt und stolzierte ebenso ungestüm hinaus, wie er hereingekommen war.

»Was für ein durch und durch *abstoßender* Mann«, flüsterte Goodnight.

Bond lachte auf. Er zog sein Jackett von der Rückenlehne seines Stuhls, streifte es über und nahm das Heft mit den Generalstabskarten. »Ich hole unten in der Waffenkammer meine Pistole ab und bin dann für drei oder vier Stunden weg.«

»Was ist mit diesem Waffenformular, James?«

»Ah.« Er nahm es, riss es in ordentliche Streifen und schob sie als Lesezeichen zwischen einige Seiten des Kartenheftes. »Weshalb kostbare Haftnotizzettel verschwenden? Sie wissen ja, das nützt nur dem Gegner.«

12

Anderthalb Stunden später saß James Bond in seinem Bentley Continental GT und huschte als grauer Schemen nach Norden.

Er dachte über die Irreführung von Percy Osborne-Smith nach. Er war tatsächlich zu dem Schluss gelangt, dass der Hinweis auf den Pub in Cambridge nicht allzu vielversprechend war. Ja, die Vorfall-Zwanzig-Leute mochten dort gegessen haben – die Rechnung deutete auf zwei oder drei Personen hin. Aber das lag mehr als eine Woche zurück, und daher war es unwahrscheinlich, dass jemand vom Personal sich noch an den Iren und dessen Begleitung erinnern würde. Und da der Mann sich als ungewöhnlich schlau erwiesen hatte, ging Bond davon aus, dass er nirgendwo regelmäßig aß oder einkaufte. Er würde also kein Stammgast sein.

Natürlich musste man die Spur in Cambridge trotzdem überprüfen, aber es war genauso wichtig, dass Osborne-Smith abgelenkt wurde. Bond konnte einfach nicht zulassen, dass der Ire oder Noah verhaftet und ins Belmarsh geschleift wurden, als wären sie irgendwelche Drogendealer oder Islamisten, die zu viel Kunstdünger gekauft hatten. Um Vorfall Zwanzig zu verhindern, mussten die beiden Verdächtigen im Spiel bleiben.

Also hatte Bond, der begeisterte Pokerspieler, geblufft und sich vermeintlich für den Pub interessiert, nicht ohne wohlweislich die Wimpole Road zu erwähnen. Für die meisten Leute hätte das keine Bedeutung gehabt. Aber Bond zählte darauf, dass Osborne-Smith wissen würde, was sich in der Wimpole Road befand: eine geheime Regierungseinrichtung des Verteidigungsministeriums, die zu Porton Down in Wiltshire gehörte, dem Forschungszentrum für Biowaffen. Die Straße lag zwar zwölf Kilometer östlich des Pubs, auf der anderen Seite von Cambridge, aber Bond glaubte, dass allein schon die Andeutung eines möglichen Zusammenhangs den Mann von der Division Three dazu verleiten würde, sich auf diese Idee zu stürzen wie eine Möwe auf einen Fischkopf.

Damit blieb für Bond die anscheinend fruchtlose Aufgabe, sich den Kopf über die rätselhafte Notiz zu zerbrechen. *Boots – March. 17. Nicht später.*

Die er entschlüsselt zu haben glaubte.

Die meisten von Phillys Vorschlägen zur möglichen Bedeutung hatten die Apothekenkette Boots beinhaltet, deren Filialen in praktisch allen Städten des Vereinigten Königreichs vertreten waren. Die anderen Mutmaßungen drehten sich um Schuhwerk und um Ereignisse, die am 17. März stattgefunden hatten.

Doch ein Eintrag gegen Ende der Liste hatte Bond neugierig gemacht. Philly war aufgefallen, dass zwischen »Boots« und »March« ein Bindestrich stand, und sie hatte herausgefunden, dass es in der Nähe der Stadt March – zwei Autostunden nördlich von London – eine Boots Road gab. Hinzu kam der Punkt zwischen »March« und »17«. Wenn man davon ausging, dass der letzte Teil »nicht später« einen Stichtag bezeichnete, ergab die »17« als Datum einen Sinn, bezog sich aber womöglich auf morgen, den 17. *Mai.*

Wie clever von ihr, hatte Bond gedacht und sich von seinem Büro aus, während er noch auf Osborne-Smith wartete, ins Golden Wire eingeloggt – ein geschütztes Glasfasernetz, das Datenbanken aller wichtigen britischen Sicherheitsbehörden miteinander verband –, um möglichst viel über March und die Boots Road herauszufinden.

Er war auf einige verblüffende Fakten gestoßen: Verkehrsumleitungen wegen einer großen Anzahl von Lastwagen, die die Boots Road unweit eines alten Armeestützpunkts befuhren, und öffentliche Bekanntmachungen, die den Einsatz von Schwermaschinen ankündigten. Wie es schien, mussten die Arbeiten spätestens mit Ablauf des siebzehnten Mai beendet sein, ansonsten würden Bußgelder verhängt. Bond hatte so eine Ahnung, dass dies eine handfeste Spur sein könnte, die zu dem Iren und Noah führte.

Und man hatte ihn gelehrt, dass jeder gute Agent auf seine Intuition hörte.

Also war er nun unterwegs nach March und genoss das Vergnügen, am Steuer seines Wagens zu sitzen.

Was bedeutete, dass er schnell fuhr.

Bond musste sich natürlich etwas zurückhalten, denn er befand sich nicht auf der N-260 in den Pyrenäen oder auf einer einsamen Straße im Lake District, sondern auf der A 1, die auf dem Weg nach Norden immer wieder zwischen Autobahn und Landstraße hin- und herwechselte. Dennoch erreichte die Tachonadel bisweilen die 160 km/h, und Bond betätigte häufig die Wippe des butterweichen, augenblicklich reagierenden Schnellschaltgetriebes, um einen langsamen Pferdetransporter oder einen Ford Mondeo zu überholen. Er blieb meistens auf der rechten Spur, abgesehen von ein oder zwei Überholvorgängen, bei denen er lieber die Standspur nahm, was zwar illegal war, aber Spaß machte. Das Gleiche galt für einige Stellen mit seitlich abschüssiger Fahrbahn, an denen Bond den Wagen kontrolliert ins Rutschen geraten ließ.

Die Polizei war kein Problem. Auch wenn die Zuständigkeit der ODG im Inland eingeschränkt sein mochte – Carte grise, nicht blanche, scherzte Bond nun insgeheim –, mussten die Agenten der Abteilung O sich häufig schnell von einem Ort zum anderen begeben können. Bond hatte seine Fahrt bei der

Polizei angemeldet – und als Folge wurde sein Nummernschild sowohl von den Verkehrskameras als auch von den Beamten mit Messpistolen ignoriert.

Ah, der Bentley Continental GT Coupé … das beste Serienfahrzeug der Welt, glaubte Bond.

Er hatte die Marke schon immer geliebt; sein Vater hatte Hunderte von alten Zeitungsfotos der berühmten Gebrüder Bentley und ihrer Kreationen aufbewahrt, die in den Zwanzigerjahren des letzten Jahrhunderts beim Rennen von Le Mans das ganze Feld einschließlich der Bugattis im Staub hinter sich zurückließen. Und Bond war 2003 selbst dabei gewesen, als der erstaunliche Bentley Speed 8 das Rennen nach einem Dreivierteljahrhundert erneut gewann. Er hatte immer davon geträumt, einen dieser vornehmen und dabei aberwitzig schnellen und intelligenten Wagen zu besitzen. Während der Jaguar E-Type, der unter seiner Wohnung stand, ein Erbstück seines Vaters war, handelte es sich bei dem GT um eine indirekte Hinterlassenschaft. Bond hatte sich seinen ersten Continental vor einigen Jahren mit dem Rest des Geldes gekauft, das er nach dem Tod seiner Eltern von der Lebensversicherung erhalten hatte. Kürzlich hatte er den Wagen dann für das neue Modell in Zahlung gegeben.

Er fuhr nun von der Autobahn ab und weiter auf March zu, das im Herzen der Fens lag. Bond wusste kaum etwas über den Ort. Er hatte von dem »March March March« gehört, einer Wanderung, die Studenten alljährlich im März von March nach Cambridge unternahmen. Es gab dort das Gefängnis Whitemoor. Und Touristen besichtigten die Kirche der heiligen Wendreda, die ganz sensationell sein sollte. Bond würde sich diesbezüglich auf das Wort des Verkehrsvereins verlassen müssen; er hatte schon seit Jahren kein Gotteshaus mehr besucht, außer im Rahmen einer Überwachung.

Vor ihm ragte nun der alte Armeestützpunkt auf. Bond fuhr

in großem Bogen auf die Rückseite. Das Gelände war mit einem einschüchternden Stacheldrahtzaun gesichert, und Schilder warnten vor unbefugtem Betreten. Er erkannte den Grund: Die Anlage wurde abgerissen. Das also waren die Arbeiten, von denen er gelesen hatte. Ein halbes Dutzend Gebäude war bereits verschwunden. Eines stand noch, drei Etagen hoch, aus alten roten Backsteinen, mit einer verblichenen Aufschrift: *Lazarett*.

Mehrere große Kipplader waren zugegen, dazu Bulldozer, Bagger und einige Wohnanhänger, die etwa hundert Meter von dem Gebäude entfernt auf einem Hügel standen und vermutlich als Büro der Bauleitung und als Aufenthaltsraum für die Arbeiter dienten.

Neben dem größten Caravan parkte ein schwarzer Wagen, doch es war niemand zu sehen. Bond fragte sich, weshalb wohl; heute war ein ganz gewöhnlicher Montag.

Er lenkte seinen Bentley in ein kleines Dickicht, um ihn vor fremden Blicken zu schützen. Dann stieg er aus und schaute sich um: ein Netz aus Bewässerungsgräben, Kartoffel- und Zuckerrübenfelder, einige Gehölze. Bond schlüpfte in seine Ausrüstung. Die Jacke war an der Schulter von dem Granatsplitter aufgerissen und roch immer noch nach Rauch – von dem brennenden Mercedes in Serbien. Zuletzt tauschte er seine Straßenschuhe gegen die knöchelhohen Kampfstiefel.

Er hängte sich seine Walther und ein Holster mit zwei Reservemagazinen an das Leinenkoppel.

Falls Sie nicht weiterwissen, fragen Sie ruhig.

Er steckte außerdem einen Schalldämpfer ein, eine Taschenlampe, ein Werkzeugetui und sein Klappmesser.

Dann hielt Bond inne und sammelte sich, wie vor jeder taktischen Operation: absolut ruhig, mit konzentriertem Blick, der jedes Detail erfasste – Zweige, die verräterisch laut brechen konnten, Büsche, zwischen denen sich womöglich ein Scharfschütze verbarg, Anzeichen für Drähte, Sensoren und Kameras, die dem Feind seine Anwesenheit melden konnten.

Und er bereitete sich darauf vor, notfalls zu töten, schnell und gründlich. Auch das gehörte zu seiner Welt.

Da bei dieser Mission noch so viele Fragen offen waren, verhielt er sich nur umso vorsichtiger.

Du musst auf Handlungen des Gegners angemessen reagieren …

Aber was hatte Noah vor?

Und wer war dieser Kerl überhaupt?

Bond schlich zwischen den Bäumen hindurch, dann quer über ein Stück Acker, auf dem das erste Rübenkraut aus der Erde ragte. Er umging ein stinkendes Sumpfloch und arbeitete sich behutsam durch ein Dorngestrüpp auf das Lazarett zu. Schließlich erreichte er den Stacheldraht und die Warnschilder, auf denen auch die Abrissfirma genannt wurde: Eastern Demolition and Scrap. Bond hatte den Namen noch nie gehört, aber die Laster sahen irgendwie vertraut aus, vor allem die charakteristische grüngelbe Lackierung.

Er musterte das überwucherte Gelände vor dem Gebäude und den Exerzierplatz dahinter. Noch immer war niemand zu sehen. Bond durchtrennte den Zaun mit einer Drahtschere und dachte, wie schlau es doch wäre, das Gebäude für geheime Treffen zur Vorbereitung von Vorfall Zwanzig zu nutzen. Es würde bald abgerissen, und damit wären alle etwaigen Spuren vernichtet.

Es hielten sich zwar offenbar keine Arbeiter hier auf, aber der schwarze Wagen bedeutete, dass dennoch jemand im Innern sein könnte. Bond hielt nach einer Hintertür oder anderen unauffälligen Zugangsmöglichkeiten Ausschau. Fünf Minuten später fand er eine: ein drei Meter tiefes Loch in der Erde, hervorgerufen durch den Einsturz eines unterirdischen Versorgungstunnels. Bond stieg in die Senke und leuchtete hinein. Der Gang schien in den Keller des Lazaretts zu führen, etwa fünfzig Meter von hier.

Bond ging los und registrierte, wie alt die rissigen Backsteinwände waren. Im selben Moment lösten sich zwei Ziegel aus der Decke und krachten zu Boden. Dort unten verlief ein schmaler Schienenstrang, verrostet und teilweise mit Schlamm bedeckt.

Auf ungefähr halber Strecke rieselten ihm Steinchen und feuchte Erde auf den Kopf. Bond blickte hoch und sah, dass die Tunneldecke knapp zwei Meter über ihm wie eine geborstene Eierschale von Rissen durchzogen war. Wahrscheinlich genügte ein Händeklatschen, um alles zum Einsturz zu bringen.

Nicht gerade ein schöner Ort, um lebendig begraben zu sein, dachte Bond.

Und fügte dann in Gedanken sarkastisch hinzu: Und wo genau wäre ich lieber verschüttet?

»Erstklassige Arbeit«, sagte Severan Hydt zu Niall Dunne.

Sie waren allein in Hydts Caravan, der hundert Meter entfernt von dem dunklen, unwirtlichen Armeelazarett außerhalb von March stand. Da das Gehenna-Team unter Zeitdruck gestanden hatte, den Job bis zum nächsten Tag abzuschließen, hatten Hydt und Dunne die Abrissarbeiten am Morgen unterbrochen und dafür gesorgt, dass die Arbeiter abrückten – die meisten von Hydts Angestellten wussten nichts von Gehenna, und er musste sehr vorsichtig sein, wenn die beiden Operationen sich überschnitten.

»Ich war zufrieden«, sagte Dunne tonlos – so wie er fast immer reagierte, ob nun auf Lob, Kritik oder eine sachliche Feststellung.

Das Team hatte den von Dunne gelieferten Rest des Materials eingebaut und war vor einer halben Stunde mit der Vorrichtung abgerückt. Sie würde bis Freitag an einem sicheren Ort versteckt bleiben.

Hydt hatte sich eine Weile in dem letzten noch stehenden Gebäude umgesehen: Das Lazarett war mehr als achtzig Jahre alt.

Das Abrissgeschäft brachte Green Way einen gewaltigen Haufen Geld ein. Die Firma wurde nicht nur bezahlt, um einzureißen, was die Leute nicht mehr haben wollten, sie verdiente auch an den Dingen, die sie aus dem Schutt barg und anderweitig verkaufte: Holzbalken, Stahlträger, Kabel, Aluminium- und Kupferrohre – vor allem Letztere waren der Traum jedes Lumpensammlers. Doch Hydts Interesse am Abbruch ging natürlich über das Finanzielle hinaus. Er betrachtete das Gebäude nun voll angespannter Vorfreude, so wie ein Jäger ein ahnungsloses Tier anstarrt, bevor er den tödlichen Schuss abfeuert.

Er musste unwillkürlich an die einstigen Patienten des Lazaretts denken – die Toten und Sterbenden.

Hydt hatte auf seiner Runde durch das prachtvolle alte Stück Dutzende von Fotos geschossen – in den heruntergekommenen Fluren, den muffigen Zimmern, der Leichenhalle, dem Autopsiebereich –, um den Zerfall und Niedergang festzuhalten. Seine Archive enthielten sowohl Bilder von alten Gebäuden als auch von Leichen. Er hatte eine ganze Menge davon, manche sogar durchaus künstlerisch wie die von Northumberland Terrace, Palmers Green an der North Circular Road, der mittlerweile verschwundenen Pura-Speiseölfabrik am Bow Creek in Canning Town sowie dem Royal Arsenal und Royal Laboratory in Woolwich. Seine Fotos von Lovell's Wharf in Greenwich zeigten anschaulich, was umfassende Vernachlässigung bewirken konnte, und rührten ihn jedes Mal.

Niall Dunne sprach gerade per Mobiltelefon mit dem Fahrer des Lastwagens und erklärte, wie die Vorrichtung am besten zu verstecken sei. Die Anweisungen waren ziemlich präzise, aber das entsprach Dunnes Natur und war der schrecklichen Waffe absolut angemessen.

Hydt war froh, dass ihre Pfade sich gekreuzt hatten, auch

wenn der Ire ihn sich unbehaglich fühlen ließ. Ohne Dunne hätte er das Projekt Gehenna weder so schnell noch so sicher fortsetzen können. Hydt bezeichnete ihn bisweilen als den »Mann, der an alles denkt«, und das war er tatsächlich. Dafür nahm Severan Hydt dann auch gern das unheimliche Schweigen in Kauf, die kalten Blicke, die roboterhafte eisige Härte. Die beiden Männer bildeten ein effizientes Team, wenngleich nicht ohne Ironie: ein Ingenieur, in dessen Natur es lag, etwas zu erbauen, und ein Lumpensammler, der leidenschaftlich gern zerstörte.

Was für ein seltsames Häuflein wir Menschen doch sind. Berechenbar nur im Tode. Zuverlässig ebenfalls nur dann, grübelte Hydt und verwarf den Gedanken wieder.

Kaum hatte Dunne das Telefonat beendet, klopfte es an der Tür. Eric Janssen kam herein, ein Sicherheitsmann von Green Way, der sie nach March gefahren hatte. Er sah beunruhigt aus.

»Mr. Hydt, Mr. Dunne, jemand hat das Gebäude betreten.«

»Was?«, rief Hydt und wandte seinen riesigen Pferdekopf in die Richtung des Mannes.

»Er ist durch den Tunnel gegangen.«

Dunne rasselte eine Reihe von Fragen herunter. War er allein? Hatte Janssen irgendwelche Funksprüche aufgefangen? Stand der Wagen des Fremden in der Nähe? Hatte es in der Gegend ein ungewöhnliches Verkehrsaufkommen gegeben? War der Mann bewaffnet?

Die Antworten deuteten darauf hin, dass er allein operierte und nicht zu Scotland Yard oder dem Security Service gehörte.

»Konnten Sie ihn fotografieren oder wenigstens gut sehen?«, fragte Dunne.

»Nein, Sir.«

Hydt schnipste mit zwei der langen Fingernägel. »Könnte das der Mann sein, der gestern Abend bei den Serben gewesen ist?«, fragte er Dunne. »Der Westler?«

»Nicht unmöglich, aber ich weiß nicht, wie er uns hier hätte aufspüren sollen.« Dunne spähte angestrengt durch das dreckige Fenster des Caravans, als könne er das Gebäude nicht erkennen. Hydt wusste, dass der Ire in diesem Moment einen Plan entwarf. Oder vielleicht ging er auch die Schritte durch, die er sich für so eine Eventualität im Voraus überlegt hatte. Eine Weile stand er reglos da. Dann zog Dunne seine Waffe, verließ den Caravan und bedeutete Janssen, er möge ihn begleiten.

13

Der Gestank nach Moder, Fäulnis, Chemikalien, Öl und Benzin war überwältigend. Bond konnte nur mühsam ein Husten unterdrücken und blinzelte sich ein paar Tränen aus den brennenden Augen. Hing da auch Rauch in der Luft?

Der Keller des Lazaretts hatte hier keine Fenster. Nur aus Richtung des eingestürzten Tunnels drang ein wenig Tageslicht herein. Bond leuchtete den Raum mit der Taschenlampe ab. Er befand sich neben einer Drehscheibe, auf der die kleinen Lokomotiven gewendet worden waren, nachdem sie Nachschub oder Patienten angeliefert hatten.

Mit der Walther in der Hand durchsuchte Bond das Areal und lauschte dabei auf Stimmen, Schritte oder das Klicken einer Waffe, die durchgeladen oder entsichert wurde. Aber die nähere Umgebung war menschenleer.

Der Tunnel mündete am südlichen Ende in das Kellergeschoss. Bond entfernte sich nun von der Drehscheibe und ging weiter nach Norden. Er sah ein Schild, das ihn unwillkürlich auflachen ließ: *Leichenhalle.*

Sie bestand aus drei großen fensterlosen Räumen, in denen sich kürzlich eindeutig jemand aufgehalten hatte; die Böden waren sauber, und überall standen neue billige Werkbänke herum. Einer dieser Räume schien die Quelle des Rauchgeruchs zu sein. Bond sah Kabel, die mit Isolierband an Wand und Boden fixiert waren und vermutlich Strom für die Beleuchtung und die Arbeiten hier geliefert hatten, was auch immer Letztere gewesen sein mochten. Wahrscheinlich hatte ein Kurzschluss zu einem kleinen Schmorbrand geführt.

Bond verließ die Leichenhalle und kam zu einem großen offenen Raum. Rechts, im Osten, öffnete sich eine Doppeltür zum Exerzierplatz. Durch den Türspalt fiel Licht herein – ein möglicher Fluchtweg, dachte er und prägte sich den Ort und die Anordnung der Säulen ein, die ihm Deckung geben konnten, falls er unter Beschuss geriet.

Uralte Stahltische, fleckig braun und schwarz, waren mit Bolzen am Boden befestigt, ein jeder mit eigener Abflussrinne. Für die Leichenöffnungen, natürlich.

Bond ging weiter bis zum nördlichen Ende des Gebäudes. Hier lagen mehrere kleinere Räume mit vergitterten Fenstern. Auf einem Schild stand: *Psychiatrische Abteilung*.

Er versuchte sein Glück bei den Türen, die ins Erdgeschoss führten, fand sie aber verschlossen vor und kehrte zu den drei Räumen bei der Drehscheibe zurück. Eine systematische Suche führte ihn endlich zur Ursache des Rauchs. In der Ecke eines der Räume befand sich eine provisorische Feuerstelle. Bond entdeckte große Ascheflocken, auf denen er noch vereinzelte Worte ausmachen konnte. Als er versuchte, eines der Stücke aufzuheben, zerfiel es ihm zwischen den Fingern.

Vorsicht, ermahnte er sich.

Er ging zu einem der Kabel, riss einige der silbernen Streifen Isolierband ab, mit denen es an der Wand befestigt war, und schnitt sie mit seinem Messer in etwa fünfzehn Zentimeter lange Stücke. Diese drückte er dann behutsam auf die grauschwarzen Papierreste, steckte sie ein und setzte seine Durchsuchung fort. In einem zweiten Raum funkelte im Schein der Taschenlampe etwas Silbriges. Er lief hin und fand dort in der Ecke winzige Metallsplitter vor. Auch diese sammelte er mit einem Stück Klebeband auf und nahm sie mit.

Dann hielt Bond inne. Das Gebäude hatte angefangen zu vibrieren. Im nächsten Moment verstärkte sich das Zittern beträchtlich. Er hörte irgendwo in der Nähe einen Dieselmotor rattern. Das erklärte, weshalb sich hier zunächst niemand aufgehalten hatte; die Arbeiter mussten zu Mittag gegessen haben und waren nun zurückgekehrt. Um das Erdgeschoss oder die höheren Etagen zu erreichen, hätte Bond das Gebäude verlassen müssen und wäre mit Sicherheit entdeckt worden. Zeit für den Rückzug.

Er betrat den Raum mit der Drehscheibe und wandte sich dem Tunnel zu.

Und wurde durch wenige Dezibel Unterschied vor einem Schädelbruch bewahrt.

Bond sah den Angreifer nicht und hörte weder sein Atmen noch den Luftzug der Waffe, die er schwang. Er registrierte lediglich, dass der Dieselmotor plötzlich etwas leiser klang, weil die Kleidung des Mannes das Geräusch dämpfte.

Instinktiv schreckte er zurück, und das Metallrohr verfehlte ihn um wenige Zentimeter.

Bond packte es fest mit der linken Hand, und sein Angreifer geriet ins Stolpern, weil er zu überrascht war, um die Waffe loszulassen, und daher das Gleichgewicht verlor. Der junge blonde Mann trug einen billigen dunklen Anzug mit weißem Hemd. Irgendein Leibwächter, schätzte Bond. Eine Krawatte trug er nicht; er hatte sie vor dem Angriff wahrscheinlich abgenommen. Mit entsetzt geweitetem Blick stolperte er ein zweites Mal und wäre fast gestürzt, richtete sich dann aber auf und sprang Bond an. Sie krachten beide auf den dreckigen Boden des runden Raumes. Das war nicht der Ire, sah Bond.

Er sprang auf, trat vor und ballte die Fäuste, doch das war nur eine Finte – er wollte den muskulösen Kerl dazu bringen, vor dem vermeintlichen Hieb zurückzuweichen, sodass Bond die Gelegenheit erhielt, seine Waffe zu ziehen. Es klappte. Bond schoss jedoch nicht; er brauchte den Mann lebend.

Angesichts der Mündung von Bonds Walther erstarrte der Mann, hatte aber eine Hand unter der Jacke.

»Lassen Sie es sein«, warnte Bond kalt. »Hinlegen, Arme ausbreiten.«

Der Mann rührte sich nicht. Er schwitzte nervös, die Hand immer noch über dem Kolben seiner Pistole. Eine Glock, sah Bond. Das Telefon des Mannes begann zu summen. Er sah auf seine Jacketttasche.

»Hinlegen, sofort!«

Falls er zog, würde Bond versuchen, ihn nur zu verletzen. Das konnte aber trotzdem tödlich enden.

Das Telefon hörte auf zu klingeln.

»Los!« Bond visierte den rechten Arm des Angreifers kurz über dem Ellbogen an.

Es sah so aus, als würde der Blonde gehorchen. Seine Schultern sackten nach unten, und seine Augen weiteten sich im Halbdunkel vor Angst und Ungewissheit.

In dem Moment fuhr der Bulldozer oben ganz in der Nähe vorbei; Ziegel und Erde regneten von der Decke herab. Bond wurde von einem großen Brocken getroffen. Er zuckte zusammen, wich zurück und wischte sich Staub aus den Augen. Wäre sein Gegner ein Profi gewesen – oder zumindest weniger in Panik –, hätte er seine Waffe gezogen und gefeuert. Doch das tat er nicht; er machte kehrt und rannte in den Tunnel.

Bond trat wie ein Fechter mit dem linken Fuß vor; der rechte stand dahinter im rechten Winkel. Dann gab er mit der Walther, die er nun beidhändig hielt, einen ohrenbetäubenden Schuss ab, der die Wade des Mannes traf. Der Blonde stürzte schreiend zu Boden, ungefähr zehn Meter vom Tunneleingang entfernt.

Bond lief hinterher. Das Zittern wurde stärker, das Rattern lauter. Immer mehr Ziegel lösten sich. Mörtel und Staub rieselten zu Boden. Ein faustgroßes Stück Beton landete genau auf Bonds Schulterwunde. Er ächzte vor Schmerz auf.

Doch er blieb nicht stehen. Der Angreifer vor ihm kroch inzwischen auf das Sonnenlicht an der Einsturzstelle des Tunnels zu.

Der Bulldozer schien sich nun direkt über ihren Köpfen zu befinden. Schneller, verdammt, spornte Bond sich an. Wie es aussah, sollte alles hier abgerissen werden. Je mehr er sich dem Verwundeten näherte, desto lauter wurde der Lärm des Dieselmotors. Ziegel um Ziegel fiel zu Boden.

Nicht gerade ein schöner Ort, um lebendig begraben zu sein ...

Nur noch zehn Meter bis zu dem Blonden. Bond würde die Wunde abbinden, den Mann aus dem Tunnel und in Deckung schaffen – und anfangen, Fragen zu stellen.

Doch mit einem infernalischen Krachen verdunkelte sich jäh das sanfte Licht des Frühlingstages. Am Ende des Tunnels leuchteten im Staub plötzlich zwei runde weiße Augen auf. Sie hielten inne. Dann ruckten sie ein Stück herum und richteten sich genau auf Bond – als hätte ein Löwe seine Beute erspäht. Der Bulldozer fuhr mit dröhnendem Motor an und pflügte gnadenlos durch Erde und Mauerwerk.

Bond wollte schießen, fand aber kein Ziel – die Planierraupe hatte die Schaufel gehoben und schützte damit die Fahrerkabine, während sie unerbittlich weiterrollte und dabei Ziegel und anderen Schutt vor sich her schob.

»Nein!«, rief der Verwundete. Der Fahrer sah ihn nicht. Oder ignorierte ihn kaltblütig.

Mit einem Schrei verschwand der Blonde unter den Erdmassen. Gleich darauf rasselten die Ketten über die Stelle, an der er begraben lag.

Dann verhüllte der Schuttberg auch die Scheinwerfer, und es wurde vollständig finster. Bond schaltete die Taschenlampe ein und lief zurück zu der Drehscheibe. Am Tunnelausgang stolperte er und fiel. Erde umfing seine Knöchel und Waden.

Dann die Knie.

Der Bulldozer hinter ihm rammte den Schuttberg immer weiter voran, hinein in den Raum. Bond war nun bis zur Taille gefangen. Noch dreißig Sekunden und sein Gesicht würde bedeckt sein.

Doch das Gewicht des Bergs wurde zu viel für den Bulldozer; vielleicht wurde er auch durch das Gebäudefundament gebremst. Jedenfalls ebbte die Erdwelle ab. Bevor der Fahrer einen zweiten Anlauf nehmen konnte, grub Bond sich frei und kroch aus dem Raum. Seine Augen und seine Lunge brannten. Er spuckte Staub und Erde und leuchtete zurück in den Tunnel. Die Röhre war komplett gefüllt.

Bond eilte durch die drei fensterlosen Räume, in denen er die Asche und die Metallsplitter aufgesammelt hatte. Neben der Tür zum Autopsiebereich blieb er stehen. Hatte man ihm den Fluchtweg abgeschnitten, um ihn in eine Falle zu treiben? Warteten der Ire und andere Sicherheitsleute dort drinnen auf ihn? Er schraubte den Schalldämpfer auf die Walther.

Nach einigen tiefen Atemzügen stieß er die Tür auf und ging in die Hocke. Seine linke ausgestreckte Hand hielt die Taschenlampe, die Rechte, darauf abgestützt, die Pistole.

Gähnende Leere in der großen Halle. Aber es fiel kein Licht mehr zwischen den beiden Türflügeln hindurch. Der Bulldozer musste auch dort einen Haufen Erde aufgetürmt haben.

Bond saß fest.

Er lief zu den kleineren Räumen auf der Nordseite des Kellers, der psychiatrischen Abteilung. Das größte dieser Zimmer – das Büro, hatte er vermutet –, besaß eine Tür nach draußen, aber die war fest verschlossen. Bond stellte sich seitlich, zielte und gab vier Schüsse auf das Türschloss ab, dann vier weitere auf die Angeln.

Ohne Erfolg. Blei, sogar halb ummanteltes Blei, kann gegen Stahl nicht viel ausrichten. Bond lud nach und schob das leere Magazin in seine linke Tasche, wie üblich.

Er musterte die vergitterten Fenster, als eine laute Stimme ihn zusammenzucken ließ.

»*Achtung! Opgelet! Grozba! Nebezpeči!*«

Bond fuhr herum und hielt nach einem Ziel Ausschau.

Aber die Stimme ertönte aus einem Lautsprecher an der Wand.

»*Achtung! Opgelet! Grozba! Nebezpeči! Noch drei Minuten!*« Es handelte sich um eine Bandaufnahme, und auch der letzte Satz wurde auf Niederländisch, Polnisch und Ukrainisch wiederholt.

Drei Minuten?

»*Sofort evakuieren! Gefahr! Die Ladungen sind scharf!*«

Bond leuchtete den Raum ab.

Die Kabel! Sie sollten die Räume nicht etwa mit Strom versorgen, sondern Sprengstoff zünden. Bond hatte die Ladungen nicht bemerkt, weil sie oben unter der Decke an den Stahlträgern befestigt waren. Das gesamte Gebäude würde zum Einsturz gebracht werden.

Drei Minuten…

Im Licht der Taschenlampe wurden nun Dutzende Sprengstoffpakete sichtbar. Sie reichten aus, um die Steinwände – und Bond – zu pulverisieren. Und alle Ausgänge waren versperrt. Sein Herzschlag beschleunigte sich, und ihm trat Schweiß auf die Stirn. Bond steckte Taschenlampe und Pistole weg, packte eines der Fenstergitter und rüttelte mit aller Kraft. Es rührte sich nicht.

Er sah sich im schummrigen Licht um, erklomm einen nahen Stützbalken, riss eines der Sprengstoffpakete ab und sprang zu Boden. Dem Geruch nach zu urteilen war das eine RDX-Mischung. Bond schnitt ein Stück mit dem Messer ab und stopfte es auf Höhe des Schlosses in den Türspalt. Es würde ausreichen, die Tür zu öffnen, ohne ihn zu töten.

Beeilung!

Bond wich etwa sieben Meter zurück, zielte und schoss. Er traf genau.

Doch wie er befürchtet hatte, geschah gar nichts – außer dass die gelbgraue Masse des tödlichen Plastiksprengstoffs sich löste und klatschend zu Boden fiel. Solche Mischungen können nur mit einer Sprengkapsel gezündet werden, nicht anders, auch nicht durch eine Kugel, die mit sechshundert Metern pro Sekunde einschlägt. Bond hatte auf eine Ausnahme von der Regel gehofft.

Die Zwei-Minuten-Warnung hallte durch den Raum.

Bond blickte hoch zu dem Zünder, den er aus der Ladung gezogen hatte und der nun obszön mitten in der Luft baumelte. Aber um den explodieren zu lassen, brauchte man Strom.

Strom …

Die Lautsprecher? Nein, die Spannung war viel zu niedrig. Das Gleiche galt für die Batterie seiner Taschenlampe.

Die Stimme meldete sich erneut. Noch eine Minute.

Bond wischte sich den Schweiß von den Händen, zog den Schlitten der Pistole zurück und fing die ausgeworfene Patrone auf. Mit seinem Messer hebelte er das Bleiprojektil heraus und warf es beiseite. Dann drückte er die Hülse mit der Treibladung in den Sprengstoff und diesen wiederum in den Türspalt.

Er wich zurück, zielte sorgfältig auf den winzigen runden Boden der Patronenhülse und drückte ab. Die Kugel traf das Zündhütchen, dieses zündete die Treibladung und die den Plastiksprengstoff. Die Explosion riss das Türschloss mit einem gewaltigen Blitz in Stücke.

Sie warf außerdem Bond zu Boden und hüllte ihn in Holzsplitter und Rauch. Einige Sekunden lang lag er benommen da. Dann rappelte er sich auf und torkelte zur Tür. Sie stand ein Stück offen, klemmte jedoch. Der Spalt maß nur etwa zwanzig Zentimeter. Bond packte den Knauf und zerrte mit aller Kraft.

»*Achtung! Opgelet! Grozba! Nebezpeci!*«

14

Severan Hydt und Niall Dunne standen nebeneinander in dem Caravan und musterten neugierig das alte britische Armeelazarett. Niemand – nicht mal der eiskalte Dunne, vermutete Hydt – konnte sich der Faszination einer kontrollierten Gebäudesprengung entziehen.

Janssen war nicht an sein Telefon gegangen. Da Dunne aus dem Innern zudem einen Schuss gehört hatte, mussten sie davon ausgehen, dass der Sicherheitsmann tot war. Der Ire hatte daraufhin die Ausgänge versperrt und war wie ein tollpatschiges Tier zurück zu dem Caravan gelaufen. Dann hatte er Hydt mitgeteilt, er werde nun die Sprengung auslösen. Sie war eigentlich für den folgenden Tag vorgesehen, konnte aber problemlos vorgezogen werden.

Dunne hatte den Computer gestartet und zwei rote Knöpfe gleichzeitig gedrückt, um die Prozedur zu starten. Die Versicherung schrieb vor, dass im gesamten Gebäude eine aufgezeichnete Drei-Minuten-Warnung in den Sprachen von mindestens neunzig Prozent der Arbeiter übertragen wurde. Diese Sicherheitsmaßnahme nachträglich zu umgehen, hätte länger als drei Minuten gedauert, aber falls der Eindringling nicht schon in dem Tunnel begraben worden war, saß er nun in der Leichenhalle fest. Er konnte unmöglich noch rechtzeitig entkommen.

Falls morgen oder übermorgen jemand hier aufkreuzte und sich nach einem Vermissten erkundigte, konnte Hydt erwidern: »Natürlich, wir schauen sofort nach … Was? O mein Gott, wir hatten ja keine Ahnung! Wir haben doch alle Vorschriften eingehalten, mit dem Zaun und den Warnschildern. Und wie konnte er nur die Lautsprecherdurchsage überhören? Es tut uns schrecklich leid – aber verantwortlich dafür sind wir nicht.«

»Noch fünfzehn Sekunden«, sagte Dunne.

Hydt zählte den Countdown stumm mit.

Der Timer an der Wand sprang auf 0, und der Computer schickte das vereinbarte Signal an die Zündkapseln.

Die ersten Explosionen konnten sie nicht sehen, denn die Sprengungen erfolgten tief unten im Innern, um die Hauptstützpfeiler zu zertrümmern. Doch nach einigen Sekunden blitzte es auf wie von Paparazzi-Kameras, gefolgt von dem Lärm einiger Knallfrösche und einem tieferen Grollen. Das Gebäude schien zu erbeben. Und dann, als kniete es nieder, um seinen Hals einem Scharfrichter darzubieten, neigte das Lazarett sich erst auf einer Seite und stürzte schließlich vollends in sich zusammen. Eine Staub- und Rauchwolke stob in alle Richtungen davon.

»Das dürften die Leute gehört haben«, sagte Dunne nach einem Moment. »Wir sollten gehen.«

Hydt war jedoch wie gebannt von dem Haufen Schutt, an dem nichts mehr an das elegante, wenngleich altersschwache Gebäude von vor wenigen Sekunden erinnerte. Aus einem Etwas war ein Nichts geworden.

»Severan«, drängte Dunne.

Hydt stellte fest, dass er erregt war. Er dachte an Jessica Barnes, ihr weißes Haar, ihre blasse, vom Leben gezeichnete Haut. Sie war nicht in das Projekt Gehenna eingeweiht, also hatte er sie heute nicht mitgebracht, aber er vermisste sie. Nun, er würde sie in sein Büro bitten und dann nach Hause fahren.

Sein Bauch zuckte vor Vergnügen. Das Gefühl wurde noch

gesteigert durch die Erinnerung an die Leiche, die er am Vormittag auf dem Firmengelände vorgefunden hatte… und durch die Vorfreude auf die Ereignisse des morgigen Tages.

Einhundert Tote…

»Ja, ja.« Severan Hydt nahm seine Aktentasche und ging nach draußen. Er stieg jedoch nicht gleich in den Audi A8, sondern wandte sich noch einmal der Staub- und Rauchwolke zu, die über dem zerstörten Gebäude hing. Die Ladungen waren sehr geschickt angebracht worden. Er nahm sich vor, den Verantwortlichen zu danken. Eine kontrollierte Sprengung ist eine echte Kunst. Der Trick besteht darin, nicht etwa alles in die Luft zu jagen, sondern dem Gebäude den Halt zu nehmen, damit die Natur – in diesem Fall die Schwerkraft – den Rest erledigt.

Was irgendwie auch eine Metapher für seine eigene Rolle auf Erden war, dachte Hydt.

15

Ein Zebramuster aus Sonne und Schatten wanderte über das Zuckerrübenfeld. Es war früher Nachmittag.

James Bond lag mit ausgestreckten Armen und Beinen auf dem Rücken, wie ein Kind, das Engel in den Schnee gemalt hatte und noch nicht nach Hause wollte. Inmitten dieses Meeres aus niedrigen grünen Blättern befand er sich nur dreißig Meter von dem Schutthaufen entfernt, der das alte Armeelazarett gewesen war… dem Schutthaufen, der ihn beinahe unter sich begraben hätte. Die Schockwellen der Explosionen hatten ihm – nur vorübergehend, hoffte er inständig – das Hörvermögen geraubt. Er hatte gegen Blitze und Splitter zwar die Augen schließen können, aber dennoch beide Hände benötigt, um die Tür der psychiatrischen Abteilung aufzureißen und seine Flucht zu bewerkstelligen. So blieben die Ohren ungeschützt, als die Hauptladungen detonierten und das Gebäude hinter ihm zum Einsturz brachten.

Nun richtete er sich ein Stück auf – Zuckerrüben im Mai boten kaum Deckung – und hielt Ausschau nach Anzeichen einer Bedrohung.

Nichts. Wer auch immer hinter dem Plan gesteckt hatte – ob nun der Ire, Noah oder ein Komplize –, suchte nicht nach ihm. Wahrscheinlich hielt man ihn für tot.

Er hustete mehrmals, um den Staub und den beißenden Chemikalienrauch aus der Lunge zu kriegen. Dann stand er auf und wankte davon.

Bond kehrte zum Wagen zurück, ließ sich auf den Vordersitz fallen, nahm eine Flasche Wasser von der Rückbank und trank ein paar Schlucke. Dann beugte er sich nach draußen und spülte mit dem Rest seine Augen aus.

Er ließ den Motor an und stellte erleichtert fest, dass er das Blubbern des mächtigen Zwölfzylinders hören konnte. Dann verließ er die Gegend um March auf einer anderen Strecke in Richtung Osten, um nicht zufällig auf Leute von der Baustelle zu stoßen. Nach einer Weile beschrieb er einen Bogen nach Westen, war bald wieder auf der A 1 und fuhr zurück nach London, um herauszufinden, ob die Ascheteilchen, die er aufgesammelt hatte, irgendwelche Informationen über Vorfall Zwanzig enthielten.

Kurz vor sechzehn Uhr erreichte Bond die ODG-Tiefgarage unter dem Gebäude.

Er hätte am liebsten geduscht, war aber zu sehr in Eile. Also wusch er sich nur Gesicht und Hände, klebte ein Pflaster auf die kleine Wunde, die er einem herabfallenden Ziegel verdankte, und lief zu Philly. Er reichte ihr die Stücke Isolierband. »Können Sie die analysieren lassen?«

»Um Gottes willen, James, was ist passiert?« Sie klang besorgt. Seine taktische Kleidung hatte das meiste abgefangen, aber einige neue blaue Flecke wurden bereits jetzt sichtbar.

»Ich habe mich mit einem Bulldozer und etwas C4 oder Semtex angelegt, aber es geht mir gut. Finden Sie bitte so viel wie möglich über eine Firma namens Eastern Demolition and Scrap heraus. Und ich würde gern wissen, wem der alte Armeestützpunkt bei March gehört. Dem MoD? Oder wurde das Gelände verkauft?«

»Ich mache mich gleich an die Arbeit.«

Bond kehrte in sein Büro zurück und hatte sich gerade erst gesetzt, als Mary Goodnight sich über die Gegensprechanlage meldete. »James. Dieser Mann ist auf Leitung zwei.« Ihr Tonfall ließ erkennen, wer der Anrufer war.

Bond drückte den Knopf. »Percy.«

»James«, entgegnete die aalglatte Stimme. »Hallo! Ich bin auf dem Rückweg aus Cambridge und dachte mir, wir zwei beiden sollten einen kleinen Plausch halten, um herauszufinden, ob wir unserem Puzzle ein paar Teile hinzufügen können.«

Wir zwei beiden... Eine ungewöhnlich nachlässige Ausdrucksweise für einen Oxbridge-Absolventen. »Wie war denn *Ihr* Ausflug?«

»Ich habe mich da oben ein wenig umgesehen. Wie sich herausgestellt hat, haben die Porton-Down-Leute dort in der Nähe eine kleine Zweigstelle. Bin praktisch darüber gestolpert. Ganz zufällig.«

»Oh, wie interessant«, erwiderte Bond belustigt. »Und gibt es einen Zusammenhang zwischen den Biowaffen und Noah oder Vorfall Zwanzig?«

»Kann ich nicht sagen. Deren Überwachungsbänder und Besucherlisten geben auf den ersten Blick jedenfalls keinen Grund zur Beunruhigung. Aber ich lasse das von meiner Assistentin noch mal genauer überprüfen.«

»Und der Pub?«

»Das Curry war ganz gut. Die Kellnerin konnte sich nicht erinnern, wer vor so langer Zeit Pastete oder das Bauernfrühstück bestellt hat, aber das war ja zu erwarten, oder? Was ist mit Ihnen? Hat die geheimnisvolle Notiz über die Apotheke und den Termin zwei Tage nach den Iden des März sich als ergiebig erwiesen?«

Bond hatte sich auf diese Frage vorbereitet. »Ich bin einer Ahnung gefolgt und nach March zur Boots Road gefahren. Dort gibt es einen alten Armeestützpunkt.«

Eine Pause. »Ah.« Der Mann von der Division Three lachte,

aber es klang vollkommen humorlos. »Also hatten Sie die Nachricht vorhin bei unserem ersten Treffen falsch gedeutet, ja? Und bezieht die ominöse Siebzehn sich vielleicht auf das Datum von *morgen*?«

Was auch immer er sonst noch sein mochte, Osborne-Smith schaltete schnell. »Möglicherweise. Der Stützpunkt wird derzeit abgerissen. Als ich dort ankam, waren die Arbeiten in vollem Gange. Ich fürchte, es sind lediglich neue Fragen aufgeworfen worden. Die Techniker sehen sich gerade ein paar Funde an. Bloß einige Kleinigkeiten. Ich schicke Ihnen die Berichte.« Bond blieb bewusst nebulös.

»Tun Sie das, danke. Ich nehme mir unterdessen den islamistischen Ansatz vor, die Afghanistan-Connection, etwaige SIGINT-Treffer, das Übliche. Damit dürfte ich eine Weile zu tun haben.«

Gut. Bond hätte sich keine bessere Beschäftigung für Deputy Senior Director of Field Operations Mr. Percy Osborne-Smith wünschen können.

Sollte er sich ruhig austoben…

Sie beendeten das Gespräch. Bond rief Bill Tanner an und berichtete ihm von den Ereignissen in March. Sie kamen überein, vorläufig nichts wegen des Mannes zu unternehmen, der Bond in dem Lazarett angegriffen hatte und von dem Bulldozer überrollt worden war. Es war wichtiger, dass die Gegenseite Bond ebenfalls für tot hielt.

Mary Goodnight steckte den Kopf zur Tür herein. »Philly hat gerade angerufen. Sie hat etwas für Sie herausgefunden. Ich habe ihr gesagt, sie soll herkommen.« Sie schaute stirnrunzelnd zu einem von Bonds dunklen Fenstern hinaus. »Eine Schande, nicht wahr? Diese Sache mit Philly.«

»Was meinen Sie?«

»Ich dachte, Sie hätten es schon gehört. Tim hat sich von ihr getrennt. Erst vor ein paar Tagen. Dabei hatten sie sogar schon einen Termin für die kirchliche Trauung, und auch ihr Junggesellinnenabschied war bereits geplant. Ein Wochenende in Spanien. Ich wollte auch mitkommen.«

Wie aufmerksam bin ich eigentlich?, dachte Bond. *Das* war der Unterschied an ihrem Arbeitsplatz im dritten Stock gewesen: Es standen keine Fotos ihres Verlobten mehr auf dem Schreibtisch. Und den Verlobungsring trug sie wahrscheinlich auch nicht mehr.

»Was war der Grund?«, fragte er.

»Ich schätze, da kommen immer mehrere Sachen zusammen. Es hat zwischen den beiden schon seit einer ganzen Weile gekriselt, und das nicht nur vorübergehend. Er hat sich aufgeregt, dass sie zu schnell fährt und zu viel arbeitet. Sie hat ein großes Familienfest bei seinen Eltern verpasst. Und dann wurde ihm aus heiterem Himmel ein Posten in Singapur oder Malaysia angeboten. Er hat zugesagt. So kam eins zum anderen – und das, nachdem die beiden schon drei Jahre zusammen waren …«

»Tut mir leid, das zu hören.«

Die weitere Erörterung des Dramas endete jedoch, weil die betreffende Person eintraf.

Philly merkte gar nicht, wie still es wurde, als sie Bonds Büro betrat. Sie ging lächelnd an Goodnight vorbei und nahm unbeschwert auf einem der Stühle Platz. Ihr sinnliches Gesicht wirkte schmaler als üblich, und ihr funkelnder Blick war der einer Jägerin, die eine glasklare Fährte aufgenommen hatte. Sie sah dadurch sogar noch schöner aus. Ein Wochenende in Spanien mit einer Horde alberner Brautjungfern? Er konnte sich das einfach nicht vorstellen. Ebenso wenig sah er sie mit zwei Einkaufstüten in der Hand auf dem Heimweg vom Supermarkt, um ihrem Mann Tim und den Kindern Matilda und Archie ein herzhaftes Abendessen zuzubereiten.

Genug!, tadelte er sich und konzentrierte sich auf das, was

sie zu sagen hatte.« »Unser Labor konnte einen der verkohlten Fetzen leserlich machen. Die Worte lauteten ›der Gehenna-Plan‹. Und darunter ›Freitag, 20. Mai‹.«

»Gehenna? Das klingt vertraut, aber ich kann es nicht einordnen.«

»Es wird in der Bibel erwähnt. Ich kümmere mich noch darum. Bis jetzt habe ich ›Gehenna-Plan‹ bloß durch die Datenbanken der Sicherheits- und Polizeibehörden gejagt, aber ohne Erfolg.«

»Was ist mit dem anderen Stück Asche?«

»Das war noch stärker beschädigt. Unsere Leute konnten die Begriffe ›Termin‹ und ›fünf Millionen Pfund‹ erkennen, sonst nichts. Sie haben das Ding an die Specialist Crimes beim Yard geschickt, streng vertraulich natürlich. Ich erhalte heute Abend Bescheid.«

»›Termin‹ … und ein Honorar oder eine Anzahlung von fünf Millionen für den Anschlag oder was auch immer es sein soll. Das deutet darauf hin, dass Noah es für Geld tut, nicht aus politischen oder ideologischen Motiven.«

Sie nickte. »Was die Sache in Serbien angeht: Mein Trick mit Ungarn hat nicht geklappt. Die Leute in Belgrad sind wirklich sauer auf Sie, James. Aber ich habe mir von Ihrer Abteilung I eine Identität als EU-Mitarbeiterin verschaffen lassen – als Leiterin des Untersuchungsausschusses für die Sicherheit im Transportwesen.«

»Was, zum Teufel, ist das denn?«

»Habe ich mir ausgedacht. Mein schweizerisch-französischer Akzent ist übrigens gar nicht mal schlecht, möchte ich unbescheiden anmerken. Die Serben überschlagen sich förmlich, um der Europäischen Union zu Diensten zu sein. Sie werden sich so schnell wie möglich mit weiteren Einzelheiten über Karic zurückmelden und mir ausführlich von dem Gefahrgut im Zug berichten.«

Philly war Gold wert.

»Die Zentrale der Eastern Demolition ist in Slough. Bei der Ausschreibung für den Abriss des Armeestützpunkts in March haben sie das günstigste Angebot abgegeben.«

»Ist das eine Aktiengesellschaft?«

»Nein, ein Privatunternehmen. Es ist Teil einer Holding, ebenfalls privat: Green Way International. Der Laden ist ganz schön groß und in einem halben Dutzend Ländern tätig. Er gehört zu hundert Prozent einem Mann namens Severan Hydt.«

»Heißt der allen Ernstes so?«

Sie lachte. »Ich habe mich auch erst gefragt, was seine Eltern sich dabei gedacht haben. Doch wie es scheint, hat er seinen Namen mit Mitte zwanzig offiziell ändern lassen.«

»Und davor hieß er?«

»Maarten Holt.«

»Von Holt zu Hydt«, grübelte Bond. »Das leuchtet mir zwar nicht ein, aber es ist auch kein so großer Unterschied. Doch Maarten zu Severan? Was hat ihn da bloß geritten?«

Sie zuckte die Achseln. »Green Way ist ein riesiger Abfall- und Recyclingbetrieb. Die Lastwagen sind Ihnen bestimmt schon oft begegnet, auch wenn Sie sich im ersten Moment nicht daran erinnern können. Ich konnte nicht allzu viel herausfinden, da der Laden sich in Privatbesitz befindet und Hydt die Presse meidet. In der *Times* stand mal, er sei der reichste Lumpensammler der Welt. Der *Guardian* hat vor einigen Jahren einen recht wohlwollenden Artikel über ihn veröffentlicht, aber Hydt hat den Reporter lediglich mit ein paar Gemeinplätzen abgespeist, und das war's. Soweit ich weiß, ist er von Geburt Niederländer, hatte eine Weile beide Staatsbürgerschaften, inzwischen aber nur noch die britische.«

Phillys Körpersprache und das Funkeln ihrer Augen verrieten, dass das noch nicht alles war.

»Und?«, fragte Bond.

Sie lächelte. »Ich habe online einige Verweise auf seine Studienzeit an der Universität von Bristol gefunden, wo er sich übrigens ziemlich gut geschlagen hat.« Sie erklärte, Hydt sei im Segelclub der Uni aktiv gewesen und habe sogar an Wettbewerben teilgenommen. »Er ist nicht nur Regatten gefahren, sondern hat sich sogar ein eigenes Boot gebaut. Das hat ihm einen Spitznamen eingebracht.«

»Und welchen?«, fragte Bond, obwohl er schon ahnte, wie die Antwort lautete.

»Noah.«

16

Es war jetzt sechzehn Uhr dreißig. Da es noch einige Stunden dauern würde, bis Philly die angekündigten Informationen
erhielt, schlug Bond vor, sie könnten gemeinsam zu Abend
essen.

Sie war einverstanden und kehrte an ihren Schreibtisch zurück, während Bond eine verschlüsselte E-Mail an M und in
Kopie an Bill Tanner verfasste. Darin schilderte er die Vor-
fälle in March und dass sich hinter Noah vermutlich Severan
Hydt verbarg, zu dessen Person er eine Zusammenfassung bei-
fügte. Ferner erwähnte er, dass Hydt den mit Vorfall Zwanzig
verknüpften Anschlag als den »Gehenna-Plan« bezeichnete.
Näheres in Kürze.

Er erhielt eine knappe Antwort:

007 –
Weiterverfolgung autorisiert. Erwarte angemessene
Zusammenarbeit mit Inlandsdienststellen.
M

Meine Carte grise …

Bond verließ sein Büro, fuhr mit dem Aufzug in den zweiten
Stock und betrat einen großen Raum, in dem mehr Compu-
ter standen als in einem Elektronikladen. Es waren nur wenige
Männer und Frauen zugegen. Sie saßen vor Monitoren oder an
Werkbänken, wie man sie auch im Chemielabor einer Univer-

sität finden würde. Bond ging zu einem kleinen vollverglasten Büro am hinteren Ende und klopfte an die Scheibe.

Sanu Hirani, der Leiter der Abteilung Q, war ein schlanker Mann von ungefähr vierzig Jahren. Mit seinem dunklen Teint, dem dichten schwarzen Haar und der stattlichen Erscheinung wirkte er wie ein Bollywood-Star. In Wahrheit jedoch brillierte er beim Kricket, war berühmt für sein schnelles Bowling und hatte Abschlüsse in Chemie, Elektrotechnik und Informatik, erworben an den besten Universitäten im Vereinigten Königreich und den USA (wo er in jeder Hinsicht erfolgreich gewesen war, außer darin, den Yankees seinen Sport näherzubringen; sie hatten weder Verständnis für die Feinheiten des Spiels noch Geduld für die Dauer eines internationalen Vergleichskampfes gehabt).

Die Abteilung Q war innerhalb der ODG für die technischen Spielereien zuständig, die seit jeher zum Spionagehandwerk gehörten. Hirani beaufsichtigte alle Aspekte der Entwicklung und Herstellung. Die Zauberkünstler der Abteilung Q oder der Science and Technology Division der CIA verwandten ihre Zeit auf innovative Hard- und Software wie Miniaturkameras, versteckte Waffen, Geheimfächer, Kommunikationsgeräte und Überwachungsausrüstung – so wie Hiranis neuestes Werk: ein hochempfindliches omnidirektionales Mikrofon, das in einer toten Fliege steckte. (»Eine Wanze in einer Wanze«, hatte Bond lapidar angemerkt, woraufhin Hirani erwiderte, er sei mittlerweile der Achtzehnte, der diesen Witz reiße, und eine Fliege sei, biologisch gesehen, durchaus keine Wanze.)

Da es bei der ODG um taktische Einsätze ging, musste Hirani stets für genügend Fernrohre und -gläser, Funkgeräte, Sonderwaffen und Verschlüsselungstechnik sorgen. In dieser Hinsicht war er wie ein Bibliothekar, der sicherstellte, dass die entliehenen Bücher ordnungsgemäß registriert und fristgerecht zurückgegeben wurden.

Hiranis hauptsächliche Begabung lag jedoch im Erfinden und Improvisieren, was zu Geräten wie dem iQPhone führte. Die ODG hatte bereits Dutzende seiner Entwicklungen patentieren lassen. Wenn Bond oder andere Agenten der Abteilung O im Einsatz auf ein technisches Problem stießen, konnten sie Hirani zu jeder Tages- und Nachtzeit kontaktieren, und er würde eine Lösung finden. Zum Beispiel bastelten er oder seine Leute hier etwas zusammen und schickten es mit der diplomatischen Post des Außenministeriums über Nacht an seinen Bestimmungsort. Meistens aber drängte die Zeit, sodass Hirani irgendwo auf der Welt einen seiner vielen schlauen Kollegen beauftragte, etwas Geeignetes zu bauen, zu finden oder zu modifizieren.

»James.« Die Männer reichten einander die Hände. »Wie ich gehört habe, sind Sie mit Vorfall Zwanzig betraut.«

»Sieht so aus.«

Bond setzte sich und bemerkte ein Buch auf Hiranis Schreibtisch. *The Secret War of Charles Fraser-Smith*. Es war auch eines seiner eigenen Lieblingsbücher über die Geschichte der technischen Tricks im Spionagegeschäft.

»Wie ernst ist es?«

»Ziemlich«, erwiderte Bond lakonisch und verschwieg, dass er bei der Arbeit an diesem Auftrag, die noch keine achtundvierzig Stunden andauerte, bereits zweimal fast getötet worden wäre.

»Was brauchen Sie?«, fragte Hirani, hinter dem Fotos von frühen IBM-Computern und indischen Kricketspielern an der Wand hingen.

Bond senkte die Stimme, damit niemand sonst ihn hören konnte. »Was für Überwachungstechnik haben Sie, die ein Mann allein anbringen könnte? Ich komme nicht an den Computer oder das Telefon des Betreffenden, kann aber vielleicht etwas in sein Büro, Fahrzeug oder Haus einschmuggeln. Es muss entbehrlich sein. Ich kann es vermutlich nicht wieder zu-rückholen.«

»Ah, ja...« Hiranis freundliche Miene trübte sich ein wenig. »Gibt's ein Problem, Sanu?«

»Nun, ich muss Ihnen leider mitteilen, James, dass ich vor nicht mal zehn Minuten einen Anruf erhalten habe.«

»Bill Tanner?«

»Nein – weiter oben.«

M. Verdammt, dachte Bond. Er ahnte, worauf das hinauslief.

»Und er hat gesagt«, fuhr Hirani fort, »dass er unverzüglich verständigt werden möchte, falls jemand aus der Abteilung O irgendwelche Überwachungstechnik anfordert. Welch Zufall.«

»Allerdings«, bestätigte Bond säuerlich.

»Also«, sagte Hirani, nun wieder lächelnd, »soll ich ihm mitteilen, dass jemand aus der Abteilung O sich nach Über-wachungstechnik erkundigt hat?«

»Vielleicht könnten Sie noch etwas damit warten.«

»Nun, das sollten Sie lieber klären.« Seine Augen funkelten. »Ich habe nämlich einige *wunderbare* Pakete, die ich Ihnen an-bieten könnte.« Er klang wie ein Autoverkäufer. »Ein durch In-duktion gespeistes Mikrofon. Es braucht keine Batterie, sondern muss sich lediglich in der Nähe einer Stromleitung befinden. Seine Reichweite beträgt fünfzehn Meter, und es reguliert auto-matisch die Lautstärke, damit es keine Verzerrungen gibt. Ach, und eine andere Sache, mit der wir sehr viel Erfolg haben, ist die Zwei-Pfund-Gedenkmünze – herausgegeben neunzehnhundert-vierundneunzig zur Dreihundertjahrfeier der Bank of England. Sie ist recht selten, aber nicht besonders wertvoll, sodass die Zielperson dazu neigt, sie als Glücksbringer zu behalten, da ein Verkauf sich nicht lohnen würde. Die Batterie hält vier Monate.«

Bond seufzte. Die Geräte klangen perfekt und würden ihm doch verwehrt bleiben. Er dankte dem Mann und sagte, er würde sich melden. Dann kehrte er zu seinem Büro zurück und teilte Mary Goodnight mit, sie brauche nicht länger zu bleiben. »Fahren Sie ruhig nach Hause. Guten Abend, Goodnight.«

Sie warf einen Blick auf seine jüngsten Blessuren und verkniff es sich, ihn zu bemuttern; sie wusste aus Erfahrung, dass er sich das nicht gefallen lassen würde. »Lassen Sie die behandeln«, sagte sie stattdessen und nahm Tasche und Mantel.

Als Bond sich setzte, wurde ihm plötzlich bewusst, dass er nach Schweiß stank und Ziegelstaub unter den Fingernägeln hatte. Er wollte nach Hause und duschen. Sich den ersten Drink des Tages gönnen. Doch vorher musste er noch etwas regeln.

Er loggte sich ins Golden Wire ein und entnahm den Datenbanken die Geschäfts- und Privatadressen von Severan Hydt. Merkwürdigerweise wohnte der Mann in einem Arbeiterviertel im Osten Londons, bekannt als Canning Town. Der Hauptsitz von Green Way lag an der Themse bei Rainham und grenzte an den Wildspace Conservation Park.

Bond ließ sich Satellitenbilder beider Orte anzeigen. Es war unbedingt erforderlich, den Mann zu überwachen. Doch es gab dazu keine legale Möglichkeit, die nicht auch Osborne-Smith und die Schnüffler der Abteilung A des MI5 beinhaltet hätte – und sobald der Division-Three-Mann von Hydt erfuhr, würde er ihn und den Iren verhaften wollen. Bond wog erneut die Risiken ab. Wie realistisch war seine Befürchtung, dass die Komplizen der beiden dann entweder den Ablauf beschleunigen oder abtauchen konnten, um erst nächsten Monat oder nächstes Jahr zuzuschlagen?

Das Böse, so hatte James Bond gelernt, kann unendlich geduldig sein.

Überwachung oder nicht?

Er überlegte hin und her. Dann griff er zögernd nach dem Telefonhörer.

17

Um achtzehn Uhr dreißig parkte Bond rückwärts neben seinem renngrünen Jaguar ein. Er stieg die Treppe in den ersten Stock hinauf, schloss die Tür auf, entschärfte die Alarmanlage und überprüfte im Schnelldurchlauf die Aufzeichnungen der Überwachungskamera – nur May, seine Haushälterin, war hier gewesen. (Es war ihm peinlich gewesen, und als sie anfing, für ihn zu arbeiten, hatte er ihr erklärt, dass die Kamera auf Anweisung seines Dienstherrn, nämlich der Regierung, hier hing; die Wohnung musste in seiner Abwesenheit überwacht werden, auch während May hier arbeitete. »Wenn man bedenkt, was Sie für unser Land tun, geht das schon in Ordnung. Bin ja schließlich auch Patriotin«, hatte die treue Seele erwidert.)

Er hörte den Anrufbeantworter ab. Es war nur eine Nachricht eingegangen. Sie stammte von einem Freund, der in Mayfair wohnte, Fouad Kharaz, ein gerissener, extravaganter Jordanier, der alle möglichen Geschäfte tätigte, zumeist im Zusammenhang mit Beförderungsmitteln: Autos, Flugzeuge und die erstaunlichsten Jachten, die Bond je gesehen hatte. Kharaz und er waren Mitglieder des Commodore-Spielclubs am Berkeley Square.

Im Gegensatz zu vielen ähnlichen Londoner Clubs, deren Mitgliedschaft binnen vierundzwanzig Stunden und für fünfhundert Pfund erworben werden konnte, war der Commodore ein ehrwürdiges Etablissement, dem man nur mit Geduld und nach gründlicher Überprüfung beitreten durfte. Als Mitglied musste man sich einigen strikten Regeln unterwerfen, zum Beispiel hinsichtlich der Kleidung, sowie an den Spieltischen tadelloses Benehmen vorweisen. Dafür kam man dann auch in den Genuss des erlesenen Restaurants und Weinkellers.

Kharaz hatte angerufen, um Bond für den heutigen Abend dorthin zum Essen einzuladen. »Ich habe ein Problem, James. Mir sind zwei wunderschöne Frauen aus Saint-Tropez anvertraut worden – wie es dazu kam, ist eine zu lange und heikle Geschichte, um sie auf Band zu hinterlassen. Jedenfalls reicht mein Charme nicht für alle beide aus. Werden Sie mir behilflich sein?«

Bond wählte lächelnd seine Nummer und teilte ihm mit, dass er bereits anderweitig verabredet war. Sie einigten sich darauf, den Abend demnächst nachzuholen.

Dann unterzog er sich seinem Duschritual – erst sehr heiß, dann eiskalt – und trocknete sich schnell ab. Er strich sich mit den Fingern über Wangen und Kinn und beschloss, seiner lebenslangen Gewohnheit nicht untreu zu werden und sich kein zweites Mal an einem Tag zu rasieren. Dann tadelte er sich: Wie kommst du überhaupt auf die Idee? Philly Maidenstone ist hübsch und schlau und fährt ein höllisch gutes Motorrad – aber sie ist eine Kollegin. Das ist alles.

In diesem Moment drängte sich jedoch die schwarze Lederkombi unaufgefordert in seine Fantasie.

Bond ging im Bademantel in die Küche, schenkte sich zwei Fingerbreit Basil Hayden's ein, gab einen Eiswürfel hinzu und trank die Hälfte. Der erste Schluck des weichen, erdigen Bourbons war immer der beste, vor allem an einem Tag wie diesem – nach der gefahrvollen Begegnung mit einem Feind und vor einem Abend in Gesellschaft einer schönen Frau …

Er ertappte sich schon wieder dabei. Stopp.

Bond setzte sich im Wohnzimmer auf einen alten Ledersessel. Der Raum war nur spärlich möbliert. Die meisten der

Einrichtungsgegenstände hatte Bond von seinen Eltern geerbt; seine Tante hatte sie in einem Lagerraum für ihn aufbewahrt. Manches hatte er selbst gekauft: ein paar Lampen, einen Tisch und Stühle, ein Bose-Soundsystem, für dessen Genuss ihm meistens die Zeit fehlte.

Auf dem Kaminsims standen silbern gerahmte Fotos seiner Eltern und Großeltern – väterlicherseits in Schottland, mütterlicherseits in der Schweiz. Andere Bilder zeigten seine Tante Charmian mit dem jungen Bond in Kent. An den Wänden hingen weitere Fotografien, aufgenommen von seiner Mutter, einer freiberuflichen Bildreporterin. Die überwiegend in schwarz-weiß abgelichteten Motive waren vielfältig: politische Zusammenkünfte, Gewerkschaftsversammlungen, Sportwettbewerbe, Panoramaszenen an exotischen Orten.

In der Mitte des Kaminsimses lag ein seltsames kleines Ding: eine Patrone. Sie hatte nichts mit Bonds Agententätigkeit in der Sektion 00 der ODG-Abteilung O zu tun, sondern stammte aus einer ganz anderen Zeit und Ecke seines Lebens. Er ging zum Kamin und drehte das Vollmantelgeschoss ein- oder zweimal zwischen den Fingern. Dann legte er es zurück und setzte sich wieder.

Trotz seiner Bemühungen, die Beziehung zu Philly... die *Zusammenarbeit* mit *Agent Maidenstone* rein professionell zu gestalten, musste er immerzu an sie als Frau denken.

Und zwar als eine, die nicht mehr verlobt war.

Bond musste zugeben, dass er sich von Philly nicht nur körperlich angezogen fühlte. Und er stellte sich nun eine Frage, die er sich bereits, wenngleich selten, über andere Frauen gestellt hatte: Konnte sich zwischen ihnen etwas Ernstes entwickeln?

Bonds Liebesleben war komplizierter als das der meisten anderen. Zu den Hinderungsgründen für eine feste Beziehung zählten seine häufigen Reisen, die Anforderungen seines Jobs und die ständige Gefahr, die ihn umgab. Noch grundlegender war der heikle Punkt, irgendwann eingestehen zu müssen, wer er wirklich war und, noch schlimmer, was in der Sektion 00 zu seinen Aufgaben zählte. Manche, vielleicht sogar die meisten Frauen fühlten sich davon nämlich abgestoßen, ja sogar angewidert.

Und an diesem Eingeständnis führte früher oder später kein Weg vorbei. Man kann jemandem, der einem nahesteht, nicht unbegrenzt etwas vormachen. Die Menschen sind viel klüger und aufmerksamer, als wir glauben, und bei Liebespaaren bleiben die wirklich fundamentalen Geheimnisse nur dann geheim, wenn der andere Partner das bewusst zulässt.

Die glaubhafte Abstreitbarkeit funktioniert womöglich in Whitehall, aber nie besonders lange zwischen Liebenden.

Bei Philly Maidenstone war all das kein Problem. Er würde ihr bei einem Abendessen oder inmitten zerwühlter Laken kein großes Geständnis über seine Arbeit machen müssen; sie kannte sowohl seinen Lebenslauf als auch seinen Aufgabenbereich nur zu genau.

Und sie hatte ein Restaurant in der Nähe ihrer Wohnung vorgeschlagen.

Hatte das etwas zu bedeuten?

James Bond sah auf die Uhr. Es war an der Zeit, sich anzuziehen und die Entschlüsselung des Codes zu versuchen.

18

Das Taxi setzte Bond um zwanzig Uhr fünfzehn bei Antoine's in Bloomsbury ab, und er war sofort mit Phillys Wahl einverstanden. Er hasste volle, laute Restaurants und Bars und hatte schon so manches exklusive Etablissement einfach wieder verlassen, weil man dort das eigene Wort nicht verstand. Statt als »angesagt« müsse man solche Läden wohl eher als »angebrüllt« bezeichnen, hatte er mal gescherzt.

Antoine's hingegen war ruhig und gedämpft beleuchtet. Im hinteren Teil des Raumes war eine beeindruckende Weinauswahl zu sehen, und an den Wänden hingen stille Porträts aus dem neunzehnten Jahrhundert. Bond bat um eine kleine Nische unweit der Flaschenwand. Er setzte sich auf das weiche Leder, wie immer mit dem Gesicht zum Eingang, und musterte die anderen Gäste. Geschäftsleute und Anwohner, schätzte er.

»Etwas zu trinken?«, fragte der Kellner, ein freundlicher Mann Ende dreißig mit kahl rasiertem Kopf und Ohrringen.

Bond entschied sich für einen Cocktail. »Einen doppelten Crown Royal auf Eis, bitte. Dazu geben Sie ein halbes Maß Triple Sec, zwei Schuss Bitter und einen Twist Orangenschale.«

»Ja, Sir. Interessanter Drink.«

»Basiert auf einem Old Fashioned. Hab ich mir selbst ausgedacht.«

»Hat er einen Namen?«

»Noch nicht«, sagte er. »Ich suche noch nach dem richtigen.«

Der Cocktail wurde kurz darauf serviert, und Bond nippte daran – der Drink war perfekt gelungen. Bond sagte es dem Kellner. Als er das Glas abstellte, kam Philly mit strahlendem Lächeln zur Tür herein und schien ihren Schritt zu beschleunigen, als sie ihn sah.

Sie trug eine enge schwarze Jeans, eine braune Lederjacke und darunter einen figurbetonenden dunkelgrünen Pullover, genau in der Farbe von Bonds Jaguar.

Er erhob sich halb von seinem Platz, als sie sich setzte – neben ihn, nicht gegenüber. Sie hatte eine Aktentasche dabei.

»Alles klar?«, fragte sie.

Er hatte halb mit einer etwas weniger beiläufigen Begrüßung gerechnet. Doch dann fragte er sich streng: Wieso eigentlich?

Sie hatte kaum die Jacke ausgezogen, als auch schon der Kellner kam. Er begrüßte sie lächelnd. »Ophelia.«

»Aaron. Ich nehme ein Glas von dem Mosel-Riesling.«

»Schon unterwegs.«

Als Aaron den Wein brachte, sagte Bond ihm, sie würden mit dem Essen noch etwas warten. Dann prosteten er und Philly einander zu, stießen aber nicht an.

»Zuerst Hydt«, murmelte Bond und rückte etwas näher. »Lassen Sie uns mit ihm anfangen.«

»Ich habe mich bei den Specialist Operations des Yard erkundigt, außerdem bei Six, Interpol, NCIC und CIA in Amerika und dem AIVD in den Niederlanden. Und bei Five habe ich auch einige diskrete Fragen gestellt.« Das gespannte Verhältnis zwischen Bond und Osborne-Smith war ihr offenbar nicht entgangen. »Keine Vorstrafen. Keine Einträge auf Beobachtungslisten. Mehr Tory als Labour, aber nicht sonderlich an Politik interessiert. Gehört keiner Kirche an. Behandelt seine Leute gut – es gab nie irgendwelche Streiks oder Proteste. Keine Probleme mit dem Finanzamt oder dem Arbeitsschutz. Er scheint einfach nur ein wohlhabender Geschäftsmann zu sein. Sehr wohlhabend. Sein ganzes Berufsleben dreht sich um Abfallentsorgung und -recycling.«

Der Lumpensammler…

»Er ist sechsundfünfzig, war nie verheiratet. Beide Eltern – sie waren Niederländer – sind inzwischen tot. Sein Vater hatte etwas Geld und war viel geschäftlich unterwegs. Hydt wurde in Amsterdam geboren und kam im Alter von zwölf Jahren mit seiner Mutter her. Sie litt unter nervösen Störungen, also kümmerte sich um ihn meistens die Haushälterin, die sie aus Holland begleitet hatte. Dann verlor der Vater den Großteil seines Geldes und verschwand aus dem Leben des Sohnes. Da die Haushälterin keinen Lohn mehr bekam, verständigte sie das Sozialamt und verschwand ebenfalls – nachdem sie den Jungen acht Jahre lang großgezogen hatte.« Philly schüttelte mitfühlend den Kopf. »Da war er vierzehn. Mit fünfzehn fing er an, als Müllmann zu arbeiten. Danach konnte ich bis Mitte zwanzig nichts Ungewöhnliches über ihn finden. Er hat Green Way gegründet, als Recycling in Mode kam.«

»Was ist passiert? Hat er Geld geerbt?«

»Nein. Das ist ein wenig rätselhaft. Er hat ohne einen Penny angefangen. Als er älter war, hat er sich aus eigener Kraft ein Studium ermöglicht. Alte Geschichte und Archäologie.«

»Und Green Way?«

»Die Firma hat mit Abfall in jeder denkbaren Form zu tun: Sie leert Mülltonnen, entfernt Bauschutt, sammelt Altmetall, reißt Gebäude ab, recycelt, vernichtet Akten und betreibt sowohl Rückgewinnung als auch Entsorgung von Gefahrgut. In der Branchenpresse steht, dass Green Way derzeit in ein Dutzend Länder expandiert, um dort Deponien und Recyclingzentren zu eröffnen.« Philly zeigte ihm den Ausdruck eines Prospekts der Firma.

Als Bond das Logo sah, runzelte er die Stirn. Es sah aus wie ein auf der Seite liegender grüner Dolch.

»Das soll kein Messer sein«, sagte Philly lachend. »Ich habe dasselbe gedacht. Es ist ein Laubblatt. Die Umweltbewegung beschäftigt sich im Moment noch vordringlich mit globaler Erwärmung, Verschmutzung und Energiegewinnung. Aber die ökologische Müllentsorgung und -wiederaufbereitung ist auf dem Vormarsch. Und Green Way zählt zu den großen Erneuerern.«

»Gibt es eine Verbindung nach Serbien?«

»Durch eine Tochterfirma gehört Hydt ein Anteil an einem kleinen Belgrader Unternehmen. Doch dort wie im gesamten Rest seiner Organisation hat niemand eine kriminelle Vergangenheit.«

»Ich werde einfach nicht aus ihm schlau«, sagte Bond. »Er ist unpolitisch, von einer Neigung zum Terrorismus ganz zu schweigen. Es sieht beinahe so aus, als sei er angeheuert worden, um nächsten Freitag diesen Anschlag oder was auch immer durchzuführen. Aber er ist doch wohl kaum auf das Geld angewiesen.« Er trank einen Schluck. »Also gut, Detective Inspector Maidenstone, erzählen Sie mir von dem Beweisstück – dem anderen Fetzen Asche aus March. Six konnte ›Gehenna-Plan‹ und ›Freitag, 20. Mai‹ entziffern. Hatte das forensische Labor des Yard mehr Erfolg?«

»Ja, tatsächlich«, sagte sie noch leiser, sodass er sich weiter herüberbeugen musste. Er roch einen süßen, aber unbekannten Duft. Ihr Kaschmirpullover strich über seinen Handrücken. »Die restlichen Worte lauten anscheinend: ›Kurs ist bestätigt. Explosionsradius muss mindestens dreißig Meter betragen. Zehn Uhr dreißig ist die optimale Zeit.‹«

»Also irgendeine Art Bombe. Freitag, zehn Uhr dreißig – abends, wenn man der ersten abgefangenen Nachricht glauben darf. Und ›Kurs‹ – damit ist höchstwahrscheinlich eine Schifffahrts- oder Flugroute gemeint.«

»Das Metall, das Sie gefunden haben, ist eine Legierung aus

Titan und Stahl«, fuhr sie fort. »Einzigartig. Niemand im Labor hat so etwas bislang je zu Gesicht bekommen. Es handelt sich um Späne, ein oder zwei Tage alt.«

Hatten Hydts Leute im Keller des Lazaretts aus diesem Metall eine Waffe gebaut?

»Und das Gelände gehört immer noch dem Verteidigungsministerium, wird aber seit drei Jahren nicht mehr genutzt.«

Als sie einen Schluck Wein trank, wanderte sein Blick über ihr fabelhaftes Profil, von der Stirn bis zu den Brüsten.

»Was die Serben angeht«, sagte Philly, »so habe ich quasi gedroht, ich würde ihnen den Euro anstelle des Dinars aufzwingen, falls sie mir nicht helfen. Aber sie sind mit den Informationen rausgerückt. Der Komplize des Iren, Aldo Karic, war Frachtdisponent bei der Eisenbahn.«

»Er dürfte also genau gewusst haben, mit welchem Zug das Gefahrgut transportiert wurde.«

»Ja.« Dann runzelte sie die Stirn. »Das ist übrigens seltsam, James. Zunächst mal – das Material war ziemlich übel. Methylisocyanat, MIC. Das ist die Chemikalie, die all die Menschen in Bhopal getötet hat.«

»Mein Gott.«

»Aber sehen Sie, hier ist das Inventar der gesamten Fracht des Zuges.« Sie zeigte ihm die auf Englisch übersetzte Liste. »Die Chemikaliencontainer sind praktisch unzerstörbar. Man kann so ein Ding aus einem Flugzeug werfen, und es soll angeblich nicht zerbrechen.«

Bond war verwirrt. »Das Zugunglück hätte demnach nicht zu einer Freisetzung geführt?«

»Vermutlich nicht. Und noch etwas: Der Waggon mit der Chemikalie enthielt nur ungefähr dreihundert Kilo MIC. Zugegeben, das Zeug ist schlimm, aber in Bhopal wurden zweiundvierzigtausend Kilogramm davon freigesetzt. Auch wenn hier ein paar der Fässer beschädigt worden wären, hätte das nur geringfügige Auswirkungen gehabt.«

Doch wofür sonst hatte der Ire sich interessiert? Bond überflog die Liste. Der Rest der Fracht war harmlos: Heizkessel, Fahrzeugteile, Motoröl, Altmetall, Nutzholz... Keine Waffen, instabilen Substanzen oder andere riskante Materialien.

Vielleicht hatte es sich um einen komplizierten Mordanschlag auf den Zugführer oder eine Person gehandelt, die unterhalb des Hügels hinter dem Restaurant wohnte. Hatte der Ire den Tod wie einen Unfall aussehen lassen wollen? Solange sie Noahs Absicht nicht kannten, war keine effiziente Reaktion darauf möglich. Bond konnte nur hoffen, dass die Überwachungsmaßnahmen, die er vorhin zögernd in die Wege geleitet hatte, sich auszahlen würden. »Wissen wir mehr über Gehenna?«, fragte er.

»Zur Hölle.«

· »Wie bitte?«

Sie lächelte. »Gehenna ist der Vorläufer des judäochristlichen Konzepts der Hölle. Das Wort leitet sich von ›Ge-Hinnom‹ her, dem Tal von Hinnom. Das liegt bei Jerusalem. Es heißt, dort wurden vor Urzeiten Abfälle verbrannt, und im Gestein habe es natürliche Gasvorkommen gegeben, sodass die Flammen nicht erloschen. In der Bibel bezeichnete Gehenna dann einen Ort, an dem Sünder und Ungläubige bestraft wurden. Die einzige nennenswerte Bezugnahme darauf in jüngerer Zeit – sofern man bei hundertfünfzig Jahren noch davon sprechen kann – findet sich in einem Gedicht von Rudyard Kipling: ›Abwärts zu Gehenna oder bis zum Thron, reist er am schnellsten, wer reist allein.‹« Das gefiel Bond. Er rezitierte es für sich.

»Nun zu meinem anderen Auftrag«, sagte sie. »Steel Cartridge.«

Bleib locker, ermahnte er sich und hob nonchalant eine Augenbraue.

»Ich konnte keine Verbindung zwischen dem Gehenna-Plan und Steel Cartridge erkennen«, sagte Philly.

»Ja, ist mir klar. Ich glaube auch nicht, dass es einen Zusammenhang gibt. Das hier ist etwas anderes – aus der Zeit, als ich noch nicht bei der ODG gewesen bin.«

Die braunen Augen musterten sein Gesicht und hielten kurz bei der Narbe inne. »Sie waren bei der Defence Intelligence, nicht wahr? Und davor mit der Naval Reserve in Afghanistan.«

»Stimmt.«

»Afghanistan… Vor uns und den Amerikanern haben die Russen dort auf einen Tee vorbeigeschaut. Hat es mit Ihren Einsätzen dort zu tun?«

»Kann gut sein. Ich weiß es nicht.«

Philly begriff, dass sie Fragen stellte, die er womöglich nicht beantworten wollte. »Ich habe mir bei unserer Station R die originale russische Datei besorgt und bin die Metadaten durchgegangen. Die haben mich zu anderen Quellen geführt, und ich konnte herausfinden, dass Steel Cartridge ein gezielter Tötungsauftrag war, gebilligt von höchster Stelle. Darauf bezog sich ›einige Todesfälle‹. Ich weiß nicht, ob noch der KGB oder schon der SVR zuständig war. Also können wir bis jetzt kein Datum ermitteln.«

Man hatte den KGB, den berüchtigten sowjetischen Sicherheits- und Spionagedienst, im Jahre 1991 in zwei russische Dienste aufgeteilt: FSB für das Inland und SVR für das Ausland. In Fachkreisen herrschte allgemein die Ansicht, dass diese Änderung allenfalls kosmetischer Natur war.

Bond überlegte. »Eine gezielte Tötung.«

»Korrekt. Und einer unserer Leute – ein Agent von Six – war irgendwie darin verwickelt, aber ich kann noch nicht sagen, wer oder wie. Vielleicht hat unser Mann den russischen Killer verfolgt. Vielleicht wollte er ihn umdrehen und als Doppelagenten führen. Oder unser Agent war sogar die Zielperson.

Bald weiß ich mehr – ich habe ein paar Nachforschungen in die Wege geleitet.«

Bond ertappte sich dabei, dass er stirnrunzelnd die Tischdecke anstarrte. Er lächelte Philly flüchtig zu. »Sehr gut. Danke.«

Dann verfasste er auf seinem Mobiltelefon eine kurze Zusammenfassung dessen, was Philly ihm über Hydt, den Vorfall Zwanzig und Green Way International berichtet hatte, und schickte die Nachricht an M und Bill Tanner. Von Operation Steel Cartridge erwähnte er nichts. »Okay«, sagte er. »Nun haben wir uns nach all der harten Arbeit ein paar Gaumenfreuden verdient. Zuerst der Wein. Rot oder weiß?«

»Ich bin ein Mädchen, das sich nicht gern an die Spielregeln hält.« Philly ließ die Worte kurz nachklingen – kokett, glaubte Bond. »Ich trinke zum Beispiel einen großen Roten – einen Margaux oder Saint-Julien – zu einem milden Fisch wie Seezunge«, erklärte sie. »Und zu einem schönen saftigen Steak bestelle ich mir Pinot Gris oder Albariño.« Sie lächelte. »Ich will sagen, wonach immer Ihnen heute der Sinn steht, James, das geht für mich in Ordnung.« Sie strich Butter auf ein Stück von ihrem Brötchen und aß es mit sichtlichem Genuss. Dann nahm sie die Speisekarte und studierte sie wie ein kleines Kind, das sich nicht entscheiden kann, welches Weihnachtsgeschenk es zuerst auspacken soll. Bond war hingerissen.

Gleich darauf kam Aaron, der Kellner, an ihren Tisch. »Sie zuerst«, sagte Philly zu Bond. »Ich brauche noch einen Moment.«

»Ich nehme die Pastete. Danach den gegrillten Steinbutt.«

Philly bestellte als Vorspeise einen Rucolasalat mit Parmesan und Birne und als Hauptgang pochierten Hummer mit grünen Bohnen und Frühkartoffeln.

Bond wählte eine Flasche unoaked Chardonnay aus dem kalifornischen Napa.

»Gut«, sagte sie. »Die Amerikaner haben die besten Char-donnay-Trauben außerhalb Burgunds. Jetzt müssen sie nur noch alle den Mut aufbringen, ein paar ihrer verfluchten Ei-chenfässer wegzuwerfen.«

Was genau Bonds Meinung entsprach.

Erst kam der Wein, dann das Essen, das sich als hervorra-gend erwies. Bond beglückwünschte Philly zur Auswahl des Restaurants.

Sie plauderten miteinander. Philly erkundigte sich nach sei-nem Leben in London, seinen letzten Urlaubsreisen, seiner Ju-gend. Er antwortete ihr ganz automatisch mit den allgemeinen Informationen, die ohnehin über ihn bekannt waren – der Tod seiner Eltern, die Kindheit bei seiner Tante Charmian im idyl-lischen Pett Bottom, Kent, sein kurzer Aufenthalt in Eton und danach der Wechsel ans Fettes College in Edinburgh, die alte Schule seines Vaters.

»Ja, ich habe gehört, dass es in Eton einige Scherereien ge-geben hat – wegen eines Dienstmädchens, nicht wahr?« Sie ließ auch diese Worte kurz nachklingen. Dann lächelte sie. »Die of-fizielle Version ist ein Hauch skandalös. Doch es gab noch an-dere Gerüchte. Dass Sie die Ehre des Mädchens verteidigt ha-ben sollen.«

»Ich schätze, zu diesem Punkt müssen meine Lippen ver-siegelt bleiben.« Er lächelte ebenfalls. »Ich berufe mich auf den Official Secrets Act. Inoffiziell.«

»Nun, falls es stimmt, waren Sie ziemlich jung für ein so rit-terliches Verhalten.«

»Ich glaube, ich hatte gerade Tolkiens Sir Gawain gelesen«, sagte Bond. Und vermerkte nebenbei, dass sie zu seiner Person offenbar gründliche Nachforschungen angestellt hatte.

Er fragte nach ihrer Kindheit. Philly erzählte, sie sei in Devon aufgewachsen und auf ein Internat in Cambridgeshire gegangen, wo sie als Teenager ehrenamtlich für diverse Menschenrechtsorganisationen tätig gewesen war. Später studierte sie Jura an der London School of Economics. Sie reiste sehr gern und schilderte ihm ausführlich einige Urlaube. Am begeistertsten sprach sie über ihr BSA-Motorrad und ihre andere Leidenschaft, das Skifahren.

Interessant, dachte Bond. Noch etwas, das wir gemeinsam haben.

Ihre Blicke trafen sich und wichen mindestens fünf Sekunden nicht voneinander ab.

Bond verspürte das Kribbeln, das ihm so vertraut war. Sein Knie streifte das ihre, teils zufällig, teils nicht. Sie fuhr sich mit der Hand durch das offene rote Haar.

Philly rieb sich mit den Fingerspitzen die geschlossenen Augen. Dann sah sie Bond wieder an. »Ich muss sagen, das war eine großartige Idee«, gestand sie leise. »Das Abendessen, meine ich. Ich musste ganz eindeutig...« Ihre Stimme erstarb, und ihre Miene verzog sich belustigt, weil sie diesen Punkt nicht näher erläutern konnte oder wollte. »Ich bin mir nicht sicher, ob ich den Abend schon beenden möchte. Es ist ja erst halb elf.«

Bond beugte sich vor. Ihre Unterarme berührten sich – und diesmal wichen sie nicht wieder zurück.

»Wie wäre es mit einem Drink nach dem Essen?«, schlug Philly vor. »Ich weiß aber nicht genau, was die hier anzubieten haben.« Das waren ihre Worte, aber in Wahrheit sagte sie zu Bond, dass sie in ihrer Wohnung, ganz in der Nähe, Portwein oder Brandy hatte und außerdem ein Sofa und Musik.

Und höchstwahrscheinlich noch einiges mehr.

Codes...

Seine Antwort hätte lauten müssen: »Ich könnte auch einen vertragen. Aber vielleicht nicht hier.«

Doch dann fiel ihm etwas auf, etwas Kleines, sehr Subtiles.

Sie rieb sich mit Zeigefinger und Daumen der rechten Hand

sanft den Ringfinger der Linken. Dort gab es eine blasse Stelle, die während des letzten Urlaubs nicht gebräunt worden war – weil Tims inzwischen nicht mehr vorhandener Verlobungsring an diesem Finger gesteckt hatte.

Ihre strahlenden Augen waren immer noch auf Bond gerichtet, ihr Lächeln unverändert. Er wusste, dass sie jetzt einfach die Rechnung begleichen und gehen konnten, und Philly würde seinen Arm nehmen, während er sie nach Hause begleitete. Er wusste, dass die humorvollen Neckereien weitergehen würden. Er wusste, dass der Sex hemmungslos sein würde – das verrieten ihm ihre Blicke und der Klang ihrer Stimme, die Art und Weise, wie sie ihr Essen genossen hatte, die Kleidung, die sie trug und wie sie sie trug. Und ihr Lachen.

Und doch wusste er auch, dass es nicht richtig war. Nicht zum jetzigen Zeitpunkt. Als sie den Ring abgestreift und zurückgegeben hatte, hatte sie auch ein Stück ihres Herzens hergegeben. Er bezweifelte nicht, dass sie sich bald wieder erholt haben würde – eine Frau, die auf einer BSA Spitfire über die Feldwege des Peak District bretterte, ließ sich durch nichts wirklich unterkriegen.

Aber es war besser, noch zu warten, beschloss er.

Falls Ophelia Maidenstone eine Frau war, die ein Teil seines Lebens werden könnte, würde das auch noch in ein oder zwei Monaten so sein.

»Ich glaube, ich habe einen interessanten Armagnac auf der Karte gesehen«, sagte er. »Den würde ich gern mal probieren.«

Bond wusste, dass es die richtige Entscheidung gewesen war, denn er sah, wie ihr Gesicht sich entspannte, wobei Erleichterung und Dankbarkeit die Enttäuschung überwogen, wenn auch nur knapp. Sie drückte seinen Arm und lehnte sich zurück. »Bestellen Sie etwas für mich mit, James. Ich bin sicher, Sie wissen, was ich gern hätte.«

DIENSTAG

Tod im Sand

19

James Bond erwachte aus einem Traum, an den er sich nicht erinnerte, der ihn aber in Schweiß gebadet hatte und sein Herz wie wild hämmern ließ – und es raste noch umso schneller, weil zusätzlich das Telefon klingelte.

Die Uhr neben seinem Bett zeigte 5:01. Er nahm das Mobiltelefon und schaute schläfrig blinzelnd auf das Display. Der Gute, dachte er.

Er nahm das Gespräch an. »Bonjour, mon ami.«

»Et toi aussi!«, sagte die volltönende raue Stimme. »Wir sind doch verschlüsselt, oder?«

»Oui. Ja, natürlich.«

»Was haben wir nur in den Zeiten vor der Verschlüsselung gemacht?«, fragte René Mathis, der wahrscheinlich in seinem Büro am Boulevard Mortier im 20. Arrondissement von Paris saß.

»Es gab keine Zeiten vor der Verschlüsselung, René. Es gab bloß Zeiten, in denen dafür noch keine entsprechende App auf einem Touchscreen existiert hat.«

»Gut gesagt, James. Du wirst immer weiser, comme un philosophe. Und das so früh am Morgen.«

Der fünfunddreißigjährige Mathis war Agent des französischen Auslandsnachrichtendienstes, der Direction Générale de la Sécurité Extérieure. Er und Bond arbeiteten gelegentlich bei gemeinsamen Operationen von ODG und DGSE zusammen, die in letzter Zeit vor allem mit al-Qaida und anderen kriminellen Vereinigungen in Europa und Nordafrika zu tun gehabt hatten. Sie hatten außerdem beachtliche Mengen Lillet und Louis Roederer geteilt und einige ziemlich... nun ja, bunte Abende in Städten wie Bukarest, Tunis und Bari, jenem schillernden Juwel an Italiens Adriaküste, verbracht.

Bond hatte am Vorabend René Mathis angerufen, nicht Osborne-Smith, und seinen Freund gebeten, Severan Hydt zu überwachen. Die politisch riskante Entscheidung war ihm nicht leichtgefallen, doch letztlich hatte er es für unvermeidlich gehalten, nicht nur die Division Three, sondern auch M zu umgehen. Er benötigte diese Überwachung, musste aber gleichzeitig sicherstellen, dass Hydt und der Ire weiterhin nichts von ihren britischen Verfolgern merkten.

Frankreich verfügte selbstverständlich über eine eigene Schnüfflerabteilung, ähnlich dem GCHQ in England, der NSA in Amerika oder der verschwenderisch mit Geld ausgestatteten Spionagetruppe eines beliebigen anderen Landes. Die DGSE hörte ständig die Telefonate von Ausländern ab und las deren E-Mails, einschließlich der Staatsbürger des Vereinigten Königreichs (ja, die Länder waren derzeit Verbündete, aber das hatte in der Vergangenheit schon oft anders ausgesehen).

Also hatte Bond um einen Gefallen gebeten. Er hatte René Mathis ersucht, die ELINT und SIGINT aus London, die von der Hundert-Meter-Antenne des französischen geostationären Spionagesatelliten aufgefangen wurden, nach relevanten Schlüsselbegriffen zu durchkämmen.

»Ich habe da was für dich, James«, sagte Mathis nun.

»Ich ziehe mich an. Du bist jetzt auf Lautsprecher.« Bond betätigte den Knopf und sprang aus dem Bett.

»Heißt das, die schöne Rothaarige, die neben dir liegt, kann mithören?«

Bond kicherte, nicht zuletzt, weil der Franzose ausgerechnet auf diese Haarfarbe gekommen war. Er musste kurz daran denken, wie er gestern Abend vor Phyllis Haustür zum Abschied seine Wange an ihre gedrückt und wie ihr wogendes Haar dabei seine Schulter gestreift hatte.

»Ich habe nach Signalen im Zusammenhang mit ›Severan Hydt‹ oder seinem Spitznamen ›Noah‹ gesucht. Und nach allem über Green Way International, den Gehenna-Plan, serbische Zugentgleisungen oder für kommenden Freitag angekündigte Bedrohungen. Zudem bei allen Personen im Umfeld nach irisch klingenden Namen. Doch es ist sehr seltsam, James: Der Satellit war genau auf das Firmengelände von Green Way östlich von London gerichtet, aber es ging von dort praktisch keinerlei SIGINT aus. Es ist, als würde er seinen Arbeitern den Besitz von Mobiltelefonen verbieten. Höchst merkwürdig.«

Ja, das ist es, dachte Bond und zog sich hastig weiter an.

»Manches andere konnten wir jedoch auffangen. Hydt ist gegenwärtig zu Hause und wird heute Morgen das Land verlassen. Ziemlich bald, glaube ich. Wohin er will, weiß ich nicht. Aber er wird fliegen. Es wurden ein Flughafen und Reisepässe erwähnt. Und es wird ein Privatjet sein, weil seine Leute direkt mit dem Piloten gesprochen haben. Leider ging daraus nicht hervor, welcher Flughafen gemeint ist. Ich weiß, es gibt im Großraum London eine ganze Menge davon. Wir haben sie erfasst ... nur zur Überwachung, möchte ich hinzufügen!«

Bond musste unwillkürlich lachen.

»So, James, über diesen Gehenna-Plan war nichts dabei. Aber ich habe eine beunruhigende Information. Wir konnten vor fünfzehn Minuten ein kurzes Telefonat entschlüsseln. Der Angerufene befand sich etwa sechzehn Kilometer westlich von Green Way, am Rand von London.«

»Vermutlich bei Hydt zu Hause.«

»Eine Männerstimme sagte: ›Severan, ich bin's‹«, fuhr Mathis fort. »Er sprach mit Akzent, aber unsere Algorithmen konnten ihn nicht zuordnen. Die beiden tauschten ein paar

Höflichkeiten aus, und dann kam das: ›Neunzehn Uhr heute Abend ist bestätigt. Die Zahl der Toten wird bei ungefähr neunzig liegen. Du musst spätestens um achtzehn Uhr fünfundvierzig dort sein.‹«

Demnach war Hydt entweder an der Planung eines Massenmordes beteiligt, oder er würde ihn sogar selbst in die Tat umsetzen. »Wer sind die Opfer? Und weshalb sollen sie sterben?«

»Keine Ahnung, James. Aber genauso erschreckend fand ich die Reaktion deines Mr. Hydt. Er war wie un enfant, dem man Schokolade anbietet. Er sagte: ›Oh, das sind ja herrliche Neuigkeiten! Hab vielen, vielen Dank.‹« Mathis klang besorgt. »Ich habe noch nie gehört, dass jemand so freudig über die Aussicht auf einen Mord spricht. Und dann wurde es noch bizarrer. Er fragte: ›Wie nah kann ich an die Toten heran?‹«

»Das waren seine Worte?«

»Ja, allen Ernstes. Der Mann antwortete, er könne sehr nah heran. Und Hydt schien auch darüber äußerst erfreut gewesen zu sein. Dann wurden die Telefone abgeschaltet und sind seitdem nicht noch einmal benutzt worden.«

»Neunzehn Uhr. Irgendwo im Ausland. Noch etwas?«

»Leider nicht.«

»Danke für alles. Ich begebe mich jetzt mal lieber wieder auf die Jagd.«

»Ich wünschte, ich könnte unseren Satelliten noch länger mit Beschlag belegen, aber meine Vorgesetzten fragen sich bereits, warum ich mich so sehr für ein unbedeutendes Nest wie London interessiere.«

»Das nächste Mal geht der Dom auf mich, René.«

»Aber sicher. Au revoir.«

»À bientôt, et merci beaucoup.« Bond trennte die Verbindung.

Während seiner Jahre als Commander der Royal Naval Reserve und Agent der ODG hatte er es mit einigen üblen Gestalten zu tun bekommen: Aufständischen, Terroristen, psycho-pathischen Kriminellen, gewissenlosen Verrätern, die Atom-geheimnisse an Männer verkauften, die verrückt genug waren, davon Gebrauch zu machen. Doch was hatte Hydt vor?

Absicht... Reaktion.

Nun, auch wenn nicht klar war, welch kranke Ziele dieser Mann verfolgte, konnte Bond zumindest eine Reaktion in die Wege leiten.

Zehn Minuten später lief er die Treppe hinunter und fischte dabei den Autoschlüssel aus der Tasche. Er brauchte Severan Hydts Adresse nicht nachzuschlagen. Er hatte sie sich am Vor-abend eingeprägt.

20

Das Thames House, die Heimat des MI5, des Northern Ireland Office und einiger verwandter Sicherheitsbehörden ist weniger imposant als das Gebäude des MI6, das ganz in der Nähe liegt, nämlich gegenüber am Südufer. Das Hauptquartier von Six wirkt eher wie eine futuristische Enklave aus einem Ridley-Scott-Film (und wird wegen der Ähnlichkeit mit einer Zikkurat oft als Babylon-upon-Thames bezeichnet oder, weniger freundlich, als Legoland).

Doch auch wenn das Thames House architektonisch nicht so eindrucksvoll erscheint, ist es doch umso einschüchternder. Der neunzig Jahre alte Monolith aus grauem Stein ist die Art von Gebäude, in dem man – wäre es eine Polizeizentrale im sowjetischen Russland oder der DDR gewesen – noch vor der ersten Frage bereitwillig Antworten heruntergerasselt hätte. Andererseits kann die Fassade mit einigen beachtlichen Bildhauerarbeiten aufwarten (zum Beispiel Charles Sargeant Jaggers Britannia und St. George), und alle paar Tage verirren sich Touristen aus Arkansas oder Tokio zum Haupteingang, weil sie das Thames House mit der Tate Britain verwechseln, die ganz in der Nähe liegt.

Die Division Three war in den fensterlosen Eingeweiden des Thames House beheimatet. Aus Gründen der Abstreitbarkeit hatte man Räume und Ausstattung bewusst vom unmittelbaren Nachbarn Five angemietet (und niemand hat bessere Ausrüstungsgegenstände als der MI5).

Im Zentrum dieses kleinen Reichs gab es einen großen Kontrollraum, der schon bessere Tage gesehen hatte, mit verschrammtem grünem Anstrich, zerkratztem Mobiliar und ausgetretenem Teppichboden. An den Wänden hingen die üblichen offiziellen Bekanntmachungen über den Umgang mit verdächtigen Paketen, das Verhalten bei Feueralarm sowie Gesundheitsvorschriften oder Gewerkschaftsangelegenheiten, oftmals ersonnen von Bürokraten, die nichts Besseres zu tun hatten.

Doch die Computer hier waren unersättlich, und die Dutzende von Flachbildschirmen groß und hell. Deputy Senior Director of Field Operations Percy Osborne-Smith stand mit verschränkten Armen vor dem größten und hellsten. Er trug ein braunes Jackett und eine farblich unpassende Hose – er war um vier Uhr morgens aufgewacht und um fünf Minuten nach vier angezogen gewesen. Bei ihm befanden sich nun zwei junge Männer: sein Assistent und ein zerknitterter Techniker, der vor einer Tastatur saß.

Osborne-Smith beugte sich vor, drückte eine Taste und hörte sich erneut die soeben erfolgte Aufzeichnung an. Er hatte die Überwachung angeordnet, nachdem er von dem sinnlosen Ausflug nach Cambridge zurückgekehrt war, der ihm lediglich ein Hühnchencurry mitsamt nächtlichen Magenbeschwerden eingebracht hatte. Die Schnüffelei erstreckte sich nicht auf den Verdächtigen des Vorfalls Zwanzig, da niemand so freundlich gewesen war, das Wissen darüber mit ihm zu teilen. Doch Osborne-Smiths Leute hatten ohne Kenntnis des MI5 an genau den richtigen Fensterscheiben Mikrofone angebracht, nämlich an denen eines Mitverschwörers des anonymen Übeltäters: James Bond, Sektion 00, Abteilung O, Overseas Development Group, Foreign and Commonwealth Office.

Auf diese Weise hatte Osborne-Smith von Severan Hydt erfahren, dessen Spitzname Noah lautete und der Green Way International leitete. Bond schien versäumt zu haben, ihm mitzuteilen, dass seine Fahrt zu Boots, der Straße, und nicht Boots, der Apotheke – vielen herzlichen Dank – zu diesen nicht unwichtigen Erkenntnissen geführt hatte.

»Bastard«, sagte Osborne-Smiths Adjutant, ein schlanker junger Mann mit irritierend üppigem braunem Haarschopf. »Bond spielt mit Menschenleben.«

»Immer schön mit der Ruhe«, besänftigte Osborne-Smith den Jungen, den er oft als »Deputy-Deputy« bezeichnete, wenngleich nicht in dessen Gegenwart.

»Tja, das ist er aber. Bastard.«

Osborne-Smith für seinen Teil war eher beeindruckt, dass Bond sich an den französischen Geheimdienst gewandt hatte. Andernfalls hätte nämlich niemand erfahren, dass Hydt das Land zu verlassen und später am Tag rund neunzig Leute zu töten beabsichtigte – oder zumindest bei ihrem Tod zugegen sein wollte. Diese neuen Erkenntnisse bestärkten Osborne-Smith in seinem Vorhaben, Severan »Noah« Hydt möglichst bald in Eisen zu legen, ins Belmarsh oder den kaum gastlicheren Verhörraum der Division Three zu zerren und in die Mangel zu nehmen.

»Liefern Sie mir zu Hydt das volle Programm«, wies er Deputy-Deputy an. »Ich will seine Vorzüge und Nachteile erfahren, will wissen, welche Pillen er schluckt, ob er den Independent oder die Daily Sport liest, Arsenal oder Chelsea bevorzugt, was er am liebsten isst, welche Filme ihn ängstigen oder zu Tränen rühren, wen er flachlegt oder von wem er flachgelegt wird. Und wie. Und stellen Sie ein Zugriffteam zusammen. Übrigens, Bonds Schusswaffenformular haben wir nie erhalten, oder?«

»Nein, Sir.«

Nun, das ärgerte Osborne-Smith.

»Wo ist mein fliegendes Auge?«, fragte er den jungen Techniker an der Videospielkonsole.

Sie hatten versucht, Hydts Zielort auf die einfache Weise zu ermitteln. Da der *espion* in Paris erfahren hatte, dass der Mann ein Privatflugzeug benutzen würde, hatten sie die Unterlagen der Luftfahrtbehörde nach Maschinen durchsucht, die auf Severan Hydt, Green Way oder irgendwelche Tochtergesellschaften zugelassen waren. Sie fanden keine einzige. Also mussten sie ihn ganz altmodisch beobachten – sofern man bei einer drei Millionen Pfund teuren Drohne von »altmodisch« sprechen konnte.

»Moment, Moment«, sagte der Techniker überflüssigerweise. Dann endlich: »Bibo ist über dem Einsatzort.«

Osborne-Smith schaute auf den Monitor. Die Sicht aus mehr als drei Kilometern Höhe war erstaunlich gut. Doch dann stutzte er. »Sind Sie sicher, dass das Hydts Haus ist? Nicht ein Gebäude seiner Firma?«

»Absolut. Das ist seine Privatadresse.«

Das Grundstück nahm einen kompletten quadratischen Block in Canning Town ein. Von den benachbarten Sozialbauten oder heruntergekommenen Mietshäusern war es, wenig überraschend, durch eine stattliche Mauer getrennt, auf deren Krone Stacheldraht glänzte. Auf dem Gelände gab es gepflegte Gärten in voller Maiblüte. Ursprünglich dürfte es sich um ein Lagerhaus oder eine kleinere Fabrik gehandelt haben, doch kürzlich hatte man das etwa hundert Jahre alte Anwesen anscheinend renoviert. Vier Nebengebäude und eine Garage drängten sich dicht an dicht.

Was hat das zu bedeuten?, dachte Osborne-Smith. Warum wohnt ein so reicher Mann in Canning Town? Es war ein armes Viertel, ethnisch komplex, anfällig für Gewalt und Bandenkriminalität, aber auch mit äußerst loyalen Einwohnern und entschlossenen Stadträten, die sehr, sehr hart für ihre Wählerschaft arbeiteten. Es gab zahlreiche Sanierungsprojekte und dazu noch Bauarbeiten anlässlich der bevorstehenden Olympiade, von denen aber manch einer behauptete, sie würden der Gegend die Seele rauben. Osborne-Smith konnte sich noch daran erinnern, dass sein Vater in irgendeinem legendären Pub in Canning Town vor einigen Jahrzehnten Auftritte von The Police, Jeff Beck und Depeche Mode gesehen hatte.

»Wieso wohnt Hydt ausgerechnet hier?«, grübelte er laut.

»Bond hat seine Wohnung verlassen und ist Richtung Osten gefahren«, rief sein Assistent. »Aber er hat unseren Mann abgehängt. Bond fährt wie Michael Schumacher.«

»Wir wissen, wohin er will«, sagte Osborne-Smith. »Zu Hydt.« Er hasste es, etwas so Offensichtliches erklären zu müssen.

Bei Hydt blieb vorerst alles ruhig. Nach einigen Minuten erhielt Osborne-Smith von seinem jungen Assistenten die Nachricht, dass das Zugriffteam nun bereitstehe, einschließlich bewaffneter Beamter. »Wie lauten die Befehle, Sir?«

Osborne-Smith überlegte. »Wir warten ab, ob Hydt sich mit jemandem trifft. Ich will möglichst die gesamte Bande erwischen.«

»Sir, da unten tut sich was«, sagte der Techniker.

Osborne-Smith beugte sich näher an den Bildschirm heran. Ein stämmiger Mann in einem schwarzen Anzug – vermutlich ein Leibwächter – rollte Koffer aus Hydts Haus und in die einzeln stehende Garage.

»Sir, Bond ist in Canning Town eingetroffen.« Der Mann zog an einem Joystick, und das Sichtfeld erweiterte sich. »Da.« Er zeigte darauf. »Das ist er. Der Bentley.« Der edle graue Wagen wurde langsamer und hielt am Bordstein.

Der Assistent stieß einen anerkennenden Pfiff aus. »Ein Continental GT. Das nenne ich ein großartiges Automobil. Ich glaube, es wurde bei Top Gear vorgestellt. Schauen Sie sich die Sendung auch manchmal an, Percy?«

»Leider muss ich meistens arbeiten.« Osborne-Smith warf

Deputy-Deputy mit dem zerzausten Haar einen bekümmerten Blick zu und kam zu dem Schluss, dass der Junge im Anschluss an den Vorfall Zwanzig wahrscheinlich keine lange Karriere mehr vor sich hatte, sofern es ihm nicht gelang, sich etwas zurückzunehmen und anderen gegenüber respektvoller aufzutreten.

Bonds Bentley war diskret geparkt – falls man bei einem hundertfünfundzwanzigtausend Pfund teuren Wagen in Canning Town überhaupt davon sprechen konnte. Er stand etwa fünfzig Meter von Hydts Haus entfernt und wurde durch einige Müllcontainer verdeckt.

»Das Zugriffteam ist an Bord des Helikopters«, meldete der Assistent.

»Sie sollen losfliegen und in der Nähe der Gewürzgurke kreisen«, sagte Osborne-Smith.

Damit war das vierzigstöckige Bürogebäude der Swiss Re gemeint, obwohl er fand, dass es eher wie ein Raumschiff aus einem alten Science-Fiction-Film als wie eine Gurke aussah. Es lag zentral und war damit ein guter Ausgangspunkt für die Jagd. »Verständigen Sie alle Flughäfen: Heathrow, Gatwick, Luton, Stansted, London City, Southend und Biggin Hill.«

»Jawohl, Sir.«

»Mehr Leute«, sagte der Techniker.

Auf dem Monitor war zu sehen, dass drei Personen das Haus verließen. Ein großer Mann in einem Anzug mit grau meliertem dunklem Haar und Vollbart, daneben ein schlaksiger Blonder, dessen Füße nach außen wiesen. Ihnen folgte eine schmale Frau mit weißem Haar in einem schwarzen Kostüm.

»Das ist Hydt«, sagte der Techniker. »Der mit dem Bart.«

»Wissen wir was über die Frau?«

»Nein, Sir.«

»Und die Giraffe?«, fragte Osborne-Smith mit abfälligem Unterton. Er war wirklich ziemlich verärgert, dass Bond sein

Schusswaffenformular einfach ignoriert hatte. »Ist das der Ire, von dem alle reden? Machen Sie ein Foto und schicken Sie es durch das System. Schnell!«

Das Trio betrat die Garage. Wenig später kam ein Audi A8 daraus zum Vorschein, verließ das Grundstück durch das Vordertor, bog auf die Straße ein und beschleunigte zügig.

»Alle drei sitzen im Wagen, dazu der Leibwächter«, rief Deputy-Deputy.

»Mit MASINT erfassen und verfolgen. Und markieren Sie den Audi vorsorglich mit einem Laser.«

»Ich versuch's«, sagte der Techniker.

»Das reicht nicht.«

Sie beobachteten, wie Bond sich mit seinem Bentley geschickt in den Verkehr einreihte und dem Audi folgte.

»Zoomen Sie heraus, und bleiben Sie dran«, sagte Osborne-Smith mit dem Lispeln, das er schon seit jeher loszuwerden versuchte, bislang jedoch erfolglos.

Die Kamera hängte sich an das deutsche Auto. »Gut gemacht«, lobte Osborne-Smith.

Der Audi wurde schneller. Bond folgte zwar mit einigem Abstand, verlor dabei aber nie den Anschluss. So geübt der Fahrer des deutschen Wagens auch sein mochte, Bond war besser – er sah stets voraus, wann der Chauffeur einen Trick versuchen und im letzten Moment doch nicht abbiegen oder plötzlich die Fahrspur wechseln würde, und blieb unauffällig dran. Ob Grün, Gelb oder Rot, die beiden Wagen befanden sich immer in derselben Ampelphase.

»Sie fahren auf der Prince Regent Lane nach Norden.«

»Damit scheidet London City als Flughafen aus.«

Der Audi wechselte auf den Newham Way.

»Okay«, rief Deputy-Deputy begeistert aus und fuhr sich mit den Fingern durch die Mähne. »Es ist entweder Stansted oder Luton.«

»Jetzt biegen sie nördlich auf die A 406 ab«, sagte eine andere Technikerin, eine rundliche blonde Frau, die wie aus dem Nichts aufgetaucht war.

Nach einigen beeindruckenden Richtungswechseln fuhren der Audi und der Bentley schließlich entgegen dem Uhrzeigersinn auf dem M 25.

»Es ist Luton!«, rief der Assistent.

»Der Hubschrauber soll sich in Bewegung setzen«, ordnete Osborne-Smith etwas leiser an.

»Alles klar.«

Schweigend folgten sie der weiteren Fahrt des Audi. Am Ende hielt er auf dem Kurzzeitparkplatz des Luton Airport. Bond traf gleich darauf ein und parkte vorsichtig in einiger Entfernung.

»Der Helikopter landet soeben auf der Antiterrorplattform des Flughafens. Unsere Leute begeben sich dann direkt zu dem Parkplatz.«

Niemand stieg aus dem Audi aus. Osborne-Smith lächelte. »Ich wusste es! Hydt trifft sich hier mit jemandem. Wir schnappen sie uns alle zugleich. Sagen Sie unseren Leuten, sie sollen in Stellung gehen und auf mein Kommando warten. Und klinken sie sich in die Kameras dort ein.«

Er hoffte, die Überwachungskameras würden es ihnen ermöglichen, Bonds erschrockene Reaktion zu verfolgen, wenn die Division-Three-Teams wie Falken herabstießen, um Hydt und den Iren zu verhaften. Das war natürlich nicht Osborne-Smiths vordringliche Absicht gewesen, als er den Kameraeinsatz befohlen hatte… aber es würde eine wirklich hübsche Dreingabe sein.

21

Hans Groelle saß am Steuer von Severan Hydts elegantem schwarzen Audi A8. Der kräftige blonde Niederländer war ehemaliger Soldat und hatte in seiner Jugend an einigen Motocross- und anderen Rennen teilgenommen. Er freute sich, dass Mr. Hydt ihn gebeten hatte, heute Morgen sein fahrerisches Können zur Anwendung zu bringen. Nun ließ er die hektische Fahrt von Canning Town zum Luton Airport noch einmal genießerisch vor dem inneren Auge vorbeiziehen und lauschte dabei mit halbem Ohr dem Gespräch der drei anderen Personen im Wagen.

Sie lachten nach dieser aufregenden Wettfahrt. Der Fahrer des Bentley hatte sich nicht nur überaus geschickt verhalten, sondern – was noch wichtiger war – zudem intuitiv. Er hatte nicht wissen können, wohin Groelle wollte, und so war ihm nichts anderes übrig geblieben, als dessen bisweilen völlig willkürliche Manöver vorauszuahnen. Es war, als hätte der Verfolger eine Art sechsten Sinn besessen, der ihm verriet, wann Groelle abbiegen, bremsen oder beschleunigen würde.

Ein Naturtalent.

Aber wer war er?

Nun, das würden sie bald herausfinden. Niemand in dem Audi hatte einen Blick auf ihn erhaschen können – er war so gut –, aber sie hatten sich das Nummernschild zusammengestückelt. Dann hatte Groelle einen Mitarbeiter in der Zentrale von Green Way angerufen, der seine guten Kontakte zur Zulassungsstelle in Swansea nutzen würde, um den Eigentümer des Bentley in Erfahrung zu bringen.

Doch wie auch immer die Bedrohung aussah, Hans Groelle war vorbereitet. In seiner linken Achselhöhle steckte hübsch und warm eine 45er Colt Automatik, Modell 1911.

Er schaute erneut zu dem schmalen Streifen, den er vom grauen Kotflügel des Bentley erkennen konnte, und sagte zu dem Mann auf der Rückbank: »Es hat funktioniert, Harry. Wir haben sie überlistet. Ruf Mr. Hydt an.«

Die beiden Passagiere auf der Rückbank sowie der Mann neben Groelle waren Angestellte von Green Way und in das Projekt Gehenna eingeweiht. Sie sahen Mr. Hydt, Miss Barnes und Niall Dunne ähnlich, die sich derzeit auf dem Weg zu einem ganz anderen Flughafen befanden, nämlich Gatwick, wo ein Privatjet bereitstand, der sie ins Ausland fliegen würde.

Die Finte war natürlich Dunnes Idee gewesen. Er war ein kalter Fisch, aber das tat seinem Verstand keinen Abbruch. Oben in March hatte es Ärger gegeben – jemand hatte Eric Janssen getötet, einen von Groelles Kollegen. Der Killer war zwar tot, aber Dunne hatte geargwöhnt, es könne noch andere geben, die die Firma oder das Haus überwachten, vielleicht sogar beides. Also hatte er sich drei Angestellte gesucht, deren oberflächliche Ähnlichkeit einen Beobachter täuschen konnte, und sie sehr früh an jenem Morgen nach Canning Town gefahren. Dann hatte Groelle Koffer in die Garage gekarrt, gefolgt von Mr. Hydt, Miss Barnes und dem Iren. Groelle und die drei Köder, die in dem Audi gewartet hatten, fuhren los nach Luton. Zehn Minuten später stiegen die echten Passagiere in einen Kleinbus, der Green Way International gehörte, aber keinen Firmenaufdruck trug, und fuhren nach Gatwick.

Nun würden die Köder so lange wie möglich in dem Audi sitzen bleiben, um den Insassen des Bentley weiter davon abzulenken, dass Mr. Hydt und die anderen derweil den britischen Luftraum verließen.

»Wir haben etwas Wartezeit vor uns«, sagte Groelle und zeigte auf das Autoradio. »Welchen Sender nehmen wir?«

Sie stimmten ab und entschieden sich für Radio 2.

»Ah, ah. Es war ein verfluchtes Täuschungsmanöver«, sagte Osborne-Smith. Seine Stimme blieb so ruhig wie immer, aber das Schimpfwort verriet, wie aufgewühlt er war.

Eine Überwachungskamera des Parkplatzes war auf den großen Monitor der Division Three geschaltet worden, und die gebotene Realityshow gefiel Osborne-Smith ganz und gar nicht. Der Blickwinkel mochte etwas ungünstig sein, doch dort auf der Rückbank des Audi saßen auf keinen Fall Severan Hydt und seine Begleiterin. Und der Mann auf dem Beifahrersitz, den er für den Iren gehalten hatte, war nicht der schlaksige Blonde, der vorhin in die Garage gewatschelt war.

Köder.

»Die sind zu einem der anderen Londoner Flughäfen unterwegs«, stellte Deputy-Deputy fest. »Lassen Sie uns das Team aufteilen.«

»Es sei denn, sie fahren nach Manchester oder Leeds-Bradford.«

»Oh. Richtig.«

»Schicken Sie den Wächtern der Abteilung A Hydts Foto. Unverzüglich.«

»Ja, Sir.«

Osborne-Smith kniff die Augen zusammen. Er konnte auf dem Bildschirm ein kleines Stück von James Bonds Bentley sehen, der ungefähr fünfundzwanzig Meter von dem Audi entfernt parkte.

Das einzig Tröstliche an diesem Fehlschlag war, dass auch Bond sich hatte täuschen lassen. Rechnete man noch seine mangelnde Kooperationsbereitschaft hinzu, seine fragwürdige Einbeziehung des französischen Geheimdienstes und seine selbstgerechte Art, würde diese Angelegenheit für ihn durchaus zu einem deutlichen Karriereknick führen können.

22

Der viereinhalb Meter lange Kleinbus, zugelassen auf Green Way International, aber ohne Firmenlogo, hielt am Flughafen Gatwick vor dem Terminal für private Charterflüge. Die Schiebetür ging auf, und Severan Hydt, eine ältere Frau sowie der Ire stiegen aus und nahmen ihre Koffer.

In knapp zehn Metern Entfernung parkte ein schwarz-roter Mini Cooper, in dessen Getränkehalter eine Plastikvase mit einer gelben Rose steckte. Am Steuer saß James Bond und beobachtete die drei Passagiere. Der Ire schaute sich natürlich sorgfältig um. Seine Aufmerksamkeit schien nie nachzulassen.

»Was halten Sie davon?«, fragte Bond in das Headset, das drahtlos an sein Mobiltelefon gekoppelt war.

»Wovon?«

»Meinem Wagen.«

»Also wirklich, James, ein solches Auto schreit förmlich nach einem Namen«, tadelte ihn Philly Maidenstone, die am Luton Airport in seinem Bentley Continental GT saß, nachdem sie Hydts Audi den ganzen Weg von Canning Town dorthin gefolgt war.

»Ich habe meinen Fahrzeugen noch nie Namen gegeben.« Genauso wenig, wie ich meiner Waffe ein Geschlecht zuweisen würde, dachte er, ohne das Trio aus den Augen zu lassen.

Bond war überzeugt gewesen, dass Hydt – oder eher der Ire – nach den Vorfällen in Serbien und March damit rechnen würde, in London beschattet zu werden. Er befürchtete außerdem, dass Osborne-Smith mittlerweile ihn selbst überwachen ließ. Daher war er nach dem Telefonat mit René Mathis von seiner Wohnung zu einem Parkhaus in der Londoner Innenstadt gefahren, um dort mit Philly die Fahrzeuge zu tauschen. Sie sollte Hydts Audi folgen, während Bond in ihrem Mini auf die echte Abreise des Mannes wartete. Die erfolgte dann nur zehn Minuten nachdem das deutsche Auto von Hydts Haus in Canning Town aufgebrochen war.

Bond sah nun, wie Hydt mit gesenktem Kopf telefonierte. Neben ihm stand die Frau. Bond schätzte sie auf Anfang bis Mitte sechzig. Sie war attraktiv, obgleich blass und sehr dünn, was durch ihren schwarzen Mantel noch betont wurde. Womöglich bekam sie zu wenig Schlaf.

Seine Geliebte?, fragte Bond sich. Oder eine langjährige Assistentin? Nach der Miene zu schließen, mit der sie Hydt ansah, tippte er auf Ersteres.

Und dann der Ire. Bond hatte ihn in Serbien nicht deutlich zu Gesicht bekommen, aber es gab keinen Zweifel: der seltsame Gang, die nach außen gedrehten Füße, die schlechte Haltung, die komische blonde Ponyfrisur.

Bond nahm an, dass er derjenige war, der in March in dem Bulldozer gesessen und skrupellos den eigenen Sicherheitsmann zerquetscht hatte. Er musste auch an die Toten in Serbien denken – die beiden Agenten, der Zugführer, der Lastwagenfahrer und nicht zuletzt der Komplize des Mannes. Wut stieg kurzzeitig in ihm auf, legte sich aber wieder.

»Um Ihre Frage zu beantworten: Der Wagen gefällt mir sehr gut«, sagte Philly. »Es gibt heutzutage viele Motoren mit reichlich Pferdestärken; manche Kinder werden sogar mit einem Mercedes-AMG-Kombi zur Schule gebracht. Aber wie hoch ist das Drehmoment des Bentley? So was hab ich ja noch nie erlebt.«

»Fast siebenhundert Newtonmeter.«

»O mein Gott«, flüsterte Philly entweder beeindruckt oder neidisch, vielleicht beides. »Und ich habe mich in den Allradantrieb verliebt. Wie ist die Leistungsverteilung?«

»Sechzig vorn, vierzig hinten.«

»Erstklassig.«

»Ihr Mini ist aber auch nicht schlecht«, sagte Bond. »Sie haben ihm einen Kompressor spendiert.«

»Das habe ich tatsächlich.«

»Welchen?«

»Autorotor. Schwedische Firma. Das hat die Leistung nahezu verdoppelt. Er liegt jetzt bei knapp dreihundert PS.«

»Das habe ich mir schon gedacht.« Bond war ebenfalls beeindruckt. »Sie müssen mir den Namen Ihres Mechanikers verraten. Ich habe einen alten Jaguar, an dem was gemacht werden muss.«

»Oh, bitte sagen Sie, dass es ein E-Typ ist. Kein Auto war jemals so sexy.«

Schon wieder eine Gemeinsamkeit. Bond legte den Gedanken sorgfältig, aber zügig in seinem Gedächtnis ab. »Das erzähle ich Ihnen später. So, Hydt macht sich auf den Weg.« Bond stieg aus dem Mini und versteckte Phillys Schlüssel im Radkasten. Er nahm Koffer und Laptoptasche, setzte eine neue Sonnenbrille mit Kunststoffgestell auf und folgte Hydt, dem Iren und der Frau durch die Menschenmenge zur Abfertigungshalle.

»Sind Sie noch da?«, fragte er.

»Bin ich«, erwiderte Philly.

»Was machen die Köder?«

»Die sitzen einfach in dem Audi.«

»Sie werden warten, bis Hydts Flugzeug den britischen Luftraum verlassen hat. Dann fahren sie los, um Sie – und vermutlich Mr. Osborne-Smith – zurück nach London zu führen.«

»Sie glauben, dass Ozzy zuschaut?«

Bond musste lächeln. »Ich bin sicher, dass dreitausend Meter über Ihnen eine Drohne kreist. Die drei betreten jetzt den Terminal. Ich muss los, Philly.«

»Ich komme viel zu selten aus dem Büro, James. Danke für die Gelegenheit, Formel eins zu spielen.«

»Ich habe eine Idee«, schlug er spontan vor. »Wir könnten ja mal einen Ausflug aufs Land machen und die Kiste an ihre Grenzen bringen.«

»James!«, protestierte sie. Er fragte sich, ob er ihre Grenzen überschritten hatte. »Sie dürfen einfach nicht so respektlos von dieser prachtvollen Maschine reden. Ich werde mir das Hirn zermartern und mir einen geeigneten Namen für sie ausdenken. Und, ja, eine Fahrt aufs Land klingt großartig, vorausgesetzt, ich darf die Hälfte der Zeit ans Steuer. Und wir melden die Fahrt vorher als dienstlich an. Ich habe im Zentralregister bereits einige Punkte gesammelt.«

Sie beendeten das Gespräch, und Bond folgte diskret seinen Zielpersonen. Das Trio steuerte ein Tor in einem Maschendrahtzaun an und zeigte dem Wachmann dort die Pässe vor. Der Pass der Frau war blau, sah Bond. Amerikanisch? Der Uniformierte schrieb etwas auf ein Klemmbrett und winkte die drei durch. Als Bond den Zaun erreichte, sah er Hydt und die anderen in einen großen weißen Privatjet steigen. Die Maschine verfügte auf jeder Seite des Rumpfes über sieben runde Fenster und hatte die Positionslichter schon eingeschaltet. Die Tür schloss sich.

Bond drückte eine Kurzwahltaste.

»Flanagan. Hallo, James.«

»Maurice«, begrüßte er den Leiter der Abteilung T, die innerhalb der ODG für alle Arten von Fahr- und Flugzeugen zuständig war. »Ich benötige den Bestimmungsort eines Privatjets, der jetzt gleich von Gatwick startet.« Er las die fünfstellige Kennung vom Rumpf der Maschine ab.

»Eine Minute.«

Das Flugzeug rollte los. Verdammt, dachte Bond wütend. Mach langsam. Er war sich nur zu bewusst, dass Hydt aufbrach, um am Abend desselben Tages der Ermordung von mindestens neunzig Menschen beizuwohnen – vorausgesetzt, René Mathis' Informationen waren korrekt.

»Ich hab's«, sagte Maurice Flanagan. »Hübscher Vogel, eine Grumman Fünf-fünfzig. Hochmodern und verflucht teuer. Diese hier gehört einem niederländischen Entsorgungs- und Recyclingbetrieb.«

Eine von Hydts Firmen, natürlich.

»Laut Flugplan geht's nach Dubai.«

Dubai? Sollten dort die Morde stattfinden? »Wo wollen sie zwischenlanden und nachtanken?«

Flanagan lachte. »James, die Reichweite dieser Maschine beträgt fast elftausend Kilometer. Sie fliegt mit Mach null Komma acht acht.«

Bond sah das Flugzeug zur Startbahn rollen. Dubai lag rund fünfeinhalbtausend Kilometer von London entfernt. Unter Berücksichtigung des Zeitunterschieds würde die Grumman um drei oder vier Uhr nachmittags landen.

»Ich muss vor diesem Flugzeug in Dubai ankommen, Maurice. Können Sie was für mich austüfteln? Ich habe Pässe, Kreditkarten und dreitausend in bar dabei. Was auch immer Sie hinkriegen. Oh, und ich trage meine Waffe – das sollten Sie berücksichtigen.«

Bond starrte unverwandt dem schnittigen weißen Jet mit den aufgestellten Tragflächenspitzen hinterher. Auf ihn wirkte die Maschine weniger wie ein Vogel als wie ein Drache, doch das konnte auch daran liegen, dass er wusste, wer die Passagiere waren und was sie vorhatten.

Neunzig Tote …

Es verstrichen einige angespannte Momente. Der Jet hatte die Startbahn fast erreicht.

»Tut mir leid, James«, sagte Flanagan dann. »Das Beste, was ich Ihnen anbieten kann, ist ein Linienflug, der in ein paar Stunden von Heathrow startet. Damit wären Sie gegen achtzehn Uhr zwanzig in Dubai.«

»Das reicht nicht, Maurice. Gibt es denn nicht irgendwelche Militär- oder Regierungsflüge?«

»Leider nein. Keinen einzigen.«

Verdammt. Wenigstens konnte er über Philly oder Bill Tanner dafür sorgen, dass ein MI6-Mitarbeiter vom Büro für die Vereinigten Arabischen Emirate den Jet am Flughafen von Dubai erwarten und Hydt und Dunne zu ihrem Zielort folgen würde.

Er seufzte. »Buchen Sie mir einen Platz auf dem Linienflug.«

»Mach ich. Tut mir wirklich leid.«

Bond sah auf die Uhr.

Noch neun Stunden bis zu den Morden …

Er konnte immer noch hoffen, dass Hydts Flug sich irgendwie verzögern würde.

Doch dann sah er die Grumman auf die Startbahn einbiegen und sofort beschleunigen. Sie hob ganz mühelos vom Beton ab und schrumpfte schnell zu einem Punkt zusammen, während der Drache immer höher in den Himmel stieg.

Percy Osborne-Smith stand vor dem großen Flachbildschirm, der in sechs Rechtecke aufgeteilt war. Vor zwanzig Minuten hatte eine Kamera der Verkehrsüberwachung das Nummernschild eines Kleinbusses registriert, der auf Severan Hydts Firma zugelassen war. Das Fahrzeug hatte die A 23 an der Ausfahrt Redhill und Reigate verlassen. Das war die Strecke nach Gatwick. Osborne-Smith und seine Untergebenen suchten derzeit mittels sämtlicher Kameras im Umkreis und auf dem Gelände des Flughafens nach dem Kleinbus.

Die Technikerin, die hinzugekommen war, fasste ihr Haar

mit einem elastischen Band im Nacken zusammen. Dann deutete sie mit einem dicklichen Finger auf einen der Monitore. »Da. Das ist er.«

Nach dem Zeitstempel zu schließen, hatte der Kleinbus vor fünfzehn Minuten am Terminal für private Charterflüge gehalten, um drei Leute aussteigen zu lassen. Ja, das waren die Gesuchten.

»Weshalb hat die Gesichtserkennung bei Hydt versagt? Wir können Hooligans aus Rio erkennen, bevor sie das Old Trafford betreten, aber ein Massenmörder kommt am helllichten Tag unerkannt davon. Mein Gott, was ist nur mit Whitehalls Prioritäten los? Dass mir das niemand irgendwo ausplaudert. Suchen Sie das Hallenvorfeld ab.«

Die Technikerin drückte ein paar Tasten. Man sah Hydt und die anderen zu einem Privatjet gehen.

»Überprüfen Sie die Kennung des Flugzeugs.«

Das hatte Deputy-Deputy bereits erledigt. »Es gehört einer niederländischen Firma, die mit Recycling zu tun hat. Okay, hier ist der Flugplan. Hydt will nach Dubai. Sie sind schon gestartet.«

»Wo sind sie jetzt? Wo?«

»Moment…« Der Assistent seufzte. »Sie verlassen soeben den britischen Luftraum.«

Mit zusammengebissenen Zähnen starrte Osborne-Smith das Standbild der Grumman an. »Was wäre wohl nötig, um ein paar Harrier zu organisieren und sie zur Landung zu zwingen?«, grübelte er laut. Dann blickte er auf und merkte, dass alle ihn entgeistert ansahen. »Das war nicht ernst gemeint, Leute.«

Doch, ein wenig schon.

»Sieh sich das einer an«, warf der Techniker ein.

»Sieh sich was einer an?«

»Ja«, stellte Deputy-Deputy fest. »Die werden von noch jemandem beobachtet.«

Der Monitor zeigte den Zugang zu dem besagten Terminal in Gatwick. Dort am Zaun stand ein Mann und musterte Hydts Flugzeug.

Mein Gott – das war Bond.

Demnach hatte der verflucht gerissene ODG-Agent mit dem schicken Auto und ohne die Erlaubnis, im Vereinigten Königreich eine Schusswaffe zu tragen, Hydt letztlich doch verfolgt. Osborne-Smith fragte sich kurz, wer wohl in dem Bentley saß. Er wusste, dass die List nicht nur Hydt gegolten hatte, sondern ebenso der Division Three.

Zufrieden beobachtete Osborne-Smith nun, wie Bond sich von dem Zaun abwandte und zum Parkplatz zurückkehrte. Er telefonierte mit gesenktem Kopf. Offenbar musste er gerade eine Standpauke seines Vorgesetzten über sich ergehen lassen, weil der Fuchs ihm entwischt war.

23

Das Geräusch, das uns weckt, hören wir für gewöhnlich nicht, es sei denn, es dauert lange an oder wiederholt sich wie bei einem Wecker oder einer hartnäckigen Stimme. Doch wenn es nur einmal kurz ertönt, wird es uns nicht bewusst.

James Bond hatte keine Ahnung, was ihn aus dem traumlosen Schlaf holte. Es war kurz nach dreizehn Uhr.

Dann roch er einen köstlichen Duft: eine Mischung aus einem Blumenparfum – Jasmin, glaubte er – und dem ausgereiften, kräftigen Bukett eines Spitzenchampagners. Vor sich sah er die himmlische Gestalt einer wunderschönen Frau aus dem Mittleren Osten, die ihren sinnlichen Körper in einen eleganten weinroten Rock und eine langärmelige goldene Bluse gekleidet hatte, deren oberster Knopf eine Perle war. Dieser kleine cremefarbene Punkt gefiel Bond ganz besonders. Das Haar der Frau war bläulich schwarz wie Krähenfedern und hochgesteckt, wenngleich eine einzelne Strähne ihr aufreizend ins perfekt geschminkte Gesicht fiel.

»Salam alaikum«, sagte Bond.

»Wa alaikum salam«, erwiderte sie und stellte den Kristallkelch auf den ausgeklappten Tisch vor ihn hin, dazu die noble Flasche des Königs der Moëts, Dom Pérignon. »Bitte verzeihen Sie, dass ich Sie geweckt habe, Mr. Bond. Ich fürchte, ich habe die Flasche etwas zu laut entkorkt. Eigentlich wollte ich nur das Glas hinstellen und Sie nicht stören.«

»Shukran«, bedankte er sich und nahm das Glas. »Und keine

Sorge. Meine zweitliebste Art, geweckt zu werden, ist durch das Geräusch einer Champagnerflasche.«

Sie lächelte nur. »Möchten Sie etwas zu Mittag essen?«

»Das wäre sehr nett, falls es nicht zu viel Mühe macht.«

Sie kehrte in die Bordküche zurück.

Bond nippte an seinem Champagner und schaute aus dem großen Fenster des Privatjets. Die beiden Rolls-Royce-Turbinen dröhnten gleichmäßig vor sich hin und beförderten das Flugzeug in einer Höhe von knapp dreizehntausend Metern mit einer Geschwindigkeit von mehr als tausend Kilometern pro Stunde nach Dubai. Auch dies war eine Grumman, dachte Bond belustigt, aber eine Sechs-fünfzig, das schnellere Modell, das zudem eine größere Reichweite als Severan Hydts Maschine besaß.

Bond hatte die Jagd vor einigen Stunden begonnen, und zwar mit dem modernen Äquivalent einer Szene aus einem alten amerikanischen Krimi, in der der Detective in ein Taxi springt und befiehlt: »Folgen Sie diesem Wagen.« Er war zu dem Schluss gelangt, dass der Linienflug ihn nicht rechtzeitig genug nach Dubai bringen würde, um die Morde zu verhindern. Daher hatte er seinen Freund aus dem Commodore Club angerufen, Fouad Kharaz, und von ihm sofort einen Privatjet zur Verfügung gestellt bekommen. »Mein Freund, Sie wissen doch, ich stehe in Ihrer Schuld«, hatte der Araber ihm versichert.

Ein Jahr zuvor hatte er Bond, von dem er annahm, dass er als Sicherheitsbeamter für die Regierung arbeitete, verlegen um Hilfe ersucht. Kharaz' halbwüchsiger Sohn wurde auf dem Schulweg fortwährend von einigen neunzehn- oder zwanzigjährigen Rowdys belästigt, für die Platzverweise oder Verwarnungen lediglich eine Art Rangabzeichen darstellten. Die Polizei zeigte sich verständnisvoll, konnte aber nur wenig tun. Kharaz war krank vor Sorge und bat Bond um Rat. In einem

Anfall von Schwäche gewann Bonds ritterliche Seite mal wieder die Oberhand. Als bei der ODG eines Tages nicht viel zu tun war, folgte er dem Jungen nach Hause. Prompt tauchten unterwegs die Peiniger auf. Bond ging dazwischen.

Er schickte zwei der Kerle mühelos mit wenigen Schlägen zu Boden, drückte den Rädelsführer gegen eine Wand und flüsterte mit eisiger Stimme, dass sie den Jungen nie wieder belästigen sollten, sonst würde er ihnen einen weiteren, weniger höflichen Besuch abstatten. Dann notierte er sich die Namen der drei von ihren Führerscheinen. Die Rowdys suchten trotzig das Weite, und der Sohn wurde seitdem in Ruhe gelassen. Sein Status an der Schule besserte sich beträchtlich.

Auf diese Weise wurde Bond zum »besten aller besten Freunde« von Fouad Kharaz. Und heute hatte er sich entschlossen, den Gefallen einzufordern und sich einen der Jets des Mannes auszuleihen.

Laut der digitalen Karte, die zwischen der Geschwindigkeits- und der Flughöhenanzeige auf einem Monitor eingeblendet wurde, befanden sie sich derzeit über dem Iran. Bis zur Landung in Dubai blieben noch zwei Stunden.

Gleich nach dem Start hatte Bond bei Bill Tanner angerufen, sein Reiseziel mitgeteilt sowie von den für neunzehn Uhr geplanten neunzig Morden berichtet, mutmaßlich in Dubai, vielleicht aber auch andernorts in den Vereinigten Arabischen Emiraten.

»Wieso will Hydt so viele Leute umbringen?«, hatte der Stabschef gefragt.

»Ich bin mir nicht sicher, dass er das eigenhändig erledigt, aber sie sollen sterben, und er wird zugegen sein.«

»Ich teile unseren Botschaften in der Region über diplomatische Kanäle mit, dass es eine Bedrohung gibt, wir aber nichts Konkretes wissen. Die Behörden in Dubai werden ebenfalls davon erfahren, allerdings inoffiziell.«

»Erwähnen Sie Hydts Namen nicht. Er muss ungehindert einreisen können und darf keinen Verdacht schöpfen. Ich muss herausfinden, was er vorhat.«

»Sehe ich auch so. Wir regeln das diskret.«

Dann hatte er Tanner gebeten, im Golden Wire nach etwaigen Verbindungen zwischen Hydt und den Emiraten zu suchen; womöglich ließe sich daraus auf einen Ort schließen. Es vergingen einige Minuten. »Er verfügt in der Region weder über Büros noch über Wohnadressen oder Geschäftsbeziehungen«, hatte Tanner sich zurückgemeldet. »Und es ist auch kein Hotelzimmer auf seinen Namen reserviert. Das habe ich bei der Gelegenheit gleich mit überprüft.«

Damit hatten sie das Gespräch beendet. Bond war unzufrieden. Sobald Hydt landete, würde er sich unter die zweieinhalb Millionen Einwohner des Emirats mischen und nicht mehr rechtzeitig vor dem abendlichen Termin aufzuspüren sein.

Die Flugbegleiterin kam zurück. »Wir haben eine Vielzahl von Gerichten anzubieten, aber da der Dom Ihnen so gut gefallen hat, habe ich eine dazu passende Mahlzeit für Sie ausgewählt. Mr. Kharaz sagte, Sie seien fürstlich zu bewirten.« Sie stellte ein silbernes Tablett neben dem Champagnerkelch ab, den sie zudem nachfüllte. »Ich habe Ihnen iranischen Kaviar gebracht, selbstverständlich Beluga, dazu Toast – keine Blini –, Crème fraîche und Kapern.« Die Kapern waren so groß, dass sie sie aufgeschnitten hatte. »Die geraspelten Zwiebeln sind amerikanische Vidalia, die süßeste Sorte der Welt. Sie sind außerdem sanft zum Atem. Bei uns heißen sie ›Zwiebeln der Liebenden‹. Als Hauptgang gibt es Ente in Aspik mit Minzjoghurt und Datteln. Ich kann Ihnen aber auch ein Steak braten.«

Er lachte. »Nein, nein. Das ist mehr als genug.«

Sie zog sich zurück. Nachdem Bond aufgegessen hatte, trank er zwei kleine Tassen des mit Kardamom gewürzten arabischen Kaffees und las derweil die Unterlagen, die Philly Maidenstone über Hydt und Green Way zusammengestellt hatte. Zwei Dinge fielen ihm besonders auf: dass der Mann sorgfältig darauf geachtet hatte, nicht mit dem organisierten Verbrechen in Verbindung zu kommen, und Hydts nahezu fanatische Anstrengungen, mit seiner Firma weltweit zu expandieren. Allein in letzter Zeit hatte er entsprechende Lizenzen in Südkorea, China, Indien, Argentinien und einem halben Dutzend kleinerer Länder beantragt. Bond war enttäuscht, dass sich nirgendwo ein Hinweis auf die Identität des Iren fand. Philly hatte die Fotos des Mannes und der älteren Frau durch diverse Datenbanken gejagt, aber keine Übereinstimmung gefunden. Und Bill Tanner hatte berichtet, die Agenten und Beamten von MI5, SOCA und den Specialist Crimes, die sofort nach Gatwick beordert worden waren, hätten leider feststellen müssen, dass alle Unterlagen über die Passagiere der Grumman »anscheinend verschwunden« seien.

Da erreichte ihn noch eine beunruhigende Nachricht, eine verschlüsselte E-Mail von Philly. Wie es schien, hatte jemand inoffiziell bei Six angefragt, wo Bond sich aufhielt und wie seine geplante Reiseroute aussah.

Bei dem »Jemand« handelte es sich vermutlich um Bonds lieben Freund Percy Osborne-Smith. Genau genommen fiel Dubai gar nicht in den Zuständigkeitsbereich der Division Three, aber das hieß nicht, dass der Mann ihm nicht eine Menge Schwierigkeiten bereiten und sogar seine Tarnung würde auffliegen lassen können.

Bond kannte keinen der Leute, die für Six in Dubai arbeiteten. Er musste aber davon ausgehen, dass das für Osborne-Smith nicht galt. Das bedeutete, dass Bond vor Ort doch nicht auf britische Unterstützung zurückgreifen konnte. Zur Sicherheit beschloss er, überhaupt keinen seiner Landsleute zu kontaktieren – was wirklich schade war, denn der Generalkonsul in

Dubai war schlau und gewitzt... und mit Bond befreundet. Er bat Bill Tanner per SMS, Six nicht zu unterrichten.

Dann wandte Bond sich per Bordsprechanlage an den Piloten und erkundigte sich nach dem Status des Jets, den sie verfolgten. Wie sich herausstellte, hatte die Flugsicherung sie angewiesen, ihre Geschwindigkeit zu drosseln. Das galt aber nicht für Hydt, und daher würden sie ihn nicht überholen können, sondern mindestens eine halbe Stunde nach ihm landen.

Verdammt. Diese dreißig Minuten konnten für etwa neunzig Leute den Unterschied zwischen Leben und Tod bedeuten. Bond starrte aus dem Fenster auf den Persischen Golf. Er nahm sein Mobiltelefon und ging in Gedanken ein weiteres Mal die Liste all derer durch, die ihm einen Gefallen schuldeten. Dann suchte er eine Nummer heraus. Ich fühle mich allmählich wie Lehman Brothers, dachte er. Meine Verpflichtungen sind weitaus größer als meine Aktivposten.

Bond tätigte einen Anruf.

24

Die Limousine mit Severan Hydt, Jessica Barnes und Niall Dunne hielt am Intercontinental Hotel, gelegen am breiten, friedlichen Dubai Creek.

Der stämmige, wortkarge Fahrer war ein Einheimischer, dessen Dienste sie schon bei früheren Gelegenheiten in Anspruch genommen hatten. Genau wie Hans Groelle in England fungierte er zudem als Leibwächter (und tat bisweilen auch mehr als das).

Sie blieben im Wagen, während Dunne einen Text oder eine E-Mail las. Dann schaltete er sein iPhone aus und blickte auf. »Hans hat den Fahrer des Bentley ermittelt«, sagte er zu Hydt. »Das ist interessant.«

Groelle hatte jemanden bei Green Way angewiesen, das Nummernschild zu überprüfen. Hydt klopfte mit den langen Fingernägeln gegeneinander.

Dunne vermied es, sie anzusehen. »Und es gibt eine Verbindung zu March«, fügte er hinzu.

»Ach ja?« Hydt versuchte, aus Dunnes Miene schlau zu werden, doch sie blieb wie üblich zutiefst verschlossen.

Der Ire sagte nichts mehr – nicht solange Jessica anwesend war. Hydt nickte. »Wir checken jetzt ein.«

Hydt schob die Manschette seines eleganten Jacketts zurück und sah auf die Uhr. Noch zweieinhalb Stunden.

Die Zahl der Toten wird bei ungefähr neunzig liegen.

Dunne stieg als Erster aus und sah sich wie immer nach

etwaigen Gefahren um. »In Ordnung«, sagte der Ire mit seinem leichten Akzent. »Alles klar.«

Hydt und Jessica stiegen in die erstaunliche Hitze aus und eilten sogleich weiter in die kühle Lobby des Intercontinental, die von einem phänomenalen drei Meter hohen Gesteck aus exotischen Blumen dominiert wurde. An einer nahen Wand hingen Porträts der Herrscherfamilien der Vereinigten Arabischen Emirate, und ihre Gesichter blickten streng und selbstsicher auf alle Anwesenden herab.

Jessica unterschrieb für das Zimmer. Es war auf ihren Namen reserviert worden, wiederum auf Anregung von Dunne. Sie würden zwar nicht lange bleiben – der Weiterflug war für den heutigen Abend angesetzt –, aber es war hilfreich, einen Ort zu haben, an dem man die Koffer lassen und sich ein wenig ausruhen konnte. Sie übergaben ihr Gepäck nun dem Chefpagen, damit der es nach oben bringen ließ.

Hydt winkte Dunne beiseite. Jessica blieb neben den Blumen stehen. »Der Bentley, wer war das?«

»Zugelassen auf eine Firma in Manchester – unter derselben Adresse wie Midlands Disposal.«

Midlands gehörte zu einem größeren Verbrechersyndikat, das vom südlichen Manchester aus operierte. In Amerika war der Mob seit jeher in die Abfallbeseitigung involviert, und in Neapel, dem Sitz der Camorra, wurde das Geschäft mit dem Müll auch als Il Re del Crimine bezeichnet. In Großbritannien interessierte das organisierte Verbrechen sich insgesamt zwar weniger für diesen Wirtschaftszweig, aber mitunter kam es doch vor, dass irgendein lokaler Unterweltboss sich wie ein schwerer Junge aus einem Guy-Ritchie-Film plötzlich gewaltsam auf den Markt drängen wollte.

»Und heute Morgen sind die Bullen auf der Baustelle in March aufgetaucht«, fuhr Dunne fort. »Sie haben Fotos von jemandem herumgezeigt, der gestern in der Gegend gesehen wurde. Er wird wegen schwerer Körperverletzung gesucht. Und er arbeitet für Midlands. Die Polizei sagt, er sei verschwunden.«

Was ja kein Wunder ist, wenn die Leiche unter tausend Tonnen Lazarettschutt begraben liegt, dachte Hydt. »Was hat er da oben gewollt?«, fragte er.

Dunne überlegte. »Wahrscheinlich wollte er den Abriss irgendwie sabotieren. Etwas läuft schief, Sie bekommen schlechte Publicity, und Midlands springt ein, um Ihnen ein paar Kunden abspenstig zu machen.«

»Demnach wollte der Fahrer des Bentley bloß herausfinden, was gestern mit seinem Kumpel geschehen ist.«

»Richtig.«

Hydt war ungemein erleichtert. Der Zwischenfall hatte nichts mit Gehenna zu tun. Und was noch wichtiger war: Der Eindringling gehörte nicht zur Polizei oder dem Security Service, sondern bloß zur Unterwelt. »Gut. Um Midlands kümmern wir uns später.«

Hydt und Dunne kehrten zu Jessica zurück. »Niall und ich müssen noch etwas erledigen. Zum Abendessen bin ich wieder da.«

»Ich glaube, ich mache einen Spaziergang«, sagte sie.

Hydt runzelte die Stirn. »In dieser Hitze? Das könnte dir nicht gut bekommen.« Es gefiel ihm nicht, wenn sie sich zu viel herumtrieb. Dabei fürchtete er nicht, dass sie etwas hätte ausplaudern können – er hatte alle Aspekte von Gehenna vor ihr verborgen gehalten. Und was sie sonst noch von seinem Leben wusste, tja, das war zwar potenziell peinlich, aber nicht illegal. Doch wenn er sie wollte, dann wollte er sie nun mal, und Severan Hydt war jemand, dessen Glaube an die unausweichliche Macht des Verfalls ihn gelehrt hatte, dass das Leben viel zu kurz und gefährlich war, um sich ein Vergnügen zu versagen, und sei es auch nur für einen kurzen Zeitraum.

»Das kann ich selbst beurteilen«, sagte sie, wenngleich zaghaft.

»Sicher, sicher. Es ist nur … eine Frau allein? Du weißt doch, wie Männer sein können.«

»Meinst du die Araber?«, fragte Jessica. »Das hier ist nicht Teheran oder Dschidda. Die grinsen nicht mal anzüglich. Die Männer in Dubai verhalten sich respektvoller als die Männer in Paris.«

Hydt lächelte mild. Das war lustig. Und wahr. »Trotzdem … meinst du nicht, man sollte gar nicht erst das Risiko eingehen? Das Hotel hat jedenfalls einen herrlichen Wellnessbereich. Der wird dir bestimmt gefallen. Der Pool ist zum Teil aus Plexiglas. Du schaust nach unten und siehst den Boden zwölf Meter unter dir. Und der Anblick des Burj Khalifa ist ziemlich beeindruckend.«

»Das glaube ich gern.« Sie musterte das hohe Blumengesteck.

In diesem Moment fielen Hydt rund um ihre Augen neue Fältchen auf. Er musste außerdem an die Frauenleiche denken, die tags zuvor in dem Müllcontainer gelegen hatte und deren Grab nun unauffällig markiert war, wie Jack Dennison, der Vorarbeiter, ihm mitgeteilt hatte. Hydt spürte, wie sich in ihm etwas regte, als würde sich eine Sprungfeder lösen.

»Solange du glücklich bist«, sagte er sanft und strich ihr mit einem seiner langen Fingernägel in der Nähe der Fältchen über das Gesicht. Sie zuckte schon seit Langem nicht mehr zurück. Nicht, dass ihre Reaktionen ihn je gekümmert hätten.

Hydt registrierte plötzlich, dass Dunnes kristallblaue Augen sich auf ihn richteten. Der jüngere Mann erstarrte kaum merklich, fing sich wieder und wandte den Blick ab. Hydt war verärgert. Was ging es diesen Kerl an, was Hydt anziehend fand? Er fragte sich, wie schon so oft, ob Dunnes Abneigung gegen diese Vorlieben womöglich nichts mit deren unkonventioneller

Natur zu tun hatte, sondern mit der Tatsache, dass er jegliche Sexualität verachtete. In den Monaten, die Hydt ihn kannte, hatte der Ire keine einzige Frau (und auch keinen Mann) begehrlich angesehen.

Hydt ließ die Hand sinken und betrachtete erneut Jessica und die feinen Linien rund um ihre ergebenen Augen. Er ging in Gedanken den Zeitplan durch. Sie würden heute Abend noch weiterfliegen, und an Bord gab es keine abgeteilten Suiten. Er konnte sich nicht vorstellen, mit ihr intim zu werden, wenn Dunne in der Nähe war, nicht mal, wenn der Mann schlief.

Er überlegte. War jetzt Zeit, aufs Zimmer zu gehen, Jessica auf das Bett zu legen, die Vorhänge aufzuziehen, damit das Licht der sinkenden Sonne über das weiche Fleisch flutete und der Topographie ihres Körpers Glanz verlieh …

… und er mit den Fingernägeln über ihre Haut streichen konnte?

So wie er sich im Augenblick fühlte, ganz gefesselt von ihr und voll Vorfreude auf das Spektakel um neunzehn Uhr, würde das Stelldichein ohnehin nicht lange dauern.

»Severan«, sagte Dunne forsch. »Wir wissen nicht, was al-Fulan für uns hat. Wir sollten lieber gehen.«

Hydt schien die Worte zu bedenken, aber er zog es nicht ernsthaft in Erwägung. »Es war ein langer Flug«, sagte er. »Ich würde mich gern umziehen.« Er blickte hinab in Jessicas müde Augen. »Und du solltest dir ein Nickerchen gönnen, meine Liebe.« Er führte sie mit festem Griff zum Aufzug.

25

Gegen sechzehn Uhr fünfundvierzig an diesem Dienstag kam Fouad Kharaz' Privatjet sanft zum Stehen. James Bond öffnete den Sicherheitsgurt und nahm sein Gepäck. Er bedankte sich bei den Piloten und der Flugbegleiterin, drückte dabei herzlich ihre Hand und widerstand dem Impuls, sie auf die Wange zu küssen; sie befanden sich nun im Mittleren Osten.

Der Beamte der Einwanderungsbehörde stempelte lethargisch Bonds Pass, reichte das Dokument zurück und schickte ihn mit einer Geste weiter. Am Zoll wählte James den »Nichts zu verzollen«-Ausgang, obwohl sein Koffer tödliche Schmuggelware enthielt, und stand wenig später in der drückenden Hitze. Er fühlte sich, als wäre ihm eine gewaltige Last von den Schultern genommen worden.

Nun befand er sich wieder in seinem Element, allein auf sich gestellt, mit einer Mission. Er war im Ausland, seine Carte blanche erneut aktiv.

Die kurze Fahrt zu seinem Ziel in Festival City führte Bond durch einen wenig bemerkenswerten Teil der Stadt – Flughafenzubringer sahen auf der ganzen Welt gleich aus, und diese Route unterschied sich nur wenig von der A4 westlich von London oder der Mautstraße zum Dulles Airport in Washington D. C., obwohl es hier deutlich mehr Sand und Staub gab. Davon abgesehen war die Straße, wie der Großteil des Emirats, makellos sauber.

Unterwegs ließ Bond den Blick über das ausgedehnte Stadtgebiet schweifen, nach Norden zum Persischen Golf hin. Weit über der geometrisch komplexen Skyline der Sheikh Zayed Road glühte die Nadel des Burj Khalifa in der flimmernden Hitze des späten Nachmittags. Es war das derzeit höchste Gebäude der Welt. Früher hatte diese Auszeichnung fast monatlich gewechselt, aber dieser Turm würde den Rang sicherlich für lange Zeit innehaben.

Bond bemerkte ein weiteres Charakteristikum dieser Stadt – die allgegenwärtigen Baukräne in weiß, gelb und orange. Sie standen praktisch überall und waren ständig in Bewegung. Bei seinem letzten Besuch allerdings hatten die meisten sich nicht gerührt, wie Spielzeuge, an denen ein Kind das Interesse verloren hatte. Das Emirat war von der jüngsten Wirtschaftskrise schwer getroffen worden. Für seine offizielle Tarnung musste Bond sich über die Finanzwelt auf dem Laufenden halten, und es störte ihn, dass Orte wie Dubai ständig kritisiert wurden, meistens von London oder New York aus. Dabei trugen die City und Wall Street doch eine wesentlich größere Verantwortung für die Schwierigkeiten der letzten Zeit.

Ja, es hatte hier so manchen Exzess gegeben, und viele ehrgeizige Projekte würden vielleicht nie abgeschlossen werden – wie die im Meer künstlich aufgeschüttete Inselgruppe in Form einer Weltkarte. Doch der vermeintlich üppige Luxus war nur ein kleiner Teil von Dubai und unterschied sich in Wahrheit kaum von Singapur, Kalifornien, Monaco und Hunderten anderen Orten, an denen die Reichen dieser Welt lebten und arbeiteten. Wenn Bond an Dubai dachte, dann nicht an ungezügelten Kapitalismus und teure Immobilien, sondern an die Exotik, an einen Ort, an dem Neues und Altes sich vermischten und zahlreiche Kulturen und Religionen respektvoll nebeneinander bestanden. Ihm gefiel vor allem die gewaltige leere Landschaft aus rotem Sand, in der es nur vereinzelte Kamele und Geländewagen gab und die sich so grundlegend wie nur vorstellbar vom Kent seiner Jugend unterschied. Er fragte sich, ob seine heutige Mission ihn wohl ins Leere Viertel führen würde.

Sie fuhren weiter, vorbei an kleinen braunen, weißen und gelben eingeschossigen Gebäuden mit Geschäften, deren Namen und angebotene Dienste in bescheidenen grünen arabischen Schriftzeichen verfasst waren. Keine grellen Werbetafeln, keine Neonlichter, abgesehen von einigen wenigen Ankündigungen bevorstehender Ereignisse. Über den niedrigen Bauten ragten, so weit das Auge reichte, die Minarette von Moscheen auf, beharrliche Türme des Glaubens. Die mächtige Wüste brachte sich fortwährend in Erinnerung, und Dattelpalmen, Niem- und Eukalyptusbäume bildeten überall stattliche Vorposten gegen den unaufhörlich vordringenden endlosen Sand.

Der Taxifahrer hielt bei dem Einkaufszentrum, das Bond ihm als Ziel genannt hatte. Bond reichte ihm einige Zehn-Dirham-Scheine und stieg aus. Die Menschenmenge hier bestand sowohl aus Einheimischen – es war zwischen dem Asr- und dem Maghrib-Gebet – als auch aus etlichen Ausländern, die allesamt Einkaufstüten trugen und sich in den Geschäften drängten, um die Kassen klingeln zu lassen.

Bond mischte sich unter die Leute und sah sich um, als wäre er hier verabredet und würde nach jemandem Ausschau halten. In Wahrheit suchte er nach dem Mann, der ihm vom Flughafen aus gefolgt war, vermutlich mit finsteren Absichten. Er hatte ihn schon zweimal gesehen, mit Sonnenbrille und blauem Hemd oder blauer Jacke: erst am Flughafen und dann in einem verstaubten schwarzen Toyota hinter Bonds Taxi. Für die Fahrt hatte er eine schlichte schwarze Mütze aufgesetzt, aber seine Silhouette und die Form der Brille verrieten Bond, dass er der Mann vom Flughafen war. Derselbe Toyota war nun soeben an dem Einkaufszentrum vorbeigerollt – ganz langsam, ohne erkennbaren Grund – und hinter einem nahen Hotel verschwunden.

Das war kein Zufall.

Bond hatte erwogen, das Taxi einen Umweg fahren zu lassen, doch genau genommen wusste er nicht, ob er den Mann auch wirklich abschütteln wollte. Meistens ist es besser, einem Verfolger eine Falle zu stellen und ihn dann zu verhören.

Wer war das? Hatte er in Dubai auf Bond gewartet? Oder war er ihm irgendwie aus London gefolgt? Oder wusste er vielleicht gar nicht, wer Bond war, sondern hatte sich einfach einen Fremden als mögliches Opfer ausgesucht?

Bond kaufte sich eine Zeitung. Es war heute heiß, sehr sogar, aber er setzte sich nicht etwa in den klimatisierten Innenraum des Cafés, das er sich ausgesucht hatte, sondern an einen der Tische draußen, von dem aus er alle Ein- und Ausgänge der näheren Umgebung im Blick hatte. Vorläufig fiel ihm nichts Ungewöhnliches auf.

Während er mehrere Kurznachrichten verschickte und empfing, kam ein Kellner zu ihm. Bond überflog die ausgeblichene Speisekarte und bestellte einen türkischen Kaffee und ein Mineralwasser. Es war siebzehn Uhr.

Nur noch zwei Stunden, bis irgendwo in dieser eleganten Stadt aus Sand und Hitze mehr als neunzig Menschen sterben würden.

Einen halben Block entfernt von dem Einkaufszentrum steckte ein stämmiger Mann mit blauer Jacke einem einheimischen Verkehrspolizisten mehrere Hundert Dirham zu und sagte auf Englisch, dass es nicht lange dauern würde. Wenn die Leute nach dem Abendgebet zurückkämen, wäre er gewiss nicht mehr da.

Der Polizist schlenderte davon, als hätte das Gespräch über

den staubigen schwarzen Toyota, der im Halteverbot am Bordstein stand, nie stattgefunden.

Der Mann namens Nick zündete sich eine Zigarette an und warf sich den Rucksack über die Schulter. Dann näherte er sich im Schatten des Einkaufszentrums seinem Ziel, das völlig arglos Kaffee trank und Zeitung las.

Das war der Mann für ihn: ein Ziel. Kein Mistkerl, kein Feind. Nick wusste, dass man bei einem Vorhaben wie diesem vollkommen leidenschaftslos bleiben musste, so schwer das auch sein mochte. Dieser Mann war ebenso wenig eine Person wie der schwarze Punkt im Zentrum einer Zielscheibe.

Einfach nur ein Ziel.

Er nahm an, dass der Mann durchaus Talent hatte, aber beim Verlassen des Flughafens war er jedenfalls verflucht leichtsinnig gewesen. Nick hatte ihm mühelos folgen können. Das stimmte ihn zuversichtlich für das weitere Vorgehen.

Nicks Gesicht wurde durch eine Baseballmütze mit langem Schirm und eine Sonnenbrille verdeckt. Er näherte sich nun seinem Ziel, huschte von Schatten zu Schatten. Anders als an anderen Orten erregte seine Verkleidung hier keine Aufmerksamkeit; in Dubai trugen alle Kopfbedeckungen und Sonnenbrillen.

Das Einzige, was ein wenig auffiel, war die langärmelige blaue Jacke, wie man sie angesichts der Hitze hier bei kaum jemandem sah. Doch es gab keine andere Möglichkeit, die Pistole zu verdecken, die in seinem Hosenbund steckte.

Auch Nicks goldener Ohrring hätte ihm hier und da ein paar neugierige Blicke eingebracht, aber in dieser Gegend am Dubai Creek mit all den Einkaufszentren und dem Vergnügungspark trieben sich jede Menge Touristen herum, und solange die Leute keinen Alkohol tranken oder sich in der Öffentlichkeit küssten, wurde ihnen die ungewöhnliche Kleidung nachgesehen.

Nick nahm einen tiefen Zug von seiner Zigarette, ließ sie fallen und zertrat sie. Dann näherte er sich weiter seinem Ziel.

Plötzlich tauchte ein Straßenhändler auf und fragte ihn auf Englisch, ob er einen kleinen Teppich kaufen wolle. »Sehr billig, sehr billig. Viele Knoten! Tausende und Abertausende von Knoten!« Ein Blick von Nick ließ ihn verstummen und sich davonmachen.

Nick überlegte die nächsten Schritte. Ein paar logistische Probleme ließen sich leider nicht vermeiden – in diesem Land beobachtete jeder den anderen. Daher würde er sein Ziel außer Sicht schaffen müssen, auf den Parkplatz oder besser ins Untergeschoss des Einkaufszentrums, womöglich während der Gebetszeit, wenn das Gedränge deutlich abnahm. Der einfachste Ansatz war vermutlich der beste. Nick könnte sich von hinten nähern, ihm die Mündung der Waffe in den Rücken stoßen und ihn nach unten »begleiten«.

Dort würde dann das Messer zum Zuge kommen.

Oh, das Ziel – na gut, vielleicht nenne ich ihn doch lieber Mistkerl – würde viel zu erzählen haben, wenn die Klinge auf seiner Haut auf Wanderschaft ging.

Nick griff unter die Jacke, schob den Sicherungshebel seiner Pistole nach oben und bewegte sich geschickt von Schatten zu Schatten.

26

James Bond hatte Kaffee und Wasser vor sich stehen und saß mit dem National da, der in Abu Dhabi erschien und für ihn die beste Zeitung des Mittleren Ostens war. Man fand darin Artikel zu allen möglichen Themen, von einem Skandal im Zusammenhang mit ungeeigneten Uniformen der Feuerwehr von Mumbai über Frauenrechte in der arabischen Welt bis hin zu einem halbseitigen Enthüllungsstück über einen zypriotischen Gangster, der den Leichnam des früheren Präsidenten der Insel aus dessen Grab gestohlen hatte.

Außerdem eine hervorragende Formel-eins-Berichterstattung – was Bond wichtig war.

Im Augenblick jedoch widmete er der Zeitung keine Aufmerksamkeit, sondern benutzte sie als Hilfsmittel... wenngleich nicht auf klischeehafte Weise, indem er ein Guckloch in den Teil zwischen den Werbeanzeigen und den Lokalnachrichten riss. Die Zeitung lag vielmehr flach vor ihm, und sein Kopf war gesenkt. Seine Augen jedoch schauten sich flink nach allen Seiten um.

In diesem Moment hörte er hinter sich eine Ledersohle kurz über den Asphalt scharren. Jemand bewegte sich schnell auf seinen Tisch zu.

Bond blieb völlig reglos.

Dann packte eine große Hand – blass und sommersprossig – den Stuhl neben ihm und zog ihn zurück.

Ein Mann ließ sich schwer darauf fallen.

»Howdy, James.« Die Stimme sprach mit deutlichem texanischem Akzent. »Willkommen in Dubai.«

Du-bah …

Bond wandte sich lächelnd seinem Freund zu. Sie reichten sich herzlich die Hände.

Felix Leiter war ein paar Jahre älter als Bond und von großer und schlaksiger Statur, sodass sein Anzug immer viel zu weit wirkte. Der fahle Teint und das dichte strohblonde Haar machten es ihm zumeist unmöglich, im Mittleren Osten verdeckt zu arbeiten, es sei denn, er spielte genau den Typen, der er war: ein vorwitziger, aufgeweckter Kumpel aus dem amerikanischen Süden, der sich zwar geschäftlich in der Stadt aufhielt, dabei aber keineswegs auf das Vergnügen verzichten wollte. Seine gemächliche Art und die lockere Ausdrucksweise waren jedoch trügerisch; falls nötig, konnte er so schnell reagieren wie ein Springmesser … wie Bond mit eigenen Augen gesehen hatte.

Als der Pilot von Fouad Kahraz' Grumman gemeldet hatte, dass Hydt vor ihnen in Dubai landen würde, hatte Bond bei Felix Leiter angerufen, um seinen Lehman-Brothers-Gefallen einzufordern. Bond mochte wegen Osborne-Smiths Beteiligung Hemmungen haben, die hiesigen MI6-Kontakte zu nutzen, doch das galt nicht für Unterstützung durch die CIA, die in den Vereinigten Arabischen Emiraten weiträumig vertreten war. Leiter um Hilfe zu bitten, einen hochrangigen Agenten im National Clandestine Service der Agency, war politisch riskant. Die Zusammenarbeit mit einem befreundeten Nachrichtendienst ohne vorherige Genehmigung von oberster Stelle kann zu ernsten diplomatischen Auswirkungen führen, und Bond hatte diesen Schritt bereits bei René Mathis gewagt. Er setzte seine gerade erst wiedergewonnene Carte blanche eindeutig aufs Spiel.

Felix Leiter war jedenfalls gern bereit gewesen, Hydts Maschine am Flughafen zu erwarten und dem Trio zu folgen –

zum Intercontinental Hotel, wie sich herausgestellt hatte. Das Hotel war mit dem Einkaufszentrum verbunden, in dem die beiden Männer nun saßen.

Bond hatte ihm von Hydt und dem Iren berichtet – und vor zehn Minuten per SMS auch von dem Mann in dem Toyota. Leiter war daraufhin eine Weile auf Abstand geblieben, um Bond im wahrsten Sinne des Wortes den Rücken freizuhalten.

»Also, habe ich Gesellschaft?«

»Dein Freund hat sich dir bis auf knapp vierzig Meter genähert«, sagte Leiter lächelnd, als wäre das alles nur ein Spiel. »Er war dort bei dem Eingang in südlicher Richtung. Aber nun ist er weg.«

»Wer auch immer das ist, er ist gut.«

»Stimmt.« Leiter schaute sich um. »Sieh sich einer diese Kaufwut an.« Er wies mit ausholender Geste auf die Kunden. »Gibt es bei euch in England auch solche Einkaufszentren, James?«

»Ja, durchaus. Und Fernsehgeräte. Und fließendes Wasser. Wir hoffen, bald auch Computer zu bekommen.«

»Ha. Ich komme dich mal besuchen. Sobald ihr gelernt habt, wie man Bier kühlt.«

Leiter winkte den Kellner heran und bestellte einen Kaffee. »Ich würde ja sagen ›auf amerikanische Art‹«, flüsterte er Bond zu, »aber dann könnten die Leute meine Nationalität erraten, und meine schöne Tarnung wäre zum Teufel.«

Er zupfte sich am Ohrläppchen – was anscheinend das Signal für einen schmächtigen Araber in einheimischer Kleidung war, der daraufhin an ihren Tisch trat. Bond hatte keine Ahnung, wo er bislang gesteckt hatte. Der Mann sah aus, als würde er eines der Abras fahren, der Wassertaxis, die auf dem Dubai Creek unterwegs waren.

»Yusuf Nasad«, stellte Leiter ihn vor. »Dies ist Mr. Smith.«

Bond nahm an, dass auch Nasad nicht der richtige Name

des Arabers war. Es musste sich bei ihm um einen ortsansässigen Mitarbeiter handeln, und zwar um einen verdammt guten, denn er war für Leiter tätig. Felix Leiter war ein erstklassiger Agentenführer. Nasad habe ihm geholfen, Hydt vom Flughafen aus zu verfolgen, erklärte der Amerikaner.

Nasad setzte sich. »Was ist mit unserem Freund?«, fragte Leiter.

»Weg. Ich schätze, er hat Sie gesehen.«

»Ich falle eben zu sehr auf.« Leiter lachte. »Ich weiß nicht, wieso Langley mich ausgerechnet hierher geschickt hat. In Alabama würde niemand meine Tarnung durchschauen.«

»Ich habe ihn nicht gut erkennen können«, sagte Bond. »Dunkles Haar, blaues Hemd.«

»Ein harter Hund«, sagte Nasad und klang dabei wie in einer amerikanischen Fernsehserie. »Athletisch. Das Haar sehr kurz geschnitten. Und er hat einen goldenen Ohrring. Keinen Bart. Ich wollte ihn fotografieren, aber er war zu schnell weg.«

»Außerdem kann man unsere Kameras durchweg vergessen«, warf Leiter ein. »Habt ihr immer noch diesen Kerl, der euch so schöne Spielzeuge bastelt? Wie heißt er doch gleich – Q irgendwas? Quentin? Quigley?«

»Q heißt die Abteilung, keine Person. Das steht für Quartiermeister.«

»Und er hat eine Jacke getragen, kein Hemd«, fügte Nasad hinzu. »Einen Blouson.«

»Bei der Hitze?«, fragte Bond. »Demnach war er bewaffnet. Konnten Sie sehen, womit?«

»Nein.«

»Irgendeine Vermutung, wer er sein könnte?«

»Eindeutig kein Araber«, sagte Nasad. »Vielleicht ein *katsa*.«

»Weshalb sollte ein Agent des Mossad sich für mich interessieren?«

»Das kannst nur du beantworten, Junge«, sagte Leiter.

Bond schüttelte den Kopf. »Könnte es jemand im Auftrag der hiesigen Geheimpolizei sein?«

»Nein, glaube ich nicht. Die Amn al-Dawla beschattet dich nicht, sondern lädt dich gleich in ihr Vier-Sterne-Etablissement nach Deira ein, wo du dann alles ausspuckst, was sie wissen will. Aber wirklich alles.«

Nasads flinke Augen suchten das Café und die nähere Umgebung ab und konnten offenbar keine Bedrohung entdecken. Das tat er schon seit seiner Ankunft, hatte Bond bemerkt.

»Glaubst du, es war einer von Hydts Leuten?«, wandte Leiter sich an Bond.

»Kann sein. Aber falls es so ist, bezweifle ich, dass sie meine Identität kennen.« Bond erklärte, dass er vor seiner Abreise aus London befürchtet hatte, Hydt und der Ire könnten mit einem Verfolger rechnen, vor allem nach dem Fehlschlag in Serbien. Daher hatte er die Abteilung T gebeten, bei der Zulassungsstelle den Eintrag seines Bentley zu ändern und das Kennzeichen mit einer Abfallfirma in Manchester zu verknüpfen, die mutmaßliche Verbindungen zur Unterwelt hatte. Dann hatte Bill Tanner einige Agenten zur Baustelle nach March geschickt, wo sie sich als Beamte von Scotland Yard ausgaben und behaupteten, einer der Sicherheitsleute von Midlands Disposal sei in der Gegend verschwunden.

»Das dürfte Hydt und den Iren zumindest für einige Tage von der richtigen Spur ablenken«, sagte Bond. »So, ist euch hier etwas zu Ohren gekommen?«

Die sonst so vergnügte Miene des Amerikaners wurde ernst. »Keine relevante ELINT oder SIGINT. Nicht dass ich viel vom Belauschen halten würde.«

Felix Leiter, ein ehemaliger Marine, den Bond beim Militärdienst kennengelernt hatte, war ein HUMINT-Spion. Er bevorzugte eindeutig die Rolle eines Agentenführers, der auf ein Netzwerk einheimischer Unterstützer wie Yusuf Nasad zurückgriff. »Ich habe eine Menge Gefallen eingefordert und mit all meinen wichtigen Quellen gesprochen. Was auch immer Hydt und seine lokalen Kontakte vorhaben, sie halten fest den Deckel drauf. Ich kann nichts finden. Niemand hat irgendein potenziell gefährliches Zeug nach Dubai geschmuggelt. Niemand hat seine Freunde oder Angehörigen gewarnt, heute gegen neunzehn Uhr diese Moschee oder jenes Einkaufszentrum zu meiden. Und es schleichen sich auch keine finsteren Gestalten von der anderen Golfseite ins Land.«

»Dafür ist der Ire verantwortlich – für die umfassende Geheimhaltung, meine ich. Ich weiß nicht genau, was er für Hydt macht, aber er ist verdammt clever und denkt stets an die Sicherheit. Es ist, als könne er voraussehen, was auch immer wir tun werden, und es rechtzeitig vereiteln.«

Sie verstummten und schauten sich beiläufig um. Der Kerl mit der blauen Jacke blieb verschwunden. Auch Hydt und der Ire waren nirgendwo zu sehen.

»Bist du immer noch ein Schreiberling?«, fragte Bond.

»Aber sicher«, bestätigte der Texaner.

Leiters Tarnidentität war die eines freiberuflichen Journalisten und Bloggers mit dem Schwerpunkt Musik, vor allem Blues, R & B und Afro-Karibik. Journalismus dient Geheimagenten häufig als Tarnung; er ist eine glaubwürdige Erklärung für ihre häufigen Reisen, oft an Krisenherde und in die weniger angenehmen Ecken der Welt. Leiter hatte das Glück, dass seine falsche Identität zu seinen privaten Interessen passte; es kam immerhin vor, dass ein Agent es wochen- oder monatelang in seiner Rolle aushalten musste. Der Filmemacher Alexander Korda – angeworben durch den berühmten britischen Meisterspion Sir Claude Dansey – nutzte im Vorfeld des Zweiten Weltkriegs angeblich die Suche nach geeigneten Drehorten als Gelegenheit dafür, Sperrgebiete zu fotografieren. Bonds reizlose Tarnidentität als Sicherheits- und Integritätsanalytiker der Overseas Development Group zwang ihn im Verlauf eines Einsatzes zu unerträglich langweiligen Pflichtübungen. Wenn es mal besonders schlecht lief, sehnte er sich danach, als Ski- oder Tauchlehrer fungieren zu dürfen.

Nun beugte Bond sich vor, und Leiter folgte seinem Blick. Sie sahen zwei Männer aus dem Haupteingang des Intercontinental kommen und auf ein schwarzes Lincoln Town Car zugehen.

»Das sind Hydt und der Ire.«

Leiter wies Nasad an, er solle seinen Wagen holen. Dann zeigte er auf einen verstaubten alten Alfa Romeo, der auf einem nahen Parkplatz stand. »Das da ist mein fahrbarer Untersatz«, flüsterte er Bond zu. »Auf geht's.«

27

Der Lincoln, in dem Severan Hydt und Niall Dunne saßen, fuhr durch Dunst und Hitze langsam in Richtung Osten, parallel zu den dicken Überlandleitungen, von denen die äußeren Regionen des Stadtstaats mit Strom versorgt wurden. Ganz in der Nähe erstreckte sich der Persische Golf, dessen eigentlich dunkles Blau durch den Staub in der Luft und das blendende Licht der tief stehenden, aber unvermindert starken Sonne fast zu Beige abgeschwächt wurde.

Sie folgten einer gewundenen Strecke, vorbei an der riesigen Halle mit der künstlichen Skipiste, dem eindrucksvollen Burj al Arab Hotel, das einem geblähten Segel ähnelte und fast so hoch wie der Eiffelturm war, und der luxuriösen Palm Jumeirah, einer künstlichen Insel voller Geschäfte, Wohnhäuser und Hotels, die sich weit in den Golf erstreckte und – der Name verriet es – wie eine gigantische Palme geformt war. Severan Hydt mochte solche Beispiele glänzender Schönheit nicht, das Neue, Makellose. Es gefiel ihm wesentlich mehr, dass der Wagen nun das ältere Viertel Satwa erreichte, dicht bevölkert von Tausenden und Abertausenden von Menschen aus der Arbeiterschicht – überwiegend Immigranten.

Es war fast siebzehn Uhr dreißig. Noch anderthalb Stunden bis zu dem großen Ereignis. Auch die Sonne würde um neunzehn Uhr untergehen, hatte Hydt ironisch festgestellt.

Seltsamer Zufall, dachte er. Ein gutes Zeichen. Seine Vorfahren – in spiritueller und nicht notwendigerweise leiblicher Hinsicht – hatten an Omen und Vorzeichen geglaubt, und er gestattete sich das auch. Ja, er war ein pragmatischer, nüchterner Geschäftsmann… doch da gab es ja noch seine andere Seite.

Er musste abermals an den bevorstehenden Abend denken.

Sie fuhren auf ihrer komplizierten Route weiter. Dabei ging es nicht um irgendwelche Sehenswürdigkeiten. Nein, dieser Umweg war Dunnes Idee gewesen, aus Sicherheitsgründen. Dabei lag ihr Ziel nur acht Kilometer vom Intercontinental entfernt.

Doch der Fahrer – ein Söldner mit praktischen Erfahrungen in Afghanistan und Syrien – berichtete: »Ich dachte erst, man würde uns folgen, ein Alfa und eventuell ein Ford. Aber falls es so war, konnten wir sie abschütteln, da bin ich mir sicher.«

Dunne blickte über die Schulter. »Gut«, sagte er dann. »Fahren Sie zu der Fabrik.«

Sie machten in großem Bogen kehrt und erreichten zehn Minuten später einen Industriekomplex in Deira, dem unübersichtlichen und lebhaften Viertel im Zentrum der Stadt zwischen Dubai Creek und dem Golf. Auch hier fühlte Hydt sich sofort wohl. Es war wie eine Zeitreise: Die windschiefen Gebäude, traditionellen Märkte und der schmucklose Flusshafen, an dessen Anlegern sich zahllose Dauen und andere kleine Schiffe drängten, hätten sich gut als Kulisse für einen Abenteuerfilm geeignet, der in den 1930er-Jahren spielte. Auf den Kähnen waren unglaublich hohe Stapel Fracht verzurrt. Der Fahrer fand das gewünschte Ziel, einen Gebäudekomplex, bestehend aus einer Fabrik mittlerer Größe sowie einem Lagerhaus und angegliederten Büros, eingeschossig, mit abblätterndem Anstrich in schäbigem Beige. Der Maschendrahtzaun, der das Gelände umgab, war zusätzlich mit Stacheldraht gesichert, was in Dubai angesichts der wenigen Straftaten nur selten vorkam. Der Fahrer hielt nun an einer Gegensprechanlage und sagte etwas auf Arabisch. Das Tor schwang gemächlich auf. Das Town Car rollte auf den Parkplatz und hielt an.

Die beiden Männer stiegen aus. Fünfundsiebzig Minuten vor Sonnenuntergang wurde die Luft allmählich kühler, wenngleich der Boden die tagsüber gespeicherte Hitze weiterhin abgab.

Die Staubschwaden trugen eine Stimme an Hydts Ohr. »Bitte! Mein Freund, bitte treten Sie ein!« Der Mann, der ihn zu sich winkte, trug eine weiße Dischdascha – das für die Emirate typische lange Gewand – und keine Kopfbedeckung. Er war Mitte fünfzig, wusste Hydt, obwohl er, wie viele Araber, jünger aussah. Ein intelligentes Gesicht, modische Brille, westliche Schuhe. Sein recht langes Haar war nach hinten gekämmt.

Mahdi al-Fulan kam zu ihnen, mitten durch die dünne Schicht aus rotem Sand, der über den Asphalt wehte und sich an Bordsteinen, Gehwegen und Hauswänden sammelte. Die Augen des Arabers strahlten, als wäre er ein Schuljunge, der gleich sein geliebtes Unterrichtsprojekt präsentieren würde. Was ja auch beinahe der Wahrheit entsprach, dachte Hydt. Ein schwarzer Bart rahmte das Lächeln des Mannes ein. Es hatte Hydt amüsiert zu erfahren, dass in einem Land, in dem sowohl Frauen als auch Männer normalerweise ihre Häupter verhüllten, Haartönungen schwer zu vermarkten waren, während Bartfärbemittel sich als wahre Verkaufsschlager erwiesen.

Sie reichten einander die Hände. »Mein Freund.« Hydt versuchte gar nicht erst, ihn auf Arabisch zu begrüßen. Er war sprachlich nicht allzu begabt und hielt es für eine Schwäche, etwas zu tun, das man nicht beherrschte.

Niall Dunne trat vor, wobei seine Schultern dank des watschelnden Gangs wie immer auf und ab hüpften, und begrüßte den Mann ebenfalls. Seine blassblauen Augen waren jedoch auf einen Punkt hinter dem Araber gerichtet. Dieses eine Mal hielt er nicht nach Gefahren Ausschau, sondern starrte verzückt durch das offene Tor in das Lagerhaus. Dort standen ungefähr fünfzig Maschinen in allen denkbaren Formen, aus blan-

kem und lackiertem Stahl, Eisen, Aluminium, Karbonfaser …
und wer weiß was noch. Leitungen ragten daraus hervor, Kabel, Bedienfelder, Lichter, Schalter, Rutschen und Fließbänder. Falls Roboter Wunschträume hätten, würden sie in dieser Halle spielen.

Sie betraten das Lagerhaus, in dem sich keine Arbeiter aufhielten. Dunne blieb stehen, um die Geräte genauer zu betrachten und das eine oder andere gar zu streicheln.

Mahdi al-Fulan war ein Industriedesigner und am MIT ausgebildet worden. Er mied die Art von öffentlichkeitswirksamen Projekten, mit denen man auf den Titelseiten der Fachpresse landet – und oft vor dem Konkursrichter –, und spezialisierte sich stattdessen auf den Entwurf funktioneller Industriemaschinen und Kontrollsysteme, für die es eine konstante Nachfrage gab. Er war einer von Severan Hydts wichtigsten Lieferanten. Hydt hatte ihn auf einer Konferenz über Recyclingtechnik kennengelernt. Als er erfahren hatte, welche Auslandsreisen der Araber bisweilen unternahm und was für gefährliche Männer zu seinen Kunden zählten, waren sie Partner geworden. Al-Fulan war ein begabter Wissenschaftler, ein innovativer Ingenieur, ein Mann mit Ideen und Entwicklungen, die für Gehenna große Bedeutung besaßen.

Und er hatte gute Kontakte.

Neunzig Tote …

Bei diesem Gedanken sah Hydt unwillkürlich auf die Uhr. Kurz vor sechs.

»Severan, Niall, bitte folgen Sie mir.« Al-Fulan war Hydts Blick nicht entgangen. Der Araber führte sie durch mehrere halbdunkle, stille Räume. Dunne verlangsamte abermals seinen Schritt, um irgendwelche Geräte oder Schaltpulte zu inspizieren. Er nickte dann immer beifällig oder runzelte die Stirn – vielleicht weil er zu begreifen versuchte, wie ein bestimmtes System funktionierte.

Die Maschinen mit ihrem Geruch nach Öl, Farbe und der einzigartigen metallischen, nahezu blutähnlichen Ausdünstung leistungsstarker Schaltkreise blieben hinter ihnen zurück, und sie betraten den Bürotrakt. Am Ende eines trüben Korridors öffnete al-Fulan per Tastenfeld eine schlichte Tür, und sie betraten einen großen Arbeitsbereich mit Tausenden von Papieren, Blaupausen und anderen Dokumenten voller Worte, Zeichnungen und Diagramme, von denen viele für Hydt unverständlich waren.

Es herrschte eine, vorsichtig ausgedrückt, beklemmende Atmosphäre, einerseits wegen des Halbdunkels und der Unordnung... und andererseits wegen des Wandschmucks.

Bilder von Augen.

Augen aller Art – von Menschen, Fischen, Hunden, Katzen und Insekten. Fotos, dreidimensionale Zeichnungen, medizinische Skizzen aus dem neunzehnten Jahrhundert. Besonders unheimlich war die bizarre detaillierte Entwurfszeichnung eines menschlichen Auges, als hätte ein moderner Dr. Frankenstein die heutige Technik benutzt, um sein Ungeheuer zu erschaffen.

Vor einem der mehreren Dutzend großen Computermonitore saß eine attraktive Brünette, Ende zwanzig. Sie stand auf, ging zu Hydt und schüttelte ihm energisch die Hand. »Stella Kirkpatrick. Ich bin Mahdis Forschungsassistentin.« Sie begrüßte auch Dunne.

Hydt war schon einige Male in Dubai gewesen, hatte sie aber bisher noch nie getroffen. Die Frau sprach mit amerikanischem Akzent. Hydt nahm an, dass sie intelligent, zielstrebig und Vertreterin einer Gattung war, die in diesem Teil der Welt seit Jahrhunderten vorkam: die des Westlers, der sich in die arabische Kultur verliebt hatte.

»Stella hat die meisten der Algorithmen entwickelt«, sagte al-Fulan.

Ach, tatsächlich?«, fragte Hydt lächelnd.

Sie wurde rot, weil das Lob ihres Mentors sie freute. Der kurze Blick, den sie ihm zuwarf, bat inständig um weitere Bestätigung, die al-Fulan ihr mittels eines verführerischen Lächelns gab. Hydt hatte mit diesem Austausch nicht das Geringste zu tun.

Wie die Bilder an der Wand bereits nahelegten, hatte al-Fulan sich auf Optik spezialisiert. Sein Lebensziel war die Entwicklung eines künstlichen Auges für Blinde, das genauso gut funktionieren würde wie jene, die »Allah – gepriesen sei Er – uns geschenkt hat«. Doch bis es so weit war, würde er jede Menge Geld mit Industriedesign verdienen. Er hatte die meisten der spezialisierten Sicherheits-, Kontroll- und Inspektionssysteme für die Sortieranlagen und Aktenvernichter von Green Way ausgetüftelt.

Vor einer Weile hatte Hydt ihn beauftragt, ein weiteres Gerät für die Firma zu entwickeln. Heute wollten Dunne und er den Prototypen besichtigen.

»Eine Demonstration?«, fragte der Araber.

»Ich bitte darum«, erwiderte Hydt.

Sie gingen alle zurück in den Maschinenpark. Al-Fulan führte sie zu einer komplizierten, mehrere Tonnen schweren Apparatur, die auf der Laderampe neben zwei großen Müllpressen stand.

Der Araber drückte einige Knöpfe, und die Maschine lief mit einem Brummen allmählich warm. Sie war etwa sechs Meter lang und je zwei Meter hoch und breit. Vorn führte ein Fließband zu einer knapp einen Meter im Quadrat messenden Öffnung. Im Innern herrschte Schwärze, wenngleich Hydt horizontale Zylinder erahnen konnte, die mit Stacheln bedeckt waren, wie bei einem Mähdrescher. Am anderen Ende verliefen sechs Schächte zu großen Behältern, in denen jeweils ein dicker grauer Müllbeutel auf das wartete, was die Maschine ausspuckte.

Hydt musterte sie sorgfältig. Er und Green Way verdienten viel Geld mit der sicheren Vernichtung von Dokumenten, aber die Welt änderte sich. Heutzutage waren die meisten Daten auf Festplatten und Flash Drives gespeichert, und dies würde noch merklich zunehmen. Daher hatte Hydt beschlossen, sein Geschäftsfeld zu erweitern und eine neue Art der Vernichtung von Speichermedien anzubieten.

Prinzipiell taten das viele Firmen jetzt schon, auch Green Way, aber al-Fulans Erfindung bot einen neuen Ansatz. Zur wirksamen Vernichtung von Daten mussten Computer bisher von Hand zerlegt werden. Dann wurden die Festplatten zunächst entmagnetisiert und schließlich maschinell zerquetscht. Für die Trennung der anderen Computerkomponenten waren weitere Schritte erforderlich – und viele Bauteile stellten gefährlichen Elektroschrott dar.

Diese neue Maschine machte das alles von selbst. Man warf den alten Computer einfach auf das Fließband, und der Rest geschah automatisch: Erst wurde das Gerät aufgebrochen und zerkleinert, dann identifizierten al-Fulans optische Systeme die Komponenten und verteilten sie auf die jeweiligen Tonnen. Hydts Verkaufsabteilung konnte den Kunden zusichern, dass nicht nur verlässlich alle Daten auf den Festplatten zerstört wurden, sondern die Entsorgung sämtlicher Bauteile zudem den strengen Umweltvorschriften genügte.

Auf ein Nicken ihres Chefs hin nahm Stella einen alten Laptop und legte ihn auf das gerippte Fließband. Er verschwand im dunklen Innern der Maschine.

Sie hörten lautes Knacken und dumpfe Schläge, gefolgt von einem Mahlgeräusch. Al-Fulan bat seine Gäste ans andere Ende, wo nach fünf oder sechs Minuten die diversen kleinen Bruchstücke sortiert in den jeweiligen Tonnen landeten – Metall, Plastik, Platinen und dergleichen. In dem Behälter, auf dem »Datenträger« stand, sahen sie feinen Metall- und Silikonstaub, denn mehr war von der Festplatte nicht übrig. Sondermüll wie Batterien und Schwermetalle wurde in einen entsprechend gekennzeichneten Behälter geleitet, für die anderen Komponenten gab es Recyclingtonnen.

Al-Fulan führte Hydt und Dunne nun zu einem Bildschirm, auf dem ein Tätigkeitsbericht der Maschine zu lesen war.

Dunnes eisige Fassade war geschmolzen. Er wirkte beinahe aufgeregt.

Auch Hydt war zufrieden, sehr zufrieden. Er wollte eine Frage stellen. Doch dann fiel sein Blick auf eine Uhr an der Wand. Es war halb sieben. Er konnte sich nicht länger auf die Maschine konzentrieren.

28

James Bond, Felix Leiter und Yusuf Nasad hockten fünfzehn Meter von der Fabrik entfernt neben einem großen Container und beobachteten Hydt, den Iren, einen Araber in einem traditionellen weißen Gewand und eine attraktive dunkelhaarige Frau durch ein Fenster an der Laderampe.

Bond und Leiter hatten den Alfa des Amerikaners genommen, Nasad seinen Ford. Gemeinsam waren sie dem Lincoln Town Car vom Intercontinental aus gefolgt. Die beiden Agenten erkannten jedoch schnell, dass Hydts arabischer Fahrer Ausweichmanöver einleitete. Da sie fürchten mussten, entdeckt zu werden, benutzte Bond eine App in seinem Mobiltelefon, um ein MASINT-Profil des Lincoln anzufordern und das Fahrzeug mit einem Laser zu markieren. Dann schickte er den Datensatz an eine Lauschstation des GCHQ. Leiter ging vom Gas und überließ die weitere Verfolgung den Satelliten, deren Ergebnisse direkt an Bonds Telefon übermittelt wurden.

»Verdammt«, hatte Leiter mit Blick auf das Gerät in Bonds Hand neidisch gerufen. »So eins will ich auch!«

Bond folgte der Route des Town Car auf seiner Straßenkarte und dirigierte Leiter, während Nasad wiederum ihnen folgte. Hydts Wagen beschrieb einen großen, komplizierten Umweg und schlug letztlich die Richtung zurück nach Deira ein, in den alten Teil der Stadt. Bond, Leiter und sein Mitarbeiter erreichten das Ziel wenige Minuten später, ließen die Fahrzeuge in einer Gasse zwischen zwei verstaubten Lagerhäusern zurück und schnitten sich ihren Weg durch einen Maschendrahtzaun, um Hydt und den Iren im Auge behalten zu können. Der Fahrer des Lincoln war auf dem Parkplatz zurückgeblieben.

Bond stöpselte einen Ohrhörer ein, richtete die Kamera seines Telefons auf die Vierergruppe und aktivierte eine App, die von Sanu Hirani entwickelt worden war. Das Vibra-Mikro rekonstruierte Gespräche, die durch Fenster oder transparente Türen beobachtet wurden, indem es die Vibrationen der Glasscheibe oder anderer glatter Oberflächen analysierte. Es kombinierte die Schallinformationen mit den optischen Eindrücken von Lippen- und Wangenbewegungen, Augenreaktionen und Körpersprache. Unter den hier gegebenen Umständen lag die Zuverlässigkeit des Systems bei etwa 85 Prozent.

Nachdem Bond eine Weile gelauscht hatte, teilte er den anderen mit: »Sie reden über eine Maschine für Green Way, Hydts legale Firma. Verflucht noch mal!«

»Sieh dir den Scheißkerl an«, flüsterte der Amerikaner. »Er weiß, dass in einer halben Stunde neunzig Menschen sterben werden, und bleibt so ruhig, als würde er mit einem Verkäufer die Pixelzahl eines Großbildfernsehers diskutieren.«

Nasads Telefon summte. Er nahm das Gespräch an. Bond konnte manches von dem schnellen, abgehackten Arabisch verstehen. Offenbar ging es um die Fabrik. Nasad trennte die Verbindung und erklärte den Agenten, dass der Eigentümer des Geländes ein Einheimischer namens Mahdi al-Fulan sei. Ein Foto bestätigte, dass es sich um den Mann bei Hydt und dem Iren handelte. Er stand nicht im Verdacht, Verbindungen zu Terroristen zu unterhalten, war noch nie nach Afghanistan gereist und schien lediglich ein Ingenieur und Geschäftsmann zu sein. Zu seinen Kunden zählten jedoch auch Warlords und Waffenhändler. Erst kürzlich hatte er einen optischen Scanner für Landminen entwickelt, der zwischen den Uniformen und Abzeichen von Freund und Feind unterscheiden konnte.

Bond musste an die Aufzeichnungen denken, die er in March gefunden hatte: *Explosionsradius…*

Das Gespräch in dem Lagerhaus ging weiter. Bond neigte den Kopf und hörte erneut zu. Hydt sagte gerade zu dem Iren: »Ich möchte jetzt zu dem… Ereignis aufbrechen. Mahdi und ich machen uns auf den Weg.« Dann wandte er sich mit begierigem, fast ausgehungertem Blick an den Araber: »Es ist nicht weit von hier, oder?«

»Nein, wir können zu Fuß gehen.«

»Sie und Stella können sich ja unterdessen mit den technischen Einzelheiten beschäftigen«, sagte Hydt zu seinem irischen Partner.

Der Ire wandte sich der Frau zu. Hydt und der Araber verschwanden außer Sicht.

Bond schloss die App und sah Leiter an. »Hydt und al-Fulan gehen jetzt zu dem Ort, an dem der Anschlag stattfinden soll. Ich folge den beiden. Sieh zu, ob du hier noch etwas herausfinden kannst. Die Frau und der Ire bleiben hier. Schleich dich näher heran, wenn möglich. Ich melde mich, sobald ich Genaueres weiß.«

»Alles klar«, sagte der Texaner.

Nasad nickte.

Bond überprüfte seine Walther und steckte sie zurück in das Holster.

»Moment noch, James«, sagte Leiter. »Wenn du diese Leute rettest, neunzig oder wie viele auch immer, dann, na ja, könnte es sein, dass du dich dadurch verrätst. Falls Hydt merkt, dass du ihm auf der Spur bist, wird er vielleicht einfach untertauchen, bis er sich einen neuen Vorfall Zwanzig ausgedacht hat. Und beim nächsten Mal dürfte er noch wesentlich gründlicher auf Geheimhaltung achten. Falls du ihn andererseits hier gewähren lässt, wiegst du ihn weiter in Sicherheit.«

»Du meinst, ich soll die Leute opfern?«

Der Amerikaner sah ihm in die Augen. »Es ist eine schwere Entscheidung. Ich weiß nicht, ob ich es könnte. Aber du solltest es in Erwägung ziehen.«

»Das habe ich schon. Und, nein, ich lasse sie nicht im Stich.« Er sah die beiden Männer das Gelände verlassen.

Leiter lief geduckt zu dem Gebäude, zog sich an einem kleinen offenen Fenster hoch und verschwand lautlos im Innern. Er kam wieder zum Vorschein und winkte Nasad zu sich. Der Araber kletterte ebenfalls hinein.

Bond schob sich zurück durch das Loch im Zaun und schloss zu den beiden Zielpersonen auf. Zunächst durchquerten sie das Gewerbegebiet. Dann betraten Hydt und al-Fulan den überdachten Suk von Deira, der aus Hunderten von kleinen Verkaufsständen, aber auch aus herkömmlichen Geschäften bestand. Das Angebot umfasste Gold, Gewürze, Schuhe, Fernsehgeräte, CDs, Videos, Schokoriegel, Souvenirs, Spielzeug, mittelöstliche und westliche Kleidung… praktisch alles Erdenkliche. Nur ein Teil der Leute hier schien aus den Emiraten zu stammen; Bond hörte Gesprächsfetzen auf Tamil, Malayalam, Urdu und Tagalog, aber relativ wenig Arabisch. Überall drängte sich Kundschaft. Bei jedem Stand und in jedem Geschäft wurde eifrig verhandelt, wild gestikulierend, mit verkniffenen Mienen und hektischen Wortgefechten.

Bond folgte in diskretem Abstand und hielt dabei nach Hinweisen auf die Zielgruppe Ausschau: jene Menschen, die in fünfundzwanzig Minuten sterben würden.

Was hatte der Lumpensammler nur vor? Einen Probelauf für das Gemetzel am Freitag, das zehn- oder zwanzigmal größer ausfallen sollte? Oder hatte dies hier nichts damit zu tun? Vielleicht war die Rolle als internationaler Geschäftsmann bloß Tarnung. Waren Hydt und der Ire in Wahrheit Auftragsmörder? Neumodische Mietkiller?

Bond schlüpfte durch das Gewirr aus Händlern, Kunden,

Touristen und Dockarbeitern, die die Daus – Transportsegelschiffe unterschiedlicher Form und Größe – mit Fracht beluden. Es war kurz vor *Maghrib*, dem Abendgebet, und sehr voll. War etwa der Markt das Anschlagsziel?

Dann verließen Hydt und al-Fulan den Suk und gingen noch einen halben Block weiter. Sie blieben stehen und blickten an einem modernen dreigeschossigen Bauwerk empor, das sich mit seinen großen Glasfenstern am Ufer des Dubai Creek erhob. Es war ein öffentliches Gebäude voller Männer, Frauen und Kinder. Bond kam näher und sah ein Schild mit arabischer und englischer Aufschrift: *Museum der Emirate*.

Das also war das Ziel. Und zwar ein verdammt gutes. Bond nahm es genauer in Augenschein. Allein im Erdgeschoss schlenderten mindestens hundert Leute umher, und in den oberen Etagen hielten sich sicherlich noch viele weitere auf. Hinten verlief der Fluss, vorn nur eine schmale Straße, was bedeutete, dass die Rettungsfahrzeuge nur mit Mühe an den Ort des Blutbads würden gelangen können.

Al-Fulan schaute sich nervös um, aber Hydt ging zielstrebig zur Vordertür hinein. Die beiden verschwanden in der Menge.

Ich lasse diese Menschen nicht sterben. Bond stöpselte den Ohrhörer ein und aktivierte die Lausch-App seines Telefons. Dann folgte er den zwei Männern in das Gebäude, zahlte ein kleines Eintrittsgeld und nutzte eine Gruppe westlicher Touristen, um sich den Zielpersonen unbemerkt nähern zu können.

Er musste daran denken, was Felix Leiter gesagt hatte. Die Rettung dieser Leute konnte Hydt tatsächlich warnen; es würde ihm auffallen, dass jemand ihm auf der Spur war.

Was würde M unter diesen Umständen tun?

Bond nahm an, dass der alte Mann die neunzig Menschen geopfert hätte, um Tausende zu retten. M war ein ehemaliger Admiral der Royal Navy. Offiziere dieses Ranges mussten ständig solche schwierigen Entscheidungen treffen.

Doch ich muss etwas unternehmen, verflucht noch mal, dachte Bond. Er sah Kinder herumtollen, Männer und Frauen die Exponate betrachten und angeregt darüber sprechen, Leute lachen, Leute interessiert nicken, während ein Reiseführer etwas erläuterte.

Hydt und al-Fulan gingen tiefer in das Gebäude hinein. Was würden sie tun? Hatten sie geplant, eine Sprengladung zu platzieren? Vielleicht war in dem Lazarettkeller in March genau diese Bombe gebaut worden.

Oder hatte der Industriedesigner al-Fulan etwas anderes für Hydt angefertigt?

Bond ging am Rand der großen Marmorlobby entlang, in der arabische Kunst und Antiquitäten ausgestellt waren. Ein riesiger goldener Kronleuchter dominierte den Raum. Bond hielt das Mikrofon beiläufig in Richtung der Männer. Er fing Dutzende von Gesprächsfetzen anderer Leute auf, aber nichts von Hydt und al-Fulan. Verärgert zielte er etwas genauer und vernahm schließlich Hydts Stimme: »Ich freue mich schon seit Langem darauf und möchte Ihnen erneut danken, dass Sie es mir ermöglichen.«

Al-Fulan: »Die Freude ist ganz auf meiner Seite. Unsere Geschäfte sind mir sehr wichtig.«

»Ich würde die Leichen gern fotografieren«, flüsterte Hydt abgelenkt.

»Aber ja, selbstverständlich. Was immer Sie möchten, Severan.«

Wie nah kann ich an die Toten heran?

»Es ist fast sieben«, sagte Hydt dann. »Sind wir so weit?«

Was soll ich machen?, dachte Bond verzweifelt. Gleich werden hier Menschen sterben.

Du musst auf Handlungen des Gegners angemessen reagieren …

An der Wand fiel ihm ein Feuermelder auf. Er konnte den

Hebel ziehen und dadurch das Gebäude evakuieren lassen. Doch er sah auch die Überwachungskameras und das Wachpersonal. Man würde ihn sofort als denjenigen identifizieren, der den Alarm ausgelöst hatte, und falls es den Wachen und der Polizei gelang, ihn zu ergreifen, würden sie seine Waffe finden. Außerdem konnte Hydt auf ihn aufmerksam werden. Der Mann würde mit Sicherheit begreifen, was geschehen war. Die ganze Mission würde scheitern.

Gab es eine bessere Möglichkeit?

Bond fiel keine ein, und so schob er sich näher an den Feuermelder heran.

Achtzehn Uhr fünfundfünfzig.

Hydt und al-Fulan gingen zügig auf eine Tür am hinteren Ende der Lobby zu. Bond hatte den Feuermelder erreicht. Er stand im Aufnahmebereich von drei Überwachungskameras.

Und einer der Wächter war nur sechs Meter entfernt. Er hatte Bond bemerkt und anscheinend registriert, dass dessen Verhalten nicht dem entsprach, was man von einem gewöhnlichen westlichen Touristen in einem historischen Museum dieser Art erwarten würde. Der Mann neigte den Kopf und sprach in ein Mikrofon, das an seiner Schulter befestigt war.

Neben Bond stand eine Familie vor dem Diorama eines Kamelrennens. Der kleine Junge und sein Vater lachten über die lustigen Figuren.

Achtzehn Uhr sechsundfünfzig.

Der stämmige Wachposten wandte sich Bond zu. Er trug eine Pistole. Und die Klappe des Holsters war bereits geöffnet.

Achtzehn Uhr siebenundfünfzig.

Der Wächter ging los, die Hand an der Waffe.

Obwohl auch Hydt und al-Fulan nur wenige Meter entfernt waren, griff Bond nach dem Hebel des Feuermelders.

29

In diesem Moment ertönte aus der Lautsprecheranlage eine Durchsage auf Arabisch.

Bond hielt inne. Er verstand das meiste. Gleich darauf bestätigte die englische Übersetzung seinen ersten Eindruck.

»Meine Herren, wer Karten für unsere heutige Abendveranstaltung besitzt, möge sich nun bitte zur Tür des Nordflügels begeben.«

Das war der Durchgang im hinteren Teil der Halle, auf den Hydt und al-Fulan zusteuerten. Sie hatten offenbar nicht vor, das Museum zu verlassen. Falls dies der Ort war, an dem die Menschen sterben sollten, wieso flohen die beiden Männer nicht?

Bond verließ den Feuermelder und ging auf die Tür zu. Der Wächter beäugte ihn noch einmal misstrauisch, wandte sich dann aber ab und schloss die Klappe seines Holsters.

Hydt und sein Komplize standen am Eingang einer Sonderausstellung des Museums. Bond atmete langsam aus. Endlich war alles klar. Der Titel der Ausstellung lautete »Tod im Sand«. Auf einem Plakat am Eingang stand zu lesen, dass Archäologen im letzten Herbst ein tausend Jahre altes Massengrab gefunden hatten. Es lag unweit der Liwa-Oase in Abu Dhabi, etwa hundert Kilometer landeinwärts vom Persischen Golf. Ein ganzer arabischer Nomadenstamm, insgesamt zweiundneunzig Personen, war angegriffen und niedergemetzelt worden. Unmittelbar nach dem Kampf hatte ein Sandsturm die Leichen unter sich begraben. Dank des heißen trockenen Sands waren die Toten perfekt erhalten geblieben.

Die Ausstellung präsentierte die ausgedörrten Körper nun exakt so, wie man sie vorgefunden hatte, inmitten einer Nachbildung des Dorfes. Wie es schien, wurden die Leichen den normalen Besuchern weitgehend verhüllt präsentiert. Die heutige Veranstaltung um neunzehn Uhr – zu der nur Männer zugelassen waren –, richtete sich an ein wissenschaftliches Publikum. Die Toten würden unverhüllt sein. Al-Fulan hatte Hydt eine Karte besorgen können.

Bond hätte beinahe laut aufgelacht. Er war zutiefst erleichtert. Im heiklen Spionagegeschäft kommen Missverständnisse – und sogar totale Fehleinschätzungen – durchaus häufiger vor. Pläne und deren Durchführungen basieren mitunter nur auf bruchstückhaften Informationen. Und die Ergebnisse derartiger Fehler fallen oft katastrophal aus. Bond konnte sich an keinen einzigen Fall erinnern, bei dem das genaue Gegenteil eingetroffen wäre, so wie hier, wo eine vermeintlich drohende Tragödie sich als eine harmlose Kulturveranstaltung erwies. Sein erster Gedanke war, dass er sich schon darauf freute, diese Geschichte Philly Maidenstone zu erzählen.

Das Hochgefühl legte sich jedoch, als ihm klar wurde, dass er um ein Haar die ganze Mission zum Scheitern gebracht hätte, und das wegen neunzig Leuten, die seit tausend Jahren tot waren.

Ein Blick in den großen Ausstellungsraum ließ ihn allerdings sogleich wieder ernst werden. Er sah eine Momentaufnahme des Todes. Einige der Leichen besaßen noch einen Großteil ihrer ledrigen Haut. Andere waren überwiegend skelettiert. Emporgereckte Hände schienen ein letztes Mal um Gnade zu flehen. Ausgezehrte Mütter hielten ihre Kinder im Arm. Leere Augenhöhlen, Finger dünn wie Zweige. Die Zeit und der Zerfall hatten so manchen Mund zu einem grauenhaften Lächeln verzerrt.

Bond achtete auf Hydts Gesicht. Er starrte die Opfer an. Er war verzückt; in seinen Augen funkelte eine fast sexuelle Lust. Sogar al-Fulan schien von dieser Zurschaustellung offensichtlichen Vergnügens unangenehm berührt zu sein.

Ich habe noch nie gehört, dass jemand so freudig über die Aussicht auf einen Mord spricht ...

Hydt schoss Foto um Foto. Das ständige Aufblitzen seines Mobiltelefons badete die Leichname in gleißendes Licht, wodurch sie noch unwirklicher und grauenhafter aussahen.

Was für eine ungeheure Zeitverschwendung, dachte Bond. Diese Reise hatte ihm lediglich zwei Erkenntnisse gebracht: Hydt schaffte sich irgendeine tolle neue Maschine für seine Recyclingfirma an, und er geilte sich an Bildern von Leichen auf. Lag auch Vorfall Zwanzig ein ähnliches Missverständnis zugrunde? Bond rief sich den Wortlaut der aufgefangenen Nachricht ins Gedächtnis. Nein, was auch immer für Freitag geplant war, es handelte sich um eine echte Bedrohung.

... rechnen mit tausenden unmittelbaren opfern und nachteiligen auswirkungen auf britische interessen, transfer der zahlungen wie vereinbart.

Das bezog sich eindeutig auf einen Anschlag.

Hydt und al-Fulan gingen in den hinteren Teil der Ausstellungshalle. Bond hatte keine Eintrittskarte und konnte ihnen nicht folgen. Da fing Hydt wieder an zu sprechen. Bond hob das Telefon.

»Ich hoffe, Sie sind sich über das Mädchen im Klaren. Wie war doch gleich ihr Name?«

»Stella«, sagte al-Fulan. »Nein, wir haben keine andere Wahl. Wenn sie herausfindet, dass ich meine Frau nicht verlasse, wird sie zum Risiko. Sie weiß zu viel. Und ehrlich gesagt geht sie mir schon eine ganze Weile auf die Nerven.«

»Mein Mitarbeiter kümmert sich um alles«, fuhr Hydt fort. »Er schafft sie hinaus in die Wüste und lässt sie verschwinden. Was auch immer er anfasst, das macht er gründlich. Er ist wirklich ein ganz erstaunlicher Planer… und auch sonst in jeder Hinsicht fähig.«

Deshalb war der Ire in dem Lagerhaus geblieben.

Wenn Stella aus dem Weg geräumt werden sollte, dann weil diese Reise *doch nicht* nur mit legalen Geschäften zu tun hatte. Bond musste davon ausgehen, dass es um Vorfall Zwanzig ging. Er eilte aus dem Museum und rief Felix Leiter an. Sie mussten die Frau retten und in Erfahrung bringen, was sie wusste.

Aber Leiters Mobiltelefon schaltete nach dem vierten Klingeln auf die Mailbox um. Bond versuchte es erneut. Wieso, zum Teufel, meldete der Amerikaner sich nicht? Versuchten er und Nasad gerade, Stella zu helfen? Kämpften sie mit dem Iren oder dem Chauffeur? Oder gar mit beiden?

Noch ein Versuch. Wieder die Mailbox. Bond lief los und schlängelte sich durch den Suk, während körperlose Stimmen durch den Abendhimmel hallten und die Gläubigen zum Gebet riefen.

Schwitzend und keuchend traf er fünf Minuten später bei al-Fulans Lagerhaus ein. Hydts Town Car war weg. Bond stieg durch das Loch, das sie zuvor in den Zaun geschnitten hatten. Das Fenster, durch das Leiter ins Innere gelangt war, war nun geschlossen. Bond lief zu einer Seitentür und öffnete sie mit einem Dietrich. Er trat ein und zog die Walther.

Es schien niemand mehr hier zu sein. Allerdings dröhnte irgendwo in der Nähe eine Maschine.

Von dem Mädchen keine Spur.

Und wo waren Leiter und Nasad?

Wenige Sekunden später erhielt Bond einen ersten Hinweis. Auf dem Boden des Raumes, den Leiter durch das Fenster betreten hatte, fand er frische Blutspuren. Es gab Anzeichen für einen Kampf. In der Nähe lagen einige Werkzeuge… und außerdem Leiters Pistole und Mobiltelefon.

Bond überlegte sich, was geschehen sein konnte. Leiter und Nasad hatten sich getrennt, der Amerikaner war hier versteckt geblieben. Er musste den Iren und Stella beobachtet haben. Da war der arabische Chauffeur von hinten an ihn herangeschlichen und hatte ihn mit einem Schraubenschlüssel oder Rohr niedergeschlagen. Hatte man Leiter weggeschleift, in den Kofferraum des Town Car geworfen und zusammen mit dem Mädchen in die Wüste verfrachtet?

Mit der Waffe in der Hand ging Bond auf den Durchgang zu, aus dessen Richtung das Maschinengeräusch ertönte.

Der Anblick ließ ihn erstarren.

Der Mann mit der blauen Jacke, der Bond vom Flughafen aus verfolgt hatte, rollte soeben den halb bewusstlosen Felix Leiter in eine der großen Müllpressen. Der CIA-Agent lag mit den Füßen voran auf dem Fließband, das sich noch nicht bewegte, obwohl die Maschine schon lief; in der Mitte schoben sich zwei riesige Metallplatten von beiden Seiten auf das Band zu, bis sie sich fast berührten, und zogen sich dann wieder zurück, um die nächste Fuhre Müll abzuwarten.

Leiters Beine waren keine zwei Meter von ihnen entfernt.

Der Angreifer blickte auf und starrte den Eindringling finster an.

Bond richtete die Waffe auf ihn. »Hände zur Seite ausstrecken!«

Der Mann gehorchte, sprang aber unvermittelt nach rechts und schlug auf einen Knopf an der Maschine. Dann lief er weg und verschwand außer Sicht.

Das Fließband ruckte an und beförderte Leiter auf die dicken Stahlplatten zu, zwischen denen, wenn sie aufeinander zufuhren, allenfalls fünfzehn Zentimeter Platz blieb, bevor sie wieder zurückwichen.

Bond rannte zu der Maschine, hieb auf den roten *Aus*-Schalter und wollte dem Angreifer folgen. Doch der leistungsstarke Motor hielt nicht sofort an; das Band lief weiter und schob Bonds Freund auf die tödlichen Platten zu, die unermüdlich vor- und zurückglitten.

O Gott! ... Bond steckte die Walther ein und machte kehrt. Er packte Leiter und zerrte ihn nach hinten. Aber das Fließband war, um dem üblicherweise darauf transportierten Müll besseren Halt zu geben, mit spitzen Noppen versehen, und die hatten sich in Leiters Kleidung verfangen.

Der Kopf des Amerikaners lag kraftlos auf der Seite, die Augen waren blutunterlaufen. Und die Stahlplatten rückten immer näher.

Noch fünfzig Zentimeter, vierzig ... dreißig.

Bond sprang auf das Band, stemmte einen Fuß gegen das Gehäuse der Maschine, wickelte sich Leiters Jacke um die Hände und zog so fest er konnte. Das Band verlangsamte sich, aber der Motor trieb es dennoch weiter an, und die Platten schossen immer noch aufeinander zu.

Sie würden Leiters Füße und Knöchel zu Brei zerquetschen. Noch zwanzig Zentimeter, dann fünfzehn.

Bonds Arm- und Beinmuskeln taten höllisch weh. Ächzend versuchte er es weiter, ließ nicht locker.

Zehn Zentimeter ...

Endlich hielt das Band an, und mit einem hydraulischen Keuchen kam auch die Bewegung der Platten zum Stehen.

Bond rang nach Luft. Er streckte die Hand aus, löste Leiters Hosenbeine von den Noppen des Fließbandes, zog ihn aus der Maschine und legte ihn auf den Boden. Dann lief er zur Laderampe, aber der Mann in Blau war nirgendwo zu sehen. Bond ließ den Blick in die Runde schweifen und kehrte zu Felix Leiter zurück, der allmählich wieder zu sich kam. Bond half ihm, sich aufzusetzen. Der CIA-Agent sah sich verwundert um.

»Dich kann man auch keine fünf Minuten allein lassen, was?«, fragte Bond, um den Schreck zu überspielen, der ihn angesichts des drohenden Schicksals seines Freundes gepackt hatte. Er untersuchte Leiters Kopfverletzung und säuberte sie mit einem Tuch, das in der Nähe lag.

Leiter betrachtete mit großen Augen die Maschine. Schüttelte den Kopf. Dann legte sich das vertraute Grinsen auf sein schmales Gesicht. »Ihr Briten platzt immer zum falschen Zeitpunkt herein. Ich hatte ihn gerade da, wo ich ihn haben wollte.«

»Krankenhaus?«, fragte Bond. Sein Herz hämmerte vor Anstrengung und Erleichterung zugleich.

»Ach was.« Der Amerikaner musterte das Tuch. Es war zwar blutig, aber Leiter wirkte eher wütend als verletzt. »Mein Gott, James, die Frist ist ja abgelaufen! Die neunzig Leute!«

Bond erzählte ihm von der Ausstellung.

Leiter lachte barsch auf. »Was für ein Schwachsinn! O Mann, da haben wir ja gründlich ins Klo gegriffen. Hydt fährt also auf Leichen ab. Und er wollte sie *fotografieren*? Das verleiht dem Begriff Pornografie eine ganz neue Bedeutung.«

Bond holte Leiters Telefon und Waffe und gab sie ihm zurück. »Was ist passiert, Felix?«

Leiters Blick wurde ernst. »Gleich nachdem du weg warst, ist der Fahrer des Town Car in das Lagerhaus gekommen und hat mit dem Iren geredet. Dabei haben sie das Mädchen angesehen. Ich wusste, da bahnt sich was an, und das hieß, sie weiß etwas. Ich wollte mir was ausdenken, um sie zu retten. Behaupten, wir seien irgendwelche Kontrolleure oder so. Aber noch bevor ich etwas tun konnte, hatten sie das Mädchen auch schon gepackt, mit Klebeband gefesselt und in Richtung des Büros gezerrt. Ich habe Yusuf auf die andere Seite geschickt und wollte ihnen dann folgen, aber nach kaum drei Metern ging plötzlich dieser Kerl auf mich los – der aus dem Einkaufszentrum, dein Verfolger.«

»Ich weiß, ich hab ihn gesehen.«

»Mann, dieser Hundesohn kann so ein Kampfsport-Zeug, dass dir Hören und Sehen vergeht. Er hat mir ein paar gedonnert, und ich bin zu Boden gegangen.«

»Hat er was gesagt?«

»Bloß gegrunzt. Bei jedem Treffer, den er gelandet hat.«

»Gehört er zu dem Iren oder zu al-Fulan?«

»Keine Ahnung. Ich habe sie nicht zusammen gesehen.«

»Und diese Stella? Wir müssen sie unbedingt finden, falls es irgendwie geht.«

»Sie sind vermutlich auf dem Weg raus in die Wüste. Falls wir Glück haben, kann Yusuf ihnen folgen. Wahrscheinlich hat er längst versucht, mich zu erreichen.« Der Agent rappelte sich mit Bonds Hilfe auf, nahm sein Telefon und drückte eine Kurzwahltaste.

Irgendwo in der Nähe erklang ein zirpender Klingelton, eine fröhliche elektronische Melodie. Aber gedämpft.

Die beiden Männer sahen sich um.

Dann richtete Leiters Blick sich auf Bond. »O nein«, flüsterte der Amerikaner und schloss kurz die Augen. Sie liefen auf die Rückseite der Müllpresse. Das Geräusch kam aus einem großen gefüllten Sack, den die Maschine automatisch mit Draht verschlossen und auf der Laderampe abgestellt hatte, damit er zur Entsorgung abtransportiert werden konnte.

Auch Bond hatte begriffen, was geschehen war. »Ich sehe nach«, sagte er.

»Nein«, widersprach Leiter entschlossen. »Das ist meine Aufgabe.« Er wickelte den Draht ab, atmete tief durch und schaute in den Müllsack. Bond gesellte sich zu ihm.

Das kompakte Durcheinander aus scharfkantigen Metallteilen, Kabeln, Schrauben und Muttern war vermischt mit einer Masse aus Blut und blutigem Stoff, Teilen menschlicher Organe und Knochen.

Die glasigen Augen in Yusuf Nasads zerquetschtem Zerrbild eines Gesichts starrten den Männern direkt entgegen.

Schweigend kehrten sie zu dem Alfa zurück und fragten die Satellitendaten von Hydts Limousine ab. Der Wagen war zum Intercontinental zurückgekehrt und hatte unterwegs zweimal kurz gehalten – vermutlich um Stella in ein anderes Auto umzuladen, mit dem sie ihre letzte Reise in die Wüste antreten sollte, und um Hydt vom Museum abzuholen.

Fünfzehn Minuten später lenkte Bond den Alfa an dem Hotel vorbei und auf den Parkplatz.

»Willst du dir ein Zimmer nehmen?«, fragte Bond. »Damit wir uns darum kümmern können?« Er deutete auf Leiters Kopf.

»Nein, ich brauche einen Drink. Ich mache mich nur kurz frisch und treffe dich in der Bar.«

Sie parkten. Bond öffnete den Kofferraum und nahm seine Laptoptasche. Den Koffer ließ er liegen. Leiter hängte sich seine eigene kleine Tasche über die Schulter und nahm eine Mütze mit dem Logo der Texas Longhorns, dem Footballteam der University of Texas. Er zog sie sich vorsichtig über die Wunde und schob sein strohblondes Haar darunter. Durch den Seiteneingang betraten sie das Hotel.

Drinnen steuerte Leiter die Herrentoilette an, während Bond sich vergewisserte, dass niemand aus Hydts Gefolge sich in der Lobby aufhielt. Dann ging er zum Vordereingang hinaus zu einer Gruppe von Chauffeuren, die sich angeregt unterhielten. Hydts Fahrer war nicht dabei. Bond winkte dem kleinsten der Männer, der daraufhin diensteifrig zu ihm kam.

»Haben Sie eine Karte?«, fragte Bond.

»In der Tat, ja, habe ich, Sir.« Er gab sie ihm. Bond warf einen Blick darauf und steckte sie ein. »Was wünschen der Herr? Einen Ausflug in die Wüste? Nein, ich weiß, der Gold-

Suk! Für Ihre Dame. Sie bringen ihr etwas aus Dubai mit und sind ihr Held.«

»Der Mann, der diese Limousine dort gemietet hat.« Bond schaute zu Hydts Lincoln.

Der Ausdruck in den Augen des Fahrers wurde ernst. Bond kümmerte das nicht; er erkannte schnell, wenn jemand käuflich war. Er versuchte es erneut. »Sie kennen ihn, nicht wahr?«

»Nicht besonders, Sir.«

»Aber Sie und die anderen Fahrer reden doch miteinander. Sie wissen alles, was hier vor sich geht. Vor allem bei einem so seltsamen Zeitgenossen wie Mr. Hydt.«

Er steckte dem Mann fünfhundert Dirham zu.

»Ja, Sir, ja, Sir. Ich hab da vielleicht was gehört … Lassen Sie mich nachdenken. Ja, kann schon sein.«

»Und was genau?«

»Ich glaube, er und seine Freunde sind essen gegangen. Sie werden etwa zwei Stunden fort sein. Es ist ein sehr gutes Restaurant. Man lässt sich dort Zeit.«

»Und haben Sie eine Ahnung, wohin es danach gehen soll?«

Ein Nicken, mehr nicht.

Weitere fünfhundert Dirham wechselten den Besitzer.

Der Mann lachte leise und zynisch auf. »Die Leute sind uns gegenüber nachlässig. Wir sind nur dazu da, sie in der Gegend herumzufahren. Wir sind wie Kamele. Lasttiere. Die Leute verhalten sich, als würden wir gar nicht existieren. Und daher glauben sie auch, wir würden nicht hören, was sie in unserer Gegenwart sagen, wie heikel es auch sein mag. Oder wie *wertvoll*.«

Bond zeigte ihm noch mehr Bargeld, steckte es aber wieder ein.

Der Mann schaute sich kurz um. »Er fliegt heute Nacht nach Kapstadt. Mit einem Privatjet, in ungefähr drei Stunden. Wie gesagt, das Restaurant im Untergeschoss ist berühmt für seine köstlichen und in aller Ruhe servierten Speisen.« Ein gespielter Schmollmund. »Aber Ihre Fragen verraten mir, dass Sie vermutlich nicht wünschen, dass ich Ihnen einen Tisch reservieren lasse. Ich verstehe. Vielleicht bei Ihrer nächsten Reise nach Dubai?«

Jetzt gab Bond ihm den Rest des Geldes. Dann zog er die Karte des Mannes aus der Tasche und schnipste mit dem Daumen dagegen. »Haben Sie meinen Kollegen gesehen? Den Mann, der mit mir hergekommen ist?«

»Den harten Kerl?«

»Sehr hart. Ich reise bald aus Dubai ab, aber er bleibt hier. Er hofft wirklich aufrichtig, dass Ihre Angaben über Mr. Hydt sich als wahr herausstellen werden.«

Das Lächeln war wie weggewischt. »Ja, ja, Sir, es ist alles wahr, ich schwöre bei Allah, Er sei gepriesen.«

30

Bond ging in die Bar und setzte sich an einen Tisch auf der Terrasse, die einen Ausblick auf den Dubai Creek bot. Im glatten Wasser spiegelten sich zahllose bunte Lichter. Das friedliche Bild stand im krassen Gegensatz zu den Schrecken, die Bond in al-Fulans Fabrik erlebt hatte.

Der Kellner kam und erkundigte sich nach seinen Wünschen. Bonds Lieblingsspirituose war amerikanischer Bourbon, aber andererseits glaubte er, dass eiskalt servierter Wodka belebende, wenn nicht gar heilende Kräfte besaß. Er bestellte nun einen doppelten Stolichnaya Martini, Medium Dry, und bat darum, ihn sehr gut zu schütteln, wodurch der Wodka nicht nur besser gekühlt wurde als beim Rühren, sondern zudem mit Sauerstoff angereichert, was den Geschmack beträchtlich verbesserte.

»Nur ein Stück Zitronenschale.«

Als der Drink kam – mit angemessen trüber Färbung, was von ausreichendem Schütteln zeugte –, trank Bond die Hälfte sofort und spürte die brennende Kälte, so widersprüchlich das klingen mochte, von der Kehle ins Gesicht aufsteigen. Es half die Enttäuschung zu lindern, dass er weder die junge Frau noch Yusuf Nasad hatte retten können.

Es änderte jedoch nichts daran, dass er immer noch Hydts unheimliche Miene vor sich sah, mit der dieser lustvoll die ausgetrockneten Leichen angestarrt hatte.

Bond trank einen weiteren Schluck und schaute geistesabwesend zu dem Fernseher über der Theke, auf dessen Bildschirm soeben die wunderschöne bahrainische Sängerin Ahlam durch ein Video wirbelte, dessen ruckartige Schnittweise dem aktuellen Geschmack des arabischen und indischen Publikums entsprach. Die melodisch trillernde Stimme erklang aus den Lautsprechern.

Bond leerte das Glas und rief Bill Tanner an. Er berichtete von dem Missverständnis bezüglich der Museumsausstellung sowie von den Morden und fügte hinzu, dass Hydt später am Abend nach Kapstadt fliegen würde. Konnte die Abteilung T einen Flug für Bond organisieren? Die Grumman seines Freundes stand nicht mehr zur Verfügung; sie war längst wieder nach London gestartet.

»Ich sehe, was ich tun kann, James. Wahrscheinlich wird es ein Linienflug werden. Und ich weiß nicht, ob Sie vor Hydt dort eintreffen.«

»Es reicht, wenn jemand den Flug erwartet und Hydt beschattet. Wie ist Six dort unten aufgestellt?«

»Station Z hat einen Mann am Kap. Gregory Lamb. Lassen Sie mich seinen Status überprüfen.« Bond hörte das Klicken einer Tastatur. »Er ist derzeit oben in Eritrea – das Säbelrasseln an der sudanesischen Grenze hat sich verschärft. Aber James, wir sollten Lamb möglichst nicht hinzuziehen. Sein Leumund ist nicht einwandfrei. Er hat sich den Einheimischen zu sehr angepasst, wie eine Figur aus einem Graham-Greene-Roman. Ich glaube, Six wollte ihn entlassen, ist aber noch nicht dazu gekommen. Ich suche Ihnen jemand anderes heraus. Dabei würde ich den SAPS bevorzugen, den Police Service, jedenfalls eher als die National Intelligence – die NIA ist seit einiger Zeit in den Schlagzeilen, und das nicht allzu vorteilhaft. Ich höre mich mal um und gebe Ihnen Bescheid.«

»Danke, Bill. Können Sie mich zur Abteilung Q durchstellen?«

»Mach ich. Viel Glück.«

Gleich darauf meldete sich eine zuvorkommende Stimme. »Abteilung Q. Hirani.«

»Hier 007, Sanu. Ich bin in Dubai und benötige schnell eine bestimmte Sache.«

Nachdem Bond es ihm erklärt hatte, schien Hirani enttäuscht zu sein, wie simpel der Auftrag war. »Wo genau sind Sie?«, fragte er.

»Im Intercontinental in Festival City.«

Wiederum hörte Bond eine Tastatur.

»Alles klar. Dreißig Minuten. Und vergessen Sie nicht: Blumen.«

Sie beendeten das Gespräch. Leiter kam hinzu, setzte sich und bestellte einen Jim Beam. »Und zwar ohne Eis, ohne Wasser, ohne Obstsalat, ohne irgendwas. Aber einen Doppelten. Und mit einem Dreifachen könnte ich auch leben.«

Bond bestellte noch einen Martini. »Was macht der Kopf?«, fragte er, nachdem der Kellner gegangen war.

»Das ist nichts«, murmelte Leiter. Er schien nicht schwer verletzt zu sein, und Bond wusste, dass seine gedrückte Stimmung mit dem Tod von Nasad zu tun hatte. »Hast du was über Hydt herausgefunden?«

»Sie reisen heute Abend ab. In rund zwei Stunden. Nach Kapstadt.«

»Und was ist da?«

»Keine Ahnung. Das muss ich noch herausfinden.«

Und zwar innerhalb von drei Tagen, wenn er die Tausenden von Menschen retten wollte, rief Bond sich ins Gedächtnis.

Sie verstummten kurz, weil der Kellner die Drinks brachte. Während sie die ersten Schlucke tranken, nahmen sie den großen Raum genau in Augenschein. Der dunkelhaarige Mann mit dem Ohrring war nirgendwo zu entdecken und auch sonst kein Beobachter, der ihnen in ihrer Ecke zu viel – oder zu wenig – Aufmerksamkeit geschenkt hätte.

Keiner von ihnen brachte einen Toast im Gedenken an den heute ermordeten Mitarbeiter aus. So gern sie es getan hätten, man machte das einfach nicht.

»Was ist mit Nasads Leiche?«, fragte Bond. Die Vorstellung, dass der Araber ein so schändliches Grab erhalten würde, war schwer zu ertragen.

Leiters Lippen wurden schmal. »Falls Hydt und der Ire damit zu tun hatten und ich eines unserer Teams hinschicke, riechen sie Lunte. Das kann ich nicht riskieren. Yusuf wusste, worauf er sich eingelassen hatte.«

Bond nickte. Es war die richtige Entscheidung. Aber dadurch fiel sie auch nicht leichter.

Leiter atmete das Aroma seines Whiskys ein. Dann trank er einen weiteren Schluck. »Weißt du, das sind die wirklich schwierigen Momente in unserem Geschäft – nicht die, in denen du deine Knarre ziehst und Butch Cassidy spielst. Das machst du, ohne nachzudenken.«

Bonds Mobiltelefon summte. Die Abteilung T hatte ihm einen Platz auf einem Nachtflug der *Emirates* nach Kapstadt gebucht. Abflug sollte in drei Stunden sein. Bond war mit der Wahl der Fluglinie zufrieden. Sie achtete seit jeher darauf, keine Massenabfertigung zu betreiben, sondern die Passagiere auf einem Niveau zu betreuen, wie es zuletzt im goldenen Zeitalter der Luftreisen vor fünfzig oder sechzig Jahren üblich gewesen war. Er informierte Leiter über die Reisevorkehrungen. »Lass uns was essen«, fügte er hinzu.

Der Amerikaner winkte einen Kellner an den Tisch und bestellte eine gemischte Vorspeisenplatte. »Und danach bringen Sie uns bitte einen gegrillten Hammour. Aber entgrätet, wenn Sie so nett wären.«

»Ja, Sir.«

Bond bestellte eine Flasche guten Premier Cru Chablis, die sogleich gebracht wurde. Sie tranken schweigend aus den ge-

223

kühlten Gläsern, bis man den ersten Gang servierte: Köfte, Oliven, Hummus, Käse, Auberginen, Nüsse und das beste Fladenbrot, das Bond je gegessen hatte. Beide Männer ließen es sich schmecken. Nachdem der Kellner die Reste abgeräumt hatte, brachte er den Hauptgang. Der schlichte weiße Fisch lag dampfend auf einem Bett aus grünen Linsen. Er war sehr gut, zart und doch von einer gewissen Festigkeit. Bond hatte erst einige Bissen gegessen, als sein Telefon erneut summte. Die angezeigte Nummer gehörte zu einem britischen Behördenanschluss. Bond vermutete, dass Philly vielleicht aus einem anderen Büro anrief, und nahm das Gespräch an.

Er bereute es im selben Moment.

31

»James! James! James! Raten Sie mal, wer hier ist. Percy. Ich habe lange nichts von Ihnen gehört.«

Bonds Laune sank in den Keller.

Leiter runzelte die Stirn, als er Bonds finstere Miene sah.

»Percy ... ja.«

»Geht es Ihnen gut?«, fragte Osborne-Smith. »Nichts, das mehr als ein Pflaster erfordert, hoffe ich.«

»Alles bestens.«

»Das freut mich zu hören. Also, bei uns hier geht es zügig voran. Ihr Chef hat alle über den Gehenna-Plan in Kenntnis gesetzt. Sie waren wahrscheinlich zu sehr damit beschäftigt, aus dem Zuständigkeitsbereich zu fliehen, um sich zu melden.« Er ließ das einen Moment einsinken. »Haha«, rief er dann. »Ich will Sie bloß aufziehen, James. Die Sache ist die ... Ich rufe aus mehreren Gründen an, und der erste ist, dass ich mich entschuldigen möchte.«

»Ach, wirklich?«, fragte Bond misstrauisch.

Die Stimme des Division-Three-Mannes wurde ernst. »Ich gebe zu, heute Morgen in London hatte ich ein Zugriffteam am Flughafen, um Hydt einzukassieren und auf einen Tee zu einem netten Gespräch zu bitten. Aber wie sich herausstellt, hatten Sie recht. Die Wächter haben was aufgeschnappt und konnten es entschlüsseln. Moment – ich zitiere aus dem Bericht. Es geht los: irgendwas Verstümmeltes, dann ›Severan hat drei wichtige Partner ... falls er nicht zur Verfügung steht, kann jeder von denen den Knopf drücken.‹ Sie sehen also, James, seine Festnahme wäre *tatsächlich* katastrophal gewesen, genau wie Sie gesagt haben. Die anderen hätten sich sofort in ihren Löchern verkrochen, und wir hätten keine Möglichkeit gehabt, mehr über Gehenna herauszufinden und es zu verhindern.« Er musste Luft holen. »Ich war vielleicht ein wenig zu nörglerisch, als wir uns kennengelernt haben, und auch das tut mir leid. Ich möchte mit Ihnen zusammenarbeiten, James. Entschuldigung akzeptiert? Lassen wir Hermine ihren Zauberstab schwingen und danach das Vergangene ruhen?«

Bond wusste aus Erfahrung, dass in dieser Branche deine Verbündeten ungefähr genauso oft um Verzeihung baten wie deine Feinde. Er ging daher davon aus, dass ein Teil von Osborne-Smiths geheuchelter Reue damit zu tun hatte, dass der Mann im Spiel bleiben und einen Teil des Ruhms abbekommen wollte. Bond hatte nichts dagegen. Er war nur daran interessiert, den Gehenna-Plan zu durchkreuzen und Tausende von Leben zu retten.

»Meinetwegen.«

»Gut. Ihr Chef hat uns inzwischen mitgeteilt, was Sie oben in March gefunden haben, und ich gehe der Sache nach. Der ›Explosionsradius‹ ist ziemlich eindeutig – eine Bombe –, also suchen wir nach gemeldeten Sprengstoffdiebstählen. Und wir wissen, dass fünf Millionen Pfund gezahlt werden sollen. Ich habe die Bank of England gebeten, nach verdächtigen Finanztransaktionen Ausschau zu halten.«

Auch Bond hatte in Erwägung gezogen, die Bank um Mithilfe zu ersuchen. Aber fünf Millionen Pfund waren heutzutage eine dermaßen kleine Summe, dass viel mehr Buchungen auflaufen würden, als man überprüfen konnte. Dennoch würde es nicht schaden, wenn Osborne-Smith dieser Spur nachging.

»Was den ›Kurs‹ anbelangt, der bestätigt wird, müssen wir erst mehr erfahren, bevor wir ein Flugzeug oder Schiff überwachen können«, fuhr der Division-Three-Mann fort. »Aber ich habe die Luftfahrt- und Hafenbehörden schon mal vorsorglich verständigt, damit es im Notfall schnell geht.«

»Gut«, sagte Bond, ohne zu erwähnen, dass er Bill Tanner praktisch um das Gleiche gebeten hatte. »Ich habe gerade herausgefunden, dass Hydt, seine Freundin und der Ire auf dem Weg nach Kapstadt sind.«

»Kapstadt? Darüber müssen wir uns unterhalten. Ich bin nämlich bei Hydt quasi etwas tiefer vorgedrungen.«

Das verstand Percy Osborne-Smith wohl unter einem kameradschaftlichen Scherz, vermutete Bond.

»Südafrika zählt zu den größten Standorten von Green Way. Eine zweite Heimat, könnte man sagen. Ich wette, Gehenna steht irgendwie damit in Verbindung – es gibt dort, weiß Gott, haufenweise britische Interessen.«

Bond erzählte ihm von al-Fulan und dem Tod des Mädchens. »Die einzige wirkliche Erkenntnis ist, dass Hydt sich für Fotos von Leichen begeistert. Und dass die Firma des Arabers mutmaßlich mit Gehenna zu tun hat. Der Mann hat Geschäfte mit Waffenhändlern und Warlords gemacht.«

»Tatsächlich? Interessant. Wo wir gerade dabei sind: Werfen Sie mal einen Blick auf das Foto, das ich Ihnen schicke. Sie müssten es jetzt haben.«

Bond minimierte das Anruffenster auf dem Display und öffnete einen sicheren Anhang. Es war ein Foto des Iren. »Das ist er«, sagte er zu Osborne-Smith.

»Dachte ich mir schon. Er heißt Niall Dunne.« Er buchstabierte den Namen.

»Wie haben Sie ihn gefunden?«

»Durch die Aufzeichnungen der Überwachungskameras von Gatwick. Er ist nicht in den Datenbanken, aber meine unermüdlichen Mitarbeiter haben das Foto mit den Straßenkameras von London abgeglichen. Es gab ein paar weitgehende Übereinstimmungen mit einem Mann, der dieselbe seltsame Frisur hat und Tunnel inspiziert, die Green Way zurzeit in der Nähe des Victoria-Uferdamms baut. Das ist der letzte Schrei – Müll wird unterirdisch gesammelt und abtransportiert. So bleiben die Straßen sauber und die Touristen glücklich. Einige unserer Jungs haben sich als Leute vom Bauamt ausgegeben und sein Foto herumgezeigt. So haben sie seinen Namen erfahren. Ich habe seine Akte an Five, den Yard und Ihren Stabschef geschickt.«

»Was hat es mit Dunne auf sich?«, fragte Bond. Das Fischgericht vor ihm wurde kalt, aber er hatte das Interesse daran verloren.

»Das ist kurios. Er wurde in Belfast geboren, hat Architektur und Ingenieurwesen studiert und als Jahrgangsbester abgeschlossen. Dann ist er zur Army gegangen und wurde Pionier.«

Die Pioniere stellten die Ingenieure der Armee. Sie bauten für die anderen Soldaten Brücken, Flugfelder und Unterstände, legten aber auch Minenfelder an oder räumten sie. Ihr Improvisationstalent war sprichwörtlich. Was auch immer ihnen an Material zur Verfügung stand und wie ungünstig die Bedingungen auch sein mochten, sie schafften es dennoch, feste Stellungen zu errichten oder die Truppe mit Defensivoder Offensivgerät zu unterstützen.

Bill Tanner, der ehemalige Lieutenant Colonel und heutige Stabschef in Diensten der ODG, war ebenfalls ein einstiger Pionier und zählte zu den cleversten und gefährlichsten Männern, die Bond je getroffen hatte.

»Nach Ende seiner Dienstzeit hat er als freiberuflicher Kontrollingenieur gearbeitet«, fuhr Osborne-Smith fort. »Ich wusste gar nicht, dass so ein Beruf existiert, aber wie ich gelernt habe, gibt es beim Bau eines jeden Hauses, Schiffes oder Flugzeuges Hunderte von vorgeschriebenen Kontrollen. Dunne prüfte das entsprechende Projekt und sagte dann Ja oder Nein. Anscheinend zählte er zu den Besten – er konnte Fehler finden, die keinem anderen aufgefallen waren. Doch laut der Steuerbehörde hat er urplötzlich die Tätigkeit gewechselt und ist Berater geworden. Auch darin muss er verdammt gut sein – er verdient nämlich ungefähr zweihunderttausend im Jahr … und das ganz ohne Firmenlogo oder niedliche Maskottchen wie Wenlock oder Mandeville.«

Bond stellte fest, dass er seit der Entschuldigung weniger genervt von Osborne-Smiths geistreichen Bemerkungen war. »So haben die beiden sich wahrscheinlich kennengelernt. Dunne hat irgendwas für Green Way kontrolliert, und Hydt hat ihn angeheuert.«

»Die Datenauswertung hat ergeben, dass Dunne während der letzten vier Jahre häufig nach Kapstadt geflogen ist«, fuhr Osborne-Smith fort. »Er hat dort eine Wohnung – und eine in London, die wir mittlerweile durchsucht und dabei nichts Interessantes gefunden haben. Die Reiseunterlagen zeigen auch, dass er zudem in Indien, Indonesien, der Karibik und an einigen anderen Krisenherden gewesen ist. Um für seinen Boss neue Filialen zu gründen, schätze ich. Whitehall konzentriert sich übrigens immer noch auf Afghanistan, aber ich gebe keinen Pfifferling auf deren Theorien. Ich bin sicher, Sie haben den richtigen Riecher, James.«

»Danke, Percy. Das ist alles sehr hilfreich.«

»Immer gern zu Diensten.« Die Worte, die Bond gestern noch herablassend gefunden hätte, klangen nun aufrichtig.

Sie beendeten das Gespräch, und Bond erzählte Felix Leiter, was Osborne-Smith herausgefunden hatte.

»Diese Vogelscheuche Dunne ist ein Ingenieur? Das hätte ich dem Freak gar nicht zugetraut.«

Ein Straßenhändler hatte die Bar betreten und ging von Tisch zu Tisch, um Rosen zu verkaufen.

Leiter sah Bonds Blick. »Hör mal, James, das Essen war

großartig, aber falls du glaubst, du könntest mich mit einem Strauß Rosen endgültig herumkriegen, muss ich dich leider enttäuschen.«

Bond lächelte.

Der Händler kam an den Nebentisch und hielt dem jungen Paar, das dort saß, eine Rose hin. »Bitte«, sagte er zu der Frau. »Ein Geschenk für die hübsche Dame, mit meinen besten Empfehlungen.« Er ging weiter.

Einen Moment später hob Bond seine Serviette an und öffnete den Umschlag, den er dem Mann im Vorbeigehen beiläufig aus der Tasche gezogen hatte.

Vergessen Sie nicht: Blumen ...

Diskret betrachtete er den gefälschten südafrikanischen Waffenschein, einschließlich Stempel und Unterschrift. »Wir sollten gehen«, sagte er nach einem Blick auf die Uhr. Er wollte es nicht riskieren, Hydt, Dunne und der Frau bei deren Abreise über den Weg zu laufen.

»Das geht auf Onkel Sam«, sagte Leiter und beglich die Rechnung. Sie verließen die Bar und dann das Hotel durch einen Seitenausgang und gingen zum Parkplatz.

Eine halbe Stunde später waren sie am Flughafen.

Die Männer reichten einander die Hände.

»Yusuf war ein guter Mann, sicher«, sagte Leiter leise. »Aber er war vor allem ein guter Freund. Falls du diesem Scheißkerl in der blauen Jacke noch mal begegnest und sich eine passende Gelegenheit bietet, dann leg ihn um, James.«

MITTWOCH

Killing Fields

32

Die Boeing der *Emirates* rollte langsam auf den Flugsteig in Kapstadt zu. James Bond streckte sich und zog die Schuhe wieder an. Er fühlte sich erfrischt. Kurz nach dem Abflug aus Dubai hatte er sich zwei Jim Beam mit etwas Wasser bestellt. Der Schlummertrunk hatte tadellos funktioniert und ihm zu fast sieben Stunden ungestörtem Schlaf verholfen. Nun überprüfte Bond die Textnachrichten, die Bill Tanner ihm unterdessen geschickt hatte.

> *Kontakt: Capt. Jordaan, Crime Combating & Investigation, SA Police Service. Jordaan holt Sie vom Flughafen ab. Hydt wird überwacht.*

Es folgte noch eine.

> *Gregory Lamb, MI6, angeblich immer noch in Eritrea. Allgemein vorherrschende Meinung: Möglichst meiden.*

Und eine letzte.

> *Habe erfreut vernommen, dass Sie und Osborne-Smith sich mit einem Kuss wieder vertragen haben. Wann wird gefeiert?*

Bond musste lächeln.

Die Maschine dockte am Flugsteig an, und aus der Bordsprechanlage ertönte die vertraute Liturgie des Chefstewards. »Kabinencrew, Türen auf manuell und überprüfen. Meine Damen und Herren, bitte geben Sie acht beim Öffnen der Gepäckfächer; der Inhalt kann während des Fluges verrutscht sein.«

Sei gesegnet, mein Kind, denn das Schicksal hat beschlossen, dich sicher zurück zur Erde zu geleiten ... zumindest für dieses Mal.

Bond nahm seine Laptoptasche – den Koffer, in dem seine Pistole lag, hatte er am Schalter aufgegeben – und ging in der belebten Halle zum Schalter der Einwanderungsbehörde. Der Stempel im Pass war reine Formsache. Dann ging Bond zum Zoll und zeigte einem untersetzten, finster dreinblickenden Beamten seinen Waffenschein vor, damit er den Koffer mitnehmen konnte. Der Mann musterte ihn durchdringend. Bond fragte sich, ob es ein Problem geben würde.

»Okay, okay«, sagte der Mann, dessen breites, glänzendes Gesicht sich vor lauter Wichtigkeit blähte. »Jetzt aber raus mit der Wahrheit.«

»Der Wahrheit?«, fragte Bond ruhig.

»Ja ... Wie kommen Sie auf der Jagd nah genug an einen Kudu oder Springbock heran, um ihn mit einer Faustfeuerwaffe zu erwischen?«

»Das ist die Herausforderung«, erwiderte Bond.

»Kann ich mir denken.«

Dann runzelte Bond die Stirn. »Aber ich jage nie Springböcke.«

»Nein? Die ergeben aber das beste Biltong.«

»Mag sein, aber einen Springbock zu erschießen, würde England beim nächsten Rugbymatch schlecht bekommen.«

Der Zollbeamte lachte laut, schüttelte Bond die Hand und winkte ihn durch.

Die Ankunftshalle war zum Bersten voll. Die meisten Leute trugen westliche Kleidung, manche aber auch traditionelle afrikanische Tracht: die Männer Dashikis und Brokatgewänder, die Frauen Kente-Kaftane und Kopftücher in leuchtend bunten Farben. Auch einige Moslemroben und -tücher sowie vereinzelte Saris waren zu sehen.

Als Bond den ausgeschilderten Treffpunkt für Passagiere ansteuerte, hörte er mehrere unterschiedliche Sprachen in noch viel mehr Dialekten. Die Klicklaute in den afrikanischen Sprachen hatten ihn schon immer fasziniert; bei manchen Worten erzeugten Mund und Zunge dieses Geräusch anstelle eines Konsonanten. Die Khoisan-Sprachen der Ureinwohner dieses Teils von Afrika machten den meisten Gebrauch davon, obwohl auch die Zulus und Xhosas klickten. Bond hatte es trotz angestrengter Versuche nie geschafft, das Geräusch nachzuahmen.

Da sein Kontaktmann Captain Jordaan noch nicht eingetroffen war, ging Bond in ein Café, setzte sich auf einen Hocker am Tresen und bestellte einen doppelten Espresso. Er trank aus, bezahlte und ging nach draußen. Eine wunderschöne Geschäftsfrau fiel ihm auf. Er schätzte sie auf Mitte dreißig, mit exotischen hohen Wangenknochen. Durch ihr dichtes, welliges schwarzes Haar zogen sich einige vorzeitig ergraute Strähnen, was sie nur umso sinnlicher wirken ließ. Ihr dunkelrotes Kostüm mit der schwarzen Bluse war eng geschnitten und betonte ihre üppige, aber sportlich straffe Figur.

Ich glaube, es wird mir in Südafrika gefallen, dachte er und lächelte, als er ihr auf dem Weg zum Ausgang den Vortritt ließ. Wie die meisten attraktiven Frauen an Durchgangsorten wie Flughäfen ignorierte sie ihn.

Er blieb kurz mitten in der Ankunftshalle stehen und kam dann zu dem Schluss, dass Jordaan vielleicht darauf wartete, von ihm angesprochen zu werden. Bond verfasste eine SMS an Tanner und bat um ein Foto. Kaum hatte er sie abgeschickt, entdeckte er den Polizeibeamten: Ein großer, bärtiger Rotschopf in einem hellbraunen Anzug – ein Bär von einem Mann – warf Bond einen kurzen Blick zu und hob kaum merklich eine Augenbraue, wandte sich aber gleich wieder ab und ging zu einem Kiosk, um Zigaretten zu kaufen.

In diesem Geschäft muss man ständig zwischen den Zeilen lesen: Man verbirgt sich hinter Tarnidentitäten, füllt öde Konversationen mit Codebegriffen, um schockierende Fakten zu übermitteln, und benutzt harmlose Gegenstände als Verstecke oder Waffen.

Jordaans plötzlicher Gang zum Kiosk war eine Nachricht. Er hatte sich Bond nicht genähert, weil Feinde zugegen waren.

Bond schaute sich um, konnte aber keine Anzeichen einer akuten Bedrohung erkennen. Instinktiv folgte er der vorgeschriebenen Prozedur. Wenn ein Agent dich auf diese Weise warnt, schlenderst du beiläufig und so unauffällig wie möglich davon und kontaktierst eine dritte Person, die als Mittelsmann fungiert und ein neues Treffen an einem sichereren Ort arrangiert. Das würde in diesem Fall Bill Tanner sein.

Bond wandte sich einem der Ausgänge zu.

Zu spät.

Er sah noch, dass Jordaan die Herrentoilette betrat und dabei die Zigaretten einsteckte, die er vermutlich niemals rauchen würde, als dicht an seinem Ohr eine bedrohliche Stimme erklang: »Nicht umdrehen.« Das Englisch wurde von einem einheimischen Akzent überlagert. Bond spürte, dass der Mann schlank und groß war. Aus dem Augenwinkel sah er mindestens noch einen Komplizen, kleiner und stämmiger. Dieser Mann trat nun flink vor und nahm Bond die Laptoptasche und den Koffer ab, in dem seine nutzlose Walther lag.

»Verlassen Sie sofort die Halle. Da entlang«, befahl der erste Angreifer.

Bond musste vorerst gehorchen. Er bog in einen leeren Korridor ein.

Dann beurteilte er die Lage. Das Echo der Schritte verriet ihm, dass der Partner des Großen so weit weg war, dass Bond zunächst nur einen der Männer neutralisieren konnte. Der Kleinere würde Koffer und Laptoptasche loslassen müssen, wodurch Bond ein paar Sekunden blieben, um ihn zu erreichen, aber er würde noch nach seiner Waffe greifen können. Bond konnte ihn erledigen, aber es würden wahrscheinlich Schüsse fallen.

Nein, dachte Bond, hier sind zu viele Zivilisten. Es war besser, noch abzuwarten, bis sie draußen waren.

»Durch die Tür da links. Nicht umdrehen, habe ich gesagt.«

Sie traten hinaus ins grelle Sonnenlicht. Hier war Herbst, die Temperatur kühl, der Himmel phänomenal blau. Sie befanden sich auf einer leeren Baustelle. Ein verbeulter schwarzer Range Rover kam angeschossen und hielt mit quietschenden Reifen am Bordstein.

Noch mehr Gegner, aber bislang stieg niemand aus.

Absicht… Reaktion.

Deren Absicht war, ihn zu entführen. Seine Reaktion würde lehrbuchmäßig ausfallen: für Ablenkung sorgen und dann angreifen. Er ließ unauffällig seine Rolex bis über die Knöchel gleiten, wo sie ihm als Schlagring dienen würde, drehte sich abrupt um und lächelte die beiden Kerle geringschätzig an. Es waren junge, todernste Männer, deren Hautfarbe in scharfem Kontrast zu dem leuchtenden Weiß ihrer gestärkten Hemden stand. Sie trugen Anzüge – einer braun, der andere marineblau – und schmale dunkle Krawatten. Vermutlich waren sie bewaffnet, aber ihr übersteigertes Selbstbewusstsein schien sie verleitet zu haben, die Pistolen nicht zu ziehen.

Bond hörte, dass hinter ihm die Wagentür geöffnet wurde. Er wich zur Seite aus, um nicht rücklings angegriffen zu werden, und schätzte den Winkel ab. Als Erstes würde er dem Großen den Kiefer brechen, ihn dann als Schild benutzen und auf den Kleineren losgehen. Er sah dem Mann ruhig in die Augen und lachte. »Ich glaube, ich werde Sie beim Verkehrsverein melden. Die Südafrikaner sind doch angeblich so freundlich. Da hätte ich mit etwas mehr Gastlichkeit gerechnet.«

Er wollte sich gerade auf den Gegner stürzen, als aus dem Wagen hinter ihm die knallharte Stimme einer Frau ertönte: »Und wir hätten Sie nicht enttäuscht, wären Sie nicht so dämlich gewesen, sich in aller Öffentlichkeit zum Ziel zu machen und sorglos einen Kaffee zu trinken, während eine feindliche Person sich im Flughafen aufhält.«

Bond öffnete die geballte Faust, drehte sich um und konnte seine Überraschung nicht verbergen. Auf der Rückbank des Wagens saß die schöne Frau, die er kurz zuvor in der Ankunftshalle gesehen hatte.

»Ich bin Captain Bheka Jordaan, SAPS, Crime Combating and Investigation Division.«

»Ah.« Bond musterte ihre vollen, ungeschminkten Lippen und die dunklen Augen. Sie lächelte nicht.

Sein Mobiltelefon summte. Das Display meldete eine MMS von Bill Tanner. Das beigefügte Foto zeigte – natürlich – die Frau vor ihm.

»Commander Bond, ich bin SAPS Warrant Officer Kwalene Nkosi«, sagte der große Entführer und streckte die Hand aus. Sie begrüßten einander auf die traditionelle südafrikanische Art – ein Händedruck wie im Westen, gefolgt von einem vertikalen Einhaken der Finger und zurück zu dem ursprünglichen Händedruck. Bond wusste, dass es als unhöflich galt, zu schnell loszulassen. Anscheinend war sein Timing richtig; Nkosi lächelte freundlich und nickte in Richtung des kleineren Mannes, der soeben Bonds Koffer und Laptoptasche hinten im Range Rover verstaute. »Und das ist Sergeant Mbalula.«

Der stämmige Mann nickte ernst und machte sich dann eilig auf den Weg, vermutlich um seinen eigenen Wagen zu holen.

»Bitte verzeihen Sie unsere Schroffheit, Commander«, sagte Nkosi. »Wir hielten es für das Beste, Sie so schnell wie möglich aus dem Flughafen zu holen, anstatt uns die Zeit für Erklärungen zu nehmen.«

»Und wir sollten auch jetzt keine Zeit mit Höflichkeiten verschwenden, Warrant Officer«, murmelte Bheka Jordaan ungehalten.

Bond setzte sich hinten neben sie, Nkosi nahm auf dem Beifahrersitz Platz. Kurz darauf traf Sergeant Mbalula in einer schwarzen Limousine hinter ihnen ein, ebenfalls ein Zivilfahrzeug.

»Los!«, befahl Jordaan. »Schnell.«

Der Range Rover fuhr los und drängte sich frech in den fließenden Verkehr, was dem Fahrer ein energisches Hupkonzert und eine Reihe von lethargischen Flüchen einbrachte. Erlaubt waren hier vierzig Kilometer pro Stunde. Der Wagen beschleunigte auf mehr als neunzig.

Bond nahm sein Mobiltelefon vom Gürtel, tippte etwas ein und las die Antworten.

»Warrant Officer?«, wandte Jordaan sich an Nkosi. »Ist was?«

Er hatte in den Außenspiegel gestarrt und antwortete nun auf Zulu oder Xhosa. Bond verstand keine der Sprachen, aber der Tonfall der Antwort und die Reaktion der Frau verrieten ihm, dass niemand ihnen folgte. Als sie das Flughafengelände hinter sich gelassen hatten und auf eine niedrige, aber eindrucksvolle Bergkette in der Ferne zusteuerten, wurde der Wagen etwas langsamer.

Jordaan streckte die Hand aus. Bond wollte sie lächelnd ergreifen und sah dann erst, dass die Frau ein Mobiltelefon hielt.

»Drücken Sie Ihren Daumen auf das Display, wenn ich bitten darf«, sagte sie streng.

So viel zum Thema Verbesserung der internationalen Beziehungen.

Er nahm das Telefon, tat wie geheißen und gab es zurück. Sie las vor, was auf dem Display erschien. »James Bond. Overseas Development Group, Foreign and Commonwealth Office. Nun müssen Sie noch meine Identität bestätigen.«

Sie hielt ihm die gespreizten Finger entgegen. »Ich nehme an, Sie verfügen über eine ähnliche App wie wir.«

»Nicht nötig.«

»Warum?«, erkundigte sie sich kühl. »Weil Sie mich für eine attraktive Frau halten, die nicht überprüft zu werden braucht? Ich könnte eine Attentäterin sein. Oder eine al-Qaida-Terroristin mit einer Dynamitweste.«

Er beschloss zu verschweigen, dass sein Scan ihrer Person keine Spuren von Explosivstoffen erbracht hatte. Stattdessen sagte er, vielleicht ein wenig zu eifrig: »Ich benötige Ihre Fingerabdrücke nicht, weil ich – zusätzlich zu Ihrem Foto, das mein Büro mir geschickt hat – mit meinem Mobiltelefon vor einigen Minuten Ihre Iris eingelesen habe. Daher weiß ich nun, dass Sie tatsächlich Captain Bheka Jordaan von der Crime Combating and Investigation Division des South African Police Service sind. Sie arbeiten dort seit acht Jahren. Sie wohnen in der Leeuwen Street in Kapstadt. Letztes Jahr wurde Ihnen für Ihre Tapferkeit das South African Police Cross verliehen. Herzlichen Glückwunsch.«

Er wusste außerdem, wie viel sie verdiente und dass sie zweiunddreißig Jahre alt und geschieden war.

Warrant Officer Nkosi drehte sich auf seinem Sitz um, zeigte auf das Mobiltelefon und grinste breit. »Commander Bond, das ist wirklich ein hübsches Spielzeug. Ganz ohne Zweifel.«

»Kwalene!«, schimpfte Jordaan.

Das Lächeln des jungen Mannes verschwand. Er widmete sich wieder dem Außenspiegel und der Suche nach etwaigen Verfolgern.

Die Frau bedachte Bonds Telefon mit einem verächtlichen Blick. »Wir fahren jetzt in unsere Zentrale und überlegen uns, wie wir die Situation mit Severan Hydt handhaben. Ich kenne Ihren Lieutenant Colonel Tanner noch aus seiner Zeit beim MI6; also war ich einverstanden, Ihnen behilflich zu sein. Er ist intelligent und geht ganz in seiner Arbeit auf. Außerdem ist er ein Gentleman.«

Was beinhaltete, dass Bond vermutlich keiner war. Es ärgerte ihn, dass sie solchen Anstoß an einem unschuldigen – *relativ* unschuldigen – Lächeln in der Ankunftshalle genommen hatte. Sie war attraktiv, und er konnte nicht der erste Mann gewesen sein, der es mit einem Flirt bei ihr versuchte. »Ist Hydt in seinem Büro?«, fragte er.

»Korrekt«, sagte Nkosi. »Er und Niall Dunne sind beide in Kapstadt. Sergeant Mbalula und ich sind ihnen vom Flughafen aus gefolgt. Sie waren in Begleitung einer Frau.«

»Werden sie weiter überwacht?«

»Aber ja«, sagte der schlanke Mann. »Wir haben unser Kameranetz nach Londoner Vorbild angelegt; die ganze Innenstadt ist voll davon. Er befindet sich in seinem Büro und kann von zentraler Stelle aus beobachtet werden. Falls er weggeht, können wir beliebig an ihm dranbleiben. Auch wir haben das eine oder andere Spielzeug, Commander.«

Bond lächelte und wandte sich dann an Jordaan. »Sie haben eine feindliche Person am Flughafen erwähnt.«

»Die Einwanderungsbehörde hat uns informiert, dass ungefähr zur gleichen Zeit wie Sie ein Mann aus Abu Dhabi eingetroffen ist. Er reiste mit einem gefälschten britischen Pass. Leider haben wir das erst festgestellt, als er bereits den Zoll passiert hatte und verschwunden war.«

Der große Kerl, den er irrtümlich für Jordaan gehalten hatte? Oder der Mann mit der blauen Jacke aus dem Einkaufszentrum am Dubai Creek? Er beschrieb die beiden.

»Ich weiß es nicht«, erwiderte Jordaan schroff. »Wie gesagt, unser einziger Anhaltspunkt war der Pass beziehungsweise die Tatsache, dass er nicht registriert war. Ich hielt es für das Beste, Sie nicht persönlich in der Ankunftshalle zu treffen, sondern habe meine Beamten geschickt.« Sie beugte sich abrupt vor.

»Jetzt jemand?«, fragte sie Nkosi.

»Nein, Captain. Wir werden nicht verfolgt.«

»Sie scheinen deswegen besorgt zu sein«, sagte Bond zu ihr.

»Südafrika ist wie Russland«, erklärte sie. »Das alte Regime ist gestürzt, und hier eröffnet sich eine ganz neue Welt. Das zieht Leute an, die auf Geld und politischen Einfluss aus sind und sich zu diesem Zweck auf allerlei Angelegenheiten einlassen, manche legal, andere nicht.«

»Es gibt bei uns ein Sprichwort«, sagte Nkosi. »›Je mehr Gelegenheiten, desto mehr eifrige Nutznießer.‹ Das behalten wir beim SAPS immer im Hinterkopf und schauen uns häufig um. Sie wären gut beraten, das ebenfalls zu tun, Commander Bond. Ganz ohne Zweifel.«

33

Die Polizeizentrale in der Buitenkant Street inmitten von Kapstadt ähnelte eher einem behaglichen Hotel als einem Regierungsgebäude. Sie bestand aus zwei Etagen, mit Wänden aus gescheuertem Backstein und einem roten Ziegeldach, und erhob sich an einer breiten, sauberen Allee, die von Palmen und Jakarandas gesäumt wurde.

Der Fahrer hielt vor dem Eingang, um sie aussteigen zu lassen. Jordaan und Nkosi traten auf den Bürgersteig und sahen sich nach allen Seiten um. Als sie keine Beobachter oder Gefahren entdecken konnten, gab der Warrant Officer Bond ein Zeichen. Auch er stieg nun aus, holte sein Gepäck aus dem Kofferraum und folgte den Beamten nach drinnen.

Als sie das Gebäude betraten, war Bond im ersten Moment überrascht. Auf einer Schmucktafel dort stand »*Servamus et Servimus*«, wahrscheinlich das Motto des SAPS. »Wir schützen und wir dienen.«

Was ihn stutzen ließ, war die seltsame und irgendwie unheimliche Ähnlichkeit der Worte mit Severan Hydts Vornamen.

Jordaan wartete nicht auf den Aufzug, sondern stieg die Treppe in den ersten Stock hinauf. Ihr bescheidenes Büro war voller Bücher und Fachzeitschriften. An einer Wand hingen aktuelle Karten von Kapstadt und der westlichen Kapregion sowie eine gerahmte hundertzwanzig Jahre alte Karte der Ostküste Südafrikas mit der Provinz Natal, der Hafenstadt Durban und der Stadt Ladysmith, die aus irgendeinem Grund mit alter, verblasster Tinte eingekreist war. Im Norden lagen Zululand und Swasiland.

Auf Jordaans Schreibtisch standen gerahmte Fotos. Auf einem hielten ein blonder Mann und eine dunkelhäutige Frau einander an den Händen – sie tauchten auch noch auf anderen Bildern auf. Die Frau sah Jordaan entfernt ähnlich, und Bond vermutete, dass die beiden Jordaans Eltern waren. Darüber hinaus fielen ihm Fotos einer älteren Frau in traditioneller afrikanischer Kleidung auf sowie einige Bilder von Kindern. Bond glaubte nicht, dass es sich um Jordaans Kinder handelte. Es gab keine Fotos von ihr und einem Partner.

Geschieden, erinnerte er sich.

Ferner wurde ihr Schreibtisch von etwa fünfzig Fallakten geziert. Der Alltag der Polizei und Geheimdienste hat mehr mit Papierkram als mit Waffen und technischen Spielereien zu tun.

Trotz des Spätherbstes war das Klima mild und das Büro warm. Nach kurzem Überlegen zog Jordaan ihr rotes Jackett aus und hängte es auf. Ihre schwarze Bluse war kurzärmelig, und Bond sah auf der Innenseite ihres rechten Unterarms eine große überschminkte Stelle. Die Frau schien nicht der Typ für Tätowierungen zu sein, aber vielleicht irrte er sich. Dann kam er zu dem Schluss, dass sie mit der Schminke eine lange und breite Narbe verdecken wollte.

South African Police Cross für Tapferkeit …

Bond nahm gegenüber von ihr Platz, neben Nkosi, der den Jackettknopf öffnete und sich kerzengerade hielt.

»Hat Colonel Tanner Sie über meine Mission in Kenntnis gesetzt?«, fragte Bond.

»Wir wissen nur, dass Sie gegen Severan Hydt ermitteln und dass es um die nationale Sicherheit geht.«

Bond fasste zusammen, was sie über Vorfall Zwanzig – alias Gehenna – und die am Freitag drohenden Todesopfer wussten.

Nkosis hohe Stirn legte sich in tiefe Falten. Jordaan hörte

sich alles ruhig an. Sie hielt die Hände aneinander – die beiden Mittelfinger wurden von schlichten Ringen geschmückt. »Ich verstehe. Und die Indizien sind glaubhaft?«

»Ja. Überrascht Sie das?«

»Severan Hydt genießt einen guten Ruf«, sagte sie ungerührt. »Er ist uns natürlich ein Begriff. Er hat Green Way International in Südafrika vor zwei Jahren eröffnet und mit allen größeren Städten Verträge über die Abfallentsorgung und -verwertung geschlossen: Pretoria, Durban, Port Elizabeth, Johannesburg und zahlreiche weitere hier im Westen. Unser Land hat ihm viel zu verdanken. Wie Sie wissen, befinden wir uns in einer Übergangsphase und haben aus unserer Vergangenheit diverse Umweltprobleme geerbt. Der Gold- und Diamantenabbau, die Armut und die mangelnde Infrastruktur haben ihren Tribut gefordert. In den Townships und Siedlungen war die Müllbeseitigung schon immer ein äußerst kritischer Punkt. Als Ausgleich für die Zwangsumsiedlungen unter dem Group Areas Act des Apartheidregimes hat die Regierung Wohngebiete errichtet – sogenannte *Lokasies* –, damit die Leute nicht mehr in Baracken hausen mussten. Doch auch dort war die Bevölkerungsdichte so groß, dass eine Müllabfuhr nur teilweise oder sogar gar nicht funktionierte. Es kam zu Krankheiten. Severan Hydt hat vieles davon in den Griff bekommen. Er spendet außerdem regelmäßig für wohltätige Aids- und Ernährungsprojekte.«

Die meisten kriminellen Unternehmen haben eine fähige PR-Abteilung, dachte Bond; ein »guter Ruf« schützt nicht vor einer sorgfältigen Untersuchung.

Jordaan schien seine Skepsis zu spüren. »Ich sage nur, dass er nicht gerade wie ein Terrorist oder Meisterverbrecher *wirkt*«, fuhr sie fort. »Falls er aber einer *ist,* wird meine Abteilung Sie mit allen verfügbaren Mitteln unterstützen.«

»Danke. Wissen Sie denn auch etwas über seinen Mitarbeiter, Niall Dunne?«

»Bis heute Morgen hatte ich den Namen noch nie gehört«, sagte sie. »Ich habe ihn überprüft. Er besucht unser Land seit mehreren Jahren immer wieder, mit einem regulären britischen Pass. Wir hatten nie Probleme mit ihm. Er steht auf keiner Beobachtungsliste.«

»Was können Sie mir über die Frau in deren Begleitung sagen?«

Nkosi zog eine Akte zurate. »Amerikanischer Pass. Jessica Barnes. Wir wissen nichts über sie, könnte man sagen. Keine Vorstrafen. Keine verdächtigen Aktivitäten. Nichts. Wir haben ein paar Fotos.«

»Das ist sie nicht«, sagte Bond, als er die Bilder einer jungen, auffallend hübschen Blondine sah.

»Oh, Verzeihung. Ich hätte sagen sollen, so sah sie früher aus. Die Fotos sind aus dem Internet.« Nkosi drehte eines der Bilder um. »Das hier stammt aus den Siebzigern. Sie war Miss Massachusetts und hat an der Wahl zur Miss America teilgenommen. Inzwischen ist sie vierundsechzig Jahre alt.«

Nun erkannte auch Bond die Ähnlichkeit. »Wo hat Green Way seinen Sitz?«, fragte er.

»Es gibt zwei«, sagte Nkosi. »Einen hier ganz in der Nähe und einen rund dreißig Kilometer nördlich – da liegt Hydts großes Entsorgungs- und Recyclinggelände.«

»Ich muss hineingelangen und herausfinden, was er vorhat.«

»Natürlich«, sagte Bheka Jordaan. Dann folgte eine längere Pause. »Aber wir sprechen hier von legalen Mitteln, nicht wahr?«

»›Legalen Mitteln‹?«

»Sie können ihm auf der Straße folgen, Sie können ihn in der Öffentlichkeit beobachten. Aber ich kann Ihnen keinen Gerichtsbeschluss besorgen, der Ihnen gestattet, seine Privat- oder Büroräume zu verwanzen. Wie gesagt, Severan Hydt hat hier nichts verbrochen.«

Bond verkniff sich ein Lächeln. »In meinem Job frage ich für gewöhnlich nicht nach Gerichtsbeschlüssen.«

»Nun, ich in meinem schon. Selbstverständlich.«

»Captain, dieser Mann hat zweimal versucht, mich zu töten, in Serbien und in England, und gestern in Dubai hat er den Tod einer jungen Frau angeordnet und wahrscheinlich auch den eines CIA-Mitarbeiters.«

Sie runzelte die Stirn und sah ihn mitfühlend an. »Das ist höchst bedauerlich. Aber diese Straftaten wurden nicht in Südafrika begangen. Falls die betroffenen Staaten einen Auslieferungsantrag stellen, der von einem hiesigen Richter bestätigt wird, werde ich Hydt umgehend festnehmen. Doch bis dahin…« Sie hob beide Hände.

»Wir wollen nicht, dass er verhaftet wird«, sagte Bond wütend. »Wir sammeln keine gerichtsverwertbaren Beweise gegen ihn. Ich muss herausfinden, was er für Freitag geplant hat, und es verhindern. Und das beabsichtige ich auch zu tun.«

»Das dürfen Sie ja auch, vorausgesetzt, Sie halten sich an die Gesetze. Falls Sie in sein Haus oder Büro einbrechen, machen *Sie* sich damit strafbar.« Sie richtete ihre Augen, hart wie Granit, auf ihn, und Bond zweifelte nicht im Mindesten daran, dass Sie ihm mit Vergnügen Handschellen anlegen würde.

34

»Er muss sterben.«

Severan Hydt saß in seinem Büro im Gebäude von Green Way International im Zentrum von Kapstadt und hielt das Telefon fest umklammert, während er Niall Dunnes eisigen Worten lauschte. Nein, dachte er, da war weder Kälte noch Wut. Der Kommentar hatte völlig neutral geklungen.

Was wiederum ihn auf eigene Weise frösteln ließ.

»Erklären Sie das«, sagte Hydt und zog mit einem langen gelblichen Fingernagel geistesabwesend ein imaginäres Dreieck auf dem Schreibtisch nach.

Dunne erzählte ihm, ein Arbeiter von Green Way habe höchstwahrscheinlich etwas von Gehenna erfahren. Der Mann war einer der legalen Angestellten des Entsorgungsbetriebes nördlich von Kapstadt und hatte von Hydts geheimen Aktivitäten nichts gewusst. Durch Zufall war er in einen abgesperrten Bereich des Hauptgebäudes gelangt und hatte einige E-Mails lesen können, die sich auf das Projekt bezogen. »Er kann im Augenblick noch nichts damit anfangen, aber sobald der Zwischenfall in einigen Tagen in den Nachrichten auftaucht – was natürlich geschehen wird –, dürfte ihm klar werden, dass wir dahintergesteckt haben. Dann geht er zur Polizei.«

»Und was schlagen Sie vor?«

»Ich überlege mir gerade etwas.«

»Aber falls Sie ihn töten – wird die Polizei denn keine Fragen stellen? Er arbeitet doch für uns.«

»Ich erledige ihn an seinem Wohnort – einer Siedlung. Dort gibt es kaum Polizei, vielleicht gar keine. Vermutlich werden die Taxis einen Blick darauf werfen, aber die stellen für uns kein Problem dar.«

In den Townships und Siedlungen und sogar in den neuen *Lokasies* waren die Minibus-Unternehmen mehr als nur Transportfirmen. Sie hatten die Rolle von Bürgerwehren übernommen, untersuchten Kriminalfälle und verfolgten und bestraften die Täter.

»Also gut. Aber wir sollten uns beeilen.«

»Heute Abend, sobald er zu Hause ist.«

Dunne legte auf, und Hydt widmete sich wieder seiner Arbeit. Er hatte den Vormittag seit ihrer Ankunft darauf verwandt, Vorkehrungen für die Fertigung von Mahdi al-Fulans neuen Computerentsorgungsmaschinen zu treffen. Zur selben Zeit würde die Vertriebsabteilung von Green Way den Kunden das neue Verfahren schmackhaft machen.

Doch Hydts Gedanken schweiften ab. Er stellte sich immer wieder die Leiche der jungen Frau vor, Stella, die nun irgendwo südlich von Dubai im ruhelosen Sand des Leeren Viertels begraben lag. Ihre Schönheit im Leben hatte ihn nicht erregt, ganz im Gegensatz zu dem Bild vor seinem inneren Auge, das sie in einigen Monaten oder Jahren zeigen würde. Und in tausend Jahren würde sie so wie die Toten sein, die er gestern Abend im Museum besichtigt hatte. Er stand auf, hängte sein Jackett auf einen Bügel und setzte sich wieder an den Schreibtisch. Dann führte er eine Reihe von Telefonaten, die alle mit den legalen Geschäften seiner Firma Green Way zu tun hatten. Nichts davon war besonders interessant... bis der Verkaufsleiter für Südafrika aus der Etage unter Hydt anrief.

»Severan, ich habe hier einen Afrikaander aus Durban in der Leitung. Er möchte mit Ihnen über ein Entsorgungsprojekt sprechen.«

»Schicken Sie ihm einen Prospekt und sagen Sie ihm, ich habe bis nächste Woche keinen Termin frei.« Gehenna besaß Priorität, und Hydt hatte derzeit kein Interesse an neuen Aufträgen.

»Er will uns nicht anheuern, sondern redet von irgendeiner Vereinbarung zwischen Green Way und seiner Firma.«

»Ein Joint Venture?«, fragte Hydt zynisch. Solche Angebote kamen immer, sobald man erste Erfolge erzielte und Publicity erhielt. »Es ist gerade zu viel los. Ich bin nicht interessiert. Aber danken Sie ihm.«

»Ist gut. Ach, ich sollte unbedingt eines erwähnen. Etwas Merkwürdiges. Er sagt, ich soll Ihnen mitteilen, dass er das gleiche Problem hat wie am Isandlwana in den 1870ern.«

Hydt blickte von dem Dokument auf seinem Schreibtisch auf. Einen Moment später merkte er, dass er das Telefon fest umklammert hielt. »Sind Sie sicher, dass das seine Worte gewesen sind?«

»Ja. ›Das gleiche Problem wie am Isandlwana.‹ Keine Ahnung, was das bedeuten soll.«

»Er ist in Durban?«

»Das ist der Hauptsitz seiner Firma. Der Mann ist heute in Kapstadt.«

»Fragen Sie ihn, ob er Zeit hat vorbeizukommen.«

»Wann?«, fragte der Verkaufsleiter.

Eine kaum merkliche Pause. »Sofort«, sagte Hydt.

Im Januar 1879 war der Krieg zwischen Großbritannien und dem Königreich der Zulus vollends ausgebrochen, und er hatte mit einer vernichtenden Niederlage der Briten begonnen. An einem kleinen Berg namens Isandlwana traf eine Übermacht aus zwanzigtausend Zulus auf weit weniger als zweitausend britische und koloniale Soldaten, die zudem einige schlechte taktische Entscheidungen trafen und nahezu vollständig ausgelöscht wurden. Auch das British Square konnte sie nicht retten, jene berühmte Verteidigungsformation, bei der die vorderste Reihe der Soldaten feuerte, während die zweite Reihe nachlud, sodass der Feind mit einer Salve nach der anderen eingedeckt wurde – in diesem Fall aus den tödlichen Martini-Henry-Hinterladern.

Insgesamt kamen dreizehnhundert Briten und Verbündete ums Leben.

Das »Entsorgungsproblem«, auf das der Afrikaander anspielte, konnte nur eines bedeuten. Die Schlacht hatte im Januar stattgefunden, an einem der heißesten Tage des Hochsommers in jener Provinz, die heute KwaZulu-Natal hieß. Man hatte die Leichen so schnell wie möglich bergen müssen... was ein gewaltiges logistisches Problem bedeutete.

Die Entsorgung von menschlichen Überresten zählte auch zu den großen Schwierigkeiten, die mit Gehenna bei zukünftigen Projekten einhergingen. Hydt und Dunne diskutierten schon seit einem Monat darüber.

Warum, um alles in der Welt, sollte ein Geschäftsmann aus Durban ein vergleichbares Problem haben, bei dem er Hydts Hilfe benötigte?

Zehn lange Minuten später tauchte seine Sekretärin im Durchgang zum Vorzimmer auf. »Ein Mr. Theron ist hier, Sir. Aus Durban.«

»Gut, gut. Führen Sie ihn herein, bitte.«

Sie verschwand und kam gleich darauf mit einem hart und kantig wirkenden Mann zurück, der sich vorsichtig und zugleich ein wenig herausfordernd in Hydts Büro umsah. Er trug die in Südafrika übliche Geschäftskleidung: Anzug und Hemd, aber keine Krawatte. Was auch immer er machte, er musste Erfolg dabei haben; um sein rechtes Handgelenk lag ein schweres Goldarmband, und seine Uhr war eine auffällige Breitling. Hinzu kam ein goldener Siegelring, den Hydt ein wenig zu protzig fand.

»Guten Tag.« Der Mann reichte Hydt die Hand. Er bemerkte die langen gelblichen Fingernägel, schreckte aber nicht davor zurück, wie es schon manch ein anderer bei mehr als einer Gelegenheit getan hatte. »Gene Theron«, sagte er.

»Severan Hydt.«

Sie tauschten Visitenkarten aus.

Eugene J. Theron
Generaldirektor, EJT Services Ltd
Durban, Kapstadt und Kinshasa

Hydt dachte: Ein Büro in der Hauptstadt des Kongo, einer der gefährlichsten Städte Afrikas. Das war interessant.

Der Mann schaute zur Tür. Sie stand offen. Hydt ging hin, schloss sie und kehrte an seinen Schreibtisch zurück. »Sie kommen aus Durban, Mr. Theron?«

»Ja, unser Hauptsitz ist dort. Aber ich reise viel. Und Sie?« Der leichte Akzent klang melodisch.

»London, Holland und hier. Ich komme auch in den Fernen Osten und nach Indien. Wohin auch immer das Geschäft mich verschlägt. Also, ›Theron‹. Das ist ein hugenottischer Name, nicht wahr?«

»Ja.«

»Wir vergessen oft, dass die Afrikaander nicht alle niederländischer Abstammung sind.«

Theron hob eine Augenbraue, als habe er solche Kommentare seit seiner Kindheit zu hören bekommen und sei ihrer überdrüssig.

Hydts Telefon klingelte. Er sah auf das Display. Es war Niall Dunne. »Entschuldigen Sie mich einen Moment«, sagte er zu Theron, der nickte. Dann: »Ja?«, fragte Hydt und drückte sich den Hörer fest ans Ohr.

»Theron ist echt. Südafrikanischer Pass. Wohnt in Durban

und hat dort eine Sicherheitsfirma mit Filialen hier und in Kinshasa. Der Vater ist Afrikaander, die Mutter Britin. Ist überwiegend in Kenia aufgewachsen. Er wird verdächtigt, Leute und Waffen an Konfliktregionen zu liefern – in Afrika, Südostasien und Pakistan. Aber es gibt keine aktuellen Ermittlungen gegen ihn. Die Kambodschaner haben ihn mal als vermeintlichen Menschenschmuggler und Söldner wegen einer Sache in Shan, Myanmar, verhaftet, aber wieder freigelassen. Nichts bei Interpol. Und soweit ich das beurteilen kann, ist er ziemlich erfolgreich.«

Darauf war Hydt schon von selbst gekommen; die Breitling des Mannes war etwa fünftausend Pfund wert.

»Ich habe Ihnen gerade ein Foto geschickt«, fügte Dunne hinzu.

Es erschien auf Hydts Display und zeigte den Mann vor ihm. »Aber … was auch immer er vorschlägt, sind Sie sicher, dass Sie sich jetzt damit beschäftigen wollen?«, fragte Dunne.

Hydt hatte den Eindruck, dass er eifersüchtig klang – vielleicht darauf, dass der Söldner womöglich ein Projekt anbieten konnte, das die Aufmerksamkeit von Dunnes Plänen für Gehenna ablenkte. Er sagte: »Die Verkaufszahlen sind besser, als ich dachte. Danke.« Er trennte die Verbindung. Dann fragte er Theron: »Wie haben Sie von mir gehört?«

Obwohl sie allein waren, senkte Theron seine Stimme. Seine harten, wissenden Augen richteten sich auf Hydt. »Kambodscha. Ich hatte dort zu tun. Einige Leute haben mir von Ihnen erzählt.«

Ah. Nun begriff Hydt, und die Erkenntnis ließ ihn wohlig erschaudern. Im Zuge einer Geschäftsreise durch den Fernen Osten hatte er letztes Jahr einen Zwischenstopp eingelegt, um einige Grabstätten der berüchtigten Killing Fields zu besuchen, auf denen die Roten Khmer in den 1970er-Jahren Hunderttausende von Kambodschanern abgeschlachtet hatten. Bei dem

Mahnmal von Choeung Ek, wo fast neuntausend Tote in Massengräbern verscharrt worden waren, hatte Hydt mit mehreren Veteranen über das Gemetzel gesprochen und Hunderte von Fotos für seine Sammlung geschossen. Einer der Einheimischen musste seinen Namen gegenüber Theron erwähnt haben.

»Sie hatten dort zu tun, sagen Sie?«, fragte Hydt und dachte an das, was Dunne herausgefunden hatte.

»In der Gegend«, erwiderte Theron ausweichend.

Hydt war zwar überaus neugierig, aber in erster Linie ein Geschäftsmann, also versuchte er, nicht zu begeistert zu wirken. »Und was haben der Isandlwana und Kambodscha mit mir zu tun?«

»Es gab dort Gefechte mit zahlreichen Opfern. Und viele der Toten hat man an Ort und Stelle beerdigt.«

In Choeung Ek hatte ein Völkermord stattgefunden, kein Gefecht, aber Hydt berichtigte ihn nicht.

»Die Orte wurden zu heiligen Stätten. Und das ist gut so, nehme ich an. Außer…« Der Afrikaander hielt inne. »Ich möchte Ihnen von einem Problem berichten, das mir zugetragen wurde, und von einer Lösung, die mir eingefallen ist. Dann können Sie mir erzählen, ob diese Lösung umsetzbar ist und ob Sie interessiert sind, mir dabei behilflich zu sein.«

»Fahren Sie fort.«

»Ich habe gute Beziehungen zu Regierungen und Firmen in ganz Afrika«, sagte Theron. »Darfur, Kongo, Zentralafrikanische Republik, Mosambik, Simbabwe, noch ein paar andere.«

Konfliktregionen, stellte Hydt fest.

»Und diese Gruppen sind besorgt wegen der Folgen einer, sagen wir, schrecklichen Naturkatastrophe – zum Beispiel einer Dürre, einer Hungersnot oder eines Sturms. Kurz gesagt, es geht um jede Situation, bei der es viele Tote gibt, die an einem Ort beerdigt werden. Wie in Kambodscha oder am Isandlwana.«

»Solche Fälle haben ernste Auswirkungen auf die öffentliche

Gesundheit«, sagte Hydt unschuldig. »Das Grundwasser kann kontaminiert werden, es drohen Krankheiten.«

»Nein, ich meine was anderes«, gab Theron offen zu. »Aberglaube.«

»Aberglaube?«

»Nehmen wir an, aus Mangel an Geld oder Hilfsmitteln wurden die Toten in Massengräbern bestattet. Eine Schande, aber es passiert.«

»Ja, in der Tat.«

»Falls nun eine Regierung oder eine wohltätige Organisation beabsichtigt, in dem betreffenden Gebiet etwas zum Wohl der Bevölkerung zu bauen – ein Krankenhaus, eine Wohnsiedlung oder eine Straße –, gibt es gewisse Hemmungen. Das Land ist einwandfrei, es steht genug Geld zur Verfügung, und es gibt Arbeiter, die eine Anstellung suchen, aber viele Leute würden später aus Angst vor Geistern und Gespenstern nur ungern in das Krankenhaus gehen oder in die Häuser einziehen. Für mich klingt das absurd, und für Sie auch, da bin ich sicher. Aber so denken viele Menschen nun mal.« Theron zuckte die Achseln. »Wie schade für die Einwohner jener Regionen, wenn ihre Gesundheit und Sicherheit unter solch törichten Vorstellungen leiden sollte.«

Hydt war wie elektrisiert. Er trommelte mit den Fingernägeln auf die Schreibtischoberfläche. Er zwang sich, damit aufzuhören.

»Also, hier ist meine Idee: Ich denke daran, diesen, nun ja, Regierungsbehörden eine Dienstleistung anzubieten, nämlich die Beseitigung der menschlichen Überreste.« Sein Gesicht hellte sich auf. »Auf diese Weise können mehr Fabriken errichtet werden, mehr Krankenhäuser, Straßen, Farmen, Schulen, und den Armen und Unglücklichen wird geholfen.«

»Ja«, sagte Hydt. »Und die Toten werden an anderer Stelle neu beigesetzt.«

Theron legte beide Hände auf den Schreibtisch. Der goldene Ring mit den Initialen funkelte in einem Sonnenstrahl. »Das ist eine Möglichkeit. Aber sie wäre sehr teuer. Und an dem neuen Ort könnte sich später das gleiche Problem stellen.«

»Stimmt. Aber gibt es denn andere Alternativen?«, fragte Hydt.

»Ihr Fachgebiet.«

»Und das wäre?«

»Vielleicht... Recycling«, flüsterte Theron.

Hydt verstand genau, worum es ging. Gene Theron, ein Söldner, und zwar offensichtlich ein sehr erfolgreicher, hatte Männer und Waffen an diverse Armeen und Warlords in ganz Afrika geliefert. Männer, die insgeheim Hunderte oder Tausende von Menschen abgeschlachtet und ihre Leichen in Massengräbern versteckt hatten. Nun bekamen sie allmählich Angst, dass gewählte Regierungen, Friedenstruppen, die Medien oder Menschenrechtsgruppen die Toten entdecken könnten.

Theron hatte daran verdient, den Tod dieser Menschen herbeizuführen. Und nun wollte er auch noch daran verdienen, die Spuren zu beseitigen.

»Es kam mir wie eine interessante Lösung vor«, fuhr Theron fort. »Aber ich wüsste nicht, wie ich es anstellen müsste. Ihre... Interessen in Kambodscha und Ihr Recyclingbetrieb hier haben mich auf den Gedanken gebracht, dass Sie sich womöglich auch schon mit dieser Frage beschäftigt haben. Oder geneigt wären, sie in Erwägung zu ziehen.« Seine kalten Augen musterten Hydt. »Ich dachte da an Beton oder Mörtel. Oder Dünger?«

Man verwandelte die Leichen in Produkte, bei denen sichergestellt war, dass man sie nicht mehr als menschliche Überreste identifizieren konnte! Hydt konnte kaum an sich halten. Das war genial. Mein Gott, es musste auf der Welt Hunderte solcher Gelegenheiten geben – Somalia, das ehemalige Jugoslawien, Lateinamerika... und in Afrika gab es sowieso jede Menge Killing Fields. Tausende. Sein Herz klopfte wie wild.

»Das also ist meine Idee. Eine Fifty-Fifty-Partnerschaft. Ich liefere den Abfall, und Sie recyceln ihn.« Theron schien das ziemlich amüsant zu finden.

»Ich glaube, wir kommen ins Geschäft.« Hydt reichte dem Afrikaander seine Hand.

35

Das größte Risiko, das James Bond einging, indem er die inoffizielle Tarnidentität von Gene Theron annahm, bestand darin, dass Niall Dunne ihn in Serbien oder den Fens vielleicht
genau zu Gesicht bekommen hatte. Oder er konnte in Dubai
seine Beschreibung erhalten haben – sofern der Verfolger mit
der blauen Jacke tatsächlich für Hydt arbeitete.

In dem Fall würde Dunne ihn auf der Stelle töten, wenn
Bond dreist in die Niederlassung von Green Way in Kapstadt
marschierte und Hydt dafür zu ködern versuchte, Leichen aus
geheimen Gräbern in ganz Afrika zu beseitigen. Oder er würde
ihn zu einem privaten Killing Field verfrachten und den Job
dort mit kalter Effizienz erledigen.

Doch nun, nachdem er die Hand des faszinierten Severan
Hydt geschüttelt hatte, glaubte Bond allmählich, dass die Tarnung hielt. Vorläufig jedenfalls. Hydt war zunächst natürlich
misstrauisch gewesen, hatte Therons Geschichte dann jedoch
geglaubt. Warum? Weil Bond ihn mit einem Köder in Versuchung geführt hatte, dem er einfach nicht widerstehen konnte:
Tod und Zerfall.

Von der SAPS-Zentrale aus hatte Bond sich mit Philly Maidenstone und Osborne-Smith – seinem neuen Verbündeten –
in Verbindung gesetzt, die daraufhin Hydts private und ge-
schäftliche Kreditkartentransaktionen analysierten. So erfuhren
sie, dass Hydt nicht nur zu den kambodschanischen Killing
Fields gereist war, sondern auch ins polnische Krakau, von wo

aus er mehrere Ausflüge nach Auschwitz unternommen hatte. Zu seinen Einkäufen während jener Zeit hatten Mignon-Batterien und eine zweite Speicherkarte für eine Kamera gehört.

Das verleiht dem Begriff Pornografie eine ganz neue Bedeutung ...

Um Zugang zu Hydt zu erlangen, beschloss Bond, ihm eine Gelegenheit zur Befriedigung dieser Lust anzubieten: den Zugriff auf geheime Killing Fields in ganz Afrika, verbunden mit dem Vorschlag, menschliche Überreste zu recyceln.

Während der letzten drei Stunden hatte Bond sich dann unter Bheka Jordaans Anleitung bemüht, ein Afrikaander-Söldner aus Durban zu werden. Gene Therons Hintergrund würde ein wenig ungewöhnlich sein: Er hatte keine niederländischen, sondern hugenottische Vorfahren, und seine Eltern hatten zu Hause vornehmlich Englisch und Französisch gesprochen, weswegen er kaum Afrikaans beherrschte. Die britische Schulbildung aus Kenia würde seinen Akzent erklären. Jordaan hatte Bond jedoch eine kurze Einweisung in den Dialekt gegeben; wenn Leonardo DiCaprio und Matt Damon den subtilen Tonfall für ihre Filme meistern konnten – und die beiden waren Amerikaner, um Himmels willen –, dann würde Bond das auch schaffen.

Während sie ihn mit Fakten gefüttert hatte, die ein südafrikanischer Söldner wissen würde, war Sergeant Mbalula in die Asservatenkammer gegangen und hatte ein Goldarmband sowie die protzige Breitling eines inhaftierten Drogendealers geholt, die Bonds geschmackvolle Rolex ersetzen würde. Dann war er zu einem Einkaufszentrum in der Mill Street gefahren, um bei einem dortigen Juwelier einen goldenen Siegelring zu kaufen und die Initialen *EJT* eingravieren zu lassen.

Warrant Officer Kwalene Nkosi hatte unterdessen fieberhaft mit der Abteilung I der ODG in London zusammengearbeitet, um den fiktiven Gene Theron zu erschaffen. Sie hatten biografische Angaben des hartgesottenen Söldners ins Internet hochgeladen und manipulierte Fotos sowie Einzelheiten über seine erfundene Firma hinzugefügt.

Die Vortragsreihe in Fort Monckton über Tarnidentitäten ließ sich im ersten Satz des Ausbilders zusammenfassen: »Wer nicht im Internet vertreten ist, ist nicht real.«

Nkosi hatte außerdem Visitenkarten der EJT Services Ltd gedruckt, und der MI6 in Pretoria hatte einige Gefallen eingefordert, um die Firma in Rekordzeit mit zurückdatierten Einträgen registrieren zu lassen. Jordaan war deswegen nicht glücklich – für sie stellte das einen Verstoß gegen die heilige Rechtsstaatlichkeit dar –, aber da sie und der SAPS nicht beteiligt waren, sah sie darüber hinweg. Die Abteilung I legte ferner eine gefälschte polizeiliche Untersuchung in Kambodscha über Therons fragwürdiges Verhalten in Myanmar an, in deren Zusammenhang auch zwielichtige Umtriebe in anderen Ländern erwähnt wurden.

Der falsche Afrikaander hatte die erste Hürde genommen. Die zweite – und gefährlichste – stand kurz bevor. Hydt rief Niall Dunne an und bat ihn zu sich, um »einen Geschäftsmann aus Durban« kennenzulernen.

Nachdem er aufgelegt hatte, sagte Hydt beiläufig: »Eine Frage. Haben Sie zufällig Fotos der Felder? Der Gräber?«

»Das lässt sich arrangieren«, sagte Bond.

»Gut.« Hydt lächelte wie ein Schuljunge. Er rieb sich mit dem Handrücken über den Bart.

Bond hörte, wie die Tür hinter ihm sich öffnete.

»Ah, da kommt mein Mitarbeiter, Niall Dunne... Niall, das ist Gene Theron. Aus Durban.«

Jetzt kam es darauf an. Würde er gleich erschossen werden? Bond stand auf, drehte sich um, ging zu dem Iren, sah ihm direkt ins Gesicht und lächelte das steife Lächeln eines Geschäftsmannes, der einen anderen Geschäftsmann zum ersten

Mal trifft. Als sie sich die Hände schüttelten, durchbohrten ihn die Blicke aus Dunnes eisig blauen Augen.

Es lag jedoch kein Argwohn darin. Bond war zuversichtlich, dass man ihn nicht erkannt hatte.

Der Ire schloss die Tür hinter sich und sah seinen Boss fragend an. Hydt reichte ihm die Visitenkarte der EJT Services. Die Männer setzten sich. »Mr. Theron hat einen Vorschlag«, sagte Hydt begeistert und umriss den Plan in groben Zügen.

Bond konnte sehen, dass auch Dunne fasziniert war. »Ja«, sagte er. »Das könnte klappen. Natürlich ist es mit einigem logistischen Aufwand verbunden.«

»Mr. Theron besorgt uns Bilder der Orte«, fuhr Hydt fort. »Damit wir einen besseren Eindruck von dem gewinnen, womit wir es zu tun hätten.«

Dunne warf ihm einen besorgten Blick zu – der Ire war nicht misstrauisch, schien jedoch nicht viel von dem Vorschlag zu halten. »Wir haben um fünfzehn Uhr dreißig einen Termin auf dem Firmengelände«, erinnerte er Hydt und sah wieder Bond an. »Ihr Büro liegt gleich um die Ecke.« Er hatte sich sofort die Adresse gemerkt, registrierte Bond. »Wieso holen Sie die Bilder nicht unverzüglich?«

»Nun… ich schätze, das müsste gehen«, sagte Bond zögernd.

Dunne sah ihn ruhig an. »Gut.« Als er Bond die Tür öffnete, kam unter seinem Jackett die Beretta am Gürtel zum Vorschein, vermutlich dieselbe Waffe, mit der er die Morde in Serbien begangen hatte.

War das eine Botschaft? Eine Warnung?

Bond tat so, als hätte er es nicht bemerkt. Er nickte den beiden Männern zu. »Ich bin in einer halben Stunde zurück.«

Doch Gene Theron war erst fünf Minuten weg, als Dunne sagte: »Lassen Sie uns aufbrechen.«

»Wohin?«, fragte Hydt stirnrunzelnd.

»Zu Therons Büro. Schnell.«

Hydt fiel an dem schlaksigen Mann mal wieder einer seiner typischen Gesichtsausdrücke auf, herausfordernd, gereizt.

Erneut diese bizarre Eifersucht. Was war nur mit diesem Dunne los?

»Warum, trauen Sie ihm nicht?«

»Zugegeben, es ist keine schlechte Idee«, räumte Dunne ein. »Wir erörtern das Problem der Leichenbeseitigung ja schon seit einer Weile. Aber für Freitag spielt es keine Rolle. Es kommt mir nur irgendwie komisch vor, dass er aus heiterem Himmel hier auftaucht. Das macht mich nervös.«

Als ob der eiskalte Expionier jemals ein solches Gefühl zulassen würde.

Hydt gab nach. Er brauchte jemanden, der für die nötige Bodenhaftung sorgte, und es stimmte ja, dass er sich von Therons Vorschlag hatte hinreißen lassen. »Sie haben natürlich recht.«

Sie nahmen ihre Jacken und verließen das Büro. Dunne ging voran die Straße hinauf, zu der Adresse, die auf der Visitenkarte des Mannes stand.

Der Ire hatte zwar recht, aber Severan Hydt hoffte dennoch inständig, dass Theron sich nicht als Hochstapler erweisen würde. Die Leichen, die Hektare voller Leichen. Er wollte sie unbedingt sehen und die Luft dort einatmen. Und er wollte die Fotos.

Sie erreichten das Bürogebäude, in dem Therons Kapstadter Filiale untergebracht war. Der funktionelle Metall- und Steinbau war typisch für das Geschäftsviertel der Stadt. Dieses spezielle Gebäude schien zur Hälfte leer zu stehen. In der Lobby saß kein Pförtner, was seltsam war. Die Männer fuhren mit dem Aufzug in den vierten Stock und fanden die gesuchte Bürotür, Nummer 403.

»Da steht kein Firmenname«, stellte Hydt fest. »Nur die Nummer. Das ist merkwürdig.«

»Die Sache stinkt«, sagte Dunne. Er lauschte. »Ich höre nichts.«

»Versuchen Sie mal den Türgriff.«

Er tat es. »Abgeschlossen.«

Hydt war zutiefst enttäuscht und überlegte, ob er Theron gegenüber irgendetwas Verfängliches preisgegeben hatte. Nein, wohl nicht.

»Wir sollten einige unserer Sicherheitsleute verständigen«, sagte Dunne. »Wenn – oder besser: *falls* – Theron zurückkommt, bringen wir ihn hinunter in den Keller. Ich werde herausfinden, was es mit ihm auf sich hat.«

Er wandte sich zum Gehen.

»Klopfen Sie mal an, vielleicht ist ja doch jemand da«, schlug Hydt vor, der unbedingt an Theron glauben wollte.

Dunne zögerte. Er schob das Jackett zurück und legte den Griff der Beretta frei. Dann klopfte er mit seinen großen Knöcheln gegen die hölzerne Tür.

Nichts.

Sie drehten sich um und gingen zum Aufzug.

Da öffnete sich die Tür.

Gene Theron war sichtlich überrascht. »Hydt… Dunne. Was machen Sie denn hier?«

36

Der Afrikaander zögerte einen Moment und bat die Männer dann einfach herein. Draußen hatte kein Firmenname gestanden, aber hier an der Wand hing eine schlichte Tafel: *EJT Services Ltd, Durban, Kapstadt, Kinshasa.*

Die Räumlichkeiten waren beengt, und es arbeiteten nur drei Angestellte hier, auf deren Schreibtischen sich Akten und Unterlagen türmten, wie sie für jede Firma der Welt unerlässlich waren, mochten ihre Produkte oder Dienste nun edel oder finster sein.

»Wir dachten, wir ersparen Ihnen die Mühe«, sagte Dunne.

»Ach, wirklich?«, erwiderte Theron.

Hydt blieb nicht verborgen, dass der Söldner den Grund für ihren Überraschungsbesuch durchschaute und begriff, dass sie ihm nicht vollständig trauten. Andererseits arbeitete Theron in einer Branche, in der Vertrauen so riskant wie instabiler Sprengstoff war; daher hielt sein Unwille sich in Grenzen. Schließlich musste Theron quasi das Gleiche getan haben, bevor er mit seinem Vorschlag zu Hydt gekommen war: Er hatte ihn in Kambodscha und andernorts überprüft. So lief das Geschäft nun mal.

Die Fenster in den verschrammten Wänden gaben den Blick auf einen trostlosen Hinterhof frei. Hydt dachte bei sich, dass auch illegale Aktivitäten wie die von Theron nicht notwendigerweise so lukrativ waren, wie es im Kino und den Nachrichten dargestellt wurde. Das größte Büro, weiter hinten, gehörte Theron, aber sogar dieser Raum war bescheiden eingerichtet.

Ein Angestellter, ein hochgewachsener junger Afrikaner, scrollte gerade durch einen Onlinekatalog mit automatischen Waffen. Einige waren mit auffälligen Sternen gekennzeichnet, die zehn Prozent Preisnachlass versprachen. Ein anderer Mitarbeiter tippte eifrig auf einer Computertastatur und benutzte dabei nur seine Zeigefinger. Beide Männer trugen weiße Hemden und schmale Krawatten.

Vor Therons Büro saß eine Sekretärin. Hydt sah, dass sie attraktiv war, aber sie war auch jung und damit uninteressant für ihn.

Theron wies auf die Frau. »Meine Sekretärin war gerade dabei, einige der Dateien auszudrucken, über die wir gesprochen haben.« Gleich darauf schoben sich Bilder von Massengräbern aus dem Farbdrucker.

Ja, die sind gut, dachte Hydt bei dem Anblick. Sehr gut sogar. Die ersten Fotos waren nicht lange nach den Morden aufgenommen worden. Männer, Frauen und Kinder lagen erschossen oder zerhackt am Boden. Manche hatten schon frühere Amputationen erlitten – Hände oder Arme oberhalb der Ellbogen. Das war eine beliebte Maßnahme, mit der afrikanische Warlords und Diktatoren die Bevölkerung bestraften und unter Kontrolle hielten. Insgesamt lagen dort etwa vierzig Tote in einem Graben. Die Gegend war subsaharisch, aber genauer ließ sich das nicht erkennen. Sierra Leone, Liberia, Elfenbeinküste, Zentralafrikanische Republik. Es gab auf diesem geplagten Kontinent unzählige Möglichkeiten.

Andere Bilder folgten. Sie zeigten die späteren Stadien des Zerfalls. Hydt schaute sie sich besonders gründlich an.

»LRA?«, fragte Dunne mit nüchternem Blick.

Es war der große dünne Angestellte, der antwortete. »Mr. Theron arbeitet *nicht* mit der Lord's Resistance Army zusammen.«

Die Rebellengruppe, die von Uganda, der Zentralafrikanischen Republik sowie Teilen des Kongo und des Sudan aus operierte, vertrat die Philosophie – wenn man das so nennen wollte – eines religiösen und mystischen Extremismus. Es handelte sich gewissermaßen um eine gewalttätige christliche Miliz. Sie hatte zahllose Gräueltaten begangen und war unter anderem dafür bekannt, Kindersoldaten zwangszurekrutieren.

»Es gibt reichlich andere Möglichkeiten«, sagte Theron.

Dieser Sinn für Moral amüsierte Hydt.

Ein weiteres halbes Dutzend Fotos schob sich aus dem Drucker. Die letzten paar zeigten ein großes Feld, aus dem Knochen und Leichenteile mit verdorrter Haut ragten.

Hydt zeigte Dunne die Bilder. »Was meinen Sie?« Er wandte sich an Theron. »Niall ist Ingenieur.«

Der Ire studierte die Fotos eine Weile. »Die Gräber scheinen flach zu sein, und die Leichen dürften sich mühelos bergen lassen. Das Problem ist, dann zu vertuschen, dass sie je dort gelegen haben. Abhängig von der Liegedauer wird es nach der Bergung nämlich zu Veränderungen der Bodentemperatur kommen, die mehrere Monate anhalten und sich mit den geeigneten Geräten messen lassen.«

»Monate?«, fragte Theron stirnrunzelnd. »Das hätte ich nicht gedacht.« Er schaute zu Dunne, dann zu Hydt. »Er ist gut.«

»Ich nenne ihn den Mann, der an alles denkt.«

»Schnell wachsende Vegetation könnte funktionieren«, sagte Dunne nachdenklich. »Und es gibt Sprays, die DNS-Reste zersetzen. Man muss vieles berücksichtigen, aber nichts davon scheint unmöglich zu sein.«

Die technischen Fragen waren damit geklärt. Hydt konzentrierte sich wieder auf die Fotos. »Darf ich die behalten?«

»Natürlich. Möchten Sie auch die Bilddateien haben? Die sind schärfer.«

Hydt lächelte ihn an. »Gern, vielen Dank.«

Theron kopierte sie auf einen USB-Stick und gab ihn Hydt, der auf die Uhr sah. »Ich würde das gern noch näher erörtern. Haben Sie später Zeit?«

»Das lässt sich einrichten.«

Doch Dunne runzelte die Stirn. »Sie haben heute Nachmittag das Treffen und am Abend die Wohltätigkeitsveranstaltung.«

Hydts Miene verfinsterte sich. »Eines der Projekte, die ich finanziere, veranstaltet einen Empfang. Ich muss daran teilnehmen. Aber... falls Sie Zeit haben, können wir uns ja dort treffen.«

»Muss ich da Geld spenden?«, fragte Theron.

Hydt vermochte nicht zu sagen, ob das ein Scherz sein sollte. »Nicht unbedingt. Sie müssen sich ein paar Reden anhören und etwas Wein trinken.«

»Also gut. Wo findet das statt?«

Hydt sah Dunne an.

»Im Lodge Club«, sagte der Ire. »Um neunzehn Uhr.«

»Sie sollten ein Jackett tragen, aber eine Krawatte ist nicht nötig«, fügte Hydt hinzu.

»Bis heute Abend also.« Theron gab ihnen die Hand.

Sie verließen das Büro und machten sich auf den Rückweg zum Gebäude von Green Way.

»Er ist echt«, sagte Hydt, halb zu sich selbst.

Unterwegs erhielt Dunne einen Anruf, der einige Minuten dauerte. »Es ging um Stephan Dlamini«, erklärte er dann.

»Wer ist das?«

»Der Monteur, den wir eliminieren müssen, weil er die E-Mails wegen Freitag gesehen haben könnte.«

»Oh. Richtig.«

»Unsere Leute haben seine Hütte in Primrose Gardens gefunden, östlich der Stadt.«

»Wie werden Sie die Sache regeln?«

»Seine Tochter hat sich offenbar über einen ortsansässigen Drogendealer beschwert. Er hat gedroht, sie zu töten. Wir lassen es so aussehen, als würde er hinter Dlaminis Tod stecken. Er hat schon öfter Molotowcocktails benutzt.«

»Dlamini hat demnach Familie.«

»Eine Frau und fünf Kinder«, sagte Dunne. »Wir müssen sie ebenfalls töten. Er könnte seiner Frau erzählt haben, was er gesehen hat. Und da er in einer Barackensiedlung wohnt, lebt die Familie in nur einem oder zwei Zimmern, also könnte jedes der Kinder mitgehört haben. Wir werden Granaten benutzen, dann den Brandsatz. Ich glaube, am besten während des Abendessens – dann sitzen alle zusammen in einem Raum.« Dunne warf dem großen Mann einen kurzen Blick zu. »Sie werden schnell sterben.«

»Ihr Leiden interessiert mich nicht«, erwiderte Hydt.

»Mich auch nicht. Ich wollte nur sagen, dass es eine gute Möglichkeit ist, sie alle zügig aus dem Weg zu räumen. Sie wissen schon, eine günstige Gelegenheit.«

Nachdem die Männer gegangen waren, stand Warrant Officer Kwalene Nkosi von dem Schreibtisch auf, an dem er die Preislisten für automatische Waffen studiert hatte, und wies auf den Bildschirm.

»Es ist wirklich erstaunlich, was man online alles bestellen kann, nicht wahr, Commander Bond?«

»Mag sein.«

»Falls wir neun Maschinengewehre kaufen, bekommen wir das zehnte gratis dazu«, meinte er scherzhaft zu Sergeant Mbalula, dem eifrigen Zwei-Finger-Tipper.

»Danke, dass Sie bei der LRA so geistesgegenwärtig reagiert haben, Warrant Officer«, sagte Bond. Er hatte die Abkürzung der Lord's Resistance Army nicht erkannt – eine Gruppe, die jedem Söldner in Afrika ein Begriff sein würde. Die Operation hätte in jenem Moment ein katastrophales Ende nehmen können.

Bonds »Sekretärin«, Bheka Jordaan, sah aus dem Fenster. »Sie gehen weg. Ich sehe keine Sicherheitsleute.«

»Wir haben sie getäuscht, glaube ich«, sagte Sergeant Mbalula.

Der Trick schien tatsächlich geklappt zu haben. Bond war überzeugt gewesen, dass mindestens einer der Männer – höchstwahrscheinlich der gerissene Dunne – darauf bestehen würde, sein Kapstadter Büro mit eigenen Augen zu besichtigen. Er glaubte, dass ein guter, solider Set – ein Szenenaufbau wie im Film – entscheidend dafür sein würde, Hydt davon zu überzeugen, dass dieser vermeintliche Afrikaander-Söldner einen Haufen Leichen entsorgen wollte.

Jordaan hatte ein kleines Regierungsbüro aufgetrieben, das vom Kultusministerium angemietet worden war, aber derzeit nicht genutzt wurde. Nkosi hatte die Adresse mit auf die falschen Visitenkarten gedruckt. Dann hatte Bond bei Green Way angerufen, um sich einen Termin zu erschleichen, und während er zu Hydt und Dunne aufgebrochen war, waren die SAPS-Beamten in das Büro eingezogen.

»Sie werden meine Partnerin sein«, hatte Bond lächelnd zu Jordaan gesagt. »Eine intelligente – und attraktive – Teilhaberin passt gut zu meiner Tarnung.«

»Um glaubhaft zu wirken, braucht ein Büro wie dieses aber eine Sekretärin«, hatte sie aufgebracht widersprochen.

»Wenn Sie unbedingt wollen.«

»Keineswegs«, hatte sie pikiert erwidert. »Aber so muss es nun mal sein.«

Den Besuch der Männer hatte Bond vorhergesehen, aber nicht, dass Hydt nach Fotos der Killing Fields fragen würde, obwohl das vermutlich zu befürchten gewesen war. Kaum hatte er Hydts Büro verlassen, hatte er daher Jordaan angerufen und sie gebeten, aus den Militär- und Polizeiarchiven Bilder von afrikanischen Massengräbern zu besorgen. Dies stellte entgegen seinen Erwartungen überhaupt kein Problem dar, und als er bei ihr eintraf, hatte sie schon ein Dutzend Dateien heruntergeladen.

»Können Sie das Büro für ein oder zwei Tage besetzt halten?«, fragte Bond. »Für den Fall, dass Dunne zurückkommt?«

»Ich kann einen Mann erübrigen«, sagte sie. »Sergeant Mbalula, Sie bleiben vorläufig hier.«

»Ja, Captain.«

»Ich lasse Sie von einem Streifenbeamten ablösen.« Sie wandte sich wieder Bond zu. »Glauben Sie denn, dass Dunne noch mal herkommt?«

»Nein, aber es ist möglich. Hydt ist zwar der Boss, aber er lässt sich leicht ablenken. Dunne ist konzentrierter und misstrauischer. Meiner Ansicht nach macht ihn das gefährlicher.«

»Commander.« Nkosi öffnete einen verbeulten Aktenkoffer. »Das ist für Sie in der Zentrale eingetroffen.« Er nahm einen dicken Umschlag heraus. Bond riss ihn auf. Der Umschlag enthielt zehntausend Rand in gebrauchten Banknoten, einen falschen südafrikanischen Pass, Kreditkarten und eine Debitkarte, alle auf den Namen Eugene J. Theron. Die Abteilung I hatte wieder einmal gezaubert.

Zudem war eine Notiz beigefügt: *Zimmer mit Meerblick reserviert im Table Mountain Hotel, ohne Abreisedatum.*

Bond steckte alles ein. »Der Lodge Club, wo ich mich heute Abend mit Hydt treffe. Was ist das für ein Laden?«

»Für mich ist er zu teuer«, sagte Nkosi.

»Das ist ein Restaurant mit Veranstaltungsräumen«, erklärte Jordaan. »Ich bin auch noch nie da gewesen. Früher war es ein privater Jagdclub, nur für weiße Männer. Als bei den Wahlen vierundneunzig der ANC an die Macht kam, haben die Eigentümer beschlossen, den Club lieber aufzulösen und das Gebäude zu verkaufen, anstatt die Mitgliedschaftsbestimmungen zu ändern. Schwarze Männer hätte der Vorstand ja noch zugelassen, aber Frauen wollte man auf keinen Fall. Ich bin sicher, bei Ihnen zu Hause gibt es keine solchen Clubs, nicht wahr, James?«

Er verschwieg, dass es in England durchaus vergleichbare Etablissements gab. »In meinem Lieblingsclub in London herrschen durch und durch demokratische Verhältnisse. Jeder kann beitreten... und Geld an den Spieltischen verlieren. Genau wie ich. Mit einiger Häufigkeit, möchte ich hinzufügen.«

Nkosi lachte.

»Falls Sie mal nach London kommen, lade ich Sie gern dorthin ein«, sagte Bond zu Jordaan.

Sie schien auch das wieder als einen schamlosen Flirtversuch zu begreifen und ignorierte ihn frostig.

»Ich fahre Sie zu Ihrem Hotel.« Die Miene des groß gewachsenen Polizisten wurde ernst. »Ich glaube, ich werde beim SAPS kündigen und Sie bitten, mir einen Job in England zu besorgen, Commander.«

Um für die ODG oder den MI6 zu arbeiten, musste man britischer Staatsbürger sein und über mindestens einen britischen Elternteil verfügen – ersatzweise über einen Elternteil, der enge Bindungen zum Vereinigten Königreich besaß. Und man musste in Großbritannien seinen Wohnsitz haben.

»Dank meiner großartigen Arbeit als verdeckter Ermittler« – Nkosi wies mit weit ausholender Geste auf die Büroräume – »weiß ich nun, dass ich zum Schauspieler berufen bin. Ich werde nach London kommen und im West End arbeiten. Da sind doch all die berühmten Theater, richtig?«

»Äh, ja.« Wenngleich Bond schon seit Jahren keines mehr freiwillig besucht hatte.

»Ich bin sicher, ich werde großen Erfolg haben«, sagte der

junge Mann. »Ich mag Shakespeare. David Mamet ist auch recht gut. Ganz ohne Zweifel.«

Bond nahm an, dass Nkosi mit einer Chefin wie Bheka Jordaan nur wenig Gelegenheit erhielt, seinem Sinn für Humor mal freien Lauf zu lassen.

37

Das Hotel lag an der Tafelbucht im vornehmen Kapstadter Viertel Green Point. Es war ein älteres sechsgeschossiges Gebäude im klassischen Kap-Stil und konnte seine kolonialen Wurzeln nicht recht verbergen – allerdings bemühte es sich auch nicht allzu sehr darum. Man erkannte sie deutlich an den akribisch gepflegten Grünanlagen, wo auch in diesem Moment mehrere emsige Arbeiter beschäftigt waren, an den taktvollen, aber eindeutigen Aushängen, die an die Kleidervorschrift für das Abendessen erinnerten, den makellos weißen Uniformen des zurückhaltenden, aber stets verfügbaren Personals und an den Rattanmöbeln auf der großen Veranda mit Ausblick auf die Bucht.

Ein weiterer Hinweis war die Frage, ob Mr. Theron während seines Aufenthaltes einen persönlichen Butler wünsche. Er lehnte höflich ab.

Das Table Mountain Hotel – das man überall in geschwungenen Buchstaben als »TM« verewigt hatte, vom Marmorboden bis zu den bestickten Servietten – war genau der Ort, am dem ein betuchter Afrikaander-Geschäftsmann aus Durban wohnen würde, ob nun aus der Computerbranche oder als Söldner, der zehntausend Leichen zu verstecken hatte.

Nachdem Bond eingecheckt hatte, wollte er zum Aufzug gehen, als ihm draußen etwas auffiel. Daher bog er in den Geschenkartikelladen ab und kaufte Rasierschaum, den er nicht brauchte. Dann schlenderte er zurück zur Rezeption und zapfte sich ein Glas kostenlosen Fruchtsaft aus einem großen gläsernen Getränkespender, der von einem Arrangement aus Jakarandas sowie roten und weißen Rosen umgeben war.

Er war sich nicht sicher, aber es konnte sein, dass er beobachtet wurde. Als er sich abrupt umgedreht hatte, um sich den Saft zu holen, war ein Schatten ebenso abrupt verschwunden.

Je mehr Gelegenheiten, desto mehr eifrige Nutznießer ...

Bond wartete einen Moment, doch die Gestalt tauchte nicht wieder auf.

Im Spionagegeschäft neigt man zweifellos zur Paranoia, und manchmal ist ein Passant bloß ein Passant und ein durchdringender Blick nicht mehr als ein Ausdruck von Neugier. Außerdem kann man sich nicht vor allen Risiken schützen; falls jemand es nachhaltig genug auf dich abgesehen hat, kommt er letztendlich zum Ziel. Bond schob den Gedanken an einen Verfolger beiseite und fuhr mit dem Aufzug in den ersten Stock, wo die Räume von einem zur Lobby hin offenen Balkon aus zugänglich waren. Er betrat sein Zimmer, schloss die Tür und legte die Kette vor.

Er warf den Koffer auf eines der Betten, ging zum Fenster und zog die Vorhänge zu. Dann verstaute er alles, was ihn als James Bond identifizierte, in einem großen Karbonfaserumschlag mit elektronischem Schloss an der Verschlussklappe. Mit der Schulter kippte er eine Kommode ein Stück nach hinten und schob den Umschlag darunter. Er könnte natürlich gefunden und entwendet werden, aber jeder Versuch, ihn ohne Bonds Daumenabdruck zu öffnen, würde eine verschlüsselte Meldung an die Abteilung C der ODG auslösen, woraufhin Bill Tanner ihn per *Abtauchen*-Nachricht warnen würde, dass seine Tarnung aufgeflogen war.

Bond rief den Zimmerservice an und bestellte ein Club-Sandwich und ein Gilroy Dark Ale. Dann duschte er. Kaum hatte er eine schlachtschiffgraue Hose und ein schwarzes Polohemd angezogen, klopfte es an der Tür. Bond fuhr sich mit einem Kamm durch das feuchte Haar, sah durch das Guckloch und ließ den Kellner mit dem Essen herein.

Der Mann stellte das Tablett auf den kleinen Tisch, und Bond unterzeichnete die Rechnung als *E. J. Theron*, und zwar in seiner eigenen Handschrift; das war eines der Dinge, die man niemals zu verstellen versuchte, wie gründlich die Tarnung auch sein mochte. Mit offenkundiger Dankbarkeit steckte der Kellner das Trinkgeld ein. Als Bond ihn hinausbegleitete, um danach wieder die Kette vorzulegen, ließ er den Blick automatisch über den Balkon und durch die Lobby im Erdgeschoss schweifen.

Er hielt inne, sah noch einmal genauer hin und schloss dann schnell die Tür.

Verdammt.

Er schaute mit Bedauern zu dem Sandwich – und mit noch mehr Bedauern zu dem Bier –, schlüpfte in seine Schuhe und klappte den Koffer auf. Dann schraubte er den Schalldämpfer auf die Mündung der Walther und zog den Schlitten der Waffe einige Millimeter zurück, um sich zu vergewissern, dass eine Patrone in der Kammer war – obwohl er das erst kürzlich in der SAPS-Zentrale getan hatte.

Die Pistole verschwand in einem zusammengefalteten Exemplar der heutigen *Cape Times*, das Bond dann auf dem Tablett zwischen sein Sandwich und das Bier steckte. Er hob das Tablett mit der Hand auf die Schulter, sodass sein Gesicht verdeckt wurde, und verließ das Zimmer. Zwar trug er nicht die Kleidung eines Kellners, aber er ging zügig und mit gesenktem Kopf und hätte bei oberflächlichem Hinsehen für einen hastigen Angestellten gehalten werden können.

Am Ende des Korridors betrat er durch die Brandschutztür das Treppenhaus, stellte das Tablett ab und nahm die Zeitung mit dem todbringenden Inhalt. Dann stieg er leise die Stufen ins Erdgeschoss hinab.

Ein Blick durch das Fenster der Schwingtür verriet ihm, dass seine Zielperson fast unsichtbar im Schatten saß, in einem Sessel im hinteren Teil der Lobby. Der Mann saß mit dem Rücken zu Bond, und sein Blick wanderte von seiner Zeitung zur Lobby und weiter zum Balkon im ersten Stock. Anscheinend hatte er Bonds Flucht nicht bemerkt.

Bond schätzte die Entfernungen und Winkel ab, die Anzahl und Aufenthaltsorte der Gäste, Angestellten und Sicherheitsleute. Er wartete, während ein Page einen Karren voller Koffer vorbeirollte, ein Kellner ein Tablett mit einer silbernen Kaffeekanne zu einem Gast am anderen Ende der Lobby brachte und eine Gruppe japanischer Touristen sich lautstark nach draußen drängte und die Aufmerksamkeit der Zielperson auf sich zog.

Jetzt, dachte Bond kühl.

Er verließ das Treppenhaus und hielt mit schnellen Schritten auf die Rückenlehne des Sessels zu, über die der Kopf der Zielperson knapp hinausragte. Er ging daran vorbei, ließ sich auf den Sessel genau gegenüber fallen und lächelte, als hätte er gerade einen alten Freund getroffen. Sein Zeigefinger blieb dabei wohlweislich dem Abzug der Walther fern, denn Corporal Menzies hatte den Widerstand auf ein Federgewicht reduziert.

Das sommersprossige rötliche Gesicht blickte auf. Die Augen des Mannes weiteten sich überrascht, weil er überrumpelt worden war. Und weil er Bond erkannte. Der Blick verriet, dass dies kein Zufall war. Er hatte Bond tatsächlich beschattet.

Es war der Mann, den Bond am Morgen auf dem Flughafen gesehen und im ersten Moment für Captain Jordaan gehalten hatte.

»Wie schön, Sie zu sehen!«, sagte Bond fröhlich, um das Misstrauen eines etwaigen Beobachters des Treffens zu zerstreuen. Er hob die gefaltete Zeitung, sodass die Mündung des Schalldämpfers genau auf die massige Brust zielte.

Doch seltsamerweise wich die Überraschung in den milchigen grünen Augen nicht Angst oder Verzweiflung, sondern Belustigung. »Ah, Mr. … Theron, nicht wahr? Ist das derzeit Ihr Name?« Dem Akzent nach stammte er aus Manchester. Er hob die dicklichen Hände.

Bond neigte den Kopf. »Diese Projektile bleiben unter Schallgeschwindigkeit. Zieht man außerdem den Schalldämpfer in Betracht, werden Sie tot und ich weg sein, bevor jemand auch nur irgendwas mitbekommt.«

»Oh, aber Sie wollen mich nicht töten. Das hätte wirklich unangenehme Konsequenzen.«

In Momenten wie diesen, mit einem Gegner vor der Waffe, hatte Bond schon jede Menge solcher Monologe gehört. Für gewöhnlich sollte damit Zeit geschunden werden, oder der andere wollte ihn ablenken, um angreifen zu können. Bond ignorierte daher, was der Mann sagte, und achtete stattdessen auf seine Hände und die Körpersprache.

Die nächsten Sätze, die über die schlaffen Lippen kamen, ließen sich jedoch nicht so einfach abtun. »Was würde denn M wohl dazu sagen, dass Sie einen der besten Agenten der Krone erschossen hätten? Und das in einer *so* hübschen Umgebung?«

38

Sein Name war Gregory Lamb – was durch die App für Iris- und Fingerabdruckscans bestätigt wurde – , der Mann des MI6 in Kapstadt. Der Agent, den Bill Tanner zu meiden empfohlen hatte.

Sie saßen in Bonds Zimmer, *ohne* Bier und Sandwich; zu seiner Verblüffung hatte ein aufmerksamer Hotelangestellter das Tablett bereits aus dem Treppenhaus entfernt gehabt, als er und Lamb zurück in den ersten Stock stiegen.

»Das hätte Sie das Leben kosten können«, murmelte Bond.

»Ich war nicht wirklich in Gefahr. Ihr Laden vergibt die Doppelnull nicht an schießwütige Narren… Na, na, mein Freund, nichts für ungut. Manche von uns wissen, was Ihre Overseas Development Truppe *in Wahrheit* macht.«

»Wie haben Sie erfahren, dass ich hier bin?«

»Hab's mir selbst zusammengereimt. Mir war was zu Ohren gekommen, und da hab ich mal meine Freunde in Lambeth kontaktiert.«

Einer der Nachteile bei der Zusammenarbeit mit Six oder der DI war die Tatsache, dass mehr Leute davon erfuhren, als einem lieb sein konnte. »Wieso haben Sie mich nicht einfach über die üblichen Kanäle kontaktiert?«, fragte Bond verärgert.

»Das wollte ich ja, aber als ich herkam, habe ich jemanden gesehen, der Schatten gespielt hat.«

Nun war Bond plötzlich ganz Ohr. »Ein Mann, schlank, blaue Jacke? Goldener Ohrring?«

»Tja, äh, einen Ohrring hab ich nicht gesehen. Meine Augen sind auch nicht mehr so gut wie früher. Aber ansonsten stimmt es. Er hat hier eine Weile herumgelungert und ist dann verschwunden wie das Tischtuch, wenn die Sonne hervorkommt. Sie wissen, was ich meine: der Nebel auf dem Tafelberg.«

Bond war nicht in der Stimmung für Reiseberichte. Verflucht, der Mann, der Yusuf Nasad und beinahe auch Felix Leiter ermordet hatte, hatte erfahren, dass er hier war. Wahrscheinlich war er der Mann, den Jordaan erwähnt hatte und der heute Morgen mit einem gefälschten britischen Pass aus Abu Dhabi eingereist war.

Wer, zum Teufel, war er?

»Haben Sie ein Foto geschossen?«, fragte Bond.

»Ach was, nein. Der Mann war flink wie ein Wasserkäfer.«

»Ist Ihnen sonst etwas an ihm aufgefallen, ein Mobiltelefon, eine mögliche Waffe oder ein Fahrzeug?«

»Nein. Zack und weg. Wasserkäfer.« Er zuckte die breiten Schultern, die vermutlich ebenso sommersprossig und rot waren wie das Gesicht, schätzte Bond.

»Sie waren am Flughafen, als ich heute angekommen bin«, sagte Bond. »Warum sind Sie im letzten Moment abgebogen?«

»Ich habe Captain Jordaan gesehen. Aus irgendeinem Grund konnte sie sich nie für mich erwärmen. Vielleicht hält sie mich für den großen weißen Jäger und Kolonisten, der ihr das Land wieder wegnehmen will. Vor ein paar Monaten hat sie mich mal ganz schön zusammengefaltet.«

»Mein Stabschef hat gesagt, Sie seien in Eritrea.«

»War ich auch – und in der letzten Woche jenseits der Grenze im Sudan. Wie es aussieht, steht ein Krieg bevor, also musste ich ebenfalls aufrüsten, um heil aus der Sache rauszukommen. Sobald das erledigt war, hab ich von einer ODG-Operation gehört.« Sein Blick verfinsterte sich. »Es überrascht mich, dass man mich nicht benachrichtigt hat.«

»Es hieß, Sie seien an irgendeiner wichtigen und heiklen Sache dran«, log Bond.

»Ah.« Lamb schien ihm zu glauben. »Nun, wie dem auch sei, ich dachte mir, ich komme lieber so schnell wie möglich her, um Ihnen zu helfen. Wissen Sie, das Kap ist trügerisch. Es sieht aus wie eine hübsche, saubere Touristenattraktion, doch hinter den Kulissen geht sehr viel mehr vor. Ich hasse es, mein eigenes Loblied zu singen, mein Freund, aber Sie brauchen jemanden wie mich, der unter die Oberfläche blickt und Ihnen sagt, was wirklich los ist. Ich bin gut vernetzt. Kennen Sie irgendeinen anderen Agenten bei Six, der es so hingedreht hat, dass seine Tarnung durch den Entwicklungsfonds der einheimischen Regierung finanziert wird? Ich habe der Krone letztes Jahr eine Stange Geld erspart.«

»Und die Überschüsse sind ans Finanzministerium gegangen, nicht wahr?«

Lamb zuckte die Achseln. »Ich habe immerhin eine Rolle zu spielen, oder? Für die Welt bin ich ein erfolgreicher Geschäftsmann. Man muss seine Tarnidentität durch und durch leben, sonst schleicht sich irgendwo ein Sandkorn ein, und im Handumdrehen liegt da eine große Perle und schreit: ›Ich bin ein Spion!‹ … Sagen Sie mal, haben Sie was dagegen, dass ich mir was aus Ihrer Minibar genehmige?«

Bond winkte ab. »Bedienen Sie sich.« Lamb nahm sich ein Fläschchen Bombay Sapphire Gin, dann noch eines. Er goss den Inhalt in ein Glas. »Kein Eis? Schade. Na, egal.« Er schüttete etwas Tonic hinzu.

»Was *ist* denn Ihre Tarnung?«

»Meistens arrangiere ich Charterfahrten für Frachtschiffe. Erstklassige Idee, möchte ich behaupten. Gibt mir die Möglichkeit, Freundschaft mit den bösen Jungs in den Docks zu schließen. Ich lasse außerdem nach Gold und Aluminium suchen und baue Straßen und Infrastruktur.«

»Und da bleibt noch Zeit zum Spionieren?«

»Der ist gut, mein Freund!« Aus irgendeinem Grund fing Lamb nun an, Bond seine Lebensgeschichte zu erzählen. Er war ein britischer Staatsbürger, so wie seine Mutter, und sein Vater war Südafrikaner. Er war mit seinen Eltern hergekommen und hatte entdeckt, dass es ihm hier besser gefiel als in Manchester. Nach der Ausbildung in Fort Monckton hatte er gebeten, nach Südafrika versetzt zu werden. Station Z war die einzige, für die er je gearbeitet hatte… und er hatte es sich auch nie anders gewünscht. Den größten Teil seiner Zeit verbrachte er in der westlichen Kapregion, reiste aber häufig in Afrika herum und kümmerte sich um die Geschäfte seiner Tarnidentität.

Als er merkte, dass Bond ihm nicht zuhörte, trank er einen Schluck und fragte: »Und woran genau arbeiten Sie? Irgendwas in Zusammenhang mit diesem Severan Hydt? Interessanter Name, übrigens. Und Vorfall Zwanzig. Gefällt mir. Klingt eher wie etwas von DI Fifty-five – Sie wissen schon, die Leute, die über den Midlands nach UFOs Ausschau halten.«

Bond war genervt. »Ich habe bei der Defence Intelligence gearbeitet. Division Fifty-five hatte nichts mit UFOs zu tun, sondern mit Raketen oder Flugzeugen, die unbefugt in den britischen Luftraum eindringen.«

»Ah, ja, ja, sicher, das wird's gewesen sein… Das würde man jedenfalls der Öffentlichkeit weismachen wollen, nicht wahr?«

Bond stand kurz davor, ihn hinauszuwerfen. Aber andererseits konnte hierbei ja doch die eine oder andere nützliche Information herausspringen. »Sie wissen also von Vorfall Zwanzig. Haben Sie eine Idee, inwiefern das mit Südafrika zusammenhängen könnte?«

»Ich habe die Rapporte bekommen«, räumte Lamb ein, »aber mich nicht näher damit beschäftigt, weil es in der aufgefangenen Nachricht hieß, der Anschlag solle auf britischem Boden stattfinden.«

Bond erinnerte ihn an den genauen Wortlaut, der keinen Ort nannte, sondern nur besagte, es sei mit »nachteiligen Auswirkungen« auf britische Interessen zu rechnen.

»Dann könnte es überall passieren. Das war mir nicht klar.«

Weil du den Rapport wahrscheinlich nicht allzu sorgfältig gelesen hast, dachte Bond.

»Und nun hat der Zyklon in meinem Vorgarten den Boden berührt. Schon seltsam, wie das Schicksal manchmal so spielt, was?«

Die App in Bonds Mobiltelefon, mit der er Lambs Identität überprüft hatte, hatte ihm auch die Sicherheitsfreigabe des Mannes verraten; sie war höher, als Bond vermutet hätte. Daher hatte er kaum Bedenken, offen über den Gehenna-Plan, Hydt und Dunne zu reden. Er fragte erneut: »Also, können Sie sich eine Verbindung hier vorstellen? Es sind Tausende von Menschen sowie britische Interessen gefährdet, und der Plan wurde in Severan Hydts Büro ausgeheckt.«

Lambs Blick war nachdenklich auf sein Glas gerichtet. »Ehrlich gesagt, ich wüsste nicht, auf was für eine Art Anschlag das hier zutreffen sollte. Es gibt hier haufenweise britische Auswanderer und Touristen und vielerlei Geschäftsbeziehungen nach London. Aber die Ermordung von so vielen Leuten auf einen Schlag? Das müssten schon innere Unruhen sein. Und die zeichnen sich in Südafrika nicht ab. Wir haben hier unsere Probleme, das lässt sich nicht leugnen – Asylsuchende aus Simbabwe, Gewerkschaftsproteste, Korruption, Aids… aber wir sind immer noch das stabilste Staatswesen des ganzen Kontinents.«

Diesmal hatte der Mann ihm zu echten Einblicken verholfen, wenn auch nur oberflächlich. Das bestärkte Bond in dem Eindruck, dass in Südafrika vielleicht die Knöpfe gedrückt wurden, die Todesfälle am Freitag sich aber ebenso gut in einem anderen Land würden ereignen können.

Der Mann hatte den Gin fast ausgetrunken. »Möchten Sie nichts?« Als Bond nicht antwortete, fügte er hinzu. »Wir vermissen die gute alte Zeit, nicht wahr, mein Freund?«

Bond wusste nicht, was die gute alte Zeit war, und beschloss, dass er sie wahrscheinlich nicht vermissen würde, wie auch immer sie gewesen sein mochte. Er beschloss auch, dass er die Anrede »mein Freund« nicht ausstehen konnte. »Sie sagten, Sie seien nicht gut mit Bheka Jordaan ausgekommen.«

Lamb grunzte.

»Was wissen Sie über die Frau?«

»Sie ist verdammt gut in ihrem Job, das muss man ihr lassen. Sie hat die Ermittlungen gegen die NIA geleitet – die südafrikanische National Intelligence Agency. Wegen der illegalen Bespitzelung einheimischer Politiker.« Lamb gluckste finster. »Nicht dass so etwas jemals in *unserem* Land vorkommen könnte, oder?«

Bond musste daran denken, dass Bill Tanner sich entschieden hatte, ihm eine Kontaktperson beim SAPS zu besorgen, nicht bei der National Intelligence.

»Die haben ihr die Aufgabe übertragen, weil sie hofften, sie würde es versauen«, fuhr Lamb fort. »Aber nicht Captain Jordaan. O nein. *Niemals.*« Seine Augen funkelten böse. »Sie machte Fortschritte bei dem Fall, und die Leute in der Chefetage bekamen alle Angst. Ihr Boss beim SAPS befahl ihr, sie solle Beweise gegen die NIA-Agenten verschwinden lassen.«

»Und sie hat ihn verhaftet?«

»Und *seinen* Boss ebenfalls!« Lamb brach in schallendes Gelächter aus und kippte den Rest seines Drinks herunter. »Sie hat sich eine dicke Empfehlung verdient.«

Das Police Cross für Tapferkeit? »Hat man sie bei den Ermittlungen irgendwann in die Mangel genommen?«

»In die Mangel?«

Er erwähnte die Narbe an ihrem Arm.

»Gewissermaßen. Sie wurde danach befördert. Das musste so sein – aus politischen Gründen. Sie wissen ja, wie das läuft. Nun, einige Männer beim SAPS, die sich übergangen fühlten, waren davon alles andere als begeistert. Sie bekam Drohungen – Frauen sollten nicht in Männerberufen arbeiten, so was in der Art. Jemand warf einen Molotowcocktail unter ihren Dienstwagen. Sie selbst war schon ins Gebäude gegangen, aber auf der Rückbank lag ein betrunkener Häftling und schlief seinen Rausch aus. Keiner der Angreifer hat ihn gesehen. Jordaan rannte nach draußen und hat ihn gerettet, sich dabei aber verbrannt. Es kam nie heraus, wer es gewesen ist – die Täter waren maskiert. Aber jeder weiß, dass es Leute waren, mit denen sie zusammengearbeitet hat. Vielleicht sind es immer noch ihre Kollegen.«

»Mein Gott.« Nun glaubte Bond zu verstehen, weshalb Jordaan so harsch auf ihn reagierte – vielleicht hatte sie seinen Flirtversuch am Flughafen so gedeutet, dass auch er eine Frau im Polizeidienst nicht ernst nehmen würde.

Er berichtete Lamb von seinem nächsten Schritt: dem Treffen mit Hydt am Abend.

»Oh, im Lodge Club. Der geht so. War mal exklusiv, aber inzwischen lassen sie jeden rein... He, den Blick hab ich gesehen. Ich meine nicht das, was Sie glauben. Ich habe einfach nur keine hohe Meinung von der breiten Öffentlichkeit. Geschäftlich habe ich mehr mit Schwarzen und Farbigen zu tun als mit Weißen... Da ist ja schon wieder dieser Blick.«

»›Farbige‹?«, merkte Bond mürrisch an.

»Damit ist gemischtrassig gemeint, und der Begriff ist hierzulande üblich. Niemand würde sich daran stören.«

Nach Bonds Erfahrung waren jedoch die Leute, die solche Begriffe benutzten, zumeist nicht diejenigen, die damit bezeichnet wurden. Aber er wollte mit Gregory Lamb keine politische Diskussion anfangen. Er sah auf die Breitling. »Danke für Ihre Unterstützung«, sagte er wenig begeistert. »Jetzt muss ich noch einiges erledigen, bevor ich mich mit Hydt treffe.« Jordaan hatte ihm Unterlagen über Afrikaander, die südafrikanische Kultur und Konfliktregionen geschickt, in denen Gene Theron aktiv gewesen sein konnte.

Lamb stand auf und zögerte linkisch. »Äh, ich bin gern behilflich. Ich stehe zu Ihren Diensten. Wirklich, was auch immer Sie brauchen.« Er wirkte zutiefst bemüht.

»Danke.« Bond fühlte den absurden Drang, ihm zwanzig Rand zuzustecken.

Bevor er ging, bediente Lamb sich noch mal aus der Minibar und nahm zwei Fläschchen Wodka mit. »Sie haben doch nichts dagegen, oder? M steht ein riesiges Budget zur Verfügung; das weiß jeder.«

Bond begleitete ihn hinaus.

Endlich, dachte er, als er die Tür schloss. Verglichen mit diesem Zeitgenossen war Percy Osborne-Smith ja ein echter Sonnenschein.

39

Bond setzte sich an den Schreibtisch seiner Hotelsuite, fuhr den Laptop hoch, loggte sich mittels Iris und Fingerabdruck ein und scrollte durch die Dateien, die Bheka Jordaan hochgeladen hatte. Damit war er beschäftigt, als eine E-Mail eintraf.

James,
nachfolgend einige vertrauliche Informationen.

Ich konnte bestätigen, dass Steel Cartridge eine bedeutende aktive Maßnahme des KGB/SVR war, um verdeckte MI6- und CIA-Agenten sowie deren einheimische Kontakte zu eliminieren und damit das Ausmaß der russischen Infiltration zu verschleiern. Ziel war die Förderung der politischen Entspannung während des Niedergangs der Sowjetunion und die Verbesserung der Beziehungen zum Westen.

Die letzten auf Steel Cartridge beruhenden Morde ereigneten sich Ende der 1980er- oder Anfang der 1990er-Jahre. Bislang konnte ich nur einen konkreten Fall finden: Das Opfer war ein privater Vertragspartner des MI6, autonom und verdeckt. Keine weiteren Details, außer dass der Täter den Mord als Unfall getarnt hat. An den Schauplätzen wurden mitunter reale Stahlpatronen hinterlassen – als Warnung an andere Agenten, den Mund zu halten.

Höre mich weiter um.
Ihr zweites Paar Augen,
Philly

Bond lehnte sich auf dem Stuhl zurück und starrte an die Decke. Tja, was fange ich nun *damit* an?, fragte er sich.

Er las die Nachricht erneut und bedankte sich dann bei Philly mit einer kurzen E-Mail. Als sein Blick in den Spiegel auf der anderen Seite des Zimmers fiel, bemerkte er, wie hart und unerbittlich seine Miene war.

Er dachte: Der KGB-Agent hat also den MI6-Vertragspartner Ende der Achtziger- oder Anfang der Neunzigerjahre getötet.

James Bonds Vater war zu jener Zeit ums Leben gekommen.

Es war im Dezember geschehen, nicht lange nach James' elftem Geburtstag. Andrew und Monique Bond hatten den kleinen James bei seiner Tante Charmian in Pett Bottom in der Grafschaft Kent abgesetzt und versprochen, dass sie rechtzeitig vor den Weihnachtstagen zurück sein würden. Dann waren sie in die Schweiz geflogen und zum Montblanc gefahren, um dort fünf Tage auf den Skipisten und beim Fels- und Eisklettern zu verbringen.

Doch seine Eltern konnten ihr Versprechen nicht halten, denn zwei Tage später waren sie tot. Sie waren an einer der erstaunlich schönen Steilwände der Aiguilles Rouges in der Nähe von Chamonix abgestürzt.

Wunderschöne Felswände, ja, beeindruckend... aber nicht übermäßig gefährlich, jedenfalls nicht am Ort des Absturzes. Als Erwachsener hatte Bond sich die näheren Umstände des Unfalls angesehen und erfahren, dass die Wand, aus der sie gestürzt waren, keine fortgeschrittenen Kletterkenntnisse erforderte; vorher war dort noch nie jemand verletzt worden, geschweige denn ums Leben gekommen. Doch Berge sind bekanntermaßen launisch, und Bond hatte geglaubt, was seiner Tante von den Gendarmen mitgeteilt worden war: dass seine Eltern abgestürzt seien, weil ein Seil im selben Moment gerissen war, in dem ein großer Felsblock sich löste.

»Mademoiselle, je suis désolé de vous dire...«

Als Kind hatte James Bond viel Spaß daran gehabt, mit seinen Eltern in die fremden Länder zu reisen, in die Andrew Bond von seiner Firma geschickt wurde. Es hatte ihm gefallen, in Hotelsuiten zu wohnen. Er hatte die fremde Küche genossen, die sich sehr von dem Essen unterschied, das in den englischen und schottischen Pubs und Restaurants serviert wurde. Er war von den exotischen Kulturen fasziniert gewesen – der Kleidung, der Musik, der Sprache.

Es hatte ihm außerdem gefallen, Zeit mit seinem Vater zu verbringen. Seine Mutter ließ James in der Obhut von Aufpassern oder Freunden, wenn einer ihrer Fototermine anstand, aber sein Vater nahm ihn gelegentlich zu Geschäftsbesprechungen in Restaurants oder Hotellobbys mit. Der Junge wartete dann in der Nähe mit einem Buch von Tolkien oder einem amerikanischen Krimi, während sein Vater mit ernsten Männern namens Sam oder Micah oder Juan redete.

James war froh gewesen, dabei zu sein – welcher Sohn mochte es nicht, mit seinem Dad herumzuhängen? Er hatte sich aber immer gefragt, wieso Andrew manchmal geradezu darauf bestand, dass er ihn begleitete, und es ihm manch anderes Mal ebenso entschieden verweigerte.

Bond hatte sich letztlich nichts dabei gedacht... bis zu seiner Ausbildung in Fort Monckton.

Dort in den Kursen über verdeckte Operationen hatte einer der Ausbilder, ein rundlicher Brillenträger vom MI6, etwas gesagt, das Bond aufmerken ließ: »In den meisten Fällen ist es nicht ratsam, dass ein Agent oder Mitarbeiter seine Frau oder seine Kinder im Einsatz bei sich hat. Falls es sich nicht vermeiden lässt, sollte die Familie möglichst keinerlei Kontakt zur verdeckten Tätigkeit des Agenten bekommen. Es gibt jedoch eine Ausnahme, bei der es von Vorteil ist, ein vermeintlich ›typisches‹ Leben zu führen. Diese Agenten operieren autonom und werden mit den kritischsten Aufgaben betraut, deren Erfolg von entscheidender Bedeutung ist. In diesen Fällen dient das Familienleben dazu, den Gegner zu täuschen und seinen Argwohn zu beschwichtigen. Die jeweilige Tarnidentität ist für gewöhnlich in einer Branche oder bei einer Organisation beschäftigt, die für feindliche Agenten von Interesse ist: Infrastruktur, Information, Rüstung, Raumfahrt oder Regierung. Der Mitarbeiter wird alle paar Jahre an einen anderen Ort versetzt und nimmt seine Familie mit.«

James Bonds Vater hatte für einen großen britischen Rüstungskonzern gearbeitet und war in mehrere Hauptstädte der Welt versetzt worden. Seine Frau und sein Sohn hatten ihn begleitet.

Der Ausbilder hatte weiter ausgeführt: »Und unter gewissen Umständen, bei den riskantesten Aufträgen – ob nun bei einer anonymen Materialübergabe oder einem persönlichen Treffen – kann es nützlich sein, wenn der Agent sein Kind mitnimmt. Nichts wirkt unschuldiger als ein kleiner Junge oder ein kleines Mädchen. Beim Anblick des Kindes wird der Feind so gut wie immer auf die Tarnung hereinfallen – denn kein Elternteil würde sein Kind in Gefahr bringen wollen!« Er musterte die Agenten, die vor ihm im Unterrichtsraum saßen und mit den unterschiedlichsten Mienen auf seine leidenschaftslose Botschaft reagierten. »Der Kampf gegen das Böse macht es bisweilen erforderlich, über landläufige Moralvorstellungen hinwegzusehen.«

Sein Vater ein Spion?, hatte Bond gedacht. Unmöglich. Absurd.

Trotzdem hatte er nach seiner Abreise aus Fort Monckton eine Weile in der Vergangenheit seines Vaters herumgestochert, aber keine Hinweise auf eine verdeckte Existenz finden können. Der einzige Anhaltspunkt war eine Reihe von Zahlungen an seine Tante für ihren und James' Unterhalt, die über den Ertrag der Versicherungspolice seiner Eltern hinausgingen.

Das Geld kam einmal im Jahr, bis James achtzehn Jahre alt war, und von einer Firma, die irgendwie mit Andrews Arbeitgeber zusammenhängen musste, wenngleich James nie herausfinden konnte, wo genau sie ihren Sitz gehabt hatte oder was der Anlass für die Zahlungen gewesen war.

Am Ende überzeugte er sich davon, dass die ganze Idee völlig verrückt sei, und vergaß die Angelegenheit.

Bis zu dem russischen Rapport über Steel Cartridge.

Denn ein anderer Aspekt im Zusammenhang mit dem Tod seiner Eltern war weitgehend übersehen worden.

Im Unfallbericht der Gendarmerie stand, dass in der Nähe des Leichnams seines Vaters eine stählerne Gewehrpatrone, Kaliber 7,62 Millimeter, gefunden worden sei.

Der kleine James hatte sie mit der Habe seiner Eltern erhalten. Da Andrew für einen Rüstungskonzern tätig gewesen war, hatte man die Patrone für eine Warenprobe gehalten, die er für seine Kunden mit sich geführt haben konnte.

Nachdem Bond vor zwei Tagen den Rapport gelesen hatte, hatte er die Onlinearchive der Firma seines Vaters durchforstet und herausgefunden, dass sie gar keine Munition herstellte. Und sie hatte auch nie Waffen verkauft, die dieses Kaliber verfeuerten.

Die besagte Patrone lag nun in der Mitte des Kaminsimses seiner Londoner Wohnung.

Hatte ein Jäger sie in den Bergen verloren? Oder war sie dort absichtlich zur Warnung hinterlassen worden?

Die Erwähnung der Operation Steel Cartridge in einer Datei des KGB hatte bei Bond den Wunsch verstärkt, endlich in Erfahrung zu bringen, ob sein Vater ein Geheimagent gewesen war. Er musste es wissen. Dabei spielte es keine Rolle, ob sein Vater ihn angelogen hatte. Alle Eltern belügen ihre Kinder. In den meisten Fällen geschieht dies jedoch aus Hilflosigkeit oder auch aus Trägheit oder Unbekümmertheit; falls *sein*

Vater gelogen hatte, dann jedoch, weil der Official Secrets Act ihn dazu zwang.

Und es ging für Bond auch nicht darum – wie ein Fernsehpsychiater es vielleicht wortreich darlegen würde –, durch Kenntnis der Wahrheit den Verlust seiner Eltern aus anderem Blickwinkel betrachten und dann irgendwie authentischer trauern zu können. Was für ein Blödsinn.

Nein, er wollte die Wahrheit aus einem sehr viel einfacheren Grund wissen, der ihm passte wie ein Maßanzug aus der Savile Row: Die Person, die seine Eltern getötet hatte, lief womöglich irgendwo auf der Welt frei herum, genoss den Sonnenschein und gutes Essen oder war sogar immer noch im Mordgeschäft tätig. Falls das der Fall war, würde Bond dafür sorgen, dass die betreffende Person das Schicksal seiner Eltern erlitt, und er würde dabei effizient und im Einklang mit seiner offiziellen Tätigkeitsbeschreibung vorgehen: unter Einsatz aller erforderlichen Mittel.

40

Um kurz vor siebzehn Uhr am Mittwoch ertönte aus Bonds Mobiltelefon der Klingelton, der für Nachrichten mit besonderer Dringlichkeit reserviert war. Er eilte aus dem Badezimmer, wo er gerade geduscht hatte, und las die verschlüsselte E-Mail. Sie stammte vom GCHQ und meldete, dass Bonds Versuch, Severan Hydt zu verwanzen, halbwegs erfolgreich gewesen war. Captain Bheka Jordaan wusste nichts davon, aber der USB-Stick mit den Digitalfotos der afrikanischen Killing Fields, den Bond an Hydt weitergegeben hatte, enthielt außerdem ein kleines Mikrofon samt Sender. Die Tonqualität und die Batterielebensdauer ließen zwar zu wünschen übrig, aber dafür stimmte die Reichweite. Das Signal wurde von einem Satelliten aufgefangen, verstärkt und an eine der riesigen Empfangsantennen des Stützpunkts Menwith Hill abgestrahlt, gelegen im schönen ländlichen Yorkshire.

Die Wanze hatte Fragmente eines Gesprächs zwischen Hydt und Dunne übermittelt, geführt gleich nach dem Verlassen der vermeintlichen Geschäftsräume von EJT Services im Zentrum von Kapstadt. Die Worte waren endlich entschlüsselt und von einem Analytiker gelesen worden, der sie für relevant hielt und sogleich an Bond weiterleitete.

Er las nun sowohl die Rohdaten als auch die analysierte Fassung. Wie es schien, beabsichtigte Dunne, einen von Hydts Arbeitern zu töten, einen gewissen Stephan Dlamini samt seiner Familie, weil der Angestellte in einem abgesicherten Teil von Green Way zufällig etwas gesehen hatte, das nicht für seine

Augen bestimmt gewesen war – womöglich Informationen, die mit Gehenna zu tun hatten. Bonds Ziel war klar: Der Mann musste unter allen Umständen gerettet werden.

Absicht... Reaktion.

Der Mann lebte außerhalb von Kapstadt. Seine Ermordung sollte wie der Überfall einer Bande aussehen. Man wollte Granaten und Brandsätze benutzen. Und der Anschlag würde beim Abendessen stattfinden.

Danach war die Batterie jedoch erschöpft gewesen, und die Übertragung der Wanze war abgebrochen.

Beim Abendessen. Womöglich jeden Augenblick.

Bond hatte es nicht geschafft, die Frau in Dubai zu retten. Er würde nicht zulassen, dass diese Familie starb. Und er musste herausfinden, was Dlamini gesehen hatte.

Doch er konnte schwerlich Bheka Jordaan verständigen und ihr mitteilen, was er durch eine illegale Abhöraktion in Erfahrung gebracht hatte. Er nahm den Hörer und rief die Rezeption an.

»Ja, Sir?«

»Ich habe eine Frage«, sagte Bond zwanglos. »Ich hatte heute ein Problem mit meinem Wagen, und ein Einheimischer war so nett, mir zu helfen. Ich hatte kaum Geld dabei und möchte ihm nun etwas für seine Mühe zukommen lassen. Wie stelle ich es am besten an, seine Anschrift herauszufinden? Ich kenne seinen Namen und den Wohnort, aber mehr nicht.«

»Wie heißt die Stadt?«

»Primrose Gardens.«

Es herrschte Stille. Dann sagte der Portier: »Das ist eine Township.«

Eine Siedlung, wusste Bond aufgrund des Materials, das Bheka Jordaan ihm geschickt hatte. Die Hütten besaßen kaum so etwas wie reguläre Postadressen. »Tja, könnte ich nicht hingehen und fragen, ob ihn dort jemand kennt?«

Wieder eine Pause. »Nun, Sir, das dürfte etwas zu gefährlich sein.«

»Deswegen mache ich mir keine allzu großen Sorgen.«

»Ich glaube, es würde auch wenig Aussicht auf Erfolg bestehen.«

»Warum?«

»In Primrose Gardens wohnen etwa fünfzigtausend Menschen.«

Um siebzehn Uhr dreißig, während schon die herbstliche
Dämmerung hereinbrach, sah Niall Dunne dabei zu, wie Severan Hydt das Green-Way-Gebäude in Kapstadt verließ und
mit aufrechtem Gang und einer gewissen Eleganz zu seiner
Limousine schritt.

Hydts Füße zeigten nicht nach außen, *seine* Haltung war
nicht gebeugt, *seine* Arme schwangen nicht seitlich hin und
her. (»Oh, seht euch den Trampel an! Niall ist eine Scheiß-
giraffe!«)

Hydt wollte nach Hause, sich umziehen und dann mit Jessica
zu der Wohltätigkeitsveranstaltung in den Lodge Club fahren.

Dunne stand in der Lobby von Green Way und schaute aus
dem Fenster. Sein Blick verweilte auf Hydt, während dieser in
Begleitung eines Sicherheitsmannes mit seinem Wagen außer
Sicht verschwand.

Ihn wegfahren zu sehen, unterwegs zu seinem Heim und
seiner Gefährtin, versetzte Dunne einen Stich.

Mach dich nicht lächerlich, tadelte er sich. Konzentriere
dich auf den Job. Am Freitag bricht die Hölle los, und es wird
dein Fehler sein, falls auch nur ein einziges Zahnrad nicht das
macht, was es soll.

Konzentriere dich.

Und das tat er.

Dunne verließ das Gebäude, holte seinen Wagen und machte

sich auf den Weg nach Primrose Gardens. Er würde sich dort mit einem der Sicherheitsleute der Firma treffen und den Plan ausführen, den er nun noch einmal durchging: das Timing, die Annäherung, die Anzahl der Granaten, der Brandsatz, die Flucht.

Er unterzog jeden einzelnen Schritt einer genauen und geduldigen Prüfung. So wie er es immer tat.

Das ist Niall. Er ist brillant. Er ist bei mir für die Planung zuständig …

Doch seine Gedanken schweiften ab, und seine hängenden Schultern sackten sogar noch weiter herunter, als er sich seinen Boss bei der bevorstehenden Gala am heutigen Abend vorstellte. Er spürte wieder diesen Stich.

Dunne nahm an, dass die Leute sich fragten, wieso er allein war. Als Grund vermuteten sie, dass es ihm unmöglich sei, Gefühle zu empfinden. Dass er eine Maschine sei. Sie begriffen nicht, dass es gemäß des Konzepts der klassischen Mechanik *simple* Maschinen gab – wie Schrauben, Hebel und Rollen – und *komplexe* Maschinen wie Motoren, die erklärtermaßen Energie in Bewegung umwandelten.

Aber Kalorien wurden in Energie verwandelt, die den menschlichen Körper antrieb. Also, ja, er *war* eine Maschine. Aber das waren doch alle, jedes Geschöpf auf Erden. Das schloss die Fähigkeit zur Liebe nicht aus.

Nein, die Erklärung für seine Einsamkeit lautete einfach, dass das Objekt seiner Begierde ihn leider nicht begehrte.

Wie peinlich prosaisch, wie alltäglich.

Und verflucht unfair, natürlich. Gott, es war unfair. Kein Konstrukteur würde eine Maschine entwerfen, bei der die beiden für eine harmonische Bewegung zuständigen Teile nicht perfekt zusammenarbeiteten, brauchte das eine doch das andere und erfüllte im Gegenzug das umgekehrte Bedürfnis. Doch das war genau die Situation, in der er sich befand: Er und sein Boss waren ungleiche Teile.

Zudem waren die Gesetze der Anziehungskraft weitaus riskanter als die Gesetze der Mechanik. Beziehungen waren unsauber, gefährlich und von Altlasten behindert, und während man einen Motor für Hunderttausende von Stunden in Bewegung halten konnte, geriet die Liebe zwischen menschlichen Wesen oft ins Stocken und fraß sich fest, sobald sie einmal aus dem Takt kam.

Und sie hielt einem nicht die Treue; jedenfalls kam das bei ihr viel öfter vor als bei einer Maschine.

Schwachsinn, sagte er sich, was bei Niall Dunne einem Wutausbruch entsprach. Vergiss es. Du hast heute Abend eine Aufgabe zu erledigen. Er ging seinen Plan ein weiteres Mal durch und dann noch einmal.

Je weiter er sich östlich aus der Stadt entfernte, desto dünner wurde der Verkehr. Die Strecke zur Township führte über dunkle Straßen, sandig und feucht wie ein Anleger am Fluss.

Dunne bog auf den Parkplatz eines Einkaufszentrums ein und schaltete den Motor aus. Kurz darauf hielt neben ihm ein verbeulter Lieferwagen. Dunne stieg aus seinem Wagen und in das andere Fahrzeug ein. Er nickte dem kräftigen Sicherheitsmann zu, der einen Kampfanzug des Militärs trug. Wortlos machten sie sich sofort auf den Weg und fuhren schon zehn Minuten später durch die namenlosen Straßen von Primrose Gardens. Dunne zog sich in den fensterlosen Laderaum des Lieferwagens zurück. Mit seiner Körpergröße und den Haaren würde er hier sofort auffallen. Zudem war er weiß, was in einem südafrikanischen Township nach Einbruch der Dunkelheit äußerst ungewöhnlich war. Es konnte sein, dass der Drogendealer, der Dlaminis Tochter bedrohte, ein Weißer war oder Weiße für sich arbeiten ließ, aber Dunne beschloss, sich lieber versteckt zu halten – zumindest bis sie die Granaten und den Brandsatz durch die Fenster der Hütte warfen.

Sie folgten den endlosen Pfaden, die in dieser Siedlung als

Wege dienten, vorbei an Horden rennender Kinder, abgemagerten Hunden und Männern, die auf Türschwellen saßen.

»Kein GPS«, sagte der riesige Sicherheitsmann. Es waren seine ersten Worte. Er lächelte nicht, und Dunne wusste nicht, ob das als Scherz gemeint war. Der Mann hatte an jenem Nachmittag zwei Stunden darauf verwandt, Dlaminis Hütte ausfindig zu machen. »Da ist es.«

Sie hielten auf der anderen Straßenseite. Die eingeschossige Behausung war winzig, so wie all die anderen Hütten in Primrose Gardens. Ihre Wände bestanden aus wild zusammengewürfelten Sperrholz- und Wellblechplatten, die man leuchtend rot, blau und gelb gestrichen hatte, wie der Verwahrlosung zum Trotz. Neben der Hütte hing eine Wäscheleine im Hof, und die Kleidungsstücke daran verrieten, dass das jüngste Familienmitglied fünf oder sechs Jahre alt und die ältesten Erwachsene sein mussten.

Dies war ein guter Ort für einen Anschlag. Gegenüber der Hütte lag ein leeres Grundstück, also würde es nur wenige Zeugen geben. Nicht dass es eine Rolle gespielt hätte – der Lieferwagen hatte kein Nummernschild, und weiße Fahrzeuge dieses Typs waren in der westlichen Kapregion so häufig wie Möwen auf den Abfallbergen von Green Way.

Schweigend harrten sie zehn Minuten aus. Noch länger, und sie würden Aufmerksamkeit erregen. Dann sagte der Sicherheitsmann: »Da ist er.«

Stephan Dlamini kam zu Fuß die staubige Straße entlang, ein hochgewachsener dünner Mann mit angegrautem Haar. Er trug eine ausgeblichene Jacke, ein orangefarbenes T-Shirt und eine braune Jeans. Neben ihm ging einer seiner Söhne. Der etwa elfjährige Junge hatte einen schmutzigen Fußball dabei und ein Rugbytrikot der Nationalmannschaft an, ohne Jacke, ungeachtet der Herbstkühle.

Dlamini und der Junge blieben kurz vor der Hütte stehen

und schossen ein paarmal den Ball hin und her. Dann betraten sie ihr Heim. Dunne nickte dem Sicherheitsmann zu. Sie zogen sich Skimasken über. Dunne musterte die Hütte. Die mitgebrachten Granaten und der Brandsatz würden reichen. Vor den Fenstern hingen Vorhänge; der billige Stoff ließ den Lichtschein aus dem Innern durch.

Aus irgendeinem Grund ertappte Dunne sich abermals bei dem Gedanken an seinen Boss bei der heutigen Abendveranstaltung. Er schob das Bild beiseite.

Sie warteten weitere fünf Minuten, um sicherzugehen, dass Dlamini auf die Toilette gegangen war – sofern es in der Hütte eine gab – und die Familie am Abendbrottisch saß.

»Los«, sagte Dunne. Der Sicherheitsmann nickte. Sie stiegen aus dem Lieferwagen. Jeder von ihnen hatte eine hochexplosive Granate in der Hand, gefüllt mit tödlichem Kupferschrot. Die Straße war fast menschenleer.

Sieben Familienangehörige, dachte Dunne. »Jetzt«, flüsterte er. Sie zogen die Stifte ab und warfen die Granaten durch je eines der beiden Fenster. Während der folgenden fünf Sekunden Stille nahm Dunne den Brandsatz – einen Benzinkanister mit kleinem Zünder – und machte ihn bereit. Als die ohrenbetäubenden Detonationen den Boden erbeben ließen und das restliche Glas aus den Rahmen sprengten, warf Dunne den Kanister durch die Fensteröffnung, und die beiden Männer sprangen in den Lieferwagen. Der Sicherheitsmann ließ den Motor an, und sie rasten davon.

Genau fünf Sekunden später schossen Flammen aus den Fenstern, und aus dem Schornstein des Herds stieg ein spektakulärer Feuerstrahl sechs Meter hoch empor. Dunne musste unwillkürlich an die Feuerwerke denken, die ihm als Junge in Belfast immer so viel Spaß gemacht hatten.

41

»Hayi! Hayi!«

Das Wehklagen der Frau hallte durch den Abend, während sie die brennende Hütte anstarrte, ihr Zuhause. Sie hatte Tränen in den Augen.

Dicht gedrängt standen die Frau und ihre fünf Kinder ein Stück hinter dem Inferno. Die Hintertür war offen und gestattete einen schmerzlichen Blick auf das Flammenmeer, das die gesamte Habe der Familie zerstörte. Beinahe wäre sie hineingerannt, um zu retten, was sie konnte, aber ihr Mann, Stephan Dlamini, packte sie fest am Arm und redete in einer Sprache auf sie ein, die James Bond für Xhosa hielt.

Eine Menschenmenge strömte zusammen, und eine provisorische Löschmannschaft bildete eine Eimerkette gegen die rasenden Flammen, doch es war vergebens.

»Wir müssen weg«, sagte Bond zu dem groß gewachsenen Mann, der neben ihm und einem zivilen Kleintransporter des SAPS stand.

»Ganz ohne Zweifel«, sagte Kwalene Nkosi.

Bond meinte, dass sie die Familie aus der Township schaffen mussten, bevor Dunne merkte, dass die Leute noch am Leben waren.

Nkosi jedoch befürchtete etwas ganz anderes. Der Warrant Officer hatte die anwachsende Menge im Auge behalten, die inzwischen den Weißen anstarrte; die Blicke waren alles andere als freundlich.

»Zeigen Sie Ihre Dienstmarke«, riet Bond.

Nkosis Augen weiteten sich. »Nein, nein, Commander, das ist keine gute Idee. Lassen Sie uns aufbrechen. Sofort.«

Sie ließen Stephan Dlamini und seine Familie in den Wagen einsteigen. Bond nahm auf dem Beifahrersitz Platz, und Nkosi setzte sich ans Steuer, startete den Motor und fuhr los.

Hinter ihnen blieb die wütende, verwirrte Menge bei der Feuersbrunst zurück... aber niemand war verletzt worden.

Die Rettung der Familie hatte sich als echtes Wettrennen herausgestellt, das erst auf der Zielgeraden entschieden werden konnte.

Nachdem Bond erfahren hatte, dass Dunne einen Anschlag auf Dlamini plante, der quasi anonym in einer riesigen Township wohnte, musste er den Mann irgendwie ausfindig machen. GCHQ und MI6 konnten kein Mobiltelefon auf seinen Namen finden, auch keine Einträge bei der südafrikanischen Volkszählung oder in Gewerkschaftsunterlagen. Bond folgte einer Eingebung und rief Kwalene Nkosi an. »Ich werde Ihnen jetzt etwas anvertrauen, Warrant Officer, und ich hoffe, Sie werden niemandem davon erzählen. Wirklich *niemandem.*«

Es gab eine kurze Pause. »Reden Sie«, sagte der junge Mann dann zögernd.

Bond schilderte ihm das Problem, einschließlich der Tatsache, dass die Abhöraktion illegal gewesen war.

»Die Verbindung ist ganz schlecht, Commander. Den letzten Teil konnte ich nicht hören.«

Bond lachte. »Aber wir müssen herausfinden, wo dieser Stephan Dlamini wohnt. Schnell.«

Nkosi seufzte. »Das wird schwierig. Primrose Gardens ist sehr groß. Aber ich habe eine Idee.« Wie es schien, kannten die Minibus-Unternehmen sich in den Siedlungen und *Lokasies* wesentlich besser aus als die zuständigen Behörden. Der Warrant Officer würde sie anrufen.

Er und Bond trafen sich und machten sich auf den Weg nach Primrose Gardens. Während der Fahrt setzte Nkosi die Suche nach der Familie mit seinem Mobiltelefon fort. Kurz vor achtzehn Uhr rollten sie bereits langsam durch die Township, als ein Taxifahrer ihnen mitteilte, dass er wisse, wo Dlamini wohne. Dann beschrieb er Bond und Nkosi den Weg zu der Hütte.

Als sie sich näherten, sahen sie einen Lieferwagen auf der Vorderseite stehen und hinter dessen Scheibe ein weißes Gesicht.

»Dunne«, sagte Nkosi.

Er und Bond bogen ab und parkten hinter der Hütte. Als sie zur Hintertür hereinplatzten, geriet die Familie in Panik, aber Nkosi konnte sie in ihrer eigenen Sprache beschwichtigen und erklären, dass Bond und er sie retten wollten. Sie mussten sofort raus. Stephan Dlamini war noch nicht zu Hause, würde aber bald eintreffen.

Einige Minuten später kam er mit seinem kleinen Sohn zur Tür herein. Bond, der wusste, dass der Anschlag nun unmittelbar bevorstand, blieb keine andere Wahl, als sie mit vorgehaltener Waffe nach draußen zu scheuchen. Kaum hatte Nkosi Bonds Absichten und die Gefahr erläutert, explodierten die Granaten, gefolgt von dem Brandsatz.

Nun fuhren sie auf der N1 nach Westen. Dlamini packte Bonds Hand und schüttelte sie. Dann beugte er sich vor und umarmte ihn. Er hatte Tränen in den Augen. Seine Frau schmiegte sich an ihre Kinder und beäugte Bond argwöhnisch, während er erklärte, wer hinter dem Anschlag steckte.

»Mr. Hydt?«, fragte Dlamini entsetzt, nachdem er alles gehört hatte. »Aber wie kann das sein? Er ist ein guter Boss. Er behandelt uns alle gut. Sehr gut. Ich verstehe nicht.«

Bond erwiderte, Dlamini habe anscheinend etwas über illegale Aktivitäten erfahren, in die Hydt und Dunne verstrickt waren.

Seine Augen blitzten auf. »Ich weiß, was Sie meinen.« Er nickte bekräftigend. Dann erzählte er Bond, er sei als Wartungsmonteur auf dem Green-Way-Gelände nördlich der Stadt beschäftigt. An jenem Morgen habe er die Tür zur Forschungs- und Entwicklungsabteilung der Firma offen vorgefunden, weil etwas geliefert wurde. Die beiden Angestellten dort hätten sich im hinteren Teil des Raumes aufgehalten. Dlamini habe drinnen einen übervollen Mülleimer gesehen und beschlossen, ihn zu leeren, obwohl das eigentlich nicht zu seinen Aufgaben gehörte. »Ich wollte einfach nur einen guten Job machen. Das ist alles.« Er schüttelte den Kopf. »Ich gehe also hinein und greife mir den Mülleimer, als einer der beiden mich sieht und anfängt, mich anzuschreien. Was ich gesehen habe? Wohin ich geglotzt habe? Ich sagte: ›Gar nichts.‹ Er hat mich rausgeschickt.«

»Und *haben* Sie irgendetwas gesehen, das diese Aufregung erklären könnte?«

»Nicht, dass ich wüsste. Auf dem Computer neben dem Mülleimer war eine Nachricht, eine E-Mail, glaube ich. Ich habe das Wort ›Serbien‹ auf Englisch gesehen, aber nicht weiter darauf geachtet.«

»Sonst noch etwas?«

»Nein, Sir...«

Serbien...

Einige von Gehennas Geheimnissen lagen also hinter der Tür der Forschungs- und Entwicklungsabteilung.

»Wir müssen die Familie verschwinden lassen«, wandte Bond sich an Nkosi. »Gibt es ein Hotel, in dem sie bis zum Wochenende bleiben kann? Ich bezahle.«

»Ich kann etwas arrangieren.«

Bond gab ihnen fünfzehnhundert Rand. Der Mann starrte die Summe ungläubig an. Nkosi erklärte Dlamini, dass er sich für eine kurze Weile verstecken musste.

»Und lassen Sie ihn seine Angehörigen und engen Freunde

302

anrufen. Er soll ihnen mitteilen, dass es ihm und seiner Familie gut geht, sie sich aber für ein paar Tage nicht blicken lassen dürfen. Können Sie eine Geschichte über ihren Tod an die Medien lancieren?«

»Das müsste gehen.« Der Warrant Officer zögerte. »Aber ich frage mich, ob...« Seine Stimme erstarb.

»Das hier bleibt zwischen uns. Captain Jordaan braucht es nicht zu erfahren.«

»Das ist das Beste, ganz ohne Zweifel.«

Während vor ihnen das herrliche Kapstadt sichtbar wurde, schaute Bond auf die Uhr. Es war an der Zeit für den zweiten Auftrag des Abends – der gänzlich andere Fähigkeiten erfordern würde, als Granaten und Brandsätzen auszuweichen, wenngleich damit zu rechnen war, dass er sich als ebenso herausfordernd erwies.

42

Bond war nicht sonderlich beeindruckt.

Der Lodge Club mochte früher einmal etwas Exklusives an sich gehabt haben, als er noch Jägern vorbehalten war, die Jodhpurhosen trugen und Jacken mit aufgenähten Schlaufen für die Patronen der großkalibrigen Gewehre. Heutzutage wirkte er wie ein kleines Veranstaltungsgebäude, in dem mehrere Hochzeitsempfänge zur selben Zeit stattfinden konnten. Bond war sich nicht mal sicher, ob der Kopf eines Kaffernbüffels, der in der Nähe des Eingangs wütend auf ihn herabstarrte, echt war oder aus chinesischer Fertigung stammte.

Er nannte einer der hübschen jungen Damen an der Tür den Namen Gene Theron. Die Frau war blond und üppig und trug ein enges karmesinrotes Kleid mit tiefem Ausschnitt. Die andere Hostess war eine Zulu oder Xhosa, aber ebenso gebaut und gekleidet. Bond nahm an, dass die Veranstalter der Gala wussten, wie man die vorwiegend männlichen potenziellen Spender, gleich welcher Hautfarbe, in Stimmung bringen konnte. »Ich bin Gast von Mr. Hydt«, fügte er hinzu.

»Ah, ja«, sagte die Blondine und ließ ihn in den dämmrig beleuchteten Raum, in dem sich ungefähr fünfzig Leute aufhielten. Es gab alkoholfreie Getränke, Wein und Champagner. Bond entschied sich für Letzteres.

Er hatte Hydts Rat befolgt und trug eine hellgraue Hose, ein schwarzes Sportsakko und ein hellblaues Hemd, aber keine Krawatte.

Mit seinem Champagnerkelch in der Hand sah Bond sich in dem vornehmen Saal um. Als Gastgeber des Abends fungierte die in Kapstadt beheimatete International Organisation Against Hunger. Auf Fotowänden sah man Arbeiter, die große Pakete an glückliche, zumeist weibliche Empfänger aushändigten, Hercules-Transportflugzeuge, die entladen wurden, und Boote, auf denen sich Reis- oder Weizensäcke türmten. Bilder von ausgezehrten hungernden Kindern gab es hier nicht. Ein geschmackvoller Kompromiss. Die Spender sollten sich ein wenig, aber nicht zu sehr unter Zugzwang gesetzt fühlen. Bond schätzte, dass die Welt des Altruismus ebenso umsichtiges Verhalten erforderte wie die Hinterzimmer von Whitehall.

Aus Lautsprechern in der Decke ertönte die gefällige Hintergrundmusik des Abends: harmonische Klänge von Ladysmith Black Mambazo und inspirierende Lieder der Kapstadter Sängerin Verity.

Es würde eine stille Auktion geben – auf mehreren Tischen lagen verschiedenste Spenden aus, die die Unterstützer der Gruppe gestiftet hatten: ein Fußball mit Unterschriften von Spielern der Bafana Bafana, der südafrikanischen Fußballnationalmannschaft, eine Bootsfahrt mit Walbeobachtung, ein Wochenendausflug nach Stellenbosch, eine Zulu-Skulptur, ein Paar Diamantohrringe und vieles mehr. Die Gäste gingen von Tisch zu Tisch und schrieben ihre jeweiligen Gebote auf einen Zettel; wer bei Auktionsschluss den höchsten Betrag geboten hatte, gewann den Artikel. Severan Hydt hatte ein Abendessen in einem erstklassigen Restaurant gestiftet, für vier Personen, im Wert von achttausend Rand – etwa siebenhundert Pfund, überschlug Bond.

Der Wein floss in Strömen, und Kellner boten auf silbernen Tabletts kunstvolle Kanapees an.

Zehn Minuten nach Bond traf auch Severan Hydt mit seiner Begleiterin ein. Niall Dunne war nirgendwo zu sehen. Bond nickte Hydt zu, dessen gut geschnittener marineblauer Anzug vermutlich aus amerikanischer Fertigung stammte, falls er den Schnitt der Schulterpartie richtig deutete. Die Frau – deren Name Jessica Barnes lautete, erinnerte er sich – trug ein schlichtes schwarzes Kleid und sehr viel Schmuck, ausschließlich Diamanten und Platin. Ihre Strümpfe waren makellos weiß. An ihr gab es nicht den kleinsten Farbtupfer zu entdecken; sie hatte nicht einmal Lippenstift aufgelegt. Sein früherer Eindruck bestätigte sich: Sie war blass und hohlwangig, trotz ihrer guten Figur und des attraktiven Gesichts. Ihr asketisches Erscheinungsbild ließ sie beträchtlich älter wirken, beinahe gespenstisch. Bond war neugierig; jede andere anwesende Frau in Jessicas Alter hatte eindeutig Stunden darauf verwandt, sich herauszuputzen.

»Ah, Theron«, dröhnte Hydt, marschierte los und ließ Jessica einfach stehen. Sie folgte ihm. Während Bond seine Hand schüttelte, bedachte die Frau ihn mit einem unverbindlichen Lächeln. Er wandte sich ihr zu. Seine Arbeit erforderte eine konstante, oftmals erschöpfende Konzentration. Wenn man eine Person traf, die man bisher nur durch Überwachungsmaßnahmen kannte, durfte man sich das keinesfalls anmerken lassen. Ein unbedachtes »Ah, wie schön, Sie wiederzusehen«, obwohl man sich noch nie begegnet war, konnte tödliche Folgen haben.

Bond wartete mit neutraler Miene, bis Hydt sie einander vorgestellt hatte. »Das ist Jessica. Und das ist Gene Theron. Wir haben geschäftlich miteinander zu tun.«

Die Frau nickte und wich seinem Blick zwar nicht aus, ergriff aber nur zögernd seine Hand. Ein Zeichen von Unsicherheit, folgerte Bond. Ein weiterer Hinweis war ihre Handtasche, die sie fest zwischen Arm und Brustkasten eingeklemmt hatte, mit dem Riemen über der Schulter.

Sie fingen an zu plaudern. Bond griff auf Jordaans Lektionen über das Land zurück und bemühte sich, möglichst akkurat zu bleiben, weil er davon ausging, dass Jessica später von diesem Gespräch erzählen würde. Mit leiser Stimme äußerte er, dass die südafrikanische Regierung sich um Wichtigeres kümmern sollte als darum, Pretoria in Tshwane umzubenennen. Er war froh, dass der Konflikt mit den Gewerkschaften sich beruhigte. Ja, das Leben an der Ostküste gefiel ihm. Die Strände in der Nähe seiner Heimatstadt Durban waren besonders hübsch, vor allem nachdem man die Hainetze aufgespannt hatte, obwohl er noch nie auf einen der Großen Weißen gestoßen war, die mitunter Menschen angriffen. Dann sprachen sie über die Tierwelt. Jessica hatte dem berühmten Krüger-Nationalpark erst kürzlich wieder einen Besuch abgestattet und zwei halbwüchsige Elefanten dabei beobachtet, wie sie Bäume und Sträucher niederrissen. Das hatte sie an ihre Jugend in Somerville, Massachusetts erinnert, ein Stück nördlich von Boston, wo damals die öffentlichen Parkanlagen häufig von Teenagern verwüstet worden waren. Oh, ja, er hatte sich schon gedacht, dass sie mit amerikanischem Akzent sprach.

»Sind Sie schon mal in den USA gewesen, Mr. Theron?«

»Bitte nennen Sie mich Gene«, sagte Bond und ging in Gedanken die Biografie durch, die Bheka Jordaan und die Abteilung I entworfen hatten. »Nein«, sagte er. »Aber ich hoffe, es bietet sich mal die Gelegenheit.«

Bond sah zu Hydt. Seine Körpersprache hatte sich verändert; er wirkte ungeduldig. Ein Blick zu Jessica ließ erkennen, dass er mit Theron allein sein wollte. Bond dachte an die Kränkungen und Misshandlungen, die Bheka Jordaan durch ihre Kollegen erlitten hatte. Das hier ging in eine ähnliche Richtung. Gleich darauf entschuldigte die Frau sich: Sie wolle sich »die Nase pudern«. Bond hatte diesen Ausdruck schon seit Jahren nicht mehr gehört und fand es irgendwie paradox, dass sie ihn benutzte, denn vermutlich würde sie genau das nicht tun.

»Ich habe weiter über Ihren Vorschlag nachgedacht«, sagte Hydt, nachdem sie gegangen war. »Wir sollten die Sache in Angriff nehmen.«

»Gut.« Sie ließen sich von einer hübschen jungen Afrikaanderin Champagner nachschenken. »*Dankie*«, sagte Bond und ermahnte sich, es nicht zu übertreiben.

Sie zogen sich in eine Ecke des Saals zurück, wobei Hydt unterwegs mehreren Leuten zuwinkte und einige Hände schüttelte. Als sie dann allein unter dem ausgestopften Kopf einer Gazelle oder Antilope standen, stellte Hydt ihm eine Reihe von Fragen über die Anzahl der Gräber, ihre Größe, die Länder, in denen sie lagen, und darüber, wie nahe eine Entdeckung durch die Behörden bevorstehen mochte. Bond improvisierte die Antworten und war von der Gründlichkeit des Mannes beeindruckt. Wie es schien, hatte er sich den ganzen Nachmittag mit dem Projekt beschäftigt. Bond prägte sich ein, was er Hydt erzählte, und nahm sich vor, es später aufzuschreiben, damit er sich zukünftig nicht widersprach.

»Auch ich würde gern das eine oder andere wissen«, sagte Bond nach einer Viertelstunde. »Zunächst mal Ihre Firma hier. Ich möchte sie besichtigen.«

»Das sollten Sie unbedingt.«

Als Hydt keinen Termin vorschlug, fragte Bond: »Wie wäre es mit morgen?«

»Das könnte schwierig werden, wegen meines großen Projekts am Freitag.«

Bond nickte. »Einige meiner Kunden haben es sehr eilig. Sie sind meine erste Wahl, aber falls es Verzögerungen gibt, muss ich leider …«

»Nein, nein. Bitte. Morgen geht in Ordnung.«

Bond wollte nachhaken, aber in diesem Moment wurde das Licht gedämpft, und eine Frau stieg auf das kleine Podium unweit von Bond und Hydt. »Guten Abend«, rief sie mit südafrikanischem Akzent. »Herzlich willkommen. Danke, dass Sie uns heute Abend die Ehre erweisen.«

Sie war die Geschäftsführerin der Organisation, und Bond musste lächeln, als er ihren Namen hörte: Felicity Willing.

Nach seiner Ansicht war sie keine atemberaubende Schönheit wie Philly Maidenstone, aber ihr Gesicht war markant, eindrucksvoll. Mit dem professionellen Make-up hatte es etwas Katzenhaftes an sich. Ihre Augen waren tiefgrün und ihr Haar dunkelblond, streng nach hinten gezogen und hochgesteckt, wodurch ihre Nase und ihr Kinn nur umso entschlossener wirkten. Sie trug ein enges dunkelblaues Cocktailkleid mit tiefem Dekolleté und noch tieferem Rückenausschnitt. Ihre silbernen Schuhe hatten dünne Riemen und gefährlich hohe Absätze. Um ihren Hals schimmerten schwach rosa gefärbte Perlen, und am rechten Zeigefinger steckte ein Ring, ebenfalls mit Perle. Ihre Fingernägel waren kurz und nicht lackiert.

Ihr durchdringender, fast herausfordernder Blick schweifte über das Publikum. »Ich muss Sie warnen…«, sagte sie. Die Spannung stieg. »Ich bin als Dickschädel bekannt, das werden Sie später noch merken, wenn ich meine Runde mache. Halten Sie zu Ihrer eigenen Sicherheit Ihre Scheckbücher bereit.« Ihre ernste Miene wich einem Lächeln.

Als das Gelächter sich gelegt hatte, erzählte Felicity von der Plage des Hungers. »Afrika muss fünfundzwanzig Prozent seiner Lebensmittel importieren… Während die Bevölkerung immer weiter gewachsen ist, liegen die Ernteerträge auf dem Niveau von 1980… In Ländern wie der Zentralafrikanischen Republik hat fast ein Drittel aller Haushalte nicht ausreichend Nahrung zur Verfügung… In Afrika ist Jodmangel die häufigste Ursache für Hirnschäden und Vitamin-A-Mangel die häufigste Ursache von Erblindungen… Knapp dreihundert Millionen Afrikaner haben nicht genug zu essen – das entspricht der gesamten Bevölkerung der Vereinigten Staaten…«

Afrika sei natürlich nicht der einzige Kontinent, auf dem Hunger herrsche, fuhr sie fort, und ihre Organisation bekämpfe die Plage an allen Fronten. Dank der Großzügigkeit der Spender, darunter viele der Anwesenden, habe die Gruppe kürzlich den Schritt von einer südafrikanischen zu einer internationalen Wohltätigkeitsorganisation gewagt und Filialen in Jakarta, Port-au-Prince und Mumbai eröffnet. Weitere seien geplant.

Demnächst werde in Kapstadt die größte jemals nach Afrika verschiffte Lieferung von Mais, Hirse, Milchpulver und anderen hoch nahrhaften Produkten eintreffen und auf dem ganzen Kontinent verteilt werden.

Felicity dankte für den Applaus. Dann verschwand ihr Lächeln, und der durchdringende Blick kehrte zurück. Mit leiser, wenn nicht gar drohender Stimme beschwor sie die unbedingte Notwendigkeit, die ärmeren Länder unabhängig von den westlichen Agrarkonzernen zu machen. Sie verdammte die vorherrschende Methode, mit der Amerika und Europa dem Hunger begegneten: Ausländische Megafarmen drängten sich in Dritte-Welt-Nationen und beuteten die einheimischen Bauern aus – die Menschen, die wussten, wie man dem Land die besten Erträge entlockte. Diese Konzerne benutzten Afrika und andere Länder als Laboratorien, um unerprobte Verfahren und Produkte zu testen, zum Beispiel synthetische Düngemittel und genetisch verändertes Saatgut.

»Der weitaus größte Teil der internationalen Agrarindustrie ist nur an Profit interessiert, nicht daran, das Leid der Menschen zu lindern. Und das ist schlicht nicht hinnehmbar.«

Nachdem sie ihre Botschaft losgeworden war, lächelte Felicity und zählte namentlich einige der Spender auf, darunter auch Hydt. Er erwiderte den Beifall mit einem Winken und lächelte ebenfalls, aber was er Bond zuflüsterte, erzählte eine andere Geschichte: »Wenn Sie scharf auf Schmeicheleien sind, verteilen Sie einfach etwas Geld. Je verzweifelter die Leute sind, desto mehr lieben sie einen.« Er fühlte sich hier eindeutig unwohl.

Felicity verließ das Podium und mischte sich unter die Leute, während immer noch stille Gebote abgegeben wurden.

»Ich weiß nicht, ob Sie schon etwas vorhaben«, wandte Bond sich an Hydt, »aber ich dachte, wir könnten vielleicht gemeinsam zu Abend essen. Ich lade Sie ein.«

»Das tut mir leid, Theron, aber ich muss mich mit einem Mitarbeiter treffen, der heute wegen des besagten Projekts angereist ist.«

Gehenna… Wer auch immer der Mann sein mochte, Bond wollte ihn kennenlernen. »Bitten Sie ihn einfach hinzu. Er ist mit eingeladen.«

»Ich fürchte, heute Abend geht es wirklich nicht«, sagte Hydt geistesabwesend, zog sein iPhone aus der Tasche und scrollte durch die Liste der Nachrichten oder entgangenen Anrufe. Er blickte auf und entdeckte Jessica, die ganz allein und ein wenig verloren vor einem der Tische stand, auf dem die Auktionsgegenstände lagen. Als sie ihn ansah, winkte er sie ungehalten zu sich.

Bond versuchte, sich eine andere Möglichkeit auszudenken, den Abend noch nicht zu beenden, beschloss dann aber, Hydt lieber nicht misstrauisch zu machen. Mit der Verführung verhält es sich im Spionagegeschäft genau wie in der Liebe; am besten ist es, wenn das Objekt der Begierde von selbst zu dir kommt. Nichts ruiniert deine Absichten schneller und gründlicher als zu große Hartnäckigkeit.

»Dann also morgen«, sagte Bond scheinbar ungerührt und inspizierte sein eigenes Telefon.

»Ja – gut.« Hydt blickte auf. »Felicity!«

Die Geschäftsführerin löste sich lächelnd von einem fetten Mann mit schütterem Haar in einem sandfarbenen Jackett. Er hatte ihre Hand schon unangemessen lange umklammert gehalten. Sie gesellte sich zu Hydt, Jessica und Bond.

»Severan. Jessica.« Sie drückten ihre Wangen aneinander.

»Und ein Geschäftsfreund, Gene Theron. Er ist aus Durban und für ein paar Tage in der Stadt.«

Felicity gab Bond die Hand. Er stellte die naheliegenden Fragen über ihre Organisation und die bald eintreffende große Lieferung und hoffte derweil, dass Hydt sich wegen des Abendessens noch anders entscheiden würde.

Doch der Mann schaute erneut auf sein iPhone und verkündete: »Ich fürchte, wir müssen jetzt los.«

»Severan«, sagte Felicity. »Ich glaube, ich habe unsere Dankbarkeit nicht angemessen zum Ausdruck gebracht. Sie haben uns einige sehr wichtige Spender vermittelt. Ich kann Ihnen wirklich gar nicht genug danken.«

Bond merkte auf. Demnach kannte sie die Namen mancher Geschäftspartner von Hydt. Er fragte sich, wie er es am besten anstellte, an diese Informationen zu gelangen.

»Ich bin von Herzen gern behilflich«, sagte Hydt. »Ich habe im Leben viel Glück gehabt und möchte etwas davon zurückgeben.« Er wandte sich an Bond. »Wir sehen uns morgen, Theron. Gegen Mittag, sofern es Ihnen passt. Ziehen Sie sich alte Sachen und Schuhe an.« Er strich sich mit dem Zeigefinger durch den krausen Bart; der Nagel reflektierte einen gelblichen Lichtstrahl. »Das wird eine Führung durch die Hölle.«

Hydt und Jessica brachen auf. Bond wandte sich Felicity Willing zu. »Diese Statistiken waren beunruhigend. Ich bin vielleicht daran interessiert zu helfen.« Sie stand dicht neben ihm. Er roch ihr Parfum, einen Moschusduft.

»Vielleicht daran interessiert?«, fragte sie.

Er nickte.

Felicitys Mund lächelte, ihre Augen nicht. »Nun, Mr. Theron, für jeden Spender, der tatsächlich einen Scheck ausstellt, behaupten zwei andere, sie seien ›interessiert‹, aber ich sehe nie einen Rand. Es wäre mir lieber, jemand sagt von vornherein, dass er nichts geben will, und verschwendet nicht meine Zeit. Verzeihen Sie meine Offenheit, aber ich befinde mich im Krieg.«

»Und Sie machen keine Gefangenen.«

»Nein«, sagte sie, nun mit aufrichtigem Lächeln. »Niemals.«

Dickschädel …

»Dann werde ich Ihnen ganz sicherlich helfen«, sagte Bond und fragte sich, was die Abteilung A wohl davon halten würde, wenn auf seiner Spesenabrechnung eine Spende auftauchte. »Ich bezweifle aber, dass ich in der Lage bin, mit Severans Großzügigkeit mitzuhalten.«

»Jeder gespendete Rand ist ein weiterer kleiner Schritt auf dem Weg zur Lösung des Problems«, sagte sie.

Er hielt einen kalkulierten Moment inne. »Nur so ein Gedanke: Severan und Jessica haben heute Abend schon etwas vor, und ich bin allein in der Stadt. Darf ich Sie nach der Auktion zum Essen einladen?«

Felicity überlegte. »Warum eigentlich nicht? Sie sehen halbwegs kräftig aus.« Und mit diesen Worten wandte sie sich ab, eine Löwin, die sich anschickte, über eine Herde Gazellen herzufallen.

43

Am Ende der Veranstaltung, die umgerechnet dreißigtausend Pfund einbrachte – darunter eine bescheidene Zuwendung zu Lasten der Kreditkarte von Gene Theron –, gingen Bond und Felicity Willing zum Parkplatz hinter dem Lodge Club.

Sie näherten sich einem großen Lieferwagen, neben dem Dutzende großer Kartons standen. Felicity raffte ihr Kleid, bückte sich wie ein Stauer am Hafen und wuchtete eine schwere Kiste durch die offene Seitentür des Transporters.

Das erklärte die Anspielung auf Bonds Statur. »Lassen Sie, ich…«, sagte er.

»Wir erledigen das gemeinsam.«

Sie luden zusammen die Kartons ein. Es roch nach Essen. »Das sind Reste von eben«, stellte er fest.

»Haben Sie sich denn nicht darüber gewundert, dass wir bei einer solchen Veranstaltung Gourmethäppchen serviert haben?«, fragte Felicity.

»Das habe ich tatsächlich.«

»Wenn ich Käse und Cracker angeboten hätte, wäre kein Krümel übrig geblieben. Aber bei diesem edleren Zeug – das ich ein paar Nobelrestaurants aus dem Kreuz leiern konnte – hat niemand sich mehr als einen oder zwei Bissen getraut. Ich wollte sichergehen, dass es jede Menge Reste gibt.«

»Und wohin liefern wir die Kartons?«

»Zu einer Tafel ganz in der Nähe. Wir arbeiten öfter mit denen zusammen.«

Als alles verstaut war, stiegen sie ein. Felicity nahm am Steuer Platz und zog die Schuhe aus, um barfuß zu fahren. Dann raste der Lieferwagen davon und holperte über den unebenen Asphalt, während sie Kupplung und Getriebe malträtierte.

Fünfzehn Minuten später trafen sie bei einer großen interkonfessionellen Tafel ein. Felicity zog die Schuhe wieder an, stieg aus und öffnete die Seitentür, damit sie die Scampi, Krabbenkuchen und Hühnchen nach Jamaika-Art ausladen konnten. Das Personal trug alles ins Gebäude.

Danach winkte Felicity einen groß gewachsenen Mann zu sich, der eine khakifarbene Hose und ein T-Shirt trug. Die Maikühle schien ihm nichts auszumachen. Er zögerte und kam dann näher. Nach einem neugierigen Blick auf Bond sagte er: »Ja, Miss Willing? Danke, Miss Willing. Viel gutes Essen für alle heute Abend. Haben Sie einen Blick in den Speisesaal geworfen? Er ist ganz voll.«

Sie ignorierte seine Fragen, die für Bond geklungen hatten, als wolle der Mann von etwas ablenken. »Joso, letzte Woche ist eine Lieferung verschwunden. Fünfzig Kilo. Wer hat es genommen?«

»Ich habe nichts gehört…«

»Ich habe nicht gefragt, ob Sie etwas gehört haben. Ich habe gefragt, wer es genommen hat.«

Sein Gesicht war eine Maske, aber dann bröckelte die Fassade. »Wieso fragen Sie mich, Miss Willing? Ich habe nichts getan.«

»Joso, wissen Sie, wie viele Leute von fünfzig Kilo Reis satt werden?«

»Ich…«

»Raus damit. Wie viele?« Er ragte über ihr auf, aber Felicity wich keinen Millimeter zurück. Bond fragte sich, ob *das* in Wahrheit der Grund war, aus dem sie ihn mitgenommen hatte. Doch ihr Blick verriet, dass sie momentan keinen Gedanken an ihn verschwendete. Das hier betraf Felicity und einen Übeltäter, der ihren Schützlingen Nahrung gestohlen hatte, und sie war vollauf in der Lage, allein mit ihm fertig zu werden. Bond fühlte sich an sich selbst im Angesicht eines Gegners erinnert. »Wie viele Leute?«, wiederholte sie.

Er fing an, auf Zulu oder Xhosa zu jammern.

»Nein«, korrigierte sie ihn. »Es werden mehr davon satt, viel mehr.«

»Es war ein Missgeschick«, protestierte er. »Ich hatte vergessen, die Tür abzuschließen. Es war spät. Ich habe ...«

»Es war kein Missgeschick. Jemand hat gesehen, dass Sie die Tür aufgeschlossen haben, bevor Sie gegangen sind. Wer hat den Reis?«

»Nein, nein, Sie müssen mir glauben.«

»Wer?«, ließ sie nicht locker.

Er gab klein bei. »Ein Mann aus den Flats. Von einer Bande. O bitte, Miss Willing, wenn Sie das der Polizei melden, wird er herausfinden, dass ich es war. Er wird wissen, dass ich es Ihnen erzählt habe. Und dann zahlt er es mir und meiner Familie heim.«

Ihre Züge verhärteten sich, und Bond fühlte sich in seinem früheren Eindruck bestärkt: Sie war wie eine Raubkatze, nun kurz vor dem Angriff. In ihrer Stimme lag keinerlei Mitgefühl. »Ich werde nicht zur Polizei gehen«, sagte sie. »Nicht dieses Mal. Aber Sie werden dem Direktor gestehen, was Sie getan haben. Und er wird entscheiden, ob Sie bleiben dürfen oder nicht.«

»Das ist mein einziger Job«, klagte er. »Ich habe eine Familie. Mein einziger Job.«

»Den Sie bedenkenlos aufs Spiel gesetzt haben«, erwiderte sie. »Jetzt gehen Sie und sprechen Sie mit Reverend van Groot. Und falls er Sie behält und es ereignet sich noch ein Diebstahl, verständige ich die Polizei.«

»Es kommt nicht wieder vor, Miss Willing.« Er machte kehrt und verschwand nach drinnen.

Bond war beeindruckt, wie kühl und entschlossen sie die Angelegenheit geregelt hatte. Es machte sie nur umso attraktiver.

Sie bemerkte seinen Blick, und ihre Miene entspannte sich. »Dieser Krieg, den ich erwähnt habe… Manchmal kann man sich nicht sicher sein, wer der Feind ist. Er könnte sogar auf der eigenen Seite stehen.«

Wem sagst du das?, dachte Bond.

Sie kehrten zum Wagen zurück. Felicity bückte sich, um wieder die Schuhe auszuziehen, aber Bond sagte schnell: »Ich fahre. Sparen Sie sich die Mühe.«

Sie lachte. Dann stiegen sie beide ein und fuhren los. »Abendessen?«, fragte sie.

Nach allem, was er über Hunger gehört hatte, fühlte er sich fast schuldig. »Sofern Ihnen noch der Sinn danach steht.«

»Oh, aber unbedingt.«

»Hätte es ihn wirklich das Leben gekostet, wenn Sie zur Polizei gegangen wären?«, fragte Bond.

»Der SAPS hätte mich ausgelacht. Wegen fünfzig Kilo Reis machen die keinen Finger krumm. Aber die Cape Flats sind gefährlich, das stimmt, und falls jemand dort glauben würde, dass Joso ihn verraten hat, wäre sein Leben in Gefahr. Hoffen wir, dass er seine Lektion gelernt hat.« Ihre Stimme kühlte wieder etwas ab. »Mit Nachsicht gewinnt man bisweilen Verbündete. Sie kann sich aber auch als Kobra erweisen.«

Felicity lotste ihn zurück nach Green Point. Da das Restaurant, das sie vorgeschlagen hatte, in der Nähe des Table Mountain Hotels lag, parkte er den Wagen dort, und sie gingen ein Stück zu Fuß. Bond fiel auf, dass Felicity sich mehrmals angespannt umsah. Die Straße war menschenleer. Wovon fühlte sie sich bedroht?

Sie entspannte sich, sobald sie das Restaurant betreten hatten. Hier herrschte dunkles Holz und Messing vor, und die Wände waren mit Teppichen geschmückt. Die großen Fenster gaben den Blick auf das Wasser frei, auf dem zahllose Lichter tanzten. Das Licht hier drinnen stammte hauptsächlich von Hunderten cremefarbener Kerzen. Als sie zu ihrem Tisch geführt wurden, bemerkte Bond, dass Felicitys enges Kleid schimmerte und mit jedem Schritt die Farbe zu ändern schien, von marine- über azur- zu coelinblau. Ihre Haut glühte.

Der Kellner begrüßte sie mit Namen und lächelte dann Bond an. Sie bestellte einen Cosmopolitan, und Bond, der Lust auf einen Cocktail hatte, entschied sich für den gleichen Drink wie an dem Abend mit Philly Maidenstone. »Einen doppelten Crown Royal Whisky auf Eis. Dazu ein halbes Maß Triple Sec, zwei Schuss Angostura und einen Twist Orangenschale, keine Scheibe.«

»Diese Mischung kenne ich gar nicht«, sagte Felicity, als der Kellner gegangen war.

»Meine eigene Erfindung.«

»Hat sie schon einen Namen?«

Bond lächelte, weil er daran denken musste, dass der Kellner bei Antoine's in London ihn das Gleiche gefragt hatte. »Noch nicht.« Da fiel ihm sein letztes Gespräch mit M ein. »Aber ich glaube, wir können den Drink jetzt taufen. Ich werde ihn den Carte blanche nennen. Ihnen zu Ehren.«

»Inwiefern?«, fragte sie und legte die schmale Stirn in Falten.

»Weil Ihre Spender, sofern sie genug davon trinken, Ihnen vollständig freie Hand geben werden, sich an ihrem Geld zu bedienen.«

Sie lachte und drückte seinen Arm. Dann nahm sie die Speisekarte.

Aus der Nähe konnte Bond nun erkennen, wie meisterhaft sie sich geschminkt hatte, um die katzenhaften Augen und die Linien ihrer Wangen und des Kinns zu betonen. Ihm kam ein

Gedanke. Philly Maidenstone mochte im klassischen Sinn attraktiver sein, aber ihre Schönheit war passiver Natur. Felicitys hingegen war viel nachdrücklicher, kraftvoller.

Er tadelte sich dafür, dass er überhaupt derartige Vergleiche anstellte, und griff nach der umfangreichen Speisekarte. Darin stand, dass das Restaurant namens Celsius berühmt für seinen besonderen Grill war, der eine Temperatur von 950 Grad erreichte.

»Bestellen Sie für uns«, sagte Felicity. »Die Vorspeise überlasse ich ganz Ihnen, aber als Hauptgang möchte ich unbedingt ein Steak haben. Das gegrillte Fleisch hier im Celsius ist fabelhaft. Mein Gott, Gene, Sie sind doch nicht etwa Veganer, oder?«

»Wohl kaum.«

Als der Kellner kam, bestellte Bond frische gegrillte Sardinen, gefolgt von einem großen Rib-Eye-Steak für zwei. Er bat darum, das Fleisch mit dem Knochen zu grillen – was in Amerika »Cowboy Cut« genannt wurde.

Der Kellner erwähnte, dass die Steaks üblicherweise mit exotischen Soßen serviert wurden: argentinische Chimichurri, indonesische Kaffeesoße, madagassische Pfeffersoße, portugiesische Madeirasoße oder peruanische Anticucho. Doch Bond lehnte sie alle ab. Er war der Ansicht, dass Steaks genug Eigengeschmack hatten und daher nur mit Salz und Pfeffer gewürzt werden sollten.

Felicity nickte zustimmend.

Dann wählte Bond eine Flasche südafrikanischen Rotwein aus, den Rustenberg Peter Barlow Cabernet 2005.

Der Wein kam und war so gut wie erwartet. Sie stießen mit ihren Gläsern an und tranken einen Schluck.

Der Kellner brachte die Vorspeise, und sie aßen. Bond, der dank Gregory Lamb kein Mittagessen gehabt hatte, war regelrecht ausgehungert.

»Womit verdienen Sie Ihren Lebensunterhalt, Gene? Severan hat es nicht gesagt.«

»Ich arbeite in der Sicherheitsbranche.«

»Ah.« Die Stimmung kühlte ein wenig ab. Felicity war eine erfahrene, weltläufige Geschäftsfrau und erkannte den Euphemismus. Sie würde annehmen, dass er auf irgendeine Weise in die vielen Konflikte in Afrika verstrickt war. Krieg, so hatte sie während ihrer Rede gesagt, war eine der Hauptursachen der Geißel des Hungers.

»Ich besitze Firmen, die Sicherheitssysteme installieren und Wachpersonal stellen.«

Sie schien ihm zu glauben, zumindest teilweise. »Ich bin in Südafrika geboren und wohne nun seit vier oder fünf Jahren hier. Ich habe die Veränderungen miterlebt. Die Kriminalität ist nicht mehr so schlimm, wie sie mal war, aber es geht noch nicht ohne Sicherheitsleute. Wir haben auch welche. Wir können gar nicht anders. Als Hilfsorganisation sind wir deshalb nicht weniger gefährdet.« Ihre Miene verfinsterte sich. »Ich verteile die Nahrungsmittel mit offenen Händen. Aber ich lasse sie mir nicht stehlen.«

Um von weiteren Fragen zu seiner Person abzulenken, erkundigte Bond sich nach ihrem Leben.

Sie war im Busch aufgewachsen, in der westlichen Kapregion, als Einzelkind englischer Eltern, der Vater leitender Angestellter eines Bergwerksbetriebs. Als sie dreizehn war, kehrte die Familie nach London zurück. Im Internat wurde sie zur Außenseiterin, gestand sie. »Ich hätte mich vielleicht etwas besser eingefügt, wenn ich nicht mitten im Speisesaal erzählt hätte, wie man eine Gazelle erlegt, ausweidet und zubereitet.«

Dann war sie auf die London Business School gegangen und hatte bei einer großen Londoner Investmentbank gearbeitet, wo sie »ganz passabel« zurechtgekommen sei; die betonte Bescheidenheit ließ vermuten, dass sie mächtig untertrieb.

Doch die Arbeit hatte sich letztlich als unbefriedigend erwiesen. »Es fiel mir zu leicht, Gene. Es gab keine Herausforderung. Ich brauchte einen steileren Berg. Daher habe ich vor vier oder fünf Jahren beschlossen, mich neu zu orientieren. Ich nahm mir einen Monat frei und bin nach Südafrika geflogen. Ich sah, wie verbreitet der Hunger war. Und ich wollte etwas dagegen tun. Alle sagten, die Mühe sei vergebens. Man könne ohnehin nichts bewirken. Tja, das hatte auf mich die gleiche Wirkung wie ein rotes Tuch auf einen Stier.«

»Felicity, der Dickschädel.«

Sie lächelte. »Hier bin ich also nun, bedränge Spender, uns Geld zu geben, und lege mich mit den amerikanischen und europäischen Megafarmen an.«

»Sie haben Mumm, das muss man Ihnen lassen.«

»Die zerstören den Kontinent. Damit dürfen sie nicht durchkommen.«

Das ernste Gespräch wurde unterbrochen, weil der Kellner auf einer eisernen Servierplatte das zischende Steak brachte. Es war außen dunkel und innen saftig. Schweigend aßen sie eine Weile. Als Bond sich ein knuspriges Stück abschnitt, aber zunächst noch einen Schluck Wein trank, war der Bissen urplötzlich von seinem Teller verschwunden. Felicity kaute mit schelmischem Lächeln. »Tut mir leid. Wenn mir etwas gefällt, schnappe ich es mir.«

Bond lachte. »Und ich bin ja ein toller Sicherheitsexperte, dass ich es mir unter der Nase wegnehmen lasse.« Er winkte dem Sommelier und bestellte eine zweite Flasche Cabernet. Bond lenkte das Gespräch auf Severan Hydt.

Leider schien sie nicht viele Einzelheiten über den Mann zu wissen, die Bond bei seiner Mission weitergeholfen hätten. Sie erwähnte die Namen mehrerer seiner Geschäftspartner, die ihrer Gruppe Geld gespendet hatten. Bond prägte sie sich ein. Sie kannte Niall Dunne nicht persönlich, wusste aber, dass

Hydt irgendeinen brillanten Assistenten hatte, der alle möglichen technischen Zaubertricks beherrschte. Dann zog sie eine Augenbraue hoch. »Mir wird gerade klar – Sie sind derjenige, welcher.«

»Wie bitte?«

»Sie sind für die Sicherheitsvorkehrungen auf dem Green-Way-Gelände nördlich der Stadt zuständig. Ich war zwar noch nie dort, aber einer meiner Mitarbeiter hat da mal eine Spende abgeholt. All die Metalldetektoren und Scanner. Man darf nicht mal eine Büroklammer mitnehmen, ganz zu schweigen von einem Mobiltelefon. Es muss alles am Eingang abgegeben werden. Wie in diesen alten amerikanischen Western – wer in den Saloon will, lässt den Revolver draußen.«

»Hydts Firmengelände wird nicht von uns überwacht. Ich erledige andere Aufträge.« Diese Neuigkeiten beunruhigten Bond; er hatte vorgehabt, weitaus mehr als nur eine Büroklammer und ein Mobiltelefon ins Gebäude zu schmuggeln, ungeachtet Bheka Jordaans Bedenken hinsichtlich einer illegalen Bespitzelung. Er musste sich etwas einfallen lassen.

Sie aßen auf und tranken aus. Mittlerweile waren sie die letzten Gäste im Restaurant. Bond bat um die Rechnung und beglich sie. »Die zweite meiner Spenden«, sagte er.

Am Eingang holte er Felicitys schwarzen Kaschmirmantel und legte ihn ihr um die Schultern. Sie machten sich auf den Weg. Die hohen Absätze ihrer Schuhe klopften auf den Beton. Abermals sah sie sich sorgfältig um. Dann atmete sie auf, nahm seinen Arm und hielt ihn fest umklammert. Er war sich ihres Parfums nur zu bewusst, und er merkte, wie ihre Brust gelegentlich seinen Arm streifte.

Sie erreichten das Hotel. Bond zog den Wagenschlüssel aus der Tasche. Felicity verlangsamte ihren Schritt. Am klaren Nachthimmel über ihnen funkelten unzählige Sterne.

»Ein sehr schöner Abend«, sagte Felicity. »Und danke für

Ihre Hilfe bei der Lieferung der Kartons. Sie sind noch kräftiger, als ich dachte.«

»Noch ein Glas Wein?«, fragte Bond spontan.

Die grünen Augen richteten sich auf sein Gesicht. »Möchten *Sie* denn noch eines?«

»Ja«, sagte er kurzerhand.

Zehn Minuten später saßen sie in seinem Zimmer im Table Mountain Hotel auf dem Sofa, das sie vor das Fenster geschoben hatten. Jeder hielt ein Glas Stellenbosch Pinotage in der Hand.

Sie schauten hinaus über die Lichter in der Bucht, die gedämpft gelb oder weiß flackerten, wie ein harmloser Insektenschwarm.

Felicity drehte sich zu ihm, vielleicht, um etwas zu sagen, vielleicht auch nicht, und er beugte sich vor und küsste sie zärtlich. Dann wich er ein Stück zurück, um ihre Reaktion abzuschätzen, und rückte wieder vor und küsste sie erneut, fester, verlor sich in der Berührung, dem Geschmack, der Hitze. Felicitys Arme legten sich um seine Schultern, ihr Atem strömte über seine Wange. Dann küsste sie seinen Hals und biss ihn sanft in den Übergang zur festen Schulter. Ihre Zunge glitt eine Narbe entlang, die im Bogen bis auf seinen Oberarm verlief.

Bonds Finger schoben sich ihren Nacken hinauf bis in die Haare und zogen sie näher heran. Der Duft ihres Parfums wurde übermächtig.

Beim Skifahren gibt es einen vergleichbaren Moment: Man steht auf einem Gebirgskamm oberhalb eines wunderschönen, aber gefährlichen Abfahrtshangs und hat die Wahl, ob man das Risiko eingeht oder nicht. Man kann immer noch die Bindungen öffnen und zu Fuß ins Tal hinabsteigen. Für Bond hatte sich diese Frage jedoch nie wirklich gestellt; wann immer sich ihm die Gelegenheit bot, konnte er der verlockenden Schussfahrt nicht widerstehen. Es ging nur noch darum, möglichst die Kontrolle zu behalten.

Genau wie jetzt.

Bond streifte ihr Kleid ab; der dünne blaue Stoff glitt gemächlich zu Boden. Felicity ließ sich zurücksinken und zog ihn mit, bis sie unter ihm auf der Couch lag. Sie fing an, mit ihren Zähnen an seiner Unterlippe zu zupfen. Er umfasste wieder ihren Nacken und zog ihr Gesicht zu sich, während ihre Hände auf seinem unteren Rücken lagen und ihn fest massierten. Felicity erschauderte und atmete abrupt ein. Er begriff, dass es sie aus irgendeinem Grund erregte, ihn dort zu berühren. Er fühlte auch, dass sie seine Hände kraftvoll hinter ihrer Taille spüren wollte. So kommunizieren Liebende miteinander, und er würde sich diese Stelle merken, die zarten Wirbel ihres Rückgrats.

Bond hingegen fand jeden Teil ihres Körpers begehrenswert, in jeglicher Hinsicht: ihre hungrigen Lippen, ihre starken, makellosen Schenkel, die in enge schwarze Seide gehüllten Brüste, ihren zierlichen Nacken und Hals, aus dem ein leises Stöhnen ertönte, das dichte Haar, das ihr Gesicht umrahmte, den weichen Flaum an anderer Stelle.

Sie küssten sich endlos, dann schob sie ihn ein kleines Stück von sich und sah ihm tief in die funkelnden Augen. Ihre Lider, geschminkt mit schwach leuchtendem Grün, senkten sich halb. Beide ergaben sich und beide gewannen.

Bond hob sie mühelos hoch. Ihre Lippen trafen sich noch einmal kurz; dann trug er Felicity zum Bett.

DONNERSTAG

Das Schwarze Loch

44

James Bond schreckte aus einem Albtraum hoch, an den er sich nicht erinnern konnte. Seltsamerweise galt sein erster Gedanke Philly Maidenstone, und er empfand absurde Gewissensbisse, als hätte er sie betrogen, obwohl der intimste Kontakt zwischen ihm und ihr eine Berührung Wange an Wange gewesen war, die höchstens eine halbe Sekunde gedauert hatte.

Er drehte den Kopf. Die andere Seite des Betts war leer. Er sah auf die Uhr. Es war halb acht. Er konnte Felicitys Parfum an Laken und Kissen riechen.

Der gestrige Abend hatte als Erkundungsmission begonnen, bei der Bond etwas über seinen Gegner und dessen Absichten herausfinden wollte. Dann war mehr daraus geworden. Er hatte mit Felicity Willing eine Seelenverwandte kennengelernt, eine resolute Frau, die einst die Londoner Bankenwelt erobert und sich dann einer edleren Aufgabe zugewandt hatte. In gewisser Weise waren er und sie beide fahrende Ritter.

Und er wollte sie wiedersehen.

Doch das Wichtigste zuerst. Er stieg aus dem Bett und zog einen Frotteemantel an. Dann zögerte er kurz. Aber es musste sein.

Er ging zu seinem Laptop im Wohnbereich der Suite. Das Gerät war von der Abteilung Q mit einer restlichtverstärkten Kamera ausgestattet worden, die sich per Bewegungsmelder aktivieren ließ. Bond fuhr den Computer hoch und überprüfte die Aufzeichnung. Die Kamera war auf die Eingangstür und den Sessel gerichtet gewesen, auf den Bond Sakko und Hose geworfen hatte, darin seine Brieftasche, sein Pass und sein Mobiltelefon. Laut Zeitangabe war Felicity gegen fünf Uhr dreißig angezogen an seiner Kleidung vorbeigegangen, ohne sich für seine Sachen oder den Laptop zu interessieren. Sie blieb stehen und schaute zurück zum Bett. Mit einem Lächeln? Ihm kam es so vor, aber er war sich nicht sicher. Sie legte etwas auf den kleinen Tisch bei der Tür und verließ das Zimmer.

Er stand auf und ging hin. Neben der Lampe lag ihre Visitenkarte. Unterhalb der Telefonnummer ihrer Organisation hatte sie per Hand die Nummer eines Mobiltelefons hinzugefügt. Bond schob die Karte in seine Brieftasche.

Er putzte sich die Zähne, duschte und rasierte sich. Dann zog er eine blaue Jeans und ein weites schwarzes Lacoste-Hemd an, unter dem er seine Walther verstecken konnte. Lächelnd legte er das protzige Armband und die Uhr an und schob sich den Siegelring auf den Finger.

Als er seine SMS und E-Mails durchsah, fand er eine Nachricht von Percy Osborne-Smith vor. Der Mann blieb seiner neuen Einstellung treu und teilte ihm den aktuellen Stand der Nachforschungen in Großbritannien mit, wenngleich es kaum Fortschritte zu vermelden gab. Er endete mit den Zeilen:

Unsere Freunde in Whitehall sind völlig besessen von Afghanistan. Ich würde sagen, umso besser für uns, James. Ich freue mich darauf, gemeinsam mit Ihnen das Georgskreuz verliehen zu bekommen, sobald Hydt hinter Gittern sitzt.

Während er in seinem Zimmer frühstückte, dachte er über den bevorstehenden Ausflug zu Hydts Green-Way-Gelände nach. Er wog ab, was er am Vorabend erfahren hatte, vor allem hinsichtlich der strengen Sicherheitsvorkehrungen. Dann rief er die Abteilung Q an und ließ sich mit Sanu Hirani verbinden.

Im Hintergrund hörte er Kinderstimmen. Vermutlich hatte man ihn an das Mobiltelefon des Abteilungsleiters durchgestellt. Hirani hatte sechs Kinder. Sie alle spielten Cricket, und seine älteste Tochter war eine herausragende Schlagfrau.

Bond schilderte ihm, welche Kommunikationsmittel und Waffen er benötigte. Hirani hatte ein paar Ideen, war aber unschlüssig, ob sie sich schnell in die Tat umsetzen lassen würden. »Wie viel Zeit haben Sie, James?«

»Zwei Stunden.«

Am anderen Ende der Leitung in mehr als elftausend Kilometern Entfernung ertönte ein nachdenkliches Einatmen. Dann: »Ich werde einen Verbindungsmann in Kapstadt benötigen. Jemanden mit Ortskenntnissen und Sicherheitsfreigabe. Ach, und mit solider Tarnidentität. Fällt Ihnen da jemand ein?«

»Ich fürchte, ja.«

Um zehn Uhr dreißig betrat Bond in grauer Windjacke die Polizeizentrale und wurde zu den Räumen der Crime Combating and Investigation Division geleitet.

»Guten Morgen, Commander«, begrüßte Kwalene Nkosi ihn lächelnd.

»Warrant Officer.« Bond nickte ihm zu. Sie tauschten einen verschwörerischen Blick aus.

»Haben Sie heute schon die Zeitung gelesen?«, fragte Nkosi und klopfte auf ein Exemplar der *Cape Times.* »Tragische Geschichte. Gestern Abend wurde bei einem Brandanschlag in Primrose Gardens eine ganze Familie getötet.« Er runzelte ziemlich theatralisch die Stirn.

»Wie furchtbar«, sagte Bond und dachte, dass Nkosi trotz seiner West-End-Ambitionen kein besonders guter Schauspieler war.

»Ganz ohne Zweifel.«

Er warf einen Blick in Bheka Jordaans Büro. Sie winkte ihn

herein. »Guten Morgen«, sagte er und sah ein Paar abgenutzter Sportschuhe in einer Ecke des Zimmers stehen. Gestern waren sie ihm nicht aufgefallen. »Joggen Sie viel?«

»Hin und wieder. Bei meinem Job ist es wichtig, in Form zu bleiben.«

Wenn er sich in London aufhielt, brachte Bond mindestens eine Stunde pro Tag mit Sport und Lauftraining zu, entweder im Fitnessraum der ODG oder auf den Pfaden des Regent's Park. »Ich laufe auch gern. Falls Ihre Zeit es zulässt, könnten Sie mir ja ein paar Strecken hier zeigen. Es muss in der Stadt doch herrliche Laufwege geben.«

»Ich bin sicher, bei Ihnen im Hotel gibt es eine entsprechende Karte«, sagte sie abweisend. »War das Treffen im Lodge Club erfolgreich?«

Bond fasste für sie die Wohltätigkeitsveranstaltung zusammen.

»Und danach?«, fragte Jordaan. »Hat Miss Willing sich als ... nützlich für Sie erwiesen?«

Bond zog eine Augenbraue hoch. »Ich dachte, Sie halten nichts von widerrechtlicher Überwachung.«

»Sich zu vergewissern, ob jemand auf öffentlichen Gehwegen und Straßen unbehelligt bleibt, ist wohl kaum illegal. Warrant Officer Nkosi hat Ihnen von unserem Kameranetz in der Innenstadt erzählt.«

»Nun, um Ihre Frage zu beantworten: Ja, sie *war* hilfreich. Sie hat mir einige Informationen über die verschärften Sicherheitsmaßnahmen bei Green Way geliefert. Zum Glück. Denn sonst schien ja niemand davon zu wissen, und meine heutige Fahrt dorthin hätte mit einer Katastrophe enden können.«

»Dann dürfen wir ja alle froh sein«, sagte Jordaan.

Bond nannte ihr die Namen der drei Spender, die Felicity am gestrigen Abend erwähnt hatte – die Männer, die ihr durch Hydt vermittelt worden waren.

Jordaan kannte zwei davon als erfolgreiche legitime Geschäftsleute. Nkosi führte eine Datenbankabfrage durch. Weder die beiden noch der Dritte waren vorbestraft. Keiner von ihnen wohnte in Kapstadt. Bond nahm an, dass sie ihm nicht unmittelbar von Nutzen sein konnten.

Er sah die Polizistin an. »Mögen Sie Felicity Willing nicht?«

»Glauben Sie etwa, ich bin eifersüchtig?« Ihre Miene sagte: typisch Mann.

Nkosi wandte sich ab. Bond warf ihm einen kurzen Blick zu, aber bei diesem internationalen Disput wollte der Beamte sich offenbar nicht auf Großbritanniens Seite stellen.

»Nichts könnte mir ferner liegen. Nein – Ihre Augen haben es mir verraten. Was ist der Grund?«

»Ich habe die Frau nie persönlich getroffen. Sie ist vermutlich eine nette Person – ich mag nur nicht, wofür sie steht.«

»Und das wäre?«

»Sie ist eine Ausländerin, die herkommt, um uns den Kopf zu tätscheln und Almosen zu verteilen. Das ist der Imperialismus des einundzwanzigsten Jahrhunderts. Früher haben die Leute Afrika wegen Diamanten und Sklaven ausgebeutet. Heutzutage sollen wir dafür herhalten, die Schuldgefühle reicher Westler zu lindern.«

»Meiner Ansicht nach kann niemand sich weiterentwickeln, wenn er Hunger leiden muss«, sagte Bond ruhig. »Es spielt doch keine Rolle, woher das Essen kommt, oder?«

»Milde Gaben untergraben. Wir müssen die Unterdrückung und die Entbehrungen aus eigener Kraft überwinden. Und das schaffen wir auch. Vielleicht nur langsam, aber wir schaffen es.«

»Sie haben kein Problem damit, wenn Großbritannien oder Amerika Waffenembargos über Warlords verhängen. Hunger ist so gefährlich wie Gewehrgranaten und Landminen. Wieso sollten wir nicht auch bei seiner Bekämpfung helfen?«

»Das ist was anderes. Das liegt doch auf der Hand.«

»Das sehe ich nicht so«, entgegnete er kühl. »Außerdem sind Felicitys und Ihre Überzeugungen sich womöglich ähnlicher, als Sie vermuten. Die Frau hat sich mit den Großkonzernen in Europa, Amerika und Asien angelegt. Sie glaubt, dass deren Einmischung in afrikanische Belange aufhören muss und die Menschen hier viel mehr selbst in die Hand nehmen sollten.« Er erinnerte sich daran, wie unbehaglich sie sich auf dem kurzen Weg vom Hotel zum Restaurant gefühlt hatte. »Ich habe den Eindruck, dass sie sich mit dieser Haltung ziemlich exponiert hat. Falls es Sie überhaupt interessiert.«

Das war eindeutig nicht der Fall. Bheka Jordaan konnte einen wirklich zur Weißglut bringen.

Bond sah auf seine riesige Breitling. »Ich muss bald aufbrechen. Ich brauche einen Wagen. Können wir was auf Therons Namen mieten?«

Nkosi nickte begeistert. »Kein Problem. Sie fahren gern, Commander?«

»Stimmt«, sagte Bond. »Woher haben Sie das gewusst?«

»Gestern auf der Fahrt vom Flughafen hierher haben Sie interessiert zu einem Maserati geblickt, zu einer Moto Guzzi und zu einem amerikanischen Mustang mit Linkssteuerung.«

»Sie sind sehr aufmerksam, Warrant Officer.«

»Ich gebe mir Mühe. Dieser Ford, der hat mir auch sehr gefallen. Eines Tages werde ich einen Jaguar besitzen. Das ist mein Ziel.«

»Hallo, hallo!«, rief plötzlich eine laute Stimme vom Flur aus.

Sie gehörte Gregory Lamb. Bond war nicht überrascht. Der MI6-Agent schritt zur Tür herein und winkte allen Anwesenden zu. Es war offensichtlich, dass Bheka Jordaan nicht viel von ihm hielt, wie Lamb bereits am Vortag eingeräumt hatte, aber er und Nkosi schienen sich gut zu verstehen. Sie plauderten kurz über irgendein Fußballspiel.

Nach einem vorsichtigen Blick zu Jordaan wandte der große rotgesichtige Mann sich Bond zu. »Ich stehe zu Diensten, mein Freund. Vauxhall Cross hat mich angewiesen, Ihnen behilflich zu sein.«

Lamb war der Verbindungsmann, den Bond eine Weile zuvor Hirani genannt hatte, wenngleich nur widerwillig. So kurzfristig fiel ihm niemand anders ein, und der Mann besaß immerhin die nötige Freigabe.

»Habe mich gleich ins Getümmel gestürzt, sogar ohne Frühstück, mein Freund, das sollten Sie wissen. Und ich habe mit dem Kollegen in eurer Abteilung Q gesprochen. Ist der so früh am Morgen immer so entsetzlich fröhlich?«

»Das ist er tatsächlich«, bestätigte Bond.

»Wir haben uns ein wenig unterhalten. Meine gecharterten Schiffe haben häufig Navigationsprobleme, weil Piraten die Signale stören. Was ist nur aus den Augenklappen und Holzbeinen geworden, was? Nun, dieser Hirani sagt, es gibt Geräte, mit denen man die Störsignale stören kann. Er wollte mir aber keine schicken. Können Sie denn nicht mal ein gutes Wort für mich einlegen?«

»Sie wissen doch, dass unser Laden offiziell gar nicht existiert, Lamb.«

»Wir spielen aber alle im selben Team«, sagte er beleidigt. »Ich muss in ein oder zwei Tagen eine riesige Ladung verschiffen. Wirklich gigantisch.«

Bond hatte derzeit Wichtigeres zu tun, als Lambs lukrative Tarngeschäfte zu unterstützen.

»Und Ihr heutiger Auftrag?«, fragte er streng.

»Ah, ja.«

Lamb reichte Bond die schwarze Mappe, die er bei sich trug, als enthielte sie die Kronjuwelen. »Ich möchte in aller Bescheidenheit anmerken, dass der Vormittag ein grandioser Erfolg war. Ganz und gar herausragend. Ich bin von Pontius zu Pilatus gelaufen. Musste heftige Trinkgelder zahlen. Die erstatten Sie mir doch zurück, oder?«

»Ich bin sicher, das wird geregelt.« Bond öffnete die Mappe und musterte den Inhalt. Einen der Gegenstände nahm er sich genauer vor. Es war ein kleiner Plastikbehälter. Auf dem Etikett stand: »Re-leef. Bei asthmatischen Beschwerden.«

Hirani war ein Genie.

»Ein Inhalator. Haben Sie Lungenprobleme?«, fragte Nkosi. »Mein Bruder auch. Er arbeitet in einer Goldmine.«

»Nicht wirklich.« Bond steckte den Behälter ein, dazu alle anderen Dinge, die Lamb ihm gebracht hatte.

Nkosi erhielt einen Anruf. »Ich habe einen guten Wagen für Sie, Commander«, verkündete er, nachdem er aufgelegt hatte. »Subaru. Mit Allradantrieb.«

Ein Subaru, dachte Bond skeptisch. Ein spießiger Kombi. Doch Nkosi strahlte, also sagte er: »Vielen Dank, Warrant Officer. Ich freue mich darauf, ihn zu fahren.«

»Der Verbrauch liegt sehr niedrig«, sagte Nkosi begeistert.

»Da haben Sie gewiss recht.« Er wollte sich auf den Weg machen.

Gregory Lamb hielt ihn zurück. »Bond«, sagte er leise. »Ich bin mir manchmal nicht sicher, ob die maßgeblichen Stellen in London mich für voll nehmen. Gestern habe ich ein wenig übertrieben – was die Kapregion angeht, meine ich. Um ehrlich zu sein: Das Schlimmste, was ich von hier zu vermelden hab, ist ein Warlord aus dem Kongo, der zur Kur herkommt. Oder jemand von der Hamas, der am Flughafen umsteigen muss. Ich möchte mich einfach nur bedanken, dass Sie mich hinzugezogen haben, mein Freund. Ich …«

»Gern geschehen, Lamb«, unterbrach Bond ihn. »Aber wie wäre es hiermit: Lassen Sie uns einfach davon ausgehen, dass ich Ihr Freund bin. Dann müssen Sie es nicht ständig wiederholen. Einverstanden?«

»In Ordnung, mein… in Ordnung.« Das feiste Gesicht verzog sich zu einem Lächeln.

Dann war Bond zur Tür hinaus. Nächster Halt: die Hölle, dachte er.

45

Kwalene Nkosis kleiner Scherz war gelungen, fand James Bond.

Ja, der Wagen, den er aufgetrieben hatte, war ein importierter Japaner. Allerdings keine seriöse Familienkutsche, sondern ein metallic-blauer Subaru Impreza WRX STI mit turbogeladener 300-PS-Maschine, Sechsganggetriebe und Heckspoiler. Der bissige kleine Wagen gehörte eher auf einen Rallyekurs als auf einen Supermarktparkplatz, und Bond juckte es vom ersten Moment an in den Fingern. Er hinterließ zwei schwarze Streifen Gummi auf dem Asphalt und raste die Buitenkant Street hinauf in Richtung Autobahn.

Die nächste halbe Stunde fuhr er genau nach Norden aus Kapstadt heraus, wie das Navigationsgerät es ihm auftrug. Schließlich bog er mit dem strammen kleinen Subaru von der N7 ab und folgte einer zunehmend weniger befahrenen Straße nach Osten, vorbei an einem riesigen bodenlosen Steinbruch und weiter in eine unwirtliche Landschaft aus niedrigen Hügeln, manche grün, andere herbstlich braun. Vereinzelte kleine Gehölze lockerten die Monotonie ein wenig auf.

Der Maihimmel war bewölkt, und die Luft war feucht. Trotzdem hing Staub in der Luft. Die Green-Way-Laster wirbelten ihn auf. Sie transportierten ihre Ladung in dieselbe Richtung, in die Bond unterwegs war. Neben den typischen Müllwagen gab es auch sehr viel größere Exemplare, versehen mit dem Green-Way-Schriftzug und dem charakteristischen

grünen Laubblatt – oder Dolch. Schilder an ihren Seiten ließen erkennen, dass sie zu Filialen in ganz Südafrika gehörten.
Bond war überrascht, sogar einen Lastwagen aus Pretoria zu
entdecken. Die Hauptstadt lag fast anderthalbtausend Kilometer entfernt – wieso sollte Hydt den Abfall kostspielig nach
Kapstadt transportieren lassen, anstatt vor Ort ein Recycling-
Depot zu eröffnen?

Bond schaltete einen Gang herunter und überholte gleich
mehrere Laster auf einmal. Der spritzige Wagen machte ihm
viel Freude. Er würde Philly Maidenstone unbedingt davon erzählen müssen.

Am Straßenrand huschte ein großes Schild vorbei, ganz
nüchtern mit schwarzer Schrift auf weißem Grund.

Gevaar!!!
Gefahr!!!
Privaat Eiendom
Privateigentum

Die N7 lag mehrere Meilen hinter ihm, als die Straße sich nun
teilte. Die Lastwagen nahmen die rechte Abzweigung, Bond
hingegen die linke. Er folgte der Ausschilderung:

Hoofkantoor
Hauptbüro

Er durchquerte mit hoher Geschwindigkeit ein dichtes Wäld-
chen – die Bäume waren hoch, schienen aber erst kürzlich
gepflanzt worden zu sein – und schoss über eine Anhöhe, obwohl eine Höchstgeschwindigkeit von vierzig Kilometern pro
Stunde vorgeschrieben war. Dann plötzlich lag das Gelände
von Green Way International vor ihm, und er kam mit einer
Vollbremsung zum Stehen. Der Grund für den abrupten Stopp

war kein Hindernis oder eine scharfe Kurve, sondern der erschütternde Anblick, der sich ihm bot.

Der Entsorgungs- und Wiederaufbereitungsbetrieb erstreckte sich bis zum Horizont, wo er in Rauch und Dunst verschwand. In mindestens anderthalb Kilometern Entfernung flackerten die orangefarbenen Feuer irgendeiner Verbrennungsanlage.

In der Tat, die Hölle.

Vor ihm, jenseits eines vollen Parkplatzes, stand die Firmenzentrale. Sie wirkte auf eigene Weise unheimlich, denn das Gebäude war zwar nicht groß, aber kahl und bedrückend. Der eingeschossige Bunker aus nacktem Beton hatte nur wenige kleine Fenster – offenbar versiegelt. Das gesamte Gelände wurde von zwei je drei Meter hohen Metallzäunen eingefasst, deren Kronen zusätzlich mit heimtückischem Rasierklingendraht versehen waren; er glänzte sogar in dem trüben Licht. Zwischen den Zäunen lag ein Streifen von neun Metern Breite, der Bond an die Todeszone rund um das nordkoreanische Gefängnis erinnerte, aus dem er letztes Jahr einen einheimischen MI6-Mitarbeiter befreit hatte.

Er musterte die Zäune mit finsterem Blick. Einer seiner Pläne hatte sich bereits erledigt. Nach dem, was Felicity ihm über Metalldetektoren und Scanner erzählt hatte, hatte er zwar mit einem hohen Zaun gerechnet, aber nicht in doppelter Ausführung. Er hatte vorgehabt, einige der von Hirani gelieferten Gegenstände – ein wetterfestes kleines Kommunikationsgerät sowie eine Waffe – durch den Zaun ins Gras oder einen Strauch zu schieben und sie sich auf der anderen Seite wiederzuholen, sobald er das Gelände betreten hatte. Bei zwei Zäunen und einem so großen Abstand dazwischen würde das nicht funktionieren.

Als er wieder anfuhr, sah er, dass die Einfahrt mit einem dicken Stahltor gesichert war, über dem sich ein Schriftzug befand.

Der Green-Way-Slogan ließ Bond frösteln. Nicht die Worte selbst, sondern die Ausführung als Halbkreis aus schlichten schwarzen Metallbuchstaben. Der Schriftzug erinnerte ihn an die Worte über dem Eingang des Nazi-Todeslagers Auschwitz und ihre höhnische Botschaft an die Gefangenen: ARBEIT MACHT FREI.

Bond parkte. Er stieg aus und behielt die Walther und sein Mobiltelefon bei sich, um zu testen, wie wirksam die Sicherheitsvorkehrungen tatsächlich waren. In seiner Tasche steckte außerdem Hiranis Asthma-Inhalator; die anderen Gegenstände, die Lamb an jenem Vormittag mitgebracht hatte, also die Waffe und das Kommunikationsgerät, hatte er unter dem Fahrersitz versteckt.

Er näherte sich dem ersten Wachlokal am äußeren Zaun. Ein stämmiger Mann in Uniform begrüßte ihn mit einem zurückhaltenden Nicken. Bond nannte seinen Tarnnamen. Der Mann führte ein kurzes Telefonat. Gleich darauf kam ein ebenso großer und ernster Kollege in einem dunklen Anzug und sagte: »Mr. Theron, bitte hier entlang.«

Bond folgte ihm durch das Niemandsland zwischen den beiden Zäunen. Sie betraten einen Raum, in dem drei bewaffnete Wachen saßen und ein Fußballspiel ansahen. Sie standen sofort auf.

Der Sicherheitsmann wandte sich an Bond. »So, Mr. Theron, bei uns herrschen sehr strenge Vorschriften. Mr. Hydt und seine Mitarbeiter führen hier auf dem Gelände den größten Teil der Forschungs- und Entwicklungsarbeit für alle seine Firmen durch, und wir müssen unsere Geschäftsgeheimnisse sorgfältig hüten. Daher dürfen Sie keine Mobiltelefone oder Funkgeräte mitnehmen, ebenso keine Kameras oder Pager. Sie müssen sie hier abgeben.«

Bond musterte ein großes Fächerregal, das denen an der Rezeption eines altmodischen Hotels ähnelte, mit einem kleinen Fach pro Zimmer. Dieses hier hatte Hunderte von Fächern, und in den meisten lagen Telefone. Der Mann bemerkte seinen Blick. »Die Vorschriften gelten auch für alle unsere Angestellten.«

Bond erinnerte sich daran, dass René Mathis ihm das Gleiche über Hydts Londoner Firmengelände berichtet hatte – dass es dort praktisch keinerlei SIGINT gab. »Nun, ich nehme an, Sie haben hier Festnetzanschlüsse, die ich benutzen kann. Ich muss zwischendurch Nachrichten erhalten können.«

»Es gibt einige, aber sie verlaufen alle durch eine Telefonzentrale in der Sicherheitsabteilung. Ein Wachmann könnte den Anruf für Sie erledigen, aber Sie hätten keine Privatsphäre. Die meisten Besucher warten bis nach ihrem Aufenthalt. Das Gleiche gilt für E-Mails und Internetzugang. Falls Sie etwas aus Metall bei sich behalten möchten, müssen wir es durchleuchten.«

»Sie sollten wissen, dass ich eine Waffe trage.«

»Ja.« Als gelte das für viele Besucher von Green Way. »Selbstverständlich ...«

»Ich muss sie ebenfalls abgeben?«

»Ganz recht.«

Bond bedankte sich im Stillen bei Felicity Willing, dass sie ihm von Hydts Sicherheitsvorkehrungen erzählt hatte. Andernfalls hätte man ihn hier mit einer der üblichen Video- oder Fotokameras der Abteilung Q erwischt, versteckt in einem Kugelschreiber oder Jackenknopf. Das hätte ihn nicht nur seine Glaubwürdigkeit gekostet, sondern vermutlich zu einer gewalttätigen Auseinandersetzung geführt.

Nun spielte er den harten Söldner und schnaubte verächtlich angesichts der Unannehmlichkeiten, händigte aber seine Pistole und sein Telefon aus, das darauf programmiert war, nur

Informationen über die Tarnidentität Gene Theron preiszugeben, falls jemand versuchen sollte, es zu hacken. Dann legte er Gürtel, Uhr und Schlüssel auf ein Tablett, damit sie durchleuchtet werden konnten.

Er schritt durch die Sicherheitsschleuse und erhielt seine Habseligkeiten zurück, nachdem der Posten sich vergewissert hatte, dass Uhr, Schlüssel und Gürtel keine Kameras, Waffen oder Aufzeichnungsgeräte enthielten.

»Bitte warten Sie hier, Sir«, sagte der Sicherheitsmann. Bond nahm auf einem Stuhl Platz.

Der Inhalator steckte immer noch in seiner Tasche. Falls die Leute ihn durchsucht und das Gerät auseinandergenommen hätten, hätten sie festgestellt, dass es sich dabei in Wahrheit um eine lichtempfindliche Kamera handelte, die ohne ein einziges Metallteil konstruiert war. Einer von Sanu Hiranis Kontakten in Kapstadt hatte es geschafft, sie an jenem Vormittag aufzutreiben oder selbst zu bauen. Der Verschluss bestand aus Karbonfaser, ebenso die Federn, die ihn bewegten.

Das Speichermedium war interessant – für die heutige Zeit jedenfalls: altmodischer Mikrofilm, wie ihn die Spione im Kalten Krieg benutzt hatten. Die Kamera hatte eine Blende mit fester Brennweite. Um ein Foto zu schießen, musste Bond auf den Boden des Inhalators drücken und ihn dann drehen, um den Film weiterzutransportieren, der für dreißig Bilder reichte. Auch im Digitalzeitalter erwies die verstaubte Vergangenheit sich bisweilen als vorteilhaft.

Bond hielt nach einem Wegweiser zur Forschungs- und Entwicklungsabteilung Ausschau, in der sich laut Stephan Dlamini zumindest einige Informationen über Gehenna finden ließen, aber es gab keinen. Er wartete fünf Minuten, dann tauchte Severan Hydt auf, zunächst nur als Silhouette, aber unverkennbar: die hochgewachsene Statur, der massige Kopf mit dem lockigen Haar und dem Vollbart, der Maßanzug. Er ragte bedrohlich im Durchgang auf. »Theron.« Seine schwarzen Augen bohrten sich in Bonds Gesicht.

Sie gaben einander die Hand, und Bond bemühte sich, das groteske Gefühl zu ignorieren, als Hydts lange Fingernägel über seine Haut strichen.

»Kommen Sie mit«, sagte Hydt und führte ihn in das Bürogebäude, das längst nicht so karg war, wie das Äußere vermuten ließ. Die Einrichtung war sogar sehr hübsch, mit teurem Mobiliar, Kunstgegenständen, Antiquitäten und bequemen Arbeitsplätzen für das Personal. Es sah hier aus wie in einer typischen mittelgroßen Firma. Die Lobby war mit dem obligatorischen Sofa und Sesseln ausgestattet; auf einem Tisch lagen Branchenzeitschriften und eine Kapstadter Tageszeitung. An den Wänden hingen Bilder von Wäldern, wogenden Getreidefeldern und Blumen, Bächen und Ozeanen.

Und überall dieses unheimliche Logo – das Blatt, das wie ein Messer aussah.

Auf dem Weg durch die Flure suchte Bond weiterhin nach der Forschungs- und Entwicklungsabteilung. Im hinteren Teil des Gebäudes entdeckte er schließlich ein entsprechendes Hinweisschild und prägte sich den Ort ein.

Doch Hydt wandte sich in die entgegengesetzte Richtung. »Kommen Sie. Sie kriegen die große Führung.«

Jemand reichte Bond einen dunkelgrünen Schutzhelm. Hydt setzte ebenfalls einen auf. Sie gingen zu einer rückwärtigen Tür, wo es zu Bonds Überraschung einen zweiten Sicherheitsbereich gab. Kontrolliert wurde seltsamerweise jeder, der das *Gebäude,* und nicht etwa das Gelände, betreten wollte. Hydt und er traten hinaus auf eine Veranda, von der aus man zahllose flache Bauten sehen konnte. Lastwagen und Gabelstapler fuhren hinein und hinaus wie emsige Bienen in ihrem Stock. Überall liefen Arbeiter mit Schutzhelmen und Dienstkleidung umher.

Die Schuppen, in ordentlichen Reihen wie in einer Kaserne, erinnerten Bond schon wieder an ein Gefängnis oder Konzentrationslager.

ARBEIT MACHT FREI …

»Hier entlang«, rief Hydt und ging voran durch eine Landschaft voller Bagger und Bulldozer, Container, Ölfässer, Paletten mit Papier- und Kartonballen. Ein tiefes Rumpeln hing in der Luft, und der Boden schien zu beben, als wären riesige unterirdische Brennöfen oder Maschinen in Betrieb, ein Kontrapunkt zu den spitzen Schreien der Möwen, die hinabstießen, um etwas im Gefolge der Mülltransporter aufzupicken, die vierhundert Meter östlich durch ein Tor auf das Gelände rollten. »Ich gebe Ihnen mal eine kurze Einführung in das Geschäft«, sagte er.

Bond nickte. »Gern.«

»Es gibt vier Möglichkeiten, Müll loszuwerden. Man kann ihn irgendwo abladen – heutzutage meistens auf Halden oder Deponien, aber der Ozean ist immer noch beliebt. Wussten Sie, dass der Pazifik viermal mehr Plastik als Zooplankton enthält? Die größte Müllhalde der Welt ist der Great Pacific Garbage Patch, der zwischen Japan und Nordamerika zirkuliert. Er ist mindestens doppelt so groß wie Texas und könnte sogar die Ausmaße der gesamten Vereinigten Staaten besitzen. Niemand weiß es genau. Aber eines ist sicher: Er wird immer größer.

Die zweite Möglichkeit ist die Verbrennung; sie ist sehr teuer und kann gefährliche Asche produzieren. Drittens: Man kann den Müll recyceln, das ist Green Ways Spezialgebiet. Und viertens gibt es die Minimierung, was bedeutet, dass man dafür sorgt, dass von vornherein weniger Abfall anfällt. Kennen Sie diese Wasserflaschen aus Plastik?«

»Natürlich.«

»Die sind heutzutage viel dünner als früher.«

Bond glaubte ihm.

»Man nennt das ›Leichtgewichten‹. Lässt sich viel einfacher pressen. Wissen Sie, meistens stellen gar nicht die eigentlichen Produkte das Problem dar, sondern die *Verpackung*. Vor Einführung der Konsumgüter und der Massenproduktion fiel kaum Abfall an. Aber wie gelangt heutzutage das Produkt zum Kunden? Man packt es in Styropor, steckt das in einen Karton und *den* wiederum in eine Plastiktüte, damit sie ihn nach Hause tragen können. Oh, und wenn es ein Geschenk ist, wickeln wir es noch zusätzlich in buntes Papier samt Schleife ein! Weihnachten bedeutet eine wahre Sturzflut an Müll.«

Hydt ließ den Blick über sein Reich schweifen. »Die meisten Abfallbetriebe erstrecken sich über eine Fläche von zwanzig bis dreißig Hektar. Unser Gelände hier ist vierzig Hektar groß. Ich habe noch drei andere in Südafrika und dazu Dutzende von Transferstationen, in denen die Müllwagen, die Sie auf den Straßen sehen, ihre Ladung abliefern, damit sie gepresst und zur weiteren Verwertung transportiert werden kann. Ich war der Erste, der solche Transferstationen auch in den südafrikanischen Siedlungen eingerichtet hat. Nach nur sechs Monaten hatte die Verschmutzung des Landes um sechzig bis siebzig Prozent abgenommen. Früher nannte man Plastiktüten auch die ›Nationalblumen Südafrikas‹. Jetzt nicht mehr, dafür habe ich gesorgt.«

»Auf dem Weg hierher habe ich sogar Transporter aus Pretoria und Port Elizabeth gesehen. Warum kommen die aus so großer Entfernung?«

»Die bringen besonderes Material«, wich Hydt aus.

War dieses Material womöglich gefährlich?, dachte Bond.

»Wir verarbeiten hier alle Arten von Müll«, fuhr sein Gastgeber fort. »Sowohl Haushaltsabfälle – also Essensreste, Altpapier, Staubsaugerbeutel und Konservendosen – als auch Bauschutt, Industriemüll oder gewerbliche Abfälle.«

Er deutete nach Osten auf den hinteren Teil des Geländes. »Alles, was sich nicht recyceln lässt, kommt dorthin, auf die Deponie, wo es vergraben wird, allerdings zwischen Plastikbahnen, um eine Verunreinigung des Bodens zu vermeiden. Um die Halde zu finden, brauchen Sie bloß nach den Vögeln Ausschau zu halten.«

Bond folgte seinem Blick zu den kreisenden Möwen.

»Wir nennen die Deponie auch unser Schwarzes Loch.«

Hydt führte Bond zum Eingang eines lang gestreckten Gebäudes. Im Gegensatz zu den einfachen Schuppen besaß dieser Bau große Tore, die geschlossen waren. Bond schaute durch die Fenster. Arbeiter zerlegten Computer, Laufwerke, Fernsehgeräte, Radios, Pager, Mobiltelefone und Drucker. Es gab große Behälter, die von Batterien überquollen, von Glühbirnen, Festplatten, Platinen, Kabeln und Chips. Die Angestellten hier trugen mehr Schutzkleidung als alle anderen – Atemmasken, dicke Handschuhe und Schutzbrillen oder sogar Helme mit Visier.

»Unsere Abteilung für Elektroschrott. Wir nennen diesen Bereich ›Siliziumtrakt‹. Elektroschrott ist für weltweit mehr als zehn Prozent aller tödlichen Substanzen verantwortlich. Schwermetalle, Lithium aus Akkus. Nehmen wir zum Beispiel Computer und Mobiltelefone. Die haben eine Lebensdauer von höchstens zwei oder drei Jahren, dann werfen die Leute sie einfach weg. Haben Sie jemals die Warnbroschüre zur ordnungsgemäßen Entsorgung gelesen, die Ihrem Laptop oder Telefon beiliegt?«

»Nicht wirklich.«

»Natürlich nicht. Niemand macht das. Aber Computer und Telefone zählen Pfund für Pfund zum gefährlichsten Abfall der Welt. In China werden sie einfach vergraben oder verbrannt. Damit töten die ihre Bevölkerung. Ich bin gerade dabei, einen neuen Unternehmenszweig für genau dieses Problem zu gründen; wir werden die Computer vor Ort, also in den Firmen meiner Kunden, in ihre Einzelteile zerlegen und diese dann fachgerecht entsorgen.« Er lächelte. »In ein paar Jahren wird das mein lukrativster Geschäftszweig sein.«

Bond erinnerte sich an die Maschine, deren Funktion al-Fulan demonstriert hatte, gleich neben der Müllpresse, in der Yusuf Nasad gestorben war.

Hydt zeigte mit einem langen gelben Fingernagel auf etwas. »Und im hinteren Teil dieses Gebäudes da ist die Abteilung für Gefahrgüter, die uns derzeit mit am meisten Geld einbringt. Wir kümmern uns dort um alles, von Farbe und Motoröl bis Arsen und Polonium.«

»Polonium?« Bond lachte auf. Das war das radioaktive Material, mit dem man vor einigen Jahren den russischen Spion Alexander Litwinenko in seinem Londoner Exil getötet hatte. Es zählte zu den toxischsten Substanzen der Welt. »So was wird einfach weggeworfen? Das muss doch illegal sein.«

»Ah, so ist das nun mal bei Müll, Theron. Die Leute werfen eine harmlos aussehende Antistatik-Maschine weg… die zufällig Polonium enthält. Aber das weiß niemand.«

Er führte Bond an einem Parkplatz vorbei, auf dem mehrere Lastwagen standen, jeder etwa sechs Meter lang. Auf den Seiten fanden sich der übliche Firmenname samt Logo und dazu die Worte *Sichere Dokumentenvernichtung*.

Hydt bemerkte Bonds Blick. »Eine weitere unserer Spezialitäten«, sagte er. »Wir vermieten Schredder an Firmen und Behörden, aber kleinere Betriebe bevorzugen es, wenn *wir* die Vernichtung übernehmen. Wussten Sie, dass es den iranischen Studenten, die in den Siebzigerjahren die amerikanische Botschaft gestürmt haben, gelungen ist, geschredderte Geheimdokumente der CIA wieder zusammensetzen zu lassen? Dadurch haben sie die Identität der meisten verdeckten Agenten dort erfahren. Die Arbeit wurde von einheimischen Webern erledigt.«

Jeder in der Branche wusste das, aber Bond tat so, als sei er überrascht.

»Wir bei Green Way erfüllen den Industriestandard Stufe sechs. Man könnte sagen, unsere Maschinen verwandeln die Dokumente in Staub. Sogar die höchsten Regierungsbehörden nehmen unsere Dienste in Anspruch.«

Dann führte er Bond zu dem größten Gebäude des Geländes, drei Etagen hoch und fast zweihundert Meter lang. Eine endlose Lastwagenkolonne rollte zu einem Tor hinein und aus einem anderen wieder heraus. »Die Hauptrecyclinganlage. *Diesen* Bereich nennen wir ›Auferstehungstrakt‹.«

Sie traten ein. Drei riesige Maschinen wurden mit einem unaufhörlichen Strom aus Papier, Karton, Plastikflaschen, Styropor, Altmetall, Holz und Hunderten weiterer Gegenstände gefüttert. »Die Sortierer«, rief Hydt. Der Lärm war ohrenbetäubend. Am anderen Ende wurden die getrennten Materialien wieder auf Lastwagen verladen und weitertransportiert – als Blech, Glas, Plastik, Papier et cetera.

»Recycling ist ein sonderbares Geschäft«, schrie Hydt. »Man kann nur wenige Produkte – hauptsächlich Metalle und Glas – unbegrenzt wiederverwerten. Alles andere ist nach einer Weile qualitativ am Ende und muss verbrannt oder auf die Deponie geschafft werden. Und nur Aluminium ist beim Recycling dauerhaft profitabel. Die meisten Produkte lassen sich viel billiger, sauberer und einfacher aus Rohmaterialien herstellen als aus wiederaufbereiteten Stoffen. Die beim Recycling zusätzlich erforderlichen Transporte und der eigentliche Recyclingprozess verbrauchen nämlich fossile Brennstoffe und tragen somit zur Umweltverschmutzung bei. Außerdem benötigt die Wiederaufbereitung *mehr* Energie als die ursprüngliche Herstellung.«

Er lachte. »Aber Recycling ist politisch korrekt… also kommen die Leute zu mir.«

Bond folgte ihm wieder nach draußen und sah Niall Dunne

auf seinen langen Beinen herannahen, mit unbeholfenem Schritt und den Füßen nach außen gedreht. Die blonde Ponyfrisur hing ihm über die blauen Augen, die reglos wie Bergkristalle waren. Bond schob den Gedanken an die Toten in Serbien und al-Fulans ermordete Assistentin in Dubai beiseite, lächelte freundlich und schüttelte seine breite Hand.

»Theron.« Dunne nickte ihm zu und wirkte dabei nicht sonderlich begeistert. Er sah Hydt an. »Wir sollten los.« Er schien ungeduldig zu sein.

Hydt bedeutete Bond, er solle in einen nahen Range Rover einsteigen. Bond nahm auf dem Beifahrersitz Platz. Ihm entging nicht, dass die Männer innerlich angespannt waren, als würde irgendein Plan nun in die Tat umgesetzt werden. Sein sechster Sinn schlug Alarm. Hatte man ihn enttarnt? Hatte er sich verraten?

Als die beiden Männer einstiegen, wobei Dunne mit unbewegter Miene das Steuer übernahm, dachte Bond, dass es keinen geeigneteren Ort gab, um eine Leiche unbemerkt verschwinden zu lassen.

Das Schwarze Loch …

46

Der Range Rover fuhr auf einer unbefestigten Straße nach Osten, vorbei an flachen Transportern mit dicken Stollenreifen und großen Ballen oder Müllcontainern auf den Ladeflächen. Sie kamen an einer breiten Kluft vorbei, mindestens fünfundzwanzig Meter tief.

Bond schaute hinunter. Die Laster luden dort ihre Fracht ab, die dann von Bulldozern in die Flanke der Halde gepresst wurde. Der Boden der Grube war mit dicken dunklen Planen ausgelegt. Bezüglich der Möwen hatte Hydt recht gehabt. Sie waren überall, zu Tausenden. Die schiere Anzahl, die Hektik, die Schreie waren beunruhigend, und Bond spürte einen Schauder sein Rückgrat hinaufwandern.

Während sie weiterfuhren, deutete Hydt auf die Flammen, die Bond zuvor schon gesehen hatte. Hier aus der Nähe erwiesen sie sich als gewaltige Feuerbälle – er konnte ihre Hitze fühlen. »Die Deponie produziert Methan«, sagte er. »Wir bohren sie an und nutzen es für den Betrieb der Generatoren, aber meistens ist so viel davon da, dass wir einen Teil abfackeln müssen. Andernfalls könnte die ganze Halde explodieren. Das ist vor einiger Zeit mal in Amerika passiert. Es gab Hunderte von Verletzten.«

Nach fünfzehn Minuten kamen sie durch eine dichte Baumreihe und ein Tor. Bond lachte unwillkürlich auf. Das Ödland der Müllhalden war verschwunden, und sie fanden sich in einer erstaunlich hübschen Umgebung wieder: Bäume, Blumen,

Felsformationen, Pfade, Teiche, Wald. Die sorgfältig angelegte Landschaft erstreckte sich mehrere Meilen weit.

»Das hier nennen wir die elysischen Gefilde, das Paradies… nach unserer Zeit in der Hölle. Und, ja, auch das ist eine Deponie. Unter uns befindet sich eine knapp dreißig Meter dicke Abfallschicht. Wir haben das Land urbar gemacht. In einem Jahr oder so wird es öffentlich zugänglich sein. Mein Geschenk an die Südafrikaner. Schönheit entstanden aus Zerfall.«

Bond verstand nicht viel von Botanik – während der jährlichen Chelsea Flower Show ärgerte er sich in erster Linie über die dadurch verursachten Verkehrsprobleme in seiner Nachbarschaft –, aber er musste zugeben, dass diese Gärten eindrucksvoll waren. Einige der Baumwurzeln kamen ihm allerdings irgendwie komisch vor.

Hydt bemerkte es. »Das sind Metallrohre mit Wurzelanstrich. Sie leiten das Methan aus dem Boden zu den Kraftwerken oder zum Abfackeln.«

Bond nahm an, dass Hydts Meisteringenieur diese Idee gehabt hatte.

Sie fuhren in ein Gehölz und hielten an. In einem nahen Teich stand ein prächtiger Paradieskranich, der Nationalvogel Südafrikas, perfekt ausbalanciert auf einem Bein.

»So, Theron. Kommen wir zum Geschäft.«

Wieso hier?, dachte Bond und folgte Hydt einen Pfad entlang, an dem die verschiedenen Pflanzen mit kleinen Schildern bezeichnet waren. Er fragte sich abermals, ob die Männer etwas mit ihm vorhatten, und hielt vergeblich nach möglichen Waffen und Fluchtwegen Ausschau.

Hydt blieb stehen und drehte sich um. Bond tat es ihm gleich – und erschrak. Dunne näherte sich mit einem Gewehr.

Nach außen blieb Bond ruhig (»Sie behalten Ihre Tarnung bis ins Grab bei«, schärften die Ausbilder in Fort Monckton ihren Schülern ein).

»Schießen Sie mit Langwaffen?« Dunne hob das Jagdgewehr mit dem schwarzen Kunststoff- oder Karbonfaserschaft und dem Gehäuse und Lauf aus gebürstetem Stahl.

»Ja.« Am Fettes College war Bond Kapitän der Schützenmannschaft gewesen und hatte sowohl mit Klein- als auch mit Großkalibern Wettbewerbe gewonnen. In der Royal Naval Reserve war ihm die Queen's Medal for Shooting Excellence verliehen worden – die einzige Schützenauszeichnung, die zur Uniform getragen werden darf. Er musterte die Waffe in Dunnes Händen. »Eine Winchester 270.«

»Gutes Gewehr, meinen Sie nicht auch?«

»Ja. Das Kaliber ist mir lieber als das 30-06. Flachere Flugbahn.«

»Jagen Sie, Theron?«, fragte Hydt.

»Ich hatte nie viel Gelegenheit dazu.«

Hydt lachte. »Ich gehe ebenfalls nicht auf die Jagd … abgesehen von einer bestimmten Spezies.« Das Lächeln verschwand. »Niall und ich haben uns über Sie unterhalten.«

»Was Sie nicht sagen«, entgegnete Bond in gelangweiltem Tonfall.

»Wir sind zu dem Ergebnis gelangt, dass Sie eine wertvolle Bereicherung für gewisse *andere* Projekte darstellen könnten, an denen wir arbeiten. Aber wir benötigen einen Vertrauensbeweis.«

»Reden wir hier von Geld?« Bond wollte Zeit schinden; er glaubte zu wissen, worauf all das hinauslief, und brauchte einen Ausweg. Schnell.

»Nein«, sagte Hydt leise, und sein riesiger Kopf neigte sich in Bonds Richtung. »Das ist es nicht.«

Dunne trat vor, die Winchester in die Hüfte gestützt, sodass die Mündung gen Himmel wies. »Okay, bringt ihn raus.«

Zwei Arbeiter in Uniformen des Sicherheitsdienstes zerrten einen hageren Mann in einem T-Shirt und einer abgenutzten

Khakihose hinter einem Jakaranda-Dickicht hervor. Der Mann war zu Tode geängstigt.

Hydt warf ihm einen verächtlichen Blick zu.

»Dieser Mann ist bei uns eingebrochen und hat versucht, aus dem Siliziumtrakt Mobiltelefone zu stehlen«, sagte er zu Bond.

»Als er dabei erwischt wurde, hat er eine Pistole gezogen und auf einen Wachposten geschossen. Er hat den Mann verfehlt und konnte überwältigt werden. Ich habe ihn überprüfen lassen. Er ist ein entflohener Sträfling und wurde wegen Vergewaltigung und Mord verurteilt. Ich könnte ihn an die Behörden übergeben, aber sein Auftauchen hier und heute verschafft mir – und Ihnen – eine günstige Gelegenheit.«

»Wie meinen Sie das?«

»Sie können jetzt gleich Ihren ersten Abschuss als Jäger verzeichnen. Falls Sie diesen Mann erschießen ...«

»Nein!«, schrie der Gefangene.

»Falls Sie ihn töten, ist das Beweis genug für mich. Wir nehmen Ihr Projekt in Angriff, und ich heuere Sie zudem an, mir bei meinen anderen Vorhaben behilflich zu sein. Falls Sie sich entscheiden, ihn nicht zu töten, was ich durchaus verstehen könnte, wird Niall Sie zurück zum Haupttor fahren, und unsere Wege trennen sich. So verlockend Ihr Angebot auch sein mag, die Killing Fields zu säubern – ich werde es ablehnen müssen.«

»Ich soll kaltblütig einen Mann umlegen?«

»Die Entscheidung liegt bei Ihnen«, sagte Dunne. »Sie können es auch sein lassen und von hier verschwinden.« Sein irischer Akzent klang barscher als sonst.

Doch was für eine Chance dies war, in Severan Hydts innerste Sphäre vorzudringen! Bond konnte alles über Gehenna erfahren. Ein Leben gegen Tausende.

Und wie es inzwischen aussah, sollte das Ereignis am Freitag nur das erste in einer ganzen Reihe solcher Projekte sein. Wie viele mehr würden dann sterben?

Er musterte das dunkelhäutige Gesicht des Verbrechers, die aufgerissenen Augen, die zitternden Hände.

Bond schaute zu Dunne, trat vor und nahm das Gewehr.

»Nein, bitte!«, flehte der Mann.

Die Wächter stießen ihn auf die Knie und wichen zurück. Der Mann starrte Bond an, dem in diesem Moment zum ersten Mal klar wurde, dass bei einer Erschießung durch ein Exekutionskommando die Augenbinde nicht dem Verurteilten helfen sollte, sondern den *Schützen*, damit sie ihrem Opfer nicht in die Augen blicken mussten.

»Bitte, nein, Sir!«, rief er.

»Die Waffe ist fertig geladen und gesichert«, sagte Dunne.

War das nur eine Platzpatrone, um ihn zu testen? Oder befand sich überhaupt keine Patrone in der Kammer? Der Dieb trug unter dem dünnen T-Shirt eindeutig keine Schutzweste. Bond wog das Gewehr in der Hand; es hatte ein normales Visier, kein Zielfernrohr. Er schaute zu dem Dieb in etwa zwölf Metern Entfernung und legte an. Der Mann hob die Hände vor das Gesicht. »Nein! Bitte!«

»Wollen Sie näher heran?«, fragte Hydt.

»Nein. Aber er soll nicht leiden«, sagte Bond sachlich. »Verzieht das Gewehr auf diese Distanz nach oben oder unten?«

»Keine Ahnung«, sagte Dunne.

Bond zielte nach rechts auf ein Blatt, das ungefähr genauso weit weg war wie der Gefangene. Er drückte ab. Es gab einen lauten Knall, und in der Mitte des Blattes erschien ein Loch, exakt an der Stelle, auf die er gezielt hatte. Bond lud durch. Die leere Hülse wurde ausgeworfen und eine neue Patrone in die Kammer geschoben. Er zögerte immer noch.

»Worauf warten Sie noch, Theron?«, flüsterte Hydt.

Bond hob die Waffe und zielte erneut auf das Opfer.

Wieder gab es eine Pause. Dann drückte er ab. Ein weiterer Knall – und der Mann wurde nach hinten in den Staub geworfen. Mitten auf seinem T-Shirt breitete sich ein roter Fleck aus.

47

»So«, sagte Bond verärgert, öffnete den Verschluss des Gewehrs und warf es Dunne zu. »Nun zufrieden?«

Der Ire fing die Waffe mit seinen großen Händen mühelos auf und blieb so teilnahmslos wie immer. Er sagte nichts.

Hydt hingegen schien erfreut zu sein.

»Gut«, sagte er. »Jetzt lassen Sie uns ins Büro fahren und auf unsere gute Zusammenarbeit anstoßen ... und gestatten Sie mir, dass ich mich entschuldige.«

»Wofür? Dass Sie mich gezwungen haben, einen Mann zu töten?«

»Nein, dafür, dass ich Sie habe *glauben* lassen, Sie würden einen Mann töten.«

»Was?«

»William!«

Der vermeintlich Erschossene sprang grinsend auf.

Bond wirbelte zu Hydt herum. »Aber ...«

»Wachsprojektile«, rief Dunne. »Die Polizei benutzt sie beim Training, Filmemacher benutzen sie für Actionszenen.«

»Es war ein gottverdammter Test?«

»Den unser Freund Niall hier sich ausgedacht hat. Es war eine gute Idee, und Sie haben bestanden.«

»Halten Sie mich für einen Schuljungen? Scheren Sie sich zum Teufel.« Bond machte kehrt und stürmte in Richtung Tor davon.

»Halt, warten Sie!« Hydt eilte ihm stirnrunzelnd hinterher.

»Wir sind Geschäftsleute. So läuft das nun mal. Wir müssen sichergehen.«

Bond stieß einen Fluch aus und ging weiter, während seine Hände sich fortwährend zu Fäusten ballten und wieder öffneten.

»Gut, Sie können einfach abhauen«, sagte Hydt. »Aber Sie sollten wissen, dass Sie nicht nur mich, sondern eine Million Dollar zurückweisen, die andernfalls Ihnen gehören wird. Und das wäre erst der Anfang.«

Bond blieb stehen. Er drehte sich um.

»Lassen Sie uns ins Büro fahren und reden. Wie Profis.«

Bond schaute zu dem Mann, auf den er geschossen hatte und der immer noch fröhlich lächelte. Dann fragte er Hydt: »Eine Million?«

Hydt nickte. »Sie erhalten sie morgen.«

Bond verharrte einen Moment an Ort und Stelle und starrte hinaus in die Landschaft, die wirklich wunderschön war. Dann ging er zurück zu Hydt. Niall Dunne entlud unterdessen das Gewehr und säuberte es sorgfältig, beinahe zärtlich.

Bond bemühte sich, weiterhin möglichst empört und beleidigt zu wirken.

Denn er hatte den Trick mit den Wachsprojektilen von Anfang an durchschaut. Niemand, der schon mal eine normale Patrone mit der entsprechenden Ladung Pulver und einem Bleiprojektil abgefeuert hatte, ließ sich von einem Wachsprojektil täuschen, denn der Rückstoß war wesentlich schwächer (und daher war es auch absurd, einem der Soldaten eines Exekutionskommandos eine Platzpatrone zu geben; er musste es sofort bemerken, wenn er abdrückte). Ein weiterer Hinweis war der Versuch des »Diebes« gewesen, sein Gesicht zu schützen. Wer glaubt, er würde gleich erschossen, schirmt nichts mit den Händen ab. Bond hatte daher vermutet, dass der Mann Angst um sein Augenlicht hatte, nicht um sein Leben. Das wiederum deutete auf eine Platzpatrone oder ein Wachsprojektil hin.

Um den Rückstoß einzuschätzen, hatte er auf das Blatt gefeuert. Das hatte ihm endgültige Gewissheit gegeben.

Er vermutete, dass der Mann sich mit diesem Auftritt eine Gefahrenzulage verdient hatte. Hydt schien sich gut um seine Angestellten zu kümmern, was auch immer man sonst über ihn sagen konnte. Es bestätigte sich in diesem Moment. Hydt zählte ein paar Scheine ab und gab sie dem Mann, der dann zu Bond kam und ihm die Hand schüttelte. »He, Mister, Sir! Sie sind ein guter Schütze. Haben mich genau an der richtigen Stelle erwischt. Schauen Sie, genau hier!« Er klopfte sich auf die Brust. »Einer hat mich mal unten getroffen, Sie wissen schon, wo. So ein Mistkerl. Oh, das hat tagelang wehgetan. Und meine Lady hat sich sehr beschwert.«

Die drei Männer stiegen wieder in den Range Rover ein und fuhren schweigend zurück auf das Gelände. Die herrlichen Gärten wichen dem schrecklichen Schwarzen Loch, der Kakophonie der Möwen, dem Gestank.

Gehenna …

Dunne parkte am Hauptgebäude, nickte Bond zu und wandte sich an Hydt. »Ich hole unsere Leute vom Flughafen ab. Sie treffen gegen neunzehn Uhr ein. Sobald ich sie untergebracht habe, komme ich wieder her.«

Dunne und Hydt würden demnach eine Spätschicht einlegen. War das nun gut oder schlecht für die weitere Erkundung von Green Way? Eines war jedenfalls klar: Bond musste sich so schnell wie möglich Zutritt zur Forschungs- und Entwicklungsabteilung verschaffen.

Dunne watschelte davon, während Hydt und Bond auf das Gebäude zugingen. »Kriege ich hier auch eine Führung?«, fragte Bond. »Es ist wärmer … und hier sind nicht so viele Möwen.«

Hydt lachte. »Es gibt nicht viel zu sehen. Wir gehen einfach nur in mein Büro.« Er ersparte seinem neuen Partner jedoch nicht die Prozedur an der hinteren Sicherheitsschleuse – wenngleich die Posten auch diesmal wieder den Inhalator übersahen. Als sie den Hauptflur betraten, fiel Bond abermals der Wegweiser zur Forschungs- und Entwicklungsabteilung auf. Er senkte die Stimme. »Nun, ich muss zumindest einen Abstecher zur Toilette einlegen.«

»Da entlang.« Hydt zeigte in die Richtung, zog dann sein Mobiltelefon aus der Tasche und wählte eine Nummer. Bond ging zügig den Korridor hinunter. Er betrat die leere Herrentoilette, schnappte sich eine große Handvoll Papierhandtücher und warf sie in eines der Toilettenbecken. Als er die Spülung betätigte, verstopfte das Papier den Abfluss. Er ging zur Tür und schaute zu Hydt. Der Mann stand mit gesenktem Kopf da und war ganz in sein Telefonat vertieft. Bond sah, dass es hier keine Überwachungskameras gab, also entfernte er sich von Hydt und überlegte sich seine Ausrede.

Oh, eine der Kabinen war besetzt, und in der anderen war das Becken verstopft, also habe ich mich auf die Suche nach der nächsten Toilette gemacht. Ich wollte Sie nicht behelligen, Sie haben gerade telefoniert.

Glaubhafte Abstreitbarkeit …

Bond rief sich den Wegweiser ins Gedächtnis. Er eilte einen leeren Flur hinunter.

FORSCHUNG UND ENTWICKLUNG
Unbefugter Zutritt verboten!

Die metallene Sicherheitstür war mit einem Tastenfeld und einem Kartenlesegerät versehen. Bond zückte den Inhalator und schoss mehrere Fotos, darunter Nahaufnahmen des Tastenfeldes.

Na los, spornte er einen ahnungslosen Bundesgenossen im Innern des Raumes an. Muss denn nicht jemand aufs Klo oder will sich einen Kaffee aus der Kantine holen?

Doch er hatte Pech. Die Tür blieb geschlossen, und Bond musste wieder zurück zu Hydt. Er machte auf dem Absatz kehrt und eilte wieder den Korridor entlang. Gott sei Dank, Hydt telefonierte immer noch. Er blickte erst auf, als Bond die Toilettentür schon hinter sich gelassen hatte; für Hydt war er gerade aus der Toilette zum Vorschein gekommen.

Hydt trennte die Verbindung. »Kommen Sie, Theron.«

Er führte Bond einen Flur hinunter und in einen großen Raum, der sowohl als Büro als auch als Unterkunft zu fungieren schien. Vor einem Panoramafenster, das den Blick auf Hydts Abfallreich freigab, stand ein gewaltiger Schreibtisch. Eine seitliche Tür führte zu einem Schlafzimmer. Bond sah, dass das Bett ungemacht war. Hydt führte ihn von dort weg und schloss die Tür. Er wies auf eine der Ecken. Dort standen ein Sofa und ein Couchtisch.

»Nehmen Sie Platz. Möchten Sie etwas trinken?«

»Whisky. Scotch. Keinen Blend.«

»Auchentoshan?«

Bond war die Brennerei in der Nähe von Glasgow ein Begriff. »Gern. Mit einem Tropfen Wasser.«

Hydt schenkte großzügig ein, gab das Wasser hinzu und reichte ihm das Glas. Für sich selbst wählte er ein Glas südafrikanischen Constantia. Bond kannte den honigsüßen Wein, eine kürzlich wiederbelebte Version von Napoleons Lieblingsgetränk. Der abgesetzte Kaiser hatte ihn fässerweise zu sich nach St. Helena verschiffen lassen, wo er seine letzten Jahre im Exil verbringen musste. Sogar auf dem Totenbett hatte er noch davon getrunken.

Der dämmrige Raum war voller Antiquitäten. Mary Goodnight erzählte häufig von irgendwelchen Schnäppchen auf dem

Markt an Londons Portobello Road, aber unter den Gegenständen in Hydts Büro sah keiner so aus, als könnte er dort einen nennenswerten Preis erzielen; sie waren verschrammt, verbeult, schief. An den Wänden hingen alte Fotografien, Gemälde und Basreliefs. Steintafeln zeigten verblichene Abbilder von griechischen und römischen Göttinnen und Göttern, aber Bond hätte nicht zu sagen vermocht, wen genau sie darstellen sollten.

Hydt setzte sich ebenfalls, und sie prosteten einander zu. Sein Blick schweifte mit Zuneigung über die Wände. »Die meisten dieser Dinge stammen aus Gebäuden, die von meinen Firmen abgerissen wurden. Für mich sind sie wie Relikte von den Leichnamen Heiliger. Welche mich übrigens auch interessieren. Ich besitze mehrere – in Rom weiß allerdings niemand davon.« Er streichelte das Weinglas. »Ich schöpfe Trost aus allem, das alt oder abgelegt ist. Den Grund dafür weiß ich selbst nicht. Er ist mir aber auch egal. Ich glaube, Theron, die meisten Leute verschwenden viel zu viel Zeit damit, sich selbst zu hinterfragen. Man soll seine Natur akzeptieren und seine Bedürfnisse befriedigen. Ich mag Verfall, Niedergang… Dinge, die von anderen gemieden werden.« Er hielt kurz inne. »Interessiert es Sie, wie ich in dieser Branche angefangen habe?«, fragte er dann. »Es ist eine informative Geschichte.«

»Ja, gern.«

»In meiner Jugend hatte ich einige Probleme. Na ja, wer hat die nicht? Aber ich war schon früh gezwungen, Geld zu verdienen. Und das war zufällig bei einem Abfallbetrieb. Ich war Müllmann in London. Eines Tages, als meine Kollegen und ich gerade beim Pausentee saßen, zeigte der Fahrer auf eine Wohnung auf der anderen Straßenseite und sagte: ›Da drüben wohnt einer, der zur Clerkenwell-Bande gehört.‹«

Clerkenwell: das vielleicht größte und erfolgreichste Verbrechersyndikat der britischen Geschichte. Heutzutage war kaum etwas davon übrig, aber über einen Zeitraum von zwanzig Jahren hatten seine Mitglieder brutal über ihr Gebiet rund um Islington geherrscht. Angeblich gingen fünfundzwanzig Morde auf ihr Konto.

»Ich war fasziniert«, fuhr Hydt mit funkelnden dunklen Augen fort. »Nach dem Tee machten wir mit unserer Arbeit weiter. Ich schnappte mir den Müll aus der besagten Wohnung und versteckte ihn in der Nähe, ohne dass die anderen etwas davon mitbekamen. Abends habe ich die Tüte dann von dort abgeholt, nach Hause mitgenommen und durchwühlt. So ging das wochenlang. Ich inspizierte jeden Brief, jede Konservendose, jede Rechnung, jede Kondomverpackung. Das meiste davon war nutzlos. Doch dann stieß ich auf etwas Interessantes, nämlich auf einen Zettel mit einer Adresse im Osten von London und dem Wort ›hier‹, mehr nicht. Ich hatte so eine Ahnung, was das zu bedeuten hatte. Wissen Sie, ich besserte damals mein Einkommen auf, indem ich die Strände von Brighton oder Eastbourne nach Münzen und Ringen absuchte, wenn die Touristen abends weg waren. Ich hatte einen guten Metalldetektor. Und so bin ich am nächsten Wochenende zu der Adresse gefahren, die auf dem Zettel stand. Es war ein leeres Grundstück, wie ich erwartet hatte.« Hydt hatte sichtlich Spaß an der Geschichte. »Ich brauchte nur zehn Minuten, dann hatte ich die vergrabene Pistole gefunden. Ich kaufte mir ein Set, um Fingerabdrücke zu nehmen, und obwohl ich kein Experte war, schienen die Abdrücke auf Waffe und Zettel übereinzustimmen. Ich wusste zwar nicht genau, wofür die Pistole benutzt worden war, aber …«

»Aber wieso sollte man sie vergraben, wenn es sich nicht um eine Mordwaffe handelte?«

»Richtig. Ich ging zu dem Clerkenwell-Kerl. Ich sagte ihm, mein Anwalt habe die Pistole und den Zettel – es gab natürlich keinen Anwalt, aber ich habe gut geblufft. Dann sagte ich, falls ich den Anwalt nicht in einer Stunde anriefe, würde er alles an Scotland Yard schicken. War das ein Wagnis? Sicher. Aber ein kalkuliertes. Der Mann wurde bleich und fragte sofort, wie viel ich verlangen würde. Ich nannte einen Betrag. Er zahlte in bar. Das war mein Startkapital auf dem Weg zu meinem eigenen kleinen Abfallbetrieb, aus dem am Ende Green Way wurde.«

»Das verleiht dem Begriff ›Recycling‹ eine ganz neue Bedeutung, nicht wahr?«

»In der Tat«, pflichtete Hydt ihm amüsiert bei. Er nippte an seinem Wein und schaute hinaus auf das Gelände und die Methanflammen in der Ferne. »Wussten Sie, dass es drei vom Menschen erschaffene Phänomene gibt, die man aus dem Weltall mit bloßem Auge erkennen kann? Die Chinesische Mauer, die Pyramiden… und die alte Fresh Kills Deponie in New Jersey.«

Das hatte Bond nicht gewusst.

»Für mich ist Müll mehr als ein Geschäft«, sagte Hydt. »Es ist ein Schlaglicht auf unsere Gesellschaft… und auf unsere Seelen.« Er beugte sich vor. »Wissen Sie, wir mögen im Leben ohne eigenes Zutun etwas *erlangen* – als Geschenk, aus Nachlässigkeit, als Erbe, durch Schicksal, Irrtum, Gier oder Trägheit –, aber wenn wir etwas wegwerfen, dann fast immer aus kalter Berechnung.«

Er trank einen Schluck Wein. »Theron, wissen Sie, was Entropie ist?«

»Nein, weiß ich nicht.«

»Entropie ist die grundlegende Wahrheit der Natur«, sagte Hydt und ließ seine langen gelben Fingernägel klicken. »Es ist die Neigung zu Zerfall und Unordnung – in der Physik, der Gesellschaft, der Kunst, in lebenden Wesen… in allem. Es ist der Pfad zur Anarchie.« Er lächelte. »Das klingt pessimistisch, aber das ist es nicht. Es ist die wunderbarste Sache der Welt. Die Wahrheit anzuerkennen, kann nie falsch sein. Und es ist die Wahrheit.«

Sein Blick fiel auf ein Basrelief. »Wissen Sie, ich habe meinen Namen geändert.«

»Aha«, sagte Bond und dachte: Maarten Holt.

»Ich habe ihn geändert, weil mein Nachname der meines Vaters war und mein Vorname von ihm ausgesucht wurde. Und ich wollte jegliche Verbindung zu ihm loswerden.« Ein kühles Lächeln. »Wegen der Jugend, von der ich gesprochen habe. Für ›Hydt‹ habe ich mich entschieden, weil darin die dunkle Seite der Hauptfigur aus *Dr. Jekyll und Mr. Hyde* mitschwingt. Ich habe die Erzählung in der Schule gelesen und sie sehr gemocht. Wissen Sie, ich glaube, wir alle haben eine öffentliche und eine dunkle Seite. Das Buch hat das bestätigt.«

»Und ›Severan‹? Das ist ein ungewöhnlicher Vorname.«

»Würden Sie im zweiten und dritten Jahrhundert nach Christus in Rom leben, fänden Sie das ganz und gar nicht.«

»Nein?«

»Ich habe Geschichte und Archäologie studiert. Wenn man das alte Rom erwähnt, Theron, woran denken die meisten Leute? An die julisch-claudische Dynastie. Augustus, Tiberius, Caligula, Claudius und Nero. Zumindest denken die Leute das, falls sie *Ich, Claudius* gelesen oder die Verfilmung mit dem brillanten Derek Jacobi gesehen haben. Doch diese fünf Kaiser haben nur über einen erbärmlich kurzen Zeitraum geherrscht – nicht mal hundert Jahre. Ja, ja, Mare Nostrum, Prätorianergarde, Filme mit Russel Crowe … alles überaus dekadent und dramatisch. ›Mein Gott, Caligula, sie ist deine *Schwester*!‹ Doch für mich hat sich die Wahrheit Roms erst viel später offenbart, in einer anderen Dynastie, nämlich der der Severer, begründet von Septimius Severus viele Jahre nach Neros Selbstmord. Wissen Sie, diese Kaiser wurden Zeugen des *Zerfalls* des Reiches. Ihre Herrschaft mündete in das, was die Historiker als Periode der Anarchie bezeichnen.«

»Entropie«, sagte Bond.

»*Genau.*« Hydt strahlte. »Ich kannte eine Statue des Septimius Severus und sehe ihm ein wenig ähnlich, also habe ich meinen Vornamen danach ausgesucht.« Er sah Bond an. »Fühlen Sie sich unbehaglich, Theron? Keine Sorge. Sie haben nicht auf Ahabs Schiff angeheuert. Ich bin nicht verrückt.«

Bond lachte. »Das dachte ich auch nicht. Ehrlich. Ich dachte an die Millionen von Dollar, die Sie erwähnt haben.«

»Natürlich.« Er nahm Bond prüfend in Augenschein. »Morgen wird das erste einer Reihe von Projekten, in die ich involviert bin, Früchte tragen. Meine wichtigsten Partner werden hier sein. Sie sind ebenfalls eingeladen. Dann werden Sie selbst sehen, was es mit uns auf sich hat.«

»Was soll ich für die Million tun?« Er runzelte die Stirn. »Jemanden mit *echten* Patronen erschießen?«

Hydt strich wieder über seinen Bart. Er sah tatsächlich ein wenig wie ein römischer Kaiser aus. »Sie brauchen morgen gar nichts zu tun. Das Projekt ist abgeschlossen. Wir werden uns nur die Ergebnisse anschauen. Und feiern, hoffe ich. Nennen wir Ihre Million einen Einstandsbonus. Danach werden Sie sehr beschäftigt sein.«

Bond zwang sich zu einem Lächeln. »Ich freue mich, dabei zu sein.«

In dem Moment klingelte Hydts Mobiltelefon. Er sah auf das Display, stand auf und wandte sich ab. Bond vermutete, dass es irgendwelche Schwierigkeiten gab. Hydt wurde zwar nicht wütend, aber sein stummes Verharren ließ erkennen, dass die Botschaft ihm nicht gefiel. Er unterbrach die Verbindung. »Tut mir leid. Ein Problem in Paris. Aufsichtsbeamte. Gewerkschaften. Es geht um Green Way, nicht um das morgige Projekt.«

Bond wollte kein Misstrauen erregen und hakte nicht nach. »Gut. Wann soll ich morgen hier sein?«

»Um zehn Uhr vormittags.«

Angesichts der ursprünglichen Nachricht, die das GCHQ

aufgefangen und entschlüsselt hatte, und der in March gewonnenen Erkenntnisse über den Zeitpunkt des Anschlags würden Bond am morgigen Tag demnach ungefähr zwölf Stunden bleiben, um herauszufinden, worum es bei Gehenna ging, und es zu verhindern.

Im Eingang erschien eine Gestalt. Es war Jessica Barnes. Sie trug, was für sie typisch zu sein schien – einen schwarzen Rock und eine schlichte weiße Bluse. Bond hatte es noch nie gemocht, wenn Frauen sich zu stark schminkten, aber er fragte sich erneut, weshalb sie völlig auf Make-up verzichtete.

»Jessica, das ist Gene Theron«, sagte Hydt geistesabwesend. Er hatte vergessen, dass sie sich schon seit gestern Abend kannten.

Die Frau rief es ihm nicht ins Gedächtnis.

Bond gab ihr die Hand. Sie nickte ihm zaghaft zu. Dann sagte sie zu Hydt: »Die Probeabzüge der Anzeigen sind noch nicht da. Sie kommen wohl erst morgen.«

»Dann kannst du sie morgen überprüfen, oder nicht?«

»Ja, aber es gibt hier nichts mehr zu tun. Ich dachte mir, ich würde gern nach Kapstadt zurückkehren.«

»Es ist was dazwischengekommen. Ich muss noch einige Stunden bleiben, vielleicht sogar noch länger. Warte doch einfach…« Sein Blick fiel auf die Schlafzimmertür.

Sie zögerte. »Na gut.« Ein Seufzen.

»Ich fahre zurück in die Stadt«, sagte Bond. »Ich nehme Sie gern mit, falls Sie möchten.«

»Wirklich? Ist es auch keine zu große Mühe?« Ihre Frage war jedoch nicht an Bond, sondern an Hydt gerichtet.

Der Mann scrollte durch eine Liste in seinem Mobiltelefon. Er blickte auf. »Nett von Ihnen, Theron. Bis morgen dann.«

Sie gaben einander die Hand.

»*Totsiens*«, verabschiedete Bond sich auf Afrikaans, gelernt auf der Sprachschule Captain Bheka Jordaan.

»Wann kommst du nach Hause, Severan?«, fragte Jessica.

»Wenn ich da bin«, erwiderte er zerstreut und wählte eine Nummer.

Fünf Minuten später kamen Jessica und Bond an die vordere Sicherheitsschleuse, wo er erneut durch den Metalldetektor musste. Doch noch bevor er seine Pistole und sein Telefon zurückerhielt, trat einer der Posten auf ihn zu. »Was ist das, Sir? Ich sehe da etwas in Ihrer Tasche.«

Der Inhalator. Wie, zum Teufel, hatte ihm die leichte Wölbung der Windjacke auffallen können? »Das ist nichts.«

»Ich möchte es bitte sehen.«

»Ich stehle doch nichts von einem Schrottplatz, falls es das ist, was Sie glauben«, protestierte er.

»Unsere Vorschriften sind eindeutig, Sir«, sagte der Mann geduldig. »Wenn Sie mir den Gegenstand nicht zeigen, muss ich Mr. Dunne oder Mr. Hydt verständigen.«

Behalte deine Tarnung bis ins Grab bei …

Mit ruhiger Hand zog Bond den schwarzen Plastikbehälter aus der Tasche und zeigte ihn vor. »Das ist meine Medizin.«

»Ach ja?« Der Mann nahm den Inhalator und sah ihn sich genau an. Die Kameralinse befand sich zwar in einer Vertiefung, aber Bond empfand sie trotzdem als ziemlich offensichtlich. Der Posten wollte ihm das Gerät schon zurückgeben, besann sich dann aber eines anderen. Er klappte die Schutzkappe hoch und legte den Daumen auf den Knopf.

Bond schaute zu seiner Walther in einem der Fächer. Er war durch drei Meter Abstand und die zwei anderen bewaffneten Wachen von ihr getrennt.

Der Posten drückte den Kolben herunter … und setzte dadurch in der Nähe seines Gesichts einen feinen Sprühnebel aus denaturiertem Alkohol frei.

Sanu Hirani hatte das Spielzeug natürlich mit seiner typischen weisen Voraussicht entworfen. Der Sprühmechanismus war echt, auch wenn das Präparat im Innern es nicht war; die Kamera befand sich im *unteren* Teil des Gehäuses. Der Geruch des Alkohols war stark. Der Posten rümpfte die Nase, und seine Augen tränten. Er gab den Inhalator zurück. »Danke, Sir. Ich hoffe, Sie müssen diese Medizin nicht oft nehmen. Sie kommt mir recht unangenehm vor.«

Bond erwiderte nichts darauf. Er steckte den Inhalator ein und nahm seine Waffe und das Telefon in Empfang.

Dann ging er auf die Tür zu, hinter der das Niemandsland zwischen den beiden Zäunen lag. Er war fast schon draußen, als plötzlich eine Alarmsirene aufheulte und ein rotes Blinklicht anlief.

48

Um Haaresbreite hätte Bond seine Waffe gezogen und wäre geduckt herumgewirbelt, um die vorrangigen Ziele auszuschalten.

Doch er riss sich instinktiv zusammen.

Und das war gut so: Die Wachposten schauten nicht mal in seine Richtung, sondern hatten sich wieder dem Fernsehgerät zugewandt.

Bond warf einen Blick über die Schulter. Der Alarm war ausgelöst worden, weil Jessica, die sich nicht der für andere gültigen Prozedur unterziehen musste, mit ihrer Handtasche und dem Schmuck durch den Metalldetektor gegangen war. Einer der Männer betätigte beiläufig einen Schalter und setzte die Einstellung des Geräts zurück.

Bonds Herzschlag beruhigte sich wieder. Gemeinsam mit Jessica ging er nach draußen, vorbei an dem Wachlokal und weiter auf den Parkplatz, über den der Wind braunes Herbstlaub wehte. Er öffnete ihr die Beifahrertür des Subaru, setzte sich ans Steuer und ließ den Motor an. Dann folgten sie der staubigen Straße zur N7, begleitet von den allgegenwärtigen Green-Way-Lastwagen.

Eine Weile sagte Bond nichts, dann machte er sich behutsam an die Arbeit. Er fing mit harmlosen Fragen an, um das Gespräch in Gang zu bringen. Reiste sie gern? Was waren hier ihre Lieblingsrestaurants? In welcher Funktion arbeitete sie bei Green Way?

Dann fragte er: »Ich bin neugierig – wie haben Sie beide sich kennengelernt?«

»Wollen Sie das wirklich wissen?«

»Ja.«

»Als junge Frau war ich mal Schönheitskönigin.«

»Ehrlich? Ich habe noch nie eine getroffen.« Er lächelte.

»Ich habe mich ganz wacker geschlagen und durfte einmal sogar an der Wahl zur Miss America teilnehmen. Aber was wirklich…« Sie wurde rot. »Nein, das ist töricht.«

»Bitte fahren Sie fort.«

»Nun, ich habe mal an einem Wettbewerb in New York teilgenommen, im Waldorf-Astoria. Im Vorfeld der Veranstaltung standen viele von uns Mädchen in der Lobby herum. Jackie Kennedy hat mich gesehen und ist zu mir gekommen, um mir zu sagen, wie hübsch sie mich findet.« Sie erglühte förmlich vor Stolz, wie Bond ihn bisher noch nicht an ihr bemerkt hatte. »Das war einer der Höhepunkte meines Lebens. Sie war mein großes Vorbild, als ich noch ein kleines Mädchen war.« Das Lächeln ließ nach. »Aber eigentlich interessiert Sie das gar nicht, oder?«

»Ich habe Sie doch selbst danach gefragt.«

»Tja, man kann an diesen Wettbewerben natürlich nur über einen gewissen Zeitraum teilnehmen. Danach habe ich eine Weile Werbespots gedreht, dann Infomercials. Und dann, na ja, kamen auch dafür keine Angebote mehr. Ein paar Jahre später starb meine Mutter – die mir sehr nahestand –, und ich bin durch eine schwere Zeit gegangen. Ich fand schließlich einen Job als Hostess in einem New Yorker Restaurant. Severan hatte in der Nähe zu tun und war bei uns zu einem Geschäftsessen verabredet. Wir kamen ins Gespräch. Er war so faszinierend. Er begeistert sich für Geschichte, und er hat die ganze Welt bereist. Wir konnten uns über tausend verschiedene Dinge unterhalten. Wir lagen einfach auf einer Wellenlänge. Es war sehr... erfrischend. Bei den Schönheitswettbewerben habe ich immer gescherzt, das Leben sei rundherum oberflächlich. Denn die Oberfläche sei alles, wofür die Leute sich interessieren: Make-up und Kleidung. Severan hat mehr in mir gesehen, schätze ich. Wir kamen glänzend miteinander aus. Er hat mich um meine Telefonnummer gebeten und immer wieder angerufen. Na ja, ich war nicht dumm. Ich war siebenundfünfzig Jahre alt, ohne Familie, mit nur sehr wenig Geld. Und hier war ein stattlicher Mann... ein *vitaler* Mann.«

Bond fragte sich, ob das wohl bedeutete, was er vermutete.

Das Navigationsgerät wies ihn an, die Autobahn zu verlassen. Er folgte vorsichtig einer überfüllten Straße. Die Minibus-Taxis waren überall. An den Kreuzungen warteten Abschleppwagen, anscheinend um als Erste an einem Unfallort sein zu können. Die Leute verkauften am Straßenrand Getränke oder betrieben aus Last- und Lieferwagen heraus alle Arten von Geschäften. Einige priesen lautstark Autobatterien zum Verkauf an, andere reparierten Lichtmaschinen. Wieso waren hier in Südafrika wohl so viele Fahrzeuge von diesem Problem betroffen?

Nachdem Bond das Eis inzwischen weitgehend gebrochen hatte, erkundigte er sich beiläufig nach dem morgigen Treffen. Jessica sagte, sie wisse nichts davon, und er glaubte ihr. Ärgerlicherweise schien Hydt sie weder in Gehenna noch in die anderen illegalen Aktivitäten eingeweiht zu haben, in die er, Dunne und/oder die Firma verwickelt waren.

Laut Navigationsgerät waren sie noch fünf Minuten von ihrem Ziel entfernt. »Ich möchte ehrlich sein«, sagte Bond. »Es ist irgendwie seltsam.«

»Was?«

»Na, wie er sich mit diesem ganzen Zeug umgibt.«

»Was für Zeug?«, fragte Jessica und ließ ihn nicht aus den Augen.

»Verfall, Zerstörung.«

»Nun, das ist sein Geschäft.«

»Ich meine nicht seine Arbeit bei Green Way. Das verstehe ich. Ich spreche von seinem *persönlichen* Interesse an allem Alten, Benutzten... Abgelegten.«

Jessica schwieg für einen Moment. Sie wies nach vorn auf ein großes hölzernes Wohnhaus, das von einer eindrucksvollen Steinmauer umgeben war. »Da ist es, das Haus. Dort...«

Ihre Stimme erstickte, und sie fing an zu weinen.

Bond hielt am Straßenrand. »Jessica, was ist denn los?«

»Ich...« Ihr Atem war schnell und abgehackt.

»Alles in Ordnung?« Er griff nach unten, zog den Einstellhebel und fuhr den Sitz zurück, damit er sich ihr besser zuwenden konnte.

»Es ist nichts, schon gut. Oh, wie ist das peinlich.«

Bond nahm ihre Handtasche und suchte darin nach einem Taschentuch. Er fand eines und reichte es ihr.

»Danke.« Sie wollte etwas sagen, brach aber wieder in Schluchzen aus. Als sie sich endlich beruhigt hatte, drehte sie den Innenspiegel in ihre Richtung. »Er lässt mich kein Make-up tragen – aber so ist wenigstens meine Mascara nicht zerlaufen und hat mich in einen Clown verwandelt.«

»Er lässt Sie nicht... Wie meinen Sie das?«

Das Geständnis erstarb ihr auf den Lippen. »Nichts, schon gut«, flüsterte Jessica.

»Hab ich was Falsches gesagt? Es tut mir leid, ich wollte Sie nicht verletzen. Ich habe nur ein wenig geplaudert.«

»Nein, nein, Sie haben nichts getan, Gene.«

»Sagen Sie mir, was los ist.« Er sah ihr in die Augen.

Sie überlegte einen Moment. »Ich war nicht ehrlich zu Ihnen. Ich ziehe eine gute Schau ab, aber es ist alles nur Fassade. Er und ich, wir liegen nicht auf einer Wellenlänge, niemals. Ich muss für ihn...« Sie hob eine Hand. »Oh, das wollen Sie nicht hören.«

Bond berührte ihren Arm. »Bitte, ich bin irgendwie dafür verantwortlich. Ich habe einfach drauflos geplappert. Ich komme mir wie ein Narr vor. Erzählen Sie es mir.«

»Ja, er liebt das Alte ... das Benutzte, das Abgelegte. *Mich.*«

»Mein Gott, nein. So habe ich das nicht gemeint.«

»Ich weiß. Aber *Severan* meint es so – denn für ihn bin auch ich ein Teil der Abwärtsspirale. Ich bin sein Versuchsobjekt für das Verwelken, das Altern, den Verfall. Das ist alles, was er in mir sieht. Er spricht so gut wie nie mit mir. Ich weiß praktisch nicht, was in seinem Kopf vorgeht, und er hat keinerlei Interesse daran, sich mit mir als Mensch zu beschäftigen. Er gibt mir Kreditkarten, führt mich hübsch aus, sorgt für mich. Im Gegenzug ... sieht er mir beim Altern zu. Ich ertappe ihn oft dabei, wie er mich anstarrt: eine neue Falte hier, ein Altersfleck da. Deshalb darf ich kein Make-up tragen. Er lässt das Licht an, wenn ... Sie wissen schon. Können Sie sich vorstellen, wie erniedrigend das für mich ist? Und er macht das ganz bewusst. Denn auch Demütigung zieht Niedergang nach sich.«

Sie lachte verbittert auf und tupfte sich die Augen mit dem Taschentuch ab. »Und wissen Sie, was die Ironie dabei ist, Gene? Die gottverdammte Ironie? Als ich noch jung war, habe ich nur für die Schönheitswettbewerbe gelebt. Es hat niemanden gekümmert, wer ich im Innern war, nicht die Preisrichter, nicht die anderen Mädchen ... nicht mal meine Mutter. Nun bin ich alt, und auch Severan kümmert es nicht, wer ich im Innern bin. Manchmal hasse ich es, mit ihm zusammen zu sein. Doch was soll ich tun? Ich bin machtlos.«

Bond drückte ihren Arm ein wenig fester. »Das ist nicht wahr. Sie sind keineswegs machtlos. Älter zu sein, bedeutet Stärke. Es bedeutet Erfahrung, Weisheit, Scharfsinn, Vertrauen in die eigenen Fähigkeiten. Jugend bedeutet Irrtum und Impulsivität. Glauben Sie mir, ich weiß, wovon ich rede.«

»Aber was sollte ich ohne ihn machen? Wohin sollte ich gehen?«

»Wohin Sie wollen. Und Sie könnten auch tun, was Sie wollen. Sie sind klug. Bestimmt besitzen Sie etwas Geld.«

»Etwas. Aber es geht nicht ums Geld. Es geht darum, jemanden in meinem Alter zu finden.«

»Warum brauchen Sie jemanden?«

»Das kann nur ein junger Mann fragen.«

»Und *das* klingt nach einer Frau, die sich von anderen etwas einreden lässt, anstatt eigenständig zu denken.«

Jessica lächelte matt. »*Touché*, Gene.« Sie tätschelte seine Hand. »Sie sind sehr nett zu mir, und ich kann nicht glauben, dass ich vor einem völlig Fremden dermaßen die Fassung verloren habe. Bitte, ich muss jetzt reingehen. Bald kommt ein Kontrollanruf von ihm.« Sie deutete auf das Haus.

Bond fuhr bis zum Tor vor, wo ein aufmerksamer Wachmann stand – was seinen Plan durchkreuzte, sie ins Haus zu begleiten und sich dort umzusehen.

Jessica umschloss mit beiden Händen seine Hand und stieg dann aus.

»Sehen wir uns morgen?«, fragte er. »Auf dem Firmengelände?«

Ein schwaches Lächeln. »Ja, ich werde dort sein. Er hält mich an einer ziemlich kurzen Leine.« Sie drehte sich um und ging mit schnellen Schritten durch das Tor.

Bond schaltete in den ersten Gang und gab Gas. Jessica Barnes war im selben Moment aus seinen Gedanken verschwunden. Seine Aufmerksamkeit richtete sich auf das nächste Ziel und darauf, was ihn dort erwarten würde.

Freund oder Feind?

James Bond hatte gelernt, dass diese beiden Kategorien sich in seinem Beruf nicht notwendigerweise gegenseitig ausschlossen.

49

Schon den ganzen Donnerstag wurde hier über Bedrohungslagen geredet.

Es drohte Gefahr durch die Nordkoreaner, die Taliban,
al-Qaida, die Tschetschenen, die Bruderschaft Islamischer
Dschihad, Ost-Malaysia, den Sudan und Indonesien. Auch
über die Iraner hatte man kurz diskutiert, aber ungeachtet der
surrealen Phrasen, die man aus dem Präsidentenpalast gewohnt
war, nahm niemand sie besonders ernst. M tat das arme Regime in Teheran fast leid. Persien war einst eine so bedeutende
Größe gewesen.

Bedrohungslagen …

Doch der eigentliche Anschlag – ein Anschlag auf ihn –
geschah erst jetzt, während einer Teepause der Sicherheitskonferenz, dachte er sarkastisch. M beendete das Telefonat mit
Moneypenny und lehnte sich zurück. Er befand sich in der verblichenen Pracht eines alten Salons, gelegen in einem Gebäude
an der Richmond Terrace, zwischen Whitehall und dem Victoria Embankment. Es war einer dieser zutiefst langweiligen Bauten unbestimmten Alters, in denen um entscheidende Fragen
der Regierungsarbeit gerungen wurde.

Das bevorstehende Attentat ging von zwei Ministern aus,
die dem Joint Intelligence Committee angehörten. Sie steckten soeben nebeneinander die Köpfe zur Tür herein und ließen die bebrillten Blicke durch den Raum schweifen, bis sie
ihr Ziel erspähten. M musste unwillkürlich an das Komikerduo

The Two Ronnies denken und bekam das Bild nicht mehr aus dem Kopf. Als die beiden sich ihm nun näherten, hatten ihre Mienen allerdings nichts Heiteres an sich.

»Miles«, begrüßte ihn der Ältere. Er hieß Sir Andrew mit Vornamen, was perfekt zu seinem vornehmen Gesicht und der silbernen Mähne passte.

Der andere, Bixton, nickte ihm zu. Auf seiner fleischigen Glatze spiegelte sich das Licht des verstaubten Kronleuchters. Er atmete schwer. Genau genommen rangen sie beide nach Luft.

M forderte sie zwar nicht dazu auf, aber sie setzten sich trotzdem – auf das edwardianische Sofa jenseits des Teetabletts. Er hätte am liebsten eine Zigarre aus seinem Aktenkoffer genommen und darauf herumgekaut, entschied sich aber gegen das Requisit.

»Wir kommen gleich zur Sache«, sagte Sir Andrew.

»Wir wissen, dass Sie zu der Sicherheitskonferenz zurückmüssen«, warf Bixton ein.

»Wir waren gerade beim Außenminister. Er ist zurzeit im Plenarsaal.«

Das erklärte das Keuchen. Sie konnten nicht mit dem Wagen vom Unterhaus hergekommen sein, da man Whitehall von der Horse Guards Avenue bis kurz hinter die King Charles Street vollständig abgeriegelt hatte, damit die Sicherheitskonferenz in, nun ja, Sicherheit stattfinden konnte.

»Vorfall Zwanzig?«, fragte M.

»Ganz recht«, sagte Bixton. »Wir versuchen außerdem, den Chef von Six aufzutreiben, aber diese verdammte Konferenz …« Er gehörte dem Joint Intelligence Committee erst seit Kurzem an und schien plötzlich zu begreifen, dass er vielleicht nicht ganz so unverblümt über diejenigen herziehen sollte, die seine Mittel bewilligten.

»… ist eine verdammte Plage«, beendete M den Satz für ihn.

Er hatte kein Problem damit, offen seine Meinung zu sagen, wenn es angebracht war.

Sir Andrew übernahm. »Defence Intelligence und GCHQ melden für die letzten sechs Stunden eine rapide SIGINT-Zunahme in Afghanistan.«

»Nach übereinstimmender Meinung hat es mit Vorfall Zwanzig zu tun.«

»Irgendwas Konkretes über Hydt, Noah oder Tausende von Toten?«, fragte M. »Niall Dunne? Armeestützpunkte in March? Sprengladungen oder Bomben? Ingenieure in Dubai? Entsorgungs- und Recyclingbetriebe in Kapstadt?« M las jeden Rapport, der über seinen Tisch wanderte oder sein Mobiltelefon erreichte.

»Das können wir noch nicht sagen«, antwortete Bixton. »Der Donut hat die Codes noch nicht geknackt.« Das GCHQ-Hauptgebäude in Cheltenham besaß die Form eines dicken Ringes. »Die Verschlüsselungsalgorithmen sind offenbar brandneu. Das hat alle kalt erwischt.«

»Die SIGINT da drüben steigt immer mal an«, murmelte M und winkte ab. Er hatte früher in sehr, sehr hoher Position beim MI6 gearbeitet und war berühmt dafür, dass er wie kein Zweiter nachrichtendienstliche Meldungen nicht nur filtern, sondern auch in direkte Handlungsanweisungen umsetzen konnte.

»Stimmt«, pflichtete Sir Andrew ihm bei. »Aber meinen Sie nicht auch, dass es ein zu großer Zufall wäre, wenn all diese Anrufe und E-Mails sich ausgerechnet am Tag vor Vorfall Zwanzig häufen sollten?«

Nicht unbedingt.

»Und bislang hat niemand einen direkten Zusammenhang zwischen Hydt und der Bedrohung herstellen können«, fuhr er fort.

Mit »niemand« war 007 gemeint.

M sah auf die Uhr. Sie hatte seinem Sohn gehört, einem Soldaten des Royal Regiment of Fusiliers. Die Konferenz sollte in einer halben Stunde weitergehen. Er war erschöpft, und der morgige Freitag würde sogar noch länger dauern und in ein ermüdendes Abendessen münden, gefolgt von einer Rede des Innenministers.

Sir Andrew bemerkte den nicht gerade subtilen Blick auf die verschrammte Armbanduhr. »Kurz und gut, das JIC ist der Meinung, dass dieser Severan Hydt in Südafrika lediglich eine Ablenkung darstellt. Womöglich hat er irgendwie mit Vorfall Zwanzig zu tun, aber er ist keiner der Hauptakteure. Die Leute von Five und Six glauben, dass die wirklichen Drahtzieher in Afghanistan sitzen und dass auch dort der Anschlag stattfinden wird: auf das Militär, eine Hilfsorganisation oder irgendwelche Vertragspartner.«

Das war jedenfalls das, was sie *sagten* – was auch immer sie in Wahrheit *glauben* mochten. Das Abenteuer in Kabul hatte Milliarden von Pfund und viel zu viele Leben gekostet; je mehr Bösewichte man dort fand, um das Eindringen zu rechtfertigen, desto besser. M war sich dessen vom ersten Moment der Vorfall-Zwanzig-Operation an bewusst gewesen.

»Und was Bond angeht…«

»Er ist gut, das wissen wir«, fiel Bixton seinem Begleiter ins Wort und beäugte die Schokoladenkekse, die M als Teebeilage ausdrücklich abbestellt hatte, die aber trotzdem gebracht worden waren.

Sir Andrew runzelte die Stirn.

»Er hat nur nicht besonders viel gefunden«, fuhr Bixton fort. »Es sei denn, es wurden noch nicht alle Einzelheiten weitergegeben.«

M sagte nichts, sondern sah die Männer nur frostig an.

»Bond *ist* ein Star, natürlich«, sagte Sir Andrew. »Daher hält man es für allseits wünschenswert, dass er unverzüglich nach Kabul beordert werden sollte. Möglichst noch heute Nacht, falls Sie das hinkriegen. Dort warten bereits zwei Dutzend Topleute von Six, die mit ihm in den Einsatz gehen. Die CIA ziehen wir auch noch hinzu. Es macht uns nichts aus, den Ruhm zu teilen.«

Und die Schande, falls es danebengeht, dachte M.

»Das ergibt Sinn«, sagte Bixton. »Bond war in Afghanistan stationiert.«

»Vorfall Zwanzig soll morgen über die Bühne gehen«, sagte M. »Bond würde die ganze Nacht brauchen, um nach Kabul zu kommen. Wie soll er da noch irgendwas bewirken können?«

»Man hält es für allseits…«, setzte Sir Andrew an und verstummte abrupt, weil ihm – so vermutete M – klar geworden war, dass er seine lästige Floskel wiederholt hatte. »Wir sind uns nicht sicher, ob sich überhaupt noch etwas aufhalten lässt.«

Die Stille brach unangenehm über sie herein, wie eine Woge voller Krankenhausabfälle.

»Unser Ansatz wäre, Ihren Mann und die anderen nach dem Anschlag zum Analyseteam vor Ort zu ernennen. Damit sie dort herausfinden, wer dafür verantwortlich war, und geeignete Vergeltungsmaßnahmen empfehlen. Bond könnte sogar die Leitung der Gruppe übernehmen.«

M begriff natürlich, was hier gerade passierte: Die beiden Ronnies boten der ODG eine Möglichkeit, das Gesicht zu wahren. Deine Organisation mochte zu fünfundneunzig Prozent Erfolg haben, aber wenn auch nur eine große, verlustreiche Sache schiefging, konnte es dir passieren, dass du am Montagmorgen ins Büro kamst und feststellen musstest, dass dein Laden aufgelöst oder – noch schlimmer – zu einer Wasserträgerdienststelle degradiert worden war.

Die Overseas Development Group hatte sich ohnehin von Anfang an auf dünnem Eis befunden, vor allem wegen der Sektion 00, die vielen Leuten gegen den Strich ging. Den Vorfall

Zwanzig zu verpatzen, würde ein gewaltiger Schnitzer sein. Bonds sofortige Abordnung nach Afghanistan würde zumindest bedeuten, dass die ODG vor Ort vertreten war, auch wenn er etwas spät eintraf.

»Ihre Botschaft ist angekommen, Gentlemen«, sagte M ruhig. »Lassen Sie mich ein paar Telefonate erledigen.«

Bixton strahlte. Doch Sir Andrew war noch nicht fertig. Seine mit Scharfsinn gepaarte Hartnäckigkeit war einer der Gründe, aus denen M annahm, dass zukünftige Treffen mit ihm in der Downing Street Nr. 10 würden stattfinden können. »Bond stößt also hinzu?«

In der Frage schwang eine unausgesprochene Drohung mit: Falls 007 entgegen Ms Anweisungen in Südafrika blieb, würde Sir Andrew nicht länger seine schützende Hand über Bond, M und die ODG halten.

Wenn ein Agent wie 007 aber Carte blanche erhielt, dann *sollte* er ja gerade nach eigenem Ermessen handeln – was manchmal bedeutete, dass er eben *nicht* sofort nach der Pfeife seines Vorgesetzten tanzte. Beides auf einmal geht nicht, dachte M. »Wie gesagt, ich muss einige Anrufe erledigen.«

»Gut. Wir brechen jetzt lieber auf.«

Als sie gegangen waren, stand M auf und trat durch die Glastür hinaus auf den Balkon, wo ein Beamter der Metropolitan Police Specialist Protection mit einer Maschinenpistole Wache hielt. Nachdem der Mann den Neuankömmling kurz gemustert und ihm dann zugenickt hatte, wandte er sich wieder der zwölf Meter unterhalb gelegenen Straße zu. »Alles ruhig?«, fragte M.

»Jawohl, Sir.«

M ging zum anderen Ende des Balkons, zündete sich eine Zigarre an und sog den Rauch tief ein. Die leeren Straßen waren unheimlich. Man hatte sie nicht nur mit den üblichen Metallgittern abgesperrt, wie sie vor dem Parlament eingesetzt wurden, sondern mit ein Meter zwanzig hohen Zementblöcken, die kein normales Fahrzeug überwinden konnte. Auf den Gehwegen patrouillierten bewaffnete Wachen, und auf den Dächern der umliegenden Gebäude sah M mehrere Scharfschützen. Nachdenklich schaute er die Richmond Terrace hinunter in Richtung Victoria Embankment.

Er nahm sein Mobiltelefon und rief Moneypenny an.

Sie hob nach dem ersten Klingeln ab. »Ja, Sir?«

»Ich muss den Stabschef sprechen.«

»Er ist kurz unten in der Kantine. Ich stelle Sie durch.«

Während er wartete, kniff M die Augen zusammen und lachte dann barsch auf. An der Kreuzung unweit der Absperrung stand ein großer Müllwagen. Einige Männer zogen Tonnen zu ihm hin und von ihm weg. Es waren Angestellte von Severan Hydts Firma, Green Way International. M wurde klar, dass sie schon seit ein oder zwei Minuten dort arbeiteten, ohne dass er sie bewusst wahrgenommen hätte. Sie waren unsichtbar gewesen.

»Hier Tanner, Sir.«

Die Müllmänner wichen aus Ms Gedanken. Er nahm die Zigarre aus dem Mund und sagte ruhig: »Bill, ich muss mit Ihnen über 007 sprechen.«

50

Das Navigationsgerät lotste Bond durch das Zentrum von Kapstadt, vorbei an Geschäfts- und Wohngebäuden. Schließlich fand er sich am Fuße des Signal Hill in einer Gegend mit kleinen, bunt gestrichenen Häusern wieder, blau, rosa, rot und gelb. Die schmalen Straßen waren überwiegend mit Kopfsteinen gepflastert. Das alles erinnerte Bond an Dörfer in der Karibik, nur mit dem Unterschied, dass viele der hiesigen Häuser mit sorgfältig ausgeführten arabischen Mustern verziert waren. Auch eine stille Moschee war dabei.

Es war inzwischen achtzehn Uhr dreißig an diesem kühlen Donnerstagabend, und er befand sich auf dem Weg zu Bheka Jordaans Haus.

Freund oder Feind…

Er steuerte den Wagen durch die gewundenen, holprigen Straßen und parkte in der Nähe. Sie öffnete ihm die Tür und begrüßte ihn mit einem ernsten Nicken. Ihre Arbeitskleidung hatte sie gegen eine blaue Jeans und eine enge dunkelrote Strickweste getauscht. Das glänzende schwarze Haar hing ihr offen über die Schultern und duftete ausgeprägt nach Flieder; offenbar hatte sie es kurz zuvor mit einem intensiv duftenden Shampoo gewaschen. »Ein interessantes Viertel«, sagte er. »Hübsch.«

»Es heißt Bo-Kaap. Früher war dies eine sehr arme Gegend und hauptsächlich von Moslems bewohnt, Immigranten aus Malaysia. Als ich vor Jahren mit… nun ja, mit jemandem her-

gezogen bin, sah es hier noch erheblich schlimmer heruntergekommen aus. Mittlerweile ist das Viertel sehr in Mode
gekommen. Anfangs standen am Straßenrand nur Fahrräder geparkt. Jetzt sind es Toyotas, und bald werden es Mercedes sein.
Das gefällt mir nicht. Ich wünschte, es würde so bleiben, wie es
mal war. Aber es ist mein Zuhause. Außerdem wohnt Ugogo
mal bei mir und mal bei meinen Schwestern, und sie sind ganz
in der Nähe. Das ist für uns alle praktisch.«

»Ugogo?«, fragte Bond.

»Das heißt ›Großmutter‹. Die Mutter unserer Mutter. Meine
Eltern leben in Pietermaritzburg, in KwaZulu-Natal, ziemlich
weit östlich von hier.«

Bond erinnerte sich an die alte Landkarte in ihrem Büro.

»Daher kümmern wir uns um Ugogo. So wie es bei den Zulus Brauch ist.«

Sie bat ihn nicht hinein, also berichtete Bond ihr auf der vorderen Veranda von seinem Ausflug zu Green Way. »Der Film
hier drin muss entwickelt werden.« Er gab ihr den Inhalator.
»Acht Millimeter, ISO zwölfhundert. Können Sie das erledigen?«

»Ich? Nicht Ihr Freund vom MI6?«, fragte sie spöttisch.

Bond hatte keine Veranlassung, Gregory Lamb zu verteidigen. »Ich traue ihm, aber er hat meine Minibar um Getränke
im Wert von zweihundert Rand erleichtert. Mir wäre es lieber, wenn jemand mit klarem Kopf diese Aufgabe übernimmt.
Einen Film zu entwickeln, kann heikel sein.«

»Ich kümmere mich darum.«

»Und es reisen noch heute Abend einige Geschäftspartner
von Hydt an. Morgen Vormittag findet auf dem Green-Way-
Gelände ein Treffen statt.« Er dachte an das, was Dunne gesagt hatte. »Sie landen gegen neunzehn Uhr. Können Sie die
Namen in Erfahrung bringen?«

»Kennen Sie die Fluglinie?«

»Nein, aber Dunne holt sie ab.«

»Wir schicken jemanden hin. Kwalene kann das gut. Er macht oft Scherze, aber er ist sehr fähig.«

Allerdings. Und diskret, dachte Bond.

Von drinnen ertönte die Stimme einer Frau.

Jordaan wandte den Kopf. »*Ize balulekile.*«

Es folgte ein kurzer Wortwechsel auf Zulu.

Jordaans Miene blieb ungerührt. »Kommen Sie kurz herein? Damit Ugogo sehen kann, dass Sie zu keiner Bande gehören. Ich habe ihr gesagt, es ist niemand. Aber sie macht sich trotzdem Sorgen.«

Niemand?

Bond folgte ihr in die kleine Wohnung, die sich als sauber und hübsch eingerichtet erwies. Drucke, Wandbehänge und Fotos schmückten die Zimmer.

Die alte Frau, die mit Jordaan gesprochen hatte, saß an einem großen Esstisch, der für zwei Personen gedeckt war. Sie hatten fast aufgegessen. Die Frau war sehr gebrechlich. Bond hatte sie auf vielen der Fotos in Jordaans Büro gesehen. Sie trug ein weites orangebraunes Kleid und Pantoffeln. Ihr graues Haar war kurz. Sie erhob sich von ihrem Platz.

»Nein, bitte«, sagte Bond.

Sie stand dennoch auf und schlurfte gebeugt ein Stück vor, um ihm mit festem trockenem Griff die Hand zu schütteln.

»Sie sind der Engländer, von dem Bheka erzählt hat. Sie sehen ja gar nicht so schlimm aus.«

Jordaan funkelte sie an.

»Ich bin Mbali«, stellte die alte Frau sich vor.

»James.«

»Ich lege mich jetzt hin. Bheka, gib ihm was zu essen. Er ist zu dünn.«

»Nein, ich muss los.«

»Sie haben Hunger. Ich habe gesehen, wie Sie zu dem *Bobotie* geschaut haben. Es schmeckt sogar noch besser, als es aussieht.«

Bond lächelte. Er hatte tatsächlich zu dem Topf auf dem Herd geschaut.

»Meine Enkelin ist eine sehr gute Köchin. Es wird Ihnen schmecken. Und dazu gibt es ein Zulu-Bier. Haben Sie schon mal eines getrunken?«

»Ich kenne nur Birkenhead und Gilroy's.«

»Nein, Zulu-Bier ist das beste.« Mbali warf ihrer Enkelin einen Blick zu. »Gib ihm ein Bier und etwas zu essen. Bring ihm einen Teller *Bobotie*. Und Sambal-Soße.« Sie sah Bond nachdenklich an. »Mögen Sie es scharf?«

»Ja, sehr gern.«

»Gut.«

»Ugogo, er hat gesagt, er muss los«, widersprach Jordaan aufgebracht.

»Das hat er nur deinetwegen gesagt. Gib ihm ein Bier und was zu essen. Sieh nur, wie dünn er ist!«

»Also wirklich, Ugogo.«

»Typisch meine Enkeltochter. Ein echter Dickschädel.«

Die alte Frau nahm einen Keramikkrug voller Bier, ging in ihr Schlafzimmer und schloss die Tür.

»Geht es ihr gut?«, fragte Bond.

»Sie hat Krebs.«

»Das tut mir leid.«

»Sie hält sich besser als erwartet. Sie ist siebenundneunzig.«

Bond war überrascht. »Ich hätte sie auf Mitte siebzig geschätzt.«

Jordaan ging zu einem abgenutzten CD-Spieler und legte eine Scheibe ein. Sie schien zu fürchten, die Stille mit einem Gespräch ausfüllen zu müssen. Aus den Lautsprechern erklang eine tiefe Frauenstimme, getragen von Hip-Hop-Rhythmen. Bond sah die CD-Hülle: Thandiswa Mazwai.

»Setzen Sie sich«, sagte Jordaan und deutete auf den Tisch.

»Nein, schon gut.«

»Was soll das heißen?«

»Sie brauchen mich nicht zum Essen einzuladen.«

Jordaan schüttelte den Kopf. »Wenn Ugogo erfährt, dass ich Ihnen kein Bier oder *Bobotie* angeboten habe, wird sie nicht erfreut sein.« Sie brachte einen Tontopf mit Rattan-Deckel zum Vorschein und goss eine schäumende blassrosa Flüssigkeit in ein Glas.

»Das ist also Zulu-Bier?«

»Ja.«

»Hausgemacht?«

»Zulu-Bier ist immer hausgemacht. Der Brauvorgang dauert drei Tage, und man trinkt es, während es noch gärt.«

Bond nippte daran. Es war säuerlich und süßlich zugleich und schien nur wenig Alkohol zu enthalten.

Dann setzte Jordaan ihm einen Teller *Bobotie* vor und löffelte etwas rötliche Soße darüber. Es sah ein wenig wie Shepherd's Pie aus, allerdings mit Ei und nicht mit Kartoffeln als oberer Schicht, und es schmeckte besser als jeder Auflauf, den Bond in England je gegessen hatte. Die dickflüssige Soße war gut gewürzt und tatsächlich ziemlich scharf.

»Leisten Sie mir denn keine Gesellschaft?« Jordaan stand an die Spüle gelehnt, die Arme vor der üppigen Brust verschränkt.

»Ich habe bereits gegessen«, sagte sie lapidar und blieb, wo sie war.

Freund oder Feind …

Er aß auf. »Ich muss sagen, Sie sind sehr talentiert – eine clevere Polizistin, die außerdem fabelhaft Bier brauen und« – er nickte in Richtung des Kochtopfes – »*Bobotie* zubereiten kann. Falls ich das gerade richtig ausgesprochen habe.«

Er erhielt keine Antwort. Fühlte sie sich denn von jedem seiner Worte beleidigt?

Bond schluckte seinen Ärger herunter und ertappte sich dabei, dass er die zahlreichen Familienfotos betrachtete, die an den Wänden hingen und auf dem Kaminsims standen. »Ihre Großmutter muss viele geschichtliche Ereignisse miterlebt haben.«

Sie warf einen liebevollen Blick auf die Schlafzimmertür. »Ugogo *ist* Südafrika. Ihr Onkel wurde bei der Schlacht von Kambula im Kampf gegen die Briten verwundet – zwei Monate nach der Schlacht am Isandlwana, von der ich Ihnen erzählt habe. Als sie geboren wurde, lag die Gründung der Südafrikanischen Union aus den Provinzen Kapkolonie, Natal, Oranje-Freistaat und Transvaal erst wenige Jahre zurück. In den Fünfzigerjahren wurde sie unter dem Group Areas Act der Apartheid zwangsumgesiedelt. Und 1960 wurde sie bei einer Protestaktion verletzt.«

»Was ist passiert?«

»Das Sharpeville–Massaker. Sie hat gegen die Passgesetze demonstriert. Unter der Apartheid wurden Menschen von Rechts wegen als weiß, schwarz, farbig oder indisch klassifiziert.«

Bond erinnerte sich an Gregory Lambs Kommentar.

»Um sich in einem ›weißen Gebiet‹ aufhalten zu dürfen, mussten Schwarze einen von ihrem Arbeitgeber unterzeichneten Pass bei sich tragen. Es war erniedrigend, es war schrecklich. Der Protest war friedlich, aber die Polizei hat auf die Demonstranten geschossen. Fast siebzig Leute wurden getötet. Ugogo wurde am Bein getroffen. Deshalb humpelt sie.«

Jordaan zögerte und schenkte sich dann schließlich auch etwas Bier ein. Sie trank einen Schluck. »Ugogo verdanke ich meinen Namen. Sie hat damals meinen Eltern gesagt, wie sie mich nennen sollen, und die beiden haben sich daran gehalten. Für gewöhnlich macht man, was Ugogo sagt.«

»›Bheka‹«, sagte Bond.

»Auf Zulu heißt das ›eine, die über die Leute wacht‹.«

»Eine Beschützerin. Demnach war es Ihnen vorherbestimmt, Polizistin zu werden?« Die Musik gefiel Bond.

»Ugogo ist das alte Südafrika, ich das neue. Halb Zulu, halb Afrikaander. Man nennt uns die Regenbogennation, ja, aber die einzelnen Farben eines Regenbogens sind immer noch voneinander getrennt. Wir müssen wie ich werden, eine Mischung. Es wird noch lange dauern. Aber es wird geschehen.« Sie musterte Bond kühl. »Dann wird es uns möglich sein, Menschen wegen ihres Charakters abzulehnen. Nicht wegen ihrer Hautfarbe.«

Bond hielt ihrem Blick ruhig stand. »Danke für das Essen und das Bier«, sagte er. »Ich sollte mich auf den Weg machen.«

Sie begleitete ihn zur Tür. Er ging hinaus.

In diesem Moment erhaschte er zum ersten Mal einen deutlichen Blick auf den Mann, der ihm aus Dubai gefolgt war, den Mann mit der blauen Jacke und dem goldenen Ohrring, den Mann, der Yusuf Nasad und fast auch Felix Leiter ermordet hatte.

Er stand auf der anderen Straßenseite im Schatten eines alten Gebäudes, dessen Fassade mit arabischen Schriftzeichen und Ornamenten bedeckt war.

»Was ist los?«, fragte Jordaan.

»Ein Feind.«

Der Mann hatte ein Mobiltelefon in der Hand, führte aber kein Gespräch, sondern fotografierte soeben Bond und Jordaan – was ein Beweis dafür sein würde, dass Bond mit der Polizei zusammenarbeitete.

»Holen Sie Ihre Waffe, und bleiben Sie drinnen bei Ihrer Großmutter«, befahl Bond.

Er lief los. Der Mann floh in eine schmale Gasse und rannte in der Abenddämmerung auf den Signal Hill zu.

51

Der Fremde hatte zehn Meter Vorsprung, aber Bond schloss immer mehr auf. Fauchende Katzen und ausgemergelte Hunde ergriffen die Flucht. Ein Kind mit rundem malaysischen Gesicht trat auf die Gasse hinaus und wurde sofort von einer elterlichen Hand zurückgezogen.

Er war noch knapp fünf Meter von dem Angreifer entfernt, als sein Instinkt sich meldete. Bond wurde klar, dass der Mann eine Falle vorbereitet haben könnte. Er sah nach unten. Ja! Der Kerl hatte in dreißig Zentimetern Höhe einen im Dunkeln nahezu unsichtbaren Draht quer über die Gasse gespannt. Eine Tonscherbe markierte die Stelle, und der Angreifer war einfach darüber hinweggesprungen. Bond konnte nicht mehr rechtzeitig anhalten, aber wenigstens noch im letzten Moment reagieren.

Er schob die Schulter nach vorn, und als ihm durch den eigenen Schwung die Beine unter dem Leib weggerissen wurden, fing er die Wucht des Aufpralls mit einem halben Salto ab. Dennoch stürzte er schwer und blieb benommen einen Moment liegen. Er stieß einen Fluch aus, weil der Mann ihm entkommen war.

Doch der Kerl wollte gar nicht fliehen.

Der Draht hatte Bond nicht von der Verfolgung abhalten, sondern angreifbar machen sollen.

Im nächsten Moment war der Fremde über ihm und riss Bonds Walther aus dem Holster. Er stank nach Bier, schalem

Zigarettenrauch und Schweiß. Bond sprang auf, packte das rechte Handgelenk des Mannes und drehte es, bis die Waffe zu Boden fiel. Der Angreifer verpasste ihr einen Tritt, sodass auch Bond sie nicht erreichen konnte. Keuchend hielt Bond den rechten Arm des Fremden fest und wich den Hieben seiner Linken so gut wie möglich aus.

Er warf einen Blick über die Schulter und fragte sich, ob Bheka Jordaan womöglich seine Anweisung ignoriert hatte und ihm mit ihrer Waffe gefolgt war. Nichts als gähnende Leere in der Gasse.

Nun lehnte der Angreifer sich zurück, um einen Kopfstoß anzubringen. Als Bond sich jedoch abwehrend zur Seite drehte, riss der Mann sich los, indem er wie ein Kunstturner einen Rückwärtssalto vollführte. Es war eine brillante Finte. Bond musste an Felix Leiters Worte denken.

Mann, dieser Hundesohn kann so ein Kampfsport-Zeug …

Dann fing Bond sich wieder und stellte sich dem Mann, der geduckt mit einem Messer angriff, die Klinge nach unten, die Schneide nach außen. Seine linke Hand, ausgestreckt und offen, kreiste ablenkend und war bereit, im erstbesten Moment Bonds Kleidung zu packen und ihn zu sich heranzuziehen, damit er ihn erstechen konnte.

Bond blieb auf den Fußballen in Bewegung.

Seit seiner Ausbildung auf dem Fettes College in Edinburgh hatte er sich stets in verschiedenen Nahkampfarten geübt. Die ODG lehrte ihre Agenten aber eine seltene Variante des waffenlosen Kampfes, die sie sich von einem ehemaligen (oder doch nicht so ehemaligen) Feind abgeschaut hatte – den Russen. Eine alte Kampfkunst der Kosaken, genannt *Systema*, war von der Speznas, der Spezialeinheit des GRU, an die heutige Zeit angepasst worden.

Systema-Kämpfer benutzen nur selten ihre Fäuste, sondern hauptsächlich die Handflächen, Ellbogen und Knie. Es soll jedoch so wenig wie möglich geschlagen werden. Es geht vielmehr darum, den Gegner zu ermüden und ihn dann mit einem gezielten Angriff auf Schulter, Handgelenk, Arm oder Knöchel zu immobilisieren. Die besten *Systema*-Kämpfer kommen mit ihrem Gegner überhaupt nicht in Berührung… bis zum letzten Moment, wenn der erschöpfte Angreifer sich kaum noch wehren kann. Dann wirft der Sieger ihn zu Boden und fixiert ihn mit einem Knie auf der Brust oder der Kehle.

Bond war instinktiv in die *Systema*-Choreographie verfallen und wich dem Angriff des Mannes aus.

Ausweichen, ausweichen, ausweichen… Setze seine Energie gegen ihn ein.

Bond war weitgehend erfolgreich, aber zweimal huschte die Messerklinge nur wenige Zentimeter vor seinem Gesicht vorbei.

Der Mann sprang vor, schwang die großen Hände, testete Bond, der sich ihm entzog und die Stärken (sehr muskulös, mit Nahkampferfahrung und Tötungswillen) und Schwächen (Alkohol und Tabak schienen ihren Tribut zu fordern) seines Gegners einschätzte.

Die Frustration des Fremden wuchs. Er hielt das Messer nun stoßbereit und griff wieder an, beinahe verzweifelt. Dabei grinste er dämonisch und schwitzte trotz der Kühle.

Bond präsentierte ihm den unteren Rücken als Ziel und machte einen Schritt auf seine Walther zu. Doch das war eine Finte. Und sogar noch bevor der Mann zustieß, wirbelte Bond herum, schob das Messer mit dem Unterarm beiseite und schlug dem Gegner mit gewölbter Hand auf das linke Ohr. Das Trommelfell des Angreifers riss. Der Mann heulte vor Schmerz auf und stieß wütend und ziellos zu. Bond lenkte den Messerarm mühelos nach oben ab, drehte sich in den Gegner, packte dessen Handgelenk mit beiden Händen und beugte sich zurück, bis das Messer zu Boden fiel. Er dachte an die Stärke und wilde Entschlossenheit des Mannes und traf eine Entscheidung: Er bog das Handgelenk weiter nach hinten, bis es brach.

Der Mann sank schreiend auf die Knie, dann weiter in eine sitzende Position. Sein Kopf rollte mit bleichem Gesicht auf die Seite. Bond stieß das Messer mit dem Fuß weg, durchsuchte den Gegner gründlich und fand in dessen Taschen eine kleine Automatikpistole sowie eine Rolle Isolierband. Eine Pistole? Wieso hat er mich nicht einfach erschossen?, fragte Bond sich verwundert.

Er steckte die Waffe ein und holte seine Walther. Dann nahm er das Telefon des Mannes. Wem hatte er das Foto von Bond und Jordaan geschickt? Falls nur Dunne es erhalten hatte – konnte Bond den Iren aufspüren und ausschalten, bevor er Hydt verständigte?

Er scrollte durch die Liste der Anrufe und SMS. Gott sei Dank, der Kerl hatte gar nichts verschickt, sondern Bond nur auf Video aufgezeichnet.

Zu welchem Zweck?

Dann bekam er seine Antwort.

»*Jebi ti!*«, fluchte sein Angreifer.

Die Balkan-Verwünschung erklärte alles.

Bond nahm sich die Papiere des Mannes vor und fand die Bestätigung, dass er der JSO angehörte, den serbischen Paramilitärs. Sein Name war Nicholas Rathko.

Er hielt nun stöhnend sein Handgelenk umklammert. »Du bist schuld am Tod meines Bruders! Du hast ihn im Stich gelassen! Er war bei diesem Auftrag dein Partner. Man lässt seinen Partner *niemals* im Stich.«

Rathkos Bruder war der jüngere der beiden BIA-Agenten gewesen, die Bond am Sonntagabend bei Novi Sad kennengelernt hatte.

Mein Bruder raucht die ganze Zeit, wenn er im Außeneinsatz ist. In Serbien wirkt das normaler, als nicht zu rauchen …

Bond wusste nun, wie der Mann ihn in Dubai ausfindig gemacht hatte. Um sich der BIA-Unterstützung in Serbien zu versichern, hatten die ODG und Six den hohen Tieren in Belgrad Bonds echten Namen und Auftrag mitgeteilt. Nach dem Tod seines Bruders hatten Rathko und seine Kameraden bei der JSO vermutlich alle Hebel in Bewegung gesetzt und ihre Kontakte bei NATO und Six genutzt, um Bond zu finden. So hatten sie von Dubai erfahren. Bond war nun klar, dass nicht etwa Osborne-Smith, sondern *Rathko* inoffizielle Erkundigungen beim MI6 über ihn eingezogen hatte. Unter den Papieren des Mannes stieß er auf die Genehmigung für einen Flug per Militärjet von Belgrad nach Dubai. Das erklärte, weshalb er noch vor Bond dort eingetroffen war. Ein weiteres Dokument belegte, dass ein einheimischer Söldner ihm ein nicht zurückverfolgbares Fahrzeug zur Verfügung gestellt hatte – den schwarzen Toyota.

Und seine Absicht?

Mutmaßlich nicht Verhaftung und Überstellung. Rathko hatte höchstwahrscheinlich geplant, Bonds Geständnis oder Entschuldigung auf Video aufzuzeichnen – oder vielleicht seine Folterung und Ermordung.

»Nennst du dich Nicholas oder Nick?«, fragte Bond und ging neben ihm in die Hocke.

»*Jebi ti*«, war die einzige Antwort.

»Hör gut zu. Es tut mir leid, dass dein Bruder ums Leben gekommen ist. Aber er hatte beim BIA nichts verloren. Er war nachlässig und hat Befehle ignoriert. Es war seine Schuld, dass die Zielperson entwischen konnte.«

»Er war noch jung.«

»Das ist keine Entschuldigung. Es wäre keine für mich, und es war auch keine für dich, als du noch zu Arkans Tigern gehört hast.«

»Er war doch bloß ein Junge.« Der Mann hatte Tränen in

den Augen. Bond vermochte nicht zu sagen, ob wegen der Schmerzen aufgrund des gebrochenen Handgelenks oder aus Trauer um den toten Bruder.

Er schaute die Gasse hinunter. Bheka Jordaan und einige SAPS-Beamte kamen angerannt. Bond hob das Messer des Mannes auf und trennte den Stolperdraht durch.

Er hockte sich wieder neben den Serben. »Wir schaffen dich zu einem Arzt.«

»Stopp!«, befahl schneidend eine Frauenstimme.

Er sah zu Bheka Jordaan. »Schon gut. Ich habe seine Waffen.«

Doch dann begriff er, dass die Mündung ihrer Pistole auf ihn selbst gerichtet war. Er runzelte die Stirn und stand auf.

»Lassen Sie ihn in Ruhe!«, rief sie.

Zwei SAPS-Beamte stellten sich zwischen Bond und Rathko. Einer der beiden zögerte und nahm ihm dann vorsichtig das Messer aus der Hand.

»Er gehört zum serbischen Geheimdienst und hat versucht, mich zu töten. Auf sein Konto geht auch der ermordete CIA-Mitarbeiter in Dubai.«

»Das heißt nicht, dass Sie ihm einfach die Kehle durchschneiden können.« Ihre dunklen Augen hatten sich vor Zorn verengt.

»Wovon reden Sie da?«

»Sie sind in meinem Land. Sie werden sich an die Gesetze halten!«

Die anderen Polizisten starrten ihn an, manche ebenfalls verärgert. Er schaute zu Jordaan, trat beiseite und winkte sie zu sich.

Jordaan kam mit. »Sie hatten gewonnen«, fuhr sie barsch fort, sobald sie außer Hörweite der anderen waren. »Er war am Boden und keine Bedrohung mehr. Wieso wollten Sie ihn töten?«

»Wollte ich nicht«, sagte er.

»Ich glaube Ihnen nicht. Sie haben mich angewiesen, bei meiner Großmutter zu bleiben. Ich sollte keine Verstärkung holen, damit Sie ihn ohne Zeugen foltern und ermorden konnten.«

»Ich bin selbstverständlich davon ausgegangen, dass Sie Verstärkung anfordern würden. Sie sollten bei Ihrer Großmutter bleiben, weil wir nicht wissen konnten, ob er allein arbeitet.«

Doch Jordaan hörte ihm gar nicht zu und steigerte sich immer mehr in ihren Zorn hinein. »Sie kommen einfach hierher in unser Land, mit dieser verfluchten Doppel-Null. Oh, ich weiß genau, was Sie tun!«

Endlich verstand Bond, weshalb sie immer so wütend auf ihn war. Es hatte weder etwas mit seinem Flirtversuch zu tun noch mit der Tatsache, dass er den männlichen Unterdrücker repräsentierte. Sie verachtete seine schamlose Missachtung der Gesetze: die Stufe-1-Missionen im Auftrag der ODG – gezielte Tötungen.

Er trat vor, und seine leise Stimme ließ deutlich erkennen, wie zornig *er* nun war. »In einigen wenigen Fällen, in denen es keine andere Möglichkeit gab, mein Land zu beschützen, habe ich ein Leben genommen. Und nur auf ausdrücklichen Befehl. Ich tue das nicht, weil ich es möchte. Ich empfinde dabei kein Vergnügen. Ich mache es, um Menschen zu retten, die es verdient haben, gerettet zu werden. Sie können das eine Sünde nennen – aber es ist eine notwendige Sünde.«

»Es bestand keinerlei Anlass, ihn zu töten«, herrschte sie ihn an.

»Das hatte ich auch nicht vor.«

»Das Messer … Ich habe doch genau gesehen …«

»Er hatte einen Stolperdraht gespannt«, fiel er ihr ins Wort. »Den habe ich durchtrennt, damit niemand stürzen würde. Und was ihn angeht …« Er wies auf den Serben. »Ich hatte gerade zu ihm gesagt, wir würden ihn zu einem Arzt bringen. Fragen Sie ihn. Wenn ich jemanden ermorden will, schleppe ich ihn dazu wohl kaum ins Krankenhaus.« Er wandte sich ab und drängte sich an den beiden Polizeibeamten vorbei, die ihm im Weg standen. Sein Blick forderte sie heraus, es auf einen Versuch ankommen zu lassen und ihn aufzuhalten. Ohne sich noch einmal umzudrehen, rief er: »Der Film muss so schnell wie möglich entwickelt werden. Und ich muss wissen, wer morgen alles zu Hydt kommt.« Er ging mit großen Schritten die Gasse hinunter.

Kurz darauf saß er in dem Subaru und raste an den farbenfrohen Häusern von Bo-Kaap vorbei. Er fuhr viel schneller, als auf diesen gewundenen malerischen Straßen sicher war.

52

Ein Restaurant mit einheimischer Küche lockte, und James Bond, der nach seinem Zusammenstoß mit Bheka Jordaan immer noch wütend war, beschloss, dass er einen starken Drink brauchte.

Jordaans *Bobotie* hatte ihm geschmeckt, aber die Portion war nur klein gewesen, wie um ihn zu einem schnellen Verzehr und baldigen Aufbruch zu bewegen. Nun bestellte Bond ein herzhaftes Mahl aus *Sosaties* – gegrillten Fleischspießen – mit gelbem Reis und Spinat. Die angepriesene Spezialität des Hauses – *Mopane*-Würmer – lehnte er höflich ab. Zum Essen trank er zwei Wodka Martini und kehrte dann ins Table Mountain Hotel zurück.

Bond duschte, trocknete sich ab und zog sich an. Es klopfte an der Tür. Ein Bote brachte einen großen Umschlag. Was auch immer man von Jordaan halten mochte, sie ließ ihre persönliche Ansicht, Bond sei ein kaltblütiger Serienmörder, keinen Einfluss auf den Job nehmen. In dem Umschlag fand er Schwarz-Weiß-Abzüge der Fotos vor, die er mit der Inhalator-Kamera geschossen hatte. Einige waren verwackelt, und bei anderen hatte er nicht gut genug gezielt, aber es war ihm gelungen, eine klare Serie von dem aufzunehmen, das ihn am meisten interessierte: die Tür zur Forschungs- und Entwicklungsabteilung von Green Way samt ihrer Alarm- und Verriegelungstechnik. Jordaan war professionell genug gewesen, einen USB-Stick mit den eingescannten Bildern beizufügen, und sein Ärger legte sich noch mehr. Er lud die Fotos auf seinen Laptop, verschlüsselte sie und schickte sie mit einer Reihe von Anweisungen an Sanu Hirani.

Schon dreißig Sekunden später erhielt er eine erste Antwort: *Wir schlafen nie.*

Er lächelte und schrieb einen kurzen Dank.

Einige Minuten später rief Bill Tanner aus London an.

»Ich wollte mich auch gerade bei Ihnen melden«, sagte Bond.

»James ...« Tanner klang ernst. Es gab ein Problem.

»Schießen Sie los.«

»Bei uns herrscht im Moment eine gewisse Aufregung. Whitehall ist zu der Überzeugung gelangt, dass Vorfall Zwanzig kaum etwas mit Südafrika zu tun habe.«

»Was?«

»Die halten Hydt für ein Ablenkungsmanöver. Es heißt, die Anschläge würden sich in Afghanistan ereignen, und das Ziel seien Hilfsorganisationen oder Vertragspartner. Das Intelligence Committee will Sie abziehen und nach Kabul schicken – weil Sie, offen gesagt, bislang kaum etwas Konkretes vorweisen können.«

Bonds Herz klopfte wie wild. »Bill, ich bin mir sicher, dass der Schlüssel ...«

»Moment«, unterbrach Tanner ihn. »Ich schildere nur, was die wollten. Aber M hat sich auf die Hinterbeine gestellt und darauf bestanden, dass Sie bleiben, wo Sie sind. Das wurde ein zweites Trafalgar, groß und laut. Wir sind alle gemeinsam zum Außenminister marschiert und haben unsere Standpunkte erläutert. Es heißt, der Premierminister habe auch ein Wörtchen mitgeredet, aber das kann ich nicht bestätigen. Wie dem auch sei, M hat gewonnen. Sie bleiben also vor Ort. Und es dürfte Sie interessieren, dass jemand sich sehr für Sie eingesetzt hat.«

»Wer?«

»Ihr neuer Freund Percy.«

»Osborne-Smith?« Bond hätte beinahe laut aufgelacht.

»Er hat gesagt, falls Sie eine Spur hätten, müsste man Ihnen auch gestatten, ihr nachzugehen.«

»Hat er das? Ich spendiere ihm ein Bier, wenn diese Sache vorbei ist. Ihnen auch.«

»Nun, ganz so rosig sieht es nicht aus«, sagte Tanner bekümmert. »Der alte Mann hat den Ruf der ODG aufs Spiel gesetzt, damit Sie in Südafrika bleiben können. *Ihren* Ruf auch. Sollte sich herausstellen, dass Hydt tatsächlich nur ein Ablenkungsmanöver ist, wird das Folgen haben. Ernste Folgen.«

Hing etwa die Zukunft der ODG von *seinem* Erfolg ab?

Politische Machenschaften, dachte Bond zynisch. »Ich bin mir sicher, dass Hydt dahintersteckt.«

»Und M verlässt sich auf diese Einschätzung.« Tanner erkundigte sich nach seinen nächsten Schritten.

»Ich werde morgen Vormittag auf Hydts Firmengelände sein. Je nachdem, was ich dort finde, werde ich schnell handeln müssen und vermutlich nicht noch vorher Kontakt aufnehmen können. Falls ich bis zum späten Nachmittag nichts in Erfahrung gebracht habe, veranlasse ich Bheka Jordaan zu einer Razzia, nehme Hydt und Dunne in die Mangel und bringe sie zum Reden.«

»Okay, James. Halten Sie mich auf dem Laufenden. Ich bringe M auf den neuesten Stand. Er wird den ganzen Tag auf der Konferenz festsitzen.«

»Gute Nacht, Bill. Und bitte richten Sie ihm meinen Dank aus.«

Bond trennte die Verbindung, nahm ein Kristallglas, schenkte sich einen großzügig bemessenen Crown Royal ein, fügte zwei Eiswürfel hinzu und schaltete das Licht aus. Er zog die Gardinen auf, setzte sich auf das Sofa und schaute hinaus auf die unzähligen Lichter des Hafens. Ein riesiges Kreuzfahrtschiff unter britischer Flagge legte soeben an.

Sein Telefon klingelte. Er sah auf das Display.

»Philly.« Er trank noch einen Schluck des duftenden Whiskys.

»Sind Sie gerade beim Essen?«

»Ich befinde mich bereits in der Cocktailstunde nach der Cocktailstunde.«

»Sie sind ein Mann nach meinem Geschmack.« Als sie das sagte, wanderte Bonds Blick zu dem Bett, das er letzte Nacht mit Felicity Willing geteilt hatte. »Ich war mir nicht sicher, ob Sie noch mehr über die Steel-Cartridge-Missionen wissen wollten…«, fuhr Philly fort.

Er setzte sich auf. »Doch, unbedingt. Was haben Sie herausgefunden?«

»Etwas Interessantes, glaube ich. Wie es scheint, ging es bei dieser Operation nicht darum, einfach nur *irgendwelche* unserer Agenten und Mitarbeiter zu töten. Die Russen haben ihre eigenen Maulwürfe bei MI6 und CIA ausgeschaltet.«

Bond war wie vom Donner gerührt. Er stellte sein Glas ab.

»Nach dem Niedergang der Sowjetunion wollte der Kreml die Bande zum Westen festigen. Eine Enttarnung der Doppelagenten wäre politisch peinlich gewesen. Also haben aktive KGB-Agenten die erfolgreichsten Maulwürfe bei Six und CIA getötet und die Morde wie Unfälle aussehen lassen – die Stahlpatrone an den Tatorten war eine Warnung an die anderen, den Mund zu halten. Das ist alles, was ich zum gegenwärtigen Zeitpunkt weiß.«

Mein Gott, dachte Bond. Sein Vater… sein Vater war ein Doppelagent gewesen – ein *Verräter*?

»Sind Sie noch da?«

»Ja – bloß etwas abgelenkt von allem, was hier vor sich geht. Aber das war gute Arbeit, Philly. Ich werde morgen größtenteils nicht erreichbar sein, aber schicken Sie mir eine SMS oder E-Mail, falls Sie noch mehr in Erfahrung bringen.«

»Geht in Ordnung. Passen Sie gut auf sich auf, James. Ich mache mir Sorgen.«

Sie beendeten das Gespräch.

Bond nahm das kalte, vom Kondenswasser feuchte Kristallglas und drückte es sich an die Stirn. In Gedanken ließ er die Vergangenheit seiner Familie an sich vorüberziehen. Gab es irgendetwas im Zusammenhang mit Andrew Bond, das mehr Licht auf diese beängstigende Theorie geworfen hätte? Bond hatte seinen Vater sehr gemocht. Der Mann hatte Briefmarken und Fotos von Autos gesammelt. Es hatten ihm auch mehrere Wagen gehört, aber am meisten Freude hatte ihm das Reparieren und Polieren gemacht, nicht das schnelle Fahren. Als Halbwüchsiger hatte Bond seine Tante nach dem Vater gefragt. Charmian hatte kurz überlegt und dann geantwortet: »Er war ein guter Mann, selbstverständlich. Solide, verlässlich. Ein Fels. Aber zurückhaltend. Andrew hat sich nie in den Vordergrund gedrängt.«

Genau die richtigen Qualitäten für einen getarnten Geheimagenten.

Konnte er als Maulwurf für die Russen gearbeitet haben?

Ein weiterer erschreckender Gedanke: Die Falschheit seines Vaters – sofern die Geschichte stimmte – hatte auch zum Tod seiner Frau geführt, Bonds Mutter.

Nicht nur die Russen, sondern der Verrat seines Vaters hatte den jungen Bond zum Waisenkind gemacht.

Er zuckte zusammen, weil sein Telefon plötzlich eine ankommende SMS meldete.

Musste noch Hilfslieferungen vorbereiten. Habe gerade Büro verlassen. Interesse an Gesellschaft? Felicity.

James Bond zögerte einen Moment. Dann tippte er: *Ja.*

Zehn Minuten später, nachdem er seine Walther in ein

Handtuch gewickelt und unter das Bett geschoben hatte, klopfte es leise an der Tür. Er ließ Felicity Willing herein. Kein Zweifel – auch sie hatte die Absicht, dort weiterzumachen, wo sie zuletzt aufgehört hatten; sie schlang die Arme um ihn und küsste ihn leidenschaftlich. Er roch ihr Parfum, und sie schmeckte nach Minze.

»Ich sehe verboten aus«, sagte sie lachend. Sie trug eine blaue Baumwollbluse und eine Designerjeans, beide zerknittert und schmutzig.

»Unsinn«, sagte er und küsste sie erneut.

»Hier drinnen ist es dunkel, Gene«, sagte sie. Und zum ersten Mal seit Beginn der Mission versetzte es ihm einen Stich, an seine Tarnidentität erinnert zu werden.

»Ich mag den Ausblick.«

Sie lösten sich voneinander. Im schwachen Lichtschein, der von draußen hereinfiel, betrachtete Bond ihr Gesicht. Er fand es noch ebenso sinnlich wie letzte Nacht, aber sie war eindeutig müde. Es musste eine gewaltige logistische Kraftanstrengung bedeuten, die größte jemals für Afrika bestimmte Hilfslieferung zu bewältigen.

»Hier.« Sie zog eine Flasche Wein aus der Umhängetasche – erstklassiger Three Cape Ladies, ein roter Verschnitt aus Muldersvlei am Kap. Bond hatte schon davon gehört. Er entkorkte die Flasche und schenkte ihnen ein. Sie setzten sich auf das Sofa und tranken einen Schluck.

»Herrlich«, sagte er.

Sie streifte die Schuhe ab. Bond legte ihr einen Arm um die Schultern und bemühte sich, nicht mehr an seinen Vater zu denken.

Felicity schmiegte sich an ihn. Am Horizont waren sogar noch mehr Schiffe zu sehen als letzte Nacht. »Unsere Nahrungsmitteltransporte. Sieh sie dir an«, sagte sie. »Man hört fast nur Schlechtes über die Menschen, aber das ist nicht die ganze Wahrheit. Es gibt auch viel Gutes auf der Welt. Man kann sich nicht immer darauf verlassen, es ist nie sicher, aber wenigstens...«

»Aber wenigstens eine hat den *Willing,* zu helfen«, fiel Bond ihr ins Wort.

Sie lachte. »Jetzt hätte ich beinahe meinen Wein verschüttet, Gene. Ich hätte mir die Bluse ruinieren können.«

»Ich weiß eine Lösung.«

»Keinen Wein mehr trinken?« Sie zog verspielt einen Schmollmund. »Aber der schmeckt so lecker.«

»Eine andere Lösung, eine bessere.« Er küsste sie und fing langsam an, ihre Bluse aufzuknöpfen.

Eine Stunde später lagen sie nebeneinander im Bett. Bond hielt Felicity fest umschlungen, seine Hand lag auf ihrer Brust. Sie hatte ihre Finger mit seinen verschränkt.

Im Gegensatz zu letzter Nacht war Bond jedoch noch hellwach.

Sein Verstand arbeitete fieberhaft, sprang von einem Thema zum nächsten. In welchem Ausmaß hing die Zukunft der ganzen ODG von ihm ab? Welche Geheimnisse barg die Forschungs- und Entwicklungsabteilung von Green Way? Was genau hatte Hydt mit Gehenna vor, und wie konnte Bond geeignete Gegenmaßnahmen ergreifen?

Absicht... Reaktion.

Und was war mit seinem Vater?

»Du grübelst über irgendwas Ernstes nach«, stellte Felicity schläfrig fest.

»Wie kommst du darauf?«

»Frauen spüren so was.«

»Ich denke daran, wie schön du bist.«

Sie hob seine Hand zum Mund und biss ihm zärtlich in den Finger. »Jetzt hast du mich zum ersten Mal angelogen.«

»Es geht um meinen Job«, sagte er.

»Dann sei dir verziehen. Bei mir ist es ähnlich. Ich muss die Arbeiten am Hafen koordinieren, die Piloten bezahlen, Schiffe chartern und Lastwagen mieten, mich mit den Gewerkschaften streiten.« Ihr Tonfall gewann an Schärfe. »Und dann noch *dein* Fachgebiet. Wir hatten am Dock bereits zwei versuchte Einbrüche. Und dabei ist noch gar nichts entladen worden. Seltsam.« Es herrschte einen Moment Stille. Dann: »Gene?«

Bond wusste, dass etwas Wichtiges folgen würde. Er wurde ganz Ohr. Bei körperlicher Intimität wird intellektuelle und emotionale Intimität vorausgesetzt; wer das Zweite nicht will, sollte sich auf das Erste lieber nicht einlassen. »Ja?«

»Ich habe den Eindruck, dass hinter deiner Arbeit mehr steckt, als du mir erzählt hast«, sagte sie ruhig. »Nein, sag nichts. Ich weiß nicht, wie es dir dabei geht, aber falls wir uns weiterhin treffen sollten, könntest…« Ihre Stimme erstarb.

»Red weiter«, flüsterte er.

»Falls wir uns weiterhin treffen, könntest du vielleicht das eine oder andere ändern? Ich meine, wenn du schon manch einen dunklen Ort aufsuchen musst, könntest du mir versprechen, wenigstens die… schlimmsten zu meiden?« Er spürte ihre Anspannung. »Ach, ich weiß auch nicht, was ich damit sagen will. Ignorier mich einfach, Gene.«

Obwohl sie annahm, mit einem Sicherheitsexperten und Söldner aus Durban zu sprechen, sprach sie in gewisser Weise auch mit ihm, James Bond, einem Agenten der Sektion 00.

Und er begriff ihr Eingeständnis, dass sie bezüglich Gene Theron mit einem gewissen Grad an Finsternis leben konnte, als Hinweis darauf, dass sie auch Bond so würde akzeptieren können, wie er war.

»Ich glaube, das ist sehr gut möglich«, flüsterte er.

Sie küsste seine Hand. »Red nicht weiter. Das ist alles, was ich hören wollte. Jetzt weiß ich ungefähr, woran ich bin. Ich weiß ja nicht, ob du am Wochenende schon was vorhast...«

Ich auch nicht, dachte Bond säuerlich.

»...aber wir werden morgen Abend alle Lieferungen auf den Weg gebracht haben. Ich kenne da einen Gasthof in Franschhoek – warst du schon mal in der Gegend?«

»Nein.«

»Das ist der hübscheste Fleck der ganzen westlichen Kapregion. Ein Weinanbaugebiet. Das Restaurant hat einen Michelin-Stern und die romantischste Terrasse der Welt, mit Blick auf die Hügel. Fährst du am Samstag mit mir dahin?«

»Das würde ich liebend gern«, sagte er und küsste ihr Haar.

»Ehrlich?« Die entschlossene Kämpferin, die es gewohnt war, sich mit Großkonzernen anzulegen, klang auf einmal verletzlich und verunsichert.

»Ja, ehrlich.«

Fünf Minuten später war sie eingeschlafen.

Bond hingegen blieb wach und starrte hinaus auf die Lichter des Hafens. Seine Gedanken kreisten nicht länger um den eventuellen Verrat seines Vaters. Er dachte auch nicht an das Versprechen, mit dem er Felicity Willing eine Besserung seiner finsteren Natur in Aussicht gestellt hatte, oder an das Wochenende, das sie womöglich gemeinsam verbringen würden. Nein, James Bond konzentrierte sich nur auf eines: auf die undeutlichen Gesichter all jener Menschen irgendwo auf der Welt, deren Leben nur er allein würde retten können – ganz gleich, was Whitehall glaubte.

FREITAG

Abwärts zu Gehenna

53

Um acht Uhr vierzig lenkte Bond seinen staubigen und mit Schlamm bespritzten Subaru auf den Parkplatz der Kapstadter SAPS-Zentrale. Er zog den Zündschlüssel ab, stieg aus und betrat das Gebäude. Bheka Jordaan, Gregory Lamb und Kwalene Nkosi erwarteten ihn bereits im Büro.

Bond nickte ihnen zu. Lamb reagierte mit einem verschwörerischen Blick, Nkosi mit einem freundlichen Lächeln.

»Wir haben Hydts neu eingetroffene Geschäftspartner identifiziert«, sagte Jordaan, drehte ihren Laptop herum und ließ mehrere Bilder durchlaufen. Die ersten Fotos zeigten einen dicken Mann mit rundem dunkelhäutigem Gesicht. Er trug ein grelles gold- und silberfarbenes Hemd, eine Designersonnenbrille und eine ausladende braune Stoffhose.

»Charles Mathebula. Ein schwarzer Diamant aus Johannesburg.«

»So nennt man die Neureichen in Südafrika«, erklärte Lamb. »Manche von denen sind über Nacht und auf kaum nachvollziehbare Weise an ihr Vermögen gelangt, wenn Sie verstehen, was ich meine.«

»Und manche verdanken ihren Wohlstand harter Arbeit«, fügte Jordaan eisig hinzu. »Mathebula scheint legale Speditionsgeschäfte zu betreiben. Vor ein paar Jahren wurde es mal eng, als es um einige Waffenlieferungen ging, das stimmt. Aber letztlich konnte man ihm nichts nachweisen.« Sie drückte auf eine Taste, und das nächste Bild erschien. »Das ist David

Huang.« Er war schlank und lächelte in die Kamera. »Seine Tochter hat diesen Schnappschuss auf ihrer Facebook-Seite gepostet. Dumm von ihr… aber gut für uns.«

»Ein bekannter Gangster?«

»Ein *mutmaßlicher* Gangster«, schränkte Nkosi ein. »Aus Singapur. Hauptsächlich Geldwäsche. Möglicherweise auch Menschenschmuggel.«

Ein weiteres Gesicht erschien. Jordaan zeigte auf den Bildschirm. »Der Deutsche – Hans Eberhard. Er ist schon am Mittwoch angekommen. Hat mit Bodenschätzen zu tun, vorwiegend Diamanten. Hauptsächlich für die Industrie, aber manchmal auch Schmuck.« Der gut aussehende Mann auf dem Foto verließ gerade das Flughafengebäude. Er trug einen gut geschnittenen leichten Anzug und ein Hemd ohne Krawatte. »Man verdächtigt ihn zwar diverser Straftaten, aber de facto ist er sauber.«

Bond musterte die Fotos der Männer.

Eberhard.

Huang.

Mathebula.

Er prägte sich die Namen ein.

Jordaan runzelte die Stirn. »Mir ist allerdings nicht ganz klar, wozu Hydt Partner braucht. Er müsste doch genug eigenes Geld besitzen, um Gehenna zu finanzieren.«

Bond hatte bereits darüber nachgedacht. »Höchstwahrscheinlich aus zwei Gründen. Gehenna muss teuer sein. Er dürfte teilweise Fremdmittel einsetzen wollen, um nicht irgendwann gewaltige Passiva in seinen Büchern erklären zu müssen. Aber was noch wichtiger ist – er hat weder eine kriminelle Vorgeschichte noch entsprechende Kontakte. Worum auch immer es bei Gehenna geht – er braucht die Verbindungen, die Leute wie diese drei anzubieten haben.«

»Ja«, räumte Jordaan ein. »Das ergibt einen Sinn.«

Bond sah Lamb an. »Sanu Hirani von der Abteilung Q hat mir heute Morgen eine Nachricht geschickt. Er sagt, Sie haben etwas für mich.«

»Ah, ja… Verzeihung.« Der Six-Agent gab ihm einen Umschlag.

Bond warf einen Blick hinein und steckte ihn dann ein. »Ich fahre jetzt raus zum Firmengelände. Sobald ich dort bin, versuche ich in Erfahrung zu bringen, was Vorfall Zwanzig ist und wer sich wo in Gefahr befindet. Ich melde mich, sobald es geht. Aber wir benötigen einen Ausweichplan.« Falls sie bis sechzehn Uhr nichts von ihm gehört hatten, sollte Jordaan einen Zugriff durch das Sondereinsatzkommando veranlassen, um Hydt, Dunne und die Partner festzunehmen und den Inhalt der Forschungs- und Entwicklungsabteilung zu beschlagnahmen. »Das verschafft uns – oder Ihnen, falls ich nicht mehr im Spiel sein sollte – fünf oder sechs Stunden, um sie zu verhören und herauszufinden, worum es bei Vorfall Zwanzig geht.«

»Eine Razzia?« Jordaan runzelte schon wieder die Stirn. »Das geht nicht.«

»Warum nicht?«

»Das habe ich Ihnen doch schon erklärt. Solange ich keinen berechtigten Verdacht habe, dass bei Green Way gerade ein Verbrechen verübt wird, kann ich ohne richterliche Anweisung nichts machen.«

Verfluchte Paragrafenreiterin. »Es geht hier nicht darum, Hydts Rechte im Hinblick auf einen fairen Prozess zu schützen, sondern um das Leben Tausender von Menschen – darunter vermutlich viele Südafrikaner.«

»Ohne Durchsuchungsbefehl geht gar nichts, und ich kann dem Gericht keine Beweise vorlegen, die eine Ausstellung rechtfertigen würden. Dadurch fehlt mir jegliche Handlungsgrundlage.«

»Falls ich bis sechzehn Uhr nichts von mir hören lasse, können Sie davon ausgehen, dass er mich getötet hat.«

»Ich hoffe selbstverständlich, dass es nicht so weit kommt, Commander, aber Ihre Abwesenheit wäre kein hinreichender Tatverdacht.«

»Ich habe Ihnen berichtet, dass er gewillt ist, die Opfer von Massenmorden auszugraben und in Baumaterial zu verwandeln. Was wollen Sie denn noch?«

»Den Beweis für eine Straftat irgendwo auf dem Firmengelände.« Ihr Kinn war hoch emporgereckt, ihre Augen wie schwarzer Granit. Es war klar, dass sie nicht nachgeben würde.

»Dann hoffen wir lieber, dass ich die Antwort finde«, entgegnete Bond mit schneidender Stimme. »Um einiger Tausend Unschuldiger willen.« Er nickte Nkosi und Lamb zu und verließ das Büro, ohne Jordaan noch eines Blickes zu würdigen. Er stieg die Treppe hinab, ging zu seinem Wagen, setzte sich ans Steuer und ließ den Motor an.

»James, warten Sie!« Er wandte den Kopf und sah Bheka Jordaan auf sich zukommen. »Bitte warten Sie.«

Bond dachte kurz daran, einfach Gas zu geben, ließ dann aber die Scheibe herunter.

»Wegen gestern«, sagte sie und beugte sich zu ihm hinab. »Wegen des Serben.«

»Ja?«

»Ich habe mit ihm gesprochen. Er hat mir erzählt, was Sie gesagt haben – dass Sie ihn zu einem Arzt bringen würden.«

Bond nickte.

Die Polizistin atmete tief durch. »Ich habe voreilige Schlüsse gezogen«, fügte sie dann hinzu. »Das… das passiert mir manchmal. Ich urteile zu schnell. Ich versuche, es zu vermeiden, aber es fällt mir nicht leicht. Ich möchte mich entschuldigen.«

»Entschuldigung angenommen«, sagte er.

»Was die Razzia bei Green Way betrifft… Sie müssen begreifen, dass die alte Polizei – die SAP und ihr Criminal Investigation Department – während der Apartheid furchtbare Dinge getan hat. Und nun wacht jeder mit Argusaugen darüber, dass *wir*, die neue Polizei, nicht das Gleiche machen. Eine illegale Razzia, willkürliche Festnahmen und Verhöre… das hat das alte Regime getan. Wir dürfen uns nicht hinreißen lassen. Wir müssen *besser* sein als unsere Vorgänger.« Ihre Miene war immer noch entschlossen. »Sofern das Gesetz es zulässt, kämpfe ich Seite an Seite mit Ihnen, aber ohne greifbaren Anlass, ohne Gerichtsbeschluss kann ich nichts machen. Es tut mir leid.«

Die Agenten der Sektion 00 wurden auch umfassend psychologisch geschult. Ein Teil dieser schwierigen Ausbildung diente dem Zweck, ihnen den Glauben einzuimpfen, dass sie anders waren, dass es ihnen gestattet – nein, *unumgänglich* – war, außerhalb der Gesetze zu operieren. Ein Einsatzbefehl der Stufe 1, eine gezielte Ermordung, musste für James Bond lediglich einen normalen Aspekt seines Jobs darstellen, so als würde er eine geheime Einrichtung fotografieren oder die Medien mit Fehlinformationen füttern.

M hatte es so ausgedrückt: Bond musste Carte blanche haben, alles Erforderliche zu tun, um seine Mission zu erfüllen.

Wir schützen das Königreich… was auch immer zu diesem Zweck nötig ist.

So war Bond nun mal gestrickt – ansonsten wäre er für seine Arbeit ungeeignet gewesen. Er musste sich immer wieder vor Augen führen, dass Bheka Jordaan und die anderen hart arbeitenden Polizisten dieser Welt zu hundert Prozent recht hatten, die Regeln zu befolgen. *Er* war hier die Ausnahme.

»Ich verstehe, Captain«, sagte er nicht unfreundlich. »Und was auch immer geschieht – es war eine echte Erfahrung, mit Ihnen zusammenzuarbeiten.«

Da huschte ein Lächeln über ihr hübsches Gesicht, zwar nur ganz kurz, aber nach Bonds Auffassung ehrlich. Das war das erste Mal, dass sie ihm einen Blick hinter ihre strenge Fassade gestattete.

54

Bond bog mit dem Subaru auf den Parkplatz vor der Festung von Green Way International ein und hielt an.

Am Tor standen mehrere Limousinen geparkt.

Verringern, Verwenden, Verwerten.

Es waren auch einige Leute zu sehen. Bond erkannte den deutschen Geschäftsmann Hans Eberhard in einem beigefarbenen Anzug und weißen Schuhen. Er sprach gerade mit Niall Dunne, der reglos wie ein japanischer Kampffisch verharrte. Die Brise zerzauste seine blonde Ponyfrisur. Eberhard nahm einen letzten Zug von seiner Zigarette und trat sie aus. Vielleicht hatte Hydt das Rauchen auf dem Gelände verboten, was nicht einer gewissen Ironie entbehrt hätte; die Luft hier draußen war bleich vor lauter Dunst und Dämpfen aus den Kraftwerken, von dem abgefackelten Methan ganz zu schweigen.

Bond winkte Dunne zu. Der nickte nur ausdruckslos und setzte das Gespräch mit dem Deutschen fort. Dann nahm er sein Telefon vom Gürtel und las eine Nachricht. Er flüsterte Eberhard etwas zu und ging ein Stück zur Seite, um jemanden anzurufen. Bond aktivierte die Lausch-App und tat so, als würde er ebenfalls telefonieren. Er hob das Gerät ans Ohr, ließ das Beifahrerfenster herunter und zielte in die Richtung des Iren. Dabei schaute er unverwandt nach vorn und formte mit den Lippen stumme Worte, um bei Dunne keinen Verdacht zu erregen.

Das Gespräch des Iren verlief relativ einseitig, aber Bond

hörte ihn sagen: »... draußen mit Hans. Er wollte eine rauchen ... Ich weiß.«

Wahrscheinlich sprach er mit Hydt.

»Wir liegen im Zeitplan«, fuhr Dunne fort. »Ich habe gerade eine E-Mail erhalten. Der Lastwagen ist von March aus nach York aufgebrochen. Er müsste jeden Moment dort eintreffen. Die Vorrichtung ist bereits scharf.«

Das also war Vorfall Zwanzig! Der Anschlag würde in York stattfinden.

»Das Ziel ist bestätigt. Die Detonation ist nach wie vor für zehn Uhr dreißig Ortszeit angesetzt.«

Bestürzt vernahm Bond den Zeitpunkt des Anschlags. Bisher waren sie von zehn Uhr dreißig abends ausgegangen, aber Dunne hatte bei Zeitangaben stets die Vierundzwanzig-Stunden-Uhr benutzt. Hätte er abends gemeint, hätte er also zweiundzwanzig Uhr dreißig gesagt.

Dunne schaute zu Bonds Wagen. »Theron ist da ... Alles klar.« Er trennte die Verbindung und rief Eberhard zu, das Treffen würde bald beginnen. Dann blickte er wieder zu Bond. Er schien ungeduldig zu sein.

Bond wählte eine Nummer. Bitte, flüsterte er lautlos. Geh ran. Dann: »Osborne-Smith.«

Gott sei Dank. »Percy, hier James Bond. Hören Sie gut zu. Mir bleiben ungefähr sechzig Sekunden. Ich weiß jetzt, was Vorfall Zwanzig ist. Sie müssen sich beeilen. Schicken Sie ein Team los. SOCA, Five, örtliche Polizei. Die Bombe ist in York.«

»York?«

»Hydts Leute fahren die Vorrichtung in einem Lastwagen von March nach York. Sie soll heute Vormittag explodieren. Den genauen Ort kenne ich noch nicht. Vielleicht eine Sportveranstaltung – da war dieser Hinweis auf einen ›Kurs‹, also versuchen Sie es bei der Rennbahn. Oder bei einer anderen großen Menschenansammlung. Überprüfen Sie sämtliche Ver-

kehrskameras in und um March, und registrieren Sie so viele
Lkw-Kennzeichen wie möglich. Dann vergleichen Sie die mit
den Nummernschildern aller Laster, die ungefähr jetzt in York
eintreffen. Sie müssen…«

»Genug, Bond«, unterbrach Osborne-Smith ihn kühl. »Vorfall Zwanzig hat nichts mit March oder Yorkshire zu tun.«

Bond entging nicht, dass Osborne-Smith ihn mit Nachnamen ansprach und wieder so herablassend wie früher klang.
»Wovon reden Sie da?«

Dunne winkte ihn zu sich. Bond nickte und rang sich ein
freundliches Lächeln ab.

»Wussten Sie, dass Hydts Firmen auch Gefahrgut verarbeiten?«, fragte Osborne-Smith.

»Äh, ja, aber…«

»Und erinnern Sie sich noch, dass ich Ihnen von den Tunneln erzählt habe, die er derzeit für irgendein tolles neues
Müllabfuhrsystem baut, auch in der Gegend um Whitehall?«
Osborne-Smith klang wie ein Anwalt, der einen Zeugen verhörte.

Bond schwitzte. »Aber das hat nichts mit dem Anschlag zu
tun.«

Dunne wurde immer ungeduldiger. Sein Blick war unverwandt auf Bond gerichtet.

»Da bin ich anderer Meinung«, sagte Osborne-Smith pikiert.
»Einer der Tunnel verläuft unweit der heutigen Sicherheitskonferenz in der Richmond Terrace. Ihr Boss, meiner, hochrangige Vertreter von CIA, Six, dem Joint Intelligence Committee – das ist ein veritables *Who's Who* der Sicherheitsbranche.
Hydt wollte dort irgendwas Übles aus seiner Entsorgungsfirma
für Gefahrgut freisetzen und alle töten. Seine Leute schleppen
schon seit Tagen Tonnen zwischen den Tunneln und Gebäuden in der Nähe von Whitehall hin und her. Niemand hat daran gedacht, sie zu überprüfen.«

»Percy, Sie irren sich«, sagte Bond ruhig. »Er wird keine Angestellten in Green-Way-Montur für den Anschlag benutzen. Das wäre viel zu offensichtlich. Er würde sich damit selbst belasten.«

»Wie erklären Sie dann unseren kleinen Fund in den Tunneln? Strahlung.«

»Wie viel?«, fragte Bond unverblümt.

Eine Pause. »Etwa vier Millirem«, erwiderte Osborne-Smith gereizt.

»Das ist doch *gar nichts*, Percy.« Alle Agenten der Abteilung O kannten sich gut mit Strahlungswerten aus. »Jeder Mensch auf dieser Erde bekommt pro Jahr allein sechzig Millirem kosmische Strahlung ab. Rechnen Sie ein oder zwei Röntgenbilder dazu, sind Sie schon bei bis zu zweihundert. Eine schmutzige Bombe würde viel höhere Werte als vier Millirem hinterlassen.«

Osborne-Smith ignorierte ihn. »Was York angeht, müssen Sie sich verhört haben«, beschied er ihm fröhlich. »Vielleicht war der Duke-of-York-Pub oder das Londoner Theater gemeint. Das nutzen sie womöglich als Bereitstellungsraum. Wir prüfen das nach. Ich habe jedenfalls die Sicherheitskonferenz abbrechen und alle in Sicherheit bringen lassen. Bond, ich zerbreche mir über diesen Hydt den Kopf, seit ich weiß, dass er in Canning Town wohnt und Sie mir von seiner Begeisterung für tausend Jahre alte Leichen erzählt haben. Er weidet sich am Zerfall, am Niedergang.«

Dunne kam nun mit langsamen Schritten direkt auf den Subaru zu.

»Ich weiß, Percy«, sagte Bond, »aber …«

»Um den Zerfall der Gesellschaft zu fördern – welche bessere Möglichkeit gäbe es, als die Sicherheitsexperten der halben westlichen Welt auszuschalten?«

»Okay, meinetwegen. Machen Sie in London, was Sie wollen. Aber lassen Sie die SOCA und einige Teams von Five der Sache in York nachgehen.«

»Dafür reichen die verfügbaren Kräfte nicht aus. Ich kann hier niemanden erübrigen. Vielleicht heute Nachmittag, aber vorläufig nicht, tut mir leid. Bis heute Abend passiert doch sowieso nichts.«

Bond erklärte ihm, dass der Zeitpunkt des Anschlags vorverlegt worden war.

Ein Kichern. »Weil Ihr Ire die Vierundzwanzig-Stunden-Uhr bevorzugt? Kommt Ihnen das nicht selbst ein bisschen albern vor? Nein, wir bleiben bei meinem Plan.«

Deshalb also hatte Osborne-Smith sich hinter M gestellt und dafür plädiert, Bond in Südafrika zu belassen. Er hatte gar nicht geglaubt, dass Bond sich auf der richtigen Spur befand; er hatte ihm einfach nur den Wind aus den Segeln nehmen wollen. Bond trennte die Verbindung und wollte Bill Tanner anrufen.

Doch Dunne erreichte den Wagen und riss die Tür auf. »Na los, Theron. Lassen Sie Ihren neuen Boss nicht warten. Sie wissen ja schon Bescheid. Lassen Sie Ihr Telefon und die Waffe im Auto.«

»Ich dachte, ich hinterlege sie wieder bei Ihrem freundlichen Pförtner.«

Falls es auf einen Kampf hinauslief, würde er vielleicht an die Pistole herankommen und mit der Außenwelt in Kontakt treten können.

Doch Dunne sagte: »Diesmal nicht.«

Bond fing keine Diskussion an. Er schloss sein Telefon und die Walther im Handschuhfach des Wagens ein, gesellte sich zu Dunne und verriegelte das Fahrzeug mit der Funkfernbedienung.

Während er abermals das Ritual in der Sicherheitsschleuse über sich ergehen ließ, fiel sein Blick zufällig auf eine Uhr an der Wand. In York war es kurz vor acht Uhr morgens. Ihm blieben nur noch rund zweieinhalb Stunden, um herauszufinden, wo die Bombe hochgehen sollte.

55

Die Green-Way-Lobby war menschenleer. Bond nahm an, dass Hydt – oder eher Dunne – dafür gesorgt hatte, dass das Personal einen Tag freibekam, damit das Treffen und die Premiere des Gehenna-Plans ungestört über die Bühne gehen konnten.

Severan Hydt kam ihm auf dem Flur entgegen und begrüßte Bond herzlich. Er war guter Laune, sogar überschwänglich. Seine dunklen Augen strahlten. »Theron!«

Bond schüttelte ihm die Hand.

»Ich möchte, dass Sie für meine Partner eine Präsentation des Killing-Fields-Projekts vorbereiten, denn sie werden es mit finanzieren. Dabei brauchen Sie nicht groß auf die Form zu achten. Zeigen Sie einfach auf einer Karte, wo die wichtigsten Gräber liegen, seit wann sie existieren, wie viele Leichen sich dort ungefähr befinden und was Ihre Kunden in etwa zu zahlen bereit sind. Ach, übrigens, ein oder zwei meiner Partner arbeiten auf einem ähnlichen Gebiet wie Sie. Vielleicht kennen Sie sich ja.«

Bond erschrak. Diese Männer würden sich womöglich genau das Gegenteil fragen: Wieso hatten sie noch nie von dem skrupellosen Söldner Gene Theron aus Durban gehört, der schon haufenweise Leute unter die afrikanische Erde gebracht hatte?

Auf dem Weg durch das Green-Way-Gebäude erkundigte Bond sich, wo er arbeiten könne. Er hoffte, dass Hydt ihn als neuen geschätzten Partner eventuell in die Forschungs- und Entwicklungsabteilung bringen würde.

»Wir haben ein Büro für Sie.« Doch der Mann führte ihn in einen großen, fensterlosen Raum, in dem ein paar Stühle, ein Tisch und ein Schreibtisch standen. Außerdem lagen Büroartikel wie Notizblöcke und Schreibstifte bereit, dazu Dutzende detaillierter Landkarten von Afrika sowie eine Gegensprechanlage, aber kein Telefon. An den Seiten hingen Pinnwände und daran wiederum Kopien der Fotos von verwesenden Leichen, die Bond geliefert hatte. Er fragte sich, wo die Originale sein mochten.

In Hydts Schlafzimmer?

»Ist das ausreichend?«, fragte der Lumpensammler freundlich.

»Aber ja. Ein Computer wäre hilfreich.«

»Das lässt sich machen – für die Textverarbeitung und zum Ausdrucken. Natürlich ohne Internetzugang.«

»Ohne?«

»Wir fürchten Hacker und achten sehr auf unsere Sicherheit. Aber wie gesagt, Sie brauchen sich vorläufig nicht um die Form zu kümmern. Handschriftliche Notizen reichen völlig aus.«

Bond sah auf die Uhr und blieb äußerlich ruhig. In York war es nun zwanzig nach acht. Nur noch rund zwei Stunden. »Tja, dann mache ich mich mal lieber ans Werk.«

»Wir sind den Flur hinauf im großen Konferenzraum. Gehen Sie bis zum Ende und dann nach links. Nummer neunhundert. Gesellen Sie sich gern jederzeit zu uns, auf jeden Fall aber noch vor zwölf Uhr dreißig. Dann läuft nämlich etwas im Fernsehen, das Sie interessieren dürfte.«

Zehn Uhr dreißig in York.

Nachdem Hydt gegangen war, beugte Bond sich über die Landkarten und kreiste einige der Regionen ein, die er bei der Unterredung mit Hydt im Lodge Club willkürlich als Kampfgebiete genannt hatte. Dann schrieb er diverse Zahlen dazu – die vermeintlichen Opfer – und packte die Karten, einen Notizblock und ein paar Stifte zusammen. Er trat hinaus auf den leeren Korridor, orientierte sich kurz und ging zur Forschungs- und Entwicklungsabteilung.

Die Erfahrung lehrt, dass der einfachste für gewöhnlich auch der beste Ansatz ist, sogar bei einer improvisierten Operation wie dieser.

Also klopfte Bond einfach an die Tür.

Mr. Hydt hat mich gebeten, einige Unterlagen für ihn zu holen ... Bitte verzeihen Sie die Störung, ich bin gleich wieder weg ...

Er war bereit, die Person, die ihm die Tür öffnete, notfalls mit Gewalt zu überrumpeln. Er rechnete zudem mit einem bewaffneten Posten – er hoffte sogar auf einen, denn dann hätte er den Mann um seine Pistole erleichtern können.

Doch es tat sich gar nichts. Anscheinend hatte auch hier das Personal einen Tag freibekommen.

Daher musste Bond auf Plan B zurückgreifen, der etwas weniger simpel ausfiel. Am Vorabend hatte er Sanu Hirani die Fotos der Sicherheitstür geschickt. Der Leiter der Abteilung Q hatte gemeldet, das Schloss sei nahezu unbezwingbar. Es würde Stunden dauern, es zu hacken. Er und sein Team würden sich eine andere Lösung einfallen lassen.

Wenig später hatte Bond die Nachricht erhalten, Hirani habe Gregory Lamb erneut auf Einkaufstour geschickt. Er würde Bond am Morgen alles Notwendige aushändigen, einschließlich einer schriftlichen Erläuterung, wie die Tür zu öffnen sei. Das war es, was der MI6-Agent ihm in Bheka Jordaans Büro gegeben hatte.

Bond sah sich zur Sicherheit noch einmal um und machte sich dann an die Arbeit. Aus der Innentasche seines Jacketts brachte er ein Stück Angelschnur zum Vorschein, belastbar bis neunzig Kilo. Sie war aus Nylon und konnte vom Metalldetektor nicht erfasst werden. Bond schob nun das eine Ende durch den schmalen Spalt an der Oberkante der Tür und weiter, bis es auf der anderen Seite den Boden erreicht hatte. Er trennte einen Streifen Pappe vom rückwärtigen Karton des Notizblocks ab und riss ihn seitlich ein, sodass ein j-förmiger provisorischer Haken entstand. Den schob er unter der Tür hindurch, bis es ihm gelang, das Ende der Angelschnur zu erwischen und nach draußen zu ziehen.

Mit einem dreifachen Chirurgenknoten band er die beiden Enden zusammen. Somit war die Tür vollständig von einer Schlinge umgeben. Mit Hilfe eines Kugelschreibers drehte er diese riesige Aderpresse nun immer fester zu.

Die Nylonschnur spannte sich mehr und mehr... und drückte den türbreiten Entriegelungsgriff auf der Innenseite immer weiter nach unten. Schließlich trat das ein, was Hirani als »höchstwahrscheinlich« vorhergesagt hatte: Die Tür ging einfach auf, als hätte ein Angestellter den Griff hinuntergedrückt, um den Raum zu verlassen. Die Brandschutzbestimmungen verboten, solche Türen auch von innen mit Tastenfeldern zu sichern.

Bond betrat den dunklen Raum, entfernte die Angelschnur von der Tür und steckte sie wieder ein. Dann schloss er die Tür, schaltete das Licht ein und sah sich in dem Labor um. Er suchte nach Telefonen, Funkgeräten oder Waffen. Vergeblich. Es gab ein Dutzend Computer, sowohl Tischgeräte als auch Laptops, aber die drei, die er hochfuhr, waren alle durch Passwörter geschützt. Er sparte es sich, die anderen auszuprobieren.

Entmutigenderweise türmten sich auf den Schreib- und Arbeitstischen Tausende von Dokumenten und Aktenordnern, und auf keinem stand das praktische Wort »Gehenna«.

Bond wühlte sich durch zahllose Blaupausen, Diagramme, Tabellen und schematische Zeichnungen. Einige hatten mit Waffen und Sicherheitssystemen zu tun, andere mit Fahrzeugen. Keine der Unterlagen beantwortete die drängenden Fragen, wer sich in York in Gefahr befand und wo genau die Bombe steckte.

Dann endlich fand er einen Ordner, auf dem »Serbien« stand, klappte ihn auf und überflog den Inhalt.

Bond erstarrte. Er traute seinen Augen nicht.

Dies waren Fotos aus der Leichenhalle des alten britischen Armeelazaretts in March. Auf einem der Tische stand eine Waffe, die eigentlich gar nicht existierte. Inoffiziell hieß sie »Cutter«. Der MI6 und die CIA argwöhnten, dass die serbische Regierung an der Entwicklung arbeitete, aber bislang hatte man keine Beweise dafür finden können, dass sie tatsächlich jemals gebaut worden war. Es handelte sich dabei um eine Hochgeschwindigkeitssplitterbombe, in der man regulären Sprengstoff mit festem Raketentreibstoff angereichert hatte, um mittels der Explosion Hunderte kleiner Titanklingen auf fast viertausendachthundert Kilometer pro Stunde zu beschleunigen.

Die Wirkung des Cutters war dermaßen grauenhaft, dass die UN und mehrere Menschenrechtsorganisationen ihn schon aufgrund des Gerüchts über seine Entwicklung geächtet hatten. Serbien bestritt eisern, dass es an einem Cutter arbeitete, und niemand – nicht mal die Waffenhändler mit den besten Beziehungen von allen – hatten je eine solche Vorrichtung zu Gesicht bekommen.

Wie, zum Teufel, kam Hydt an so ein Ding?

Bond blätterte weiter und stieß auf ausführliche Konstruktionszeichnungen und Blaupausen, auf Anweisungen zur Herstellung der Schrapnellklingen und zur Programmierung des Zündsystems, alle auf Serbisch verfasst und mit englischen Übersetzungen versehen. Das erklärte es: Hydt hatte den Cutter *angefertigt*. Er war irgendwie in den Besitz dieser Pläne gelangt und hatte seinen Ingenieuren befohlen, eine dieser verfluchten Bomben zu bauen. Die Titanspäne, die Bond auf dem

Armeestützpunkt gefunden hatte, stammten von den tödlichen Klingen.

Und der Zug in Serbien – dies erklärte das Geheimnis der gefährlichen Chemikalie. Dunne hatte es gar nicht auf sie abgesehen gehabt. Er hatte wahrscheinlich nicht mal etwas von ihr gewusst. Das Ziel seiner Reise nach Novi Sad war der Diebstahl von Titan für die Bombe gewesen – aus den beiden Waggons voller Altmetall direkt hinter der Lokomotive. Dunnes Rucksack hatte keine Waffen oder Bomben enthalten, um die Fässer des dritten Waggons zu sprengen, sondern war *leer* gewesen. Er hatte ihn mit einzigartigen Titanresten gefüllt und diese dann nach March gebracht, wo sie für den Cutter benötigt wurden.

Die durch den Iren herbeigeführte Entgleisung sollte wie ein Unfall aussehen und den Diebstahl des Metalls verschleiern.

Doch wie waren Dunne und Hydt überhaupt an die Pläne gekommen? Die Serben hätten die Blaupausen und Spezifikationen unter allen Umständen geheim gehalten.

Die Antwort darauf fand Bond einen Moment später, in einem Memo von Mahdi al-Fulan, dem Ingenieur aus Dubai. Das Datum lag ein Jahr zurück.

Severan,

ich habe mich mit Ihrer Anfrage beschäftigt, ob es möglich ist, ein System zu konstruieren, das geschredderte Geheimdokumente wieder zusammensetzt. Ich fürchte, bei modernen Schreddern lautet die Antwort Nein. Doch ich würde Folgendes vorschlagen: Ich kann eine elektronische Optik entwickeln, die vermeintlich der Sicherheit dient und Verletzungen vorbeugt für den Fall, dass jemand in einen Dokumentenschredder greift. In Wahrheit jedoch würde sie außerdem als Hochgeschwindigkeitsscanner fungieren. Wenn die Dokumente in das System geschoben werden, liest der Scanner sie vollständig

ein, bevor sie den eigentlichen Schredder erreichen. Die Daten
können auf einer drei oder vier Terabyte großen Festplatte
gespeichert werden, die sich irgendwo im Gehäuse verstecken
lässt. Von dort aus kann man sie via verschlüsselter Mobil-
funk- oder Satellitenverbindung herunterladen. Oder man
tauscht die Festplatte aus, wenn Ihre Angestellten das Gerät
warten oder reinigen.

Ich empfehle ferner, dass Sie Ihren Kunden Schredder aus
eigener Fertigung anbieten, in denen die Dokumente im
wahrsten Sinne des Wortes zu Staub zermahlen werden. Das
schafft das nötige Vertrauen, und man wird Ihnen auch die
geheimsten Unterlagen zur Vernichtung überlassen.

Außerdem schwebt mir ein ähnliches Gerät vor, das Daten
von Festplatten extrahiert, bevor sie zerstört werden. Ich halte
es für möglich, eine Maschine zu bauen, die Laptop- oder
Desktop-Computer eigenständig zerlegt, dabei die Festplatte
optisch identifiziert und sie zu einer Spezialstation leitet, wo
sie vorübergehend mit einem Prozessor der Maschine verbun-
den wird. So könnte man Geheiminformationen kopieren,
bevor die Festplatten gelöscht und physisch vernichtet werden.

Bond erinnerte sich an seine Führung über das Gelände und
Hydts Begeisterung für die automatisierte Computerzerle-
gung.

In ein paar Jahren wird das mein lukrativster Geschäftszweig
sein.

Er las weiter. Die mit Scannern versehenen Dokumentenschredder waren bereits in jeder Stadt in Gebrauch, in der
Green Way eine Filiale besaß. Zu den Kunden zählten auch
hochgeheime serbische Militäranlagen und Waffenzulieferer
außerhalb von Belgrad.

Andere Memos umrissen Pläne, weniger geheime, aber dennoch wertvolle Dokumente zu erbeuten. Zu diesem Zweck sollten besondere Teams der Green-Way-Abfallentsorgung den Müll der Zielpersonen sammeln, an einem Ort zusammentragen und nach persönlichen und heiklen Informationen durchsuchen.

Bond begriff sofort, worum es ging: Er fand Kopien von Kreditkartenbelegen, manche intakt, andere wieder zusammengesetzt, nachdem man sie in einen haushaltsüblichen Aktenvernichter gesteckt hatte. Eine Rechnung stammte beispielsweise aus einem Hotel am Rand von Pretoria. Der Karteninhaber trug den Titel »Right Honourable« und war somit Parlamentsabgeordneter. Eine beigefügte Notiz warnte, man werde die außereheliche Affäre des Mannes publik machen, sofern er nicht einer Liste von Forderungen der Opposition zustimme. Das also dürfte das »besondere Material« sein, das sogar aus großer Entfernung auf das Green-Way-Gelände transportiert wurde.

Es gab hier außerdem Seiten um Seiten voller Telefonnummern, vieler anderer Ziffernfolgen, Pseudonyme, Codes und Auszüge von E-Mails und SMS. Elektronischer Abfall. Na klar, die Arbeiter im Siliziumtrakt durchkämmten die Telefone und Computer nach Seriennummern, Passwörtern, Bankinformationen, Texten, Chatprotokollen und wer weiß was noch.

Aber die dringlichste Frage lautete natürlich: Wo genau sollte der Cutter zur Explosion gebracht werden?

Bond nahm sich noch mal die Aufzeichnungen vor. Keine der ihm bekannten Informationen gab ihm einen Hinweis auf den Standort der Bombe in York, die in rund einer Stunde explodieren würde. Er beugte sich über einen Arbeitstisch, starrte ein Schaubild der Vorrichtung an und zermarterte sich den Kopf.

Denk nach, ermahnte er sich wütend.

Denk nach …

Einige Minuten lang fiel ihm nichts ein. Dann hatte er eine Idee. Was machte Severan Hydt? Er gewann aus Fetzen und Fragmenten wertvolle Informationen.

Mach das Gleiche, dachte Bond. Setz die Puzzleteile zusammen.

Und welche Fetzen habe ich?

- *Das Ziel befindet sich in York.*
- *Eine Nachricht enthielt die Worte »Termin« und »fünf Millionen Pfund«.*
- *Hydt ist bereit, große Zerstörungen anzurichten, um von dem wahren Verbrechen abzulenken. Beispiel: Die Zugentgleisung in Serbien.*
- *Der Cutter war in der Gegend von March versteckt und wurde soeben nach York gefahren.*
- *Hydt wird für den Anschlag bezahlt, handelt nicht aus ideologischen Gründen.*
- *Er hätte eine gewöhnliche Bombe verwenden können, hat aber große Anstrengungen unternommen, einen Cutter mit echten serbischen Militärkennzeichnungen zu bauen. Eine solche Waffe ist nicht auf dem freien Markt erhältlich.*
- *Tausende von Menschen werden sterben.*
- *Der Explosionsradius muss mindestens 30 Meter betragen.*
- *Der Cutter soll zu einem bestimmten Zeitpunkt gezündet werden: zehn Uhr dreißig vormittags.*
- *Der Anschlag hat mit einem »Kurs« zu tun, einer Straße oder Route.*

Doch so sehr Bond diese Bruchstücke auch neu anordnete, es blieben für ihn zusammenhanglose Einzelteile.

Los, versuch es weiter, trieb er sich an. Erneut konzentrierte er sich auf jeden einzelnen Punkt, nahm ihn in Gedanken auf und platzierte ihn an anderer Stelle.

Eine Möglichkeit zeichnete sich ab: Wenn Hydt und Dunne ihren Cutter exakt nachgebaut hatten, würden die forensischen Teams nach der Explosion auf die Militärkennzeichnungen stoßen und glauben, die Regierung oder Armee Serbiens stecke dahinter, denn auf dem Schwarzmarkt waren diese Waffen noch nicht verfügbar. Hydt lenkte auf diese Weise von den wahren Tätern ab: von sich selbst und von demjenigen, der ihm Millionen von Pfund gezahlt hatte. Es war eine Irreführung – genau wie bei dem beabsichtigten Zugunglück.

Das bedeutete, dass es *zwei* Ziele gab: Das offensichtliche Ziel würde in irgendeiner Beziehung zu Serbien stehen und sich – für Öffentlichkeit und Polizei – im Zentrum des Anschlags befinden. Doch das eigentliche Ziel würde jemand anders sein, der durch die Explosion getötet wurde, ein vermeintliches Zufallsopfer. Niemand würde je erfahren, dass er oder sie die Person war, die Hydt und sein Kunde in Wahrheit ausschalten wollten ... und *dieser* Tod würde es sein, der den britischen Interessen schadete.

Wer? Ein Regierungsvertreter in York? Ein Wissenschaftler? Und, verflucht noch mal, wo genau würde der Anschlag stattfinden?

Bond spielte ein weiteres Mal mit dem Informationskonfetti herum.

Nichts ...

Doch dann schoss ihm plötzlich ein Gedanke durch den Kopf. Das Wort »Termin« hatte in der Nähe von »Kurs« gestanden.

Was war, falls mit »Kurs« nicht etwa eine Flugroute, sondern ein Unterrichtskurs oder ein Hochschulseminar gemeint war?

Das ergab einen Sinn. Eine große Institution, Tausende von Anwesenden.

Aber wo?

Bond überlegte hektisch: Ein Kurs, eine Vorlesung, eine Veranstaltung, eine Ausstellung oder etwas in der Art, das mit Serbien zu tun hatte, um zehn Uhr dreißig heute Vormittag. Das klang nach einer Universität.

Ließ diese zusammengestückelte Theorie sich aufrechterhalten?

Für Spekulationen blieb keine Zeit mehr. Er schaute zu der Digitaluhr an der Wand, die eine Minute weitersprang.

In York war es neun Uhr vierzig.

56

Bond schlenderte mit der Killing-Fields-Karte zwanglos einen Flur hinunter.

Ein Wachposten mit massigem rundem Schädel beäugte ihn misstrauisch. Der Mann war unbewaffnet, und ein Funkgerät hatte er auch nicht, stellte Bond zu seiner Enttäuschung fest. Er fragte den Posten nach Hydts Konferenzraum. Der Mann beschrieb ihm den Weg.

Bond machte ein paar Schritte und wandte sich dann um, als sei ihm gerade etwas eingefallen. »Ach, ich muss Miss Barnes noch etwas fragen. Wissen Sie, wo sie ist?«

Der Posten zögerte und wies dann auf einen anderen Korridor. »Ihr Büro ist da hinten. Die Doppeltür links. Nummer eins null acht. Bitte erst anklopfen.«

Bond ging in die bezeichnete Richtung. Wenig später erreichte er die Tür und blickte über die Schulter. Der Gang war menschenleer. Er klopfte. »Jessica, hier Gene. Ich muss mit Ihnen sprechen.«

Keine Reaktion. Sie hatte zwar gesagt, sie würde hier sein, aber vielleicht fühlte sie sich nicht wohl oder war zu müde gewesen, um herzukommen, ungeachtet ihrer »kurzen Leine«.

Dann klickte das Schloss. Die Tür ging auf, und er trat ein. Jessica Barnes war allein und sichtlich überrascht. »Gene. Was ist denn los?«

Er schloss die Tür. Sein Blick fiel auf ihr Mobiltelefon, das auf dem Schreibtisch lag.

Sie spürte sofort, was gerade passierte. Mit weit aufgerissenen dunklen Augen ging sie zum Schreibtisch, schnappte sich das Mobiltelefon und wich vor Bond zurück. »Sie …« Sie schüttelte den Kopf. »Sie sind Polizist. Sie sind hinter ihm her. Ich hätte es wissen müssen.«

»Hören Sie mir zu.«

»Oh, jetzt verstehe ich. Gestern, im Auto … Sie haben, wie sagt man? Mich weich geklopft? Um mein Vertrauen zu erschleichen?«

»Severan wird in einer Dreiviertelstunde einen Massenmord begehen«, sagte Bond.

»Unmöglich.«

»Es stimmt. Tausende von Leben stehen auf dem Spiel. Er wird eine englische Universität in die Luft sprengen.«

»Ich glaube Ihnen nicht! Er würde so etwas niemals tun.« Aber sie klang nicht überzeugt. Wahrscheinlich hatte sie schon zu viele von Hydts Fotos gesehen, um abstreiten zu können, wie sehr er auf Tod und Zerstörung fixiert war.

»Er verkauft Geheimnisse und erpresst und ermordet Leute, nachdem er ihren Abfall auf verwertbares Material überprüft hat«, sagte Bond. Er trat vor und streckte die Hand nach dem Telefon aus. »Bitte.«

Sie wich weiter zurück und schüttelte den Kopf. Vor dem offenen Fenster gab es eine große Pfütze. Sie hielt das Telefon darüber. »Stopp!«

Bond gehorchte. »Mir läuft die Zeit weg. Bitte helfen Sie mir.«

Es verstrichen einige endlose Sekunden. Schließlich sackten ihre schmalen Schultern herab. »Er hat eine dunkle Seite«, sagte sie. »Erst dachte ich, es geht dabei nur um Bilder von … nun ja, schreckliche Bilder. Seine kranke Vorliebe für den Zerfall. Aber dann kam mir der Verdacht, dass noch mehr dahinterstecken könnte. Etwas Schlimmeres. Tief im Innern möchte er nicht nur ein Zeuge der Zerstörung sein. Er will sie *verursachen*.« Sie entfernte sich von dem Fenster und gab ihm das Telefon.

Er nahm es. »Danke.«

In diesem Moment flog die Tür auf. Der Wachposten, der Bond den Weg gewiesen hatte, stand im Eingang. »Was ist hier los? Besuchern sind hier keine Telefone gestattet.«

»Es gibt bei mir zu Hause einen familiären Notfall«, sagte Bond. »Jemand ist schwer erkrankt, und ich wollte mich nach seinem Befinden erkundigen. Miss Barnes war so freundlich, mir ihr Mobiltelefon zu leihen.«

»Das stimmt«, bestätigte sie.

»Nun, ich schätze, ich werde es lieber an mich nehmen.«

»Das glaube ich kaum«, erwiderte Bond.

Einen Augenblick lang herrschte angespannte Stille. Dann stürzte der Mann sich auf Bond, der das Telefon auf den Schreibtisch warf und eine *Systema*-Verteidigungshaltung einnahm. Der Kampf begann.

Der Posten war zwanzig oder fünfundzwanzig Kilo schwerer als Bond, und er war begabt – sehr begabt. Er hatte Kickboxen und Aikido trainiert. Bond konnte seinen Angriffen ausweichen, aber es war sehr kraftraubend und zudem schwierig, weil der eigentlich große Raum voller Mobiliar stand. An einem Punkt wich der massige Wachposten schnell zurück und prallte gegen Jessica, die aufschrie, hinfiel und benommen liegen blieb.

Der erbitterte Kampf dauerte nun etwa eine Minute. Bond erkannte, dass es mit Ausweichen nicht getan sein würde. Sein Gegner war stark und zeigte keinerlei Anzeichen von Ermüdung.

Der Mann schätzte mit wild entschlossenem Blick die Winkel und Entfernungen ab und trat zu – jedenfalls scheinbar. Es war eine Finte. Bond hatte jedoch damit gerechnet, und als der riesige Kerl sich wegdrehte, versetzte Bond ihm einen kraftvollen Ellbogenstoß in die Niere, der nicht nur äußerst schmerzvoll sein würde, sondern das Organ dauerhaft schädigen konnte.

Zu spät begriff Bond, dass der Posten ihn dennoch getäuscht hatte; er hatte den Treffer absichtlich eingesteckt, um sein Vorhaben in die Tat umzusetzen und seitlich auf den Tisch zu hechten, auf dem das Telefon lag. Er packte es, zerbrach es in zwei Teile und warf sie aus dem Fenster. Eines hüpfte noch kurz über die Wasseroberfläche, bevor es versank.

Doch nun war Bond über dem Kerl, bevor der sich wieder aufrichten konnte. Er verzichtete ab jetzt auf *Systema* und begab sich in eine klassische Boxerhaltung. Seine linke Faust traf den Solarplexus des Gegners und ließ ihn zusammenklappen. Dann holte er mit der Rechten aus und hämmerte sie dem Mann hinter das Ohr. Der Schlag war perfekt gezielt. Der Wachposten erbebte und stürzte bewusstlos zu Boden. Das würde aber nicht lange so bleiben, nicht mal nach einem so schweren Treffer. Bond fesselte ihn schnell mit dem Anschlusskabel einer Lampe und stopfte ihm als Knebel einige Servietten in den Mund, die auf einem Frühstückstablett lagen.

Jessica rappelte sich derweil wieder auf.

»Geht es Ihnen gut?«, fragte er.

»Ja«, flüsterte sie atemlos und lief zum Fenster. »Das Telefon ist weg. Was machen wir jetzt? Es gibt keine anderen. Nur Severan und Niall haben eines. Und die Telefonzentrale ist heute abgeschaltet, weil die Angestellten alle freihaben.«

»Drehen Sie sich um«, sagte Bond. »Ich werde Sie fesseln, und zwar ziemlich stramm – es darf niemand auf die Idee kommen, dass Sie mir helfen wollten.«

Sie hielt die Arme hinter sich, und er verschnürte ihre Handgelenke. »Es tut mir leid. Ich hab's versucht.«

»Psst«, flüsterte Bond. »Ich weiß. Falls jemand hereinkommt, behaupten Sie, Sie wüssten nicht, wo ich stecke. Tun Sie einfach verängstigt.«

»Ich brauche gar nicht so zu tun«, sagte sie. Dann: »Gene ...«

Er sah sie an.

»Meine Mutter und ich haben vor jedem einzelnen meiner Schönheitswettbewerbe gebetet. Ich habe oft gewonnen, also müssen wir wohl ziemlich gut gebetet haben. Und jetzt werde ich für Sie beten.«

57

Bond eilte den halbdunklen Korridor hinunter, vorbei an Fotos des urbar gemachten Landes, das Hydts Arbeiter in die elysischen Gefilde verwandelt hatten, die herrlichen Gärten auf der ehemaligen Green-Way-Deponie im Osten.

In York war es neun Uhr fünfundfünfzig. Noch fünfunddreißig Minuten bis zu der Explosion.

Er musste das Gebäude sofort verlassen. Irgendwo hier musste es eine Art Waffenkammer geben, wahrscheinlich in der Nähe der vorderen Sicherheitsschleuse. Dorthin war er nun unterwegs, mit gleichmäßigem Schritt und gesenktem Kopf, in der Hand die Landkarten und den Notizblock. Bis zum Eingang waren es noch etwa fünfzig Meter. Er dachte taktisch. Die vordere Sicherheitsschleuse war mit drei Männern besetzt. Wurde der hintere Eingang ebenfalls bewacht? Vermutlich ja, denn obwohl sich im Verwaltungsgebäude heute keine Angestellten aufhielten, hatte Bond draußen mehrere Arbeiter gesehen. Gestern waren dort hinten drei Wachen gewesen. Wie viele andere Sicherheitsleute mochten hier sein? Hatten die anderen Besucher ihre Waffen vorn abgegeben, oder hatte man auch ihnen aufgetragen, sie in den Fahrzeugen zu lassen? Vielleicht …

»Da sind Sie ja, Sir!«

Die Stimme ließ ihn zusammenzucken. Zwei bullige Wachposten stellten sich ihm in den Weg. Ihre Gesichter ließen keinerlei Regung erkennen. Bond fragte sich, ob sie Jessica und ihren gefesselten Kollegen gefunden hatten. Offenbar nicht. »Mr. Theron, Mr. Hydt sucht Sie. Sie waren nicht in Ihrem Büro, also hat er uns geschickt, um Sie in den Konferenzraum zu bringen.«

Der Kleinere der beiden musterte ihn aus Augen, die hart wie der Rückenschild eines Schwarzkäfers waren.

Bond konnte nichts anderes machen, als sie zu begleiten. Kurz darauf trafen sie am Konferenzraum ein. Der Größere der Wachposten klopfte an die Tür. Dunne öffnete, betrachtete Bond mit neutraler Miene und ließ die Männer eintreten. Hydts drei Partner saßen um einen Tisch. Neben der Tür stand mit verschränkten Armen der große Sicherheitsmann im dunklen Anzug, der Bond gestern auf das Gelände eskortiert hatte.

»Theron!«, rief Hydt genauso begeistert wie schon zuvor. »Wie kommen Sie voran?«

»Ganz gut. Aber ich bin noch nicht fertig. Ich würde sagen, ich brauche noch fünfzehn oder zwanzig Minuten.« Er schaute zur Tür.

Doch Hydt war wie ein Kind. »Ja, ja, aber zunächst mal möchte ich Sie mit den Leuten bekannt machen, mit denen Sie zusammenarbeiten werden. Ich habe ihnen von Ihnen erzählt, und sie möchten Sie gern kennenlernen. Insgesamt gibt es bei uns etwa zehn Investoren, aber das hier sind die drei wichtigsten.«

Während Hydt sie einander vorstellte, fragte Bond sich, ob einer der drei stutzig werden würde, weil er noch nie von einem Mr. Theron gehört hatte. Doch Mathebula, Eberhard und Huang waren von den bevorstehenden Ereignissen abgelenkt und nickten ihm nur jeweils kurz zu, im Gegensatz zu Hydts Behauptung.

In York war es fünf nach zehn.

Bond wollte gehen. Doch Hydt sagte: »Nein, bleiben Sie.« Er deutete auf den Fernseher, den Dunne eingeschaltet hatte.

Als Programm lief Sky News aus London. Er stellte den Ton leiser.

»Das dürfte Sie interessieren, unser erstes Projekt. Lassen Sie mich Ihnen einen kurzen Überblick geben.« Hydt setzte sich und erklärte Bond, was diesem bereits klar geworden war: dass es bei Gehenna um die Abtastung und Rekonstruktion vertraulicher Dokumente ging, zwecks Verkauf oder Erpressung.

Bond zog eine Augenbraue hoch und tat beeindruckt. Wieder ein Blick zum Ausgang. Er kam zu dem Schluss, dass er nicht einfach zur Tür hinausrennen konnte; der einschüchternd große Sicherheitsmann stand nur wenige Zentimeter daneben.

»Sie sehen also, Theron, ich war nicht ganz ehrlich, als ich Ihnen die Aktenvernichtung geschildert habe, die Green Way seinen Kunden anbietet. Aber das war, bevor wir unseren kleinen Test mit dem Gewehr durchgeführt hatten. Ich entschuldige mich.«

Bond tat es mit einem Achselzucken ab. Er schätzte die Entfernung und die Stärke des Gegners ein. Das Resultat gefiel ihm nicht.

Hydt fuhr sich mit den langen gelblichen Fingernägeln durch den Bart. »Sie sind sicher schon neugierig, was heute passieren wird. Anfangs sollte Gehenna lediglich der Beschaffung und dem Verkauf geheimer Informationen dienen. Doch dann wurde mir klar, dass es eine lukrativere... und für mich *befriedigendere* Möglichkeit gab, diese Geheimnisse zu nutzen. Man konnte sie als Waffen einsetzen. Um zu töten und zu zerstören... Vor einigen Monaten habe ich mich mit dem Leiter eines Arzneimittelkonzerns getroffen, dem ich rekonstruierte Firmengeheimnisse der Konkurrenz verkauft hatte – R and K Pharmaceuticals in Raleigh, North Carolina. Er war recht zufrieden gewesen, hatte aber noch einen anderen, etwas extremeren Vorschlag für mich. Er erzählte mir von einem brillanten Forscher, einem Professor in York, der ein neues Krebsmedikament entwickelt. Wenn es auf den Markt käme, würde das für die Firma meines Kunden den Bankrott bedeuten. Er war bereit, für den Tod dieses Forschers und die Zerstörung seines Büros Millionen zu zahlen. Da erwachte Gehenna vollends zur Blüte.«

Dann bestätigte Hydt auch Bonds restliche Schlussfolgerungen: Sie benutzten den Prototyp einer serbischen Bombe, den sie selbst gebaut hatten. Die Pläne und Blaupausen waren in Hydts Belgrader Filiale zusammengesetzt worden. Auf diese Weise würde es so aussehen, als wäre ein anderer Professor derselben Universität das eigentliche Ziel gewesen – ein Mann, der vor dem Internationalen Strafgerichtshof für das ehemalige Jugoslawien ausgesagt hatte. Er hielt in dem Raum neben dem Vortragssaal des Krebsforschers einen Kurs über die Geschichte des Balkans ab. Alle würden glauben, der Anschlag habe dem Slawen gegolten.

Bond schaute zu der eingeblendeten Zeit des Nachrichtensenders. In England war es Viertel nach zehn.

Er musste unbedingt sofort hier raus. »Hervorragend, absolut hervorragend«, lobte er. »Aber lassen Sie mich meine Notizen holen, damit ich Ihnen mein Konzept umfassend vorstellen kann.«

»Bleiben Sie, und genießen Sie das Spektakel.« Ein Nicken in Richtung des Fernsehgerätes. Dunne stellte den Ton lauter. »Wir wollten die Vorrichtung ursprünglich um zehn Uhr dreißig Ortszeit zünden«, sagte Hydt zu Bond, »aber da uns gemeldet wurde, dass beide Kurse schon laufen, brauchen wir nicht länger zu warten. Außerdem bin ich ziemlich gespannt auf die Wirkung der Bombe.«

Noch bevor Bond irgendwie reagieren konnte, drückte Hydt eine Kurzwahltaste seines Mobiltelefons und schaute auf das Display. »So, das Signal wurde übermittelt. Mal sehen.«

Alle starrten schweigend den Fernsehschirm an. Es lief gerade ein Bericht über die königliche Familie. Nach einigen Minuten brach er abrupt ab. Der Schirm wurde erst dunkel, dann blinkte ein greller schwarz-roter Schriftzug auf:

Eilmeldung

Es wurde zu einer modisch gekleideten Asiatin umgeschaltet, die an einem Tisch in der Nachrichtenzentrale saß. Mit zitternder Stimme las sie vor: »Aus aktuellem Anlass unterbrechen wir unser Programm. Wie verlautet, hat sich in York eine Explosion ereignet, offenbar durch eine Autobombe… Die Behörden teilen soeben mit, es sei eine Autobombe explodiert und habe ein Universitätsgebäude weitgehend zerstört… Wir erfahren gerade… ja, das Gebäude befindet sich auf dem Gelände der Yorkshire-Bradford University… Uns liegt ein Bericht vor, dass zum Zeitpunkt der Explosion Vorlesungen stattgefunden haben und die der Bombe am nächsten gelegenen Räume vermutlich voll besetzt gewesen sind… Bislang hat sich niemand zu dem Anschlag bekannt.«

Bond atmete durch seine fest zusammengebissenen Zähne und konnte den Blick nicht von dem Bildschirm abwenden. Doch Severan Hydts Augen funkelten triumphierend. Und alle anderen im Raum applaudierten begeistert, als hätte ihr Lieblingsstürmer gerade ein Tor bei der Weltmeisterschaft geschossen.

58

Fünf Minuten später traf ein Fernsehteam am Ort des Geschehens ein und übertrug die Bilder der Tragödie in die ganze Welt. Man sah ein halb zerstörtes Gebäude, Rauch, einen Boden voller Glas und Trümmer, umherrennende Sanitäter, Dutzende von Polizeiwagen und mehrere Löschzüge. Die Laufschrift am unteren Bildschirmrand besagte: »Schwere Explosion auf Universitätsgelände in York.«

Wir sind heutzutage an schreckliche Fernsehbilder gewöhnt. Was auf einen Augenzeugen entsetzlich wirken mag, wird irgendwie gemildert, wenn man es in zweidimensionaler Form und in demselben Medium betrachtet, in dem auch *Doctor Who* läuft und Werbespots für Ford Mondeos oder C&A.

Doch diese Tragödie – ein Universitätsgebäude in Schutt und Asche, gehüllt in Rauch und Staub, und Menschen, die verwirrt und hilflos herumstanden – war unbeschreiblich ergreifend. In den Räumen nahe dem Zentrum der Explosion konnte niemand überlebt haben.

Bond starrte wie betäubt den Fernseher an.

Hydt natürlich auch, aber vor lauter Entzücken. Seine drei Partner redeten aufgeregt und übermütig miteinander, wie man es erwarten konnte, wenn jemand im Bruchteil einer Sekunde um mehrere Millionen Pfund reicher geworden war.

Die Moderatorin meldete nun, die Bombe sei mit rasiermesserscharfen Metallstücken geladen gewesen, die auf Tausende von Kilometern pro Stunde beschleunigt worden seien. Die Explosion habe die Vorlesungssäle sowie die Büros des Lehrkörpers im Erdgeschoss und ersten Stock fast vollständig zerstört.

Dann wurde gemeldet, eine Zeitung in Ungarn habe soeben ein Bekennerschreiben erhalten. Darin übernehme eine Gruppe serbischer Offiziere die Verantwortung für den Anschlag. Die Universität, so stand dort zu lesen, »beherbergt und unterstützt einen Professor, der das serbische Volk und seine Rasse verraten hat«.

»Auch das waren wir«, sagte Hydt. »Das Briefpapier der serbischen Armee haben wir in einer Mülltonne gefunden und später für das Bekennerschreiben verwendet.« Er schaute zu Dunne, und Bond begriff, dass die Idee für diesen Teil des Plans von dem Iren stammte.

Der Mann, der an alles denkt ...

»Wir sollten unseren Erfolg beim Mittagessen feiern.«

Bond warf einen letzten Blick auf den Fernsehschirm und wollte zur Tür gehen.

In dem Moment neigte die Moderatorin den Kopf und sagte: »In York gibt es eine neue Entwicklung.« Sie klang verwirrt. Sie berührte ihren Ohrhörer und lauschte. »Yorkshire Police Chief Superintendent Phil Pelham gibt nun eine Erklärung ab. Wir schalten live zu ihm.«

Die Kamera zeigte einen gehetzt wirkenden Mann mittleren Alters in einer Polizeiuniform ohne Jacke und Mütze. Er stand vor einem Löschfahrzeug, und man hielt ihm ein Dutzend Mikrofone hin. Er räusperte sich. »Um ungefähr zehn Uhr fünfzehn heute Vormittag ist auf dem Gelände der Yorkshire-Bradford University eine Sprengladung detoniert. Obwohl dadurch erheblicher Sachschaden angerichtet wurde, scheint es keine Todesopfer und nur ein halbes Dutzend Leichtverletzter gegeben zu haben.«

Die drei Partner waren schlagartig verstummt. Niall Dunnes blaue Augen zuckten, eine ganz untypische Gefühlsregung.

Hydts Stirn legte sich in tiefe Falten. Er atmete geräuschvoll ein.

»Etwa zehn Minuten vor der Explosion ging bei den Behörden die Warnung ein, es sei in oder bei einer Universität in York eine Bombe deponiert worden. Gewisse zusätzliche Angaben ließen auf die Yorkshire-Bradford University schließen, doch es wurden vorsorglich alle Bildungsanstalten der Stadt evakuiert. Die Pläne für einen solchen Fall wurden nach den Londoner Anschlägen vom siebten Juli entwickelt.

Die Opfer – und ich betone erneut, dass es sich um Leichtverletzte handelt – sind überwiegend Angehörige des Personals, die sich vergewissert haben, dass auch wirklich alle Studenten das Gebäude verlassen hatten. Darüber hinaus wurde ein Professor geringfügig verletzt, ein Forschungsmediziner, der zuvor in einem der Räume eine Vorlesung abgehalten hatte. Unmittelbar vor der Explosion gelang es ihm, aus seinem Büro wichtige Unterlagen zu retten.

Wir sind uns bewusst, dass eine serbische Gruppe sich zu dem Anschlag bekannt hat, und ich darf Ihnen versichern, dass die Polizei hier in Yorkshire, die Metropolitan Police in London und die Ermittler des Security Service diesem Fall die höchste Priorität einräumen ...«

Mit einem lautlosen Knopfdruck schaltete Hydt den Fernseher aus.

»War das einer Ihrer Leute vor Ort?«, verlangte Huang zu wissen. »Hat er etwa im letzten Moment Skrupel bekommen?«

»Sie haben versichert, wir könnten allen trauen!«, stellte der Deutsche mit kalter Stimme fest und musterte Hydt wütend.

Die Partnerschaft war anscheinend nicht sehr belastbar.

Hydts Blick richtete sich auf Dunne, der sein Gesicht wieder unter Kontrolle hatte. Der Ire überlegte konzentriert – ein

Ingenieur, der ruhig eine Funktionsstörung analysierte. Als die Partner eine hitzige Diskussion begannen, nutzte Bond die Gelegenheit, sich der Tür zu nähern.

Er hatte die halbe Strecke geschafft, als die Tür aufflog. Ein Sicherheitsmann kniff die Augen zusammen und zeigte mit ausgestrecktem Finger auf ihn. »Er. Er war's.«

»Was?«, fragte Hydt.

»Wir haben Chenzira und Miss Barnes gefesselt in ihrem Büro gefunden. Man hatte ihn bewusstlos geschlagen, aber als er zwischendurch zu sich kam, sah er einen Mann in Miss Barnes' Handtasche greifen und etwas herausnehmen. Ein kleines Funkgerät, dachte er. Der Mann hat es benutzt, um mit einer anderen Person zu reden.«

Hydt runzelte verwirrt die Stirn. Dunnes Miene hingegen ließ erkennen, dass er beinahe damit gerechnet hatte, dass Gene Theron ein Verräter war. Der Ingenieur gab dem großen Sicherheitsmann im schwarzen Anzug einen Wink. Der Mann zog seine Waffe und richtete sie genau auf Bonds Brust.

59

Der Wachposten in Jessicas Büro war also früher wieder zu sich gekommen, als Bond erwartet hatte... und war zum Zeugen der weiteren Ereignisse geworden: Nachdem er Jessica gefesselt hatte, hatte Bond aus ihrer Handtasche die Gegenstände genommen, die Gregory Lamb ihm tags zuvor zusammen mit dem Inhalator gebracht hatte.

Auf der gestrigen Rückfahrt in die Stadt hatte Bond mit Absicht gefühllose Fragen gestellt. Es war sein Ziel gewesen, Jessica aufzuregen, abzulenken und idealerweise zum Weinen zu bringen, damit er ihre Handtasche nehmen und ihr ein Taschentuch suchen konnte... während er gleichzeitig in einem Seitenfach die Gegenstände versteckte, die Sanu Hirani ihm via Lamb geschickt hatte. Dazu zählte auch ein Satellitentelefon von der Größe eines dicken Kugelschreibers. Da der doppelte Zaun rund um das Green-Way-Gelände verhinderte, dass Bond die Gegenstände von außen hindurchschieben und im Gras oder Unterholz verbergen konnte, und da Bond wusste, dass Jessica heute herkommen würde, hatte er beschlossen, ihre Handtasche als Versteck zu nutzen, denn sie konnte ungehindert den Metalldetektor passieren.

»Her damit«, befahl Hydt.

Bond zog das getarnte Telefon aus der Tasche. Hydt untersuchte es, ließ es dann fallen und zertrat es mit dem Absatz. »Wer sind Sie? Für wen arbeiten Sie?«

Bond schüttelte den Kopf.

Hydt war nicht länger ruhig. Er blickte in die wütenden Gesichter seiner Partner, die aufgebracht wissen wollten, welche Schritte unternommen worden seien, um ihre Identitäten zu schützen. Sie verlangten ihre Mobiltelefone. Mathebula wollte seine Waffe haben.

Dunne musterte Bond auf die gleiche Weise, auf die er einen fehlzündenden Motor angesehen hätte. »*Sie* müssen das in Serbien gewesen sein«, sagte er leise, wie zu sich selbst. »Und auf dem Armeestützpunkt in March.« Er runzelte die Stirn unter dem blonden Pony. »Wie konnten Sie entkommen? ... *Wie?*« Er schien keine Antwort zu erwarten; er sprach tatsächlich mit sich selbst. »Und Midlands Disposal hatte gar nichts mit der Sache zu tun. Die waren bloß Tarnung für Ihre Schnüffelei dort. Dann hier, die Killing Fields ...« Seine Stimme erstarb. Seine Miene drückte einen Hauch von Bewunderung aus, als wäre er zu dem Schluss gelangt, dass auch Bond eine Art Ingenieur war, der ebenfalls clevere Pläne ausheckte.

Dunne sah Hydt an. »Er hat Kontakte in England – sonst hätte man die Universität nicht mehr rechtzeitig evakuieren können. Er gehört zu irgendeinem britischen Sicherheitsdienst. Aber er dürfte mit jemandem hier zusammengearbeitet haben. Dennoch wird London den Weg über Pretoria nehmen müssen, und dort haben wir genug Leute in unserer Tasche, um für ausreichend Verzögerung zu sorgen.« Er wandte sich an eine der Wachen. »Die Arbeiter sollen das Gelände verlassen. Nur das Sicherheitspersonal bleibt. Geben Sie Giftalarm. Alle sollen sich auf dem Parkplatz versammeln. Das gibt einen hübschen Stau ... nur für den Fall, dass der SAPS oder die NIA uns einen Besuch abstatten wollen.«

Der Mann ging zu einer Gegensprechanlage und gab die Anweisungen weiter. Eine Alarmsirene ertönte, gefolgt von einer Lautsprecherdurchsage in verschiedenen Sprachen.

»Und er?«, fragte Huang und zeigte auf Bond.

»Oh«, sagte Dunne, als verstünde es sich von selbst, und sah den Sicherheitsmann an. »Töten Sie ihn, und werfen Sie die Leiche in einen Brennofen.«

Der riesige Kerl trat ebenso gelangweilt vor und zielte sorgfältig mit seiner Glock.

»Nein, bitte!«, rief Bond und hob flehentlich eine Hand.

Was unter den gegebenen Umständen eine natürliche Geste war.

Daher war der Mann überrascht, als plötzlich eine schwarze Klinge auf sein Gesicht zuwirbelte. Dies war der andere Gegenstand aus Hiranis Hilfspaket beziehungsweise Jessicas Handtasche gewesen.

Bond war keine Zeit geblieben, die Entfernung abzuschätzen, und er war ohnehin kein allzu geübter Messerwerfer, aber es war auch eher als Ablenkung gedacht. Der Sicherheitsmann schlug die wirbelnde Klinge jedoch mit der Hand beiseite und zog sich dabei einen tiefen Schnitt zu. Bevor er sich wieder fangen oder jemand anders reagieren konnte, griff Bond ihn an, bog sein Handgelenk zurück und nahm ihm die Pistole ab. Dann schoss er ihm in den Oberschenkel, sowohl um sicherzugehen, dass die Glock wirklich schussbereit war, als auch um ihn endgültig außer Gefecht zu setzen. Als Dunne und der andere bewaffnete Wachposten ihre Pistolen zogen und das Feuer eröffneten, rollte Bond sich zur Tür hinaus.

Der Korridor war leer. Bond knallte die Tür zu, lief zwanzig Meter und ging ausgerechnet hinter einer grünen Recyclingtonne in Deckung.

Die Tür zum Konferenzraum öffnete sich vorsichtig. Der zweite bewaffnete Posten kam zum Vorschein und schaute sich aus schmalen Augen um. Bond sah keinen Grund, den jungen Mann zu töten, und verpasste ihm eine Kugel dicht über dem Ellbogen. Schreiend fiel der Mann zu Boden.

Die Männer mussten unterdessen Verstärkung angefordert

haben, also stand Bond auf und setzte seine Flucht fort. Im Laufen zog er das Magazin aus der Pistole und warf einen Blick darauf. Noch zehn Schuss. Neun Millimeter, 110 Grain, Vollmantel. Ein relativ leichtes Kaliber, und mit dem Kupfermantel hatte es weniger Mannstoppwirkung als ein Hohlspitzgeschoss, aber dafür ließ es sich zielsicher und schnell verfeuern.

Er steckte das Magazin zurück in die Glock.

Zehn Schuss.

Immer mitzählen …

Doch bevor er weit kommen konnte, ertönte neben seinem Kopf ein gewaltiger Einschlag und aus einem Seitengang fast im selben Moment der Schussknall eines Gewehrs. Zwei Männer im Khakidress des Sicherheitspersonals kamen mit Bushmaster-Sturmgewehren auf ihn zu. Bond feuerte zweimal, ohne zu treffen, gewann dadurch aber genug Zeit, um die Bürotür neben sich einzutreten und in den unordentlichen Raum zu laufen. Hier war niemand. Eine Salve 5,56-Millimeter-Projektile schlug in Tür, Rahmen und Wand ein.

Noch acht Schuss.

Die zwei Wachen schienen zu wissen, was sie taten – Exsoldaten, schätzte er. Die Schüsse hallten ihm noch in den Ohren, und so konnte er keine Stimmen hören, aber nach den Schatten auf dem Gang zu urteilen, waren inzwischen andere Männer hinzugestoßen, darunter vielleicht auch Dunne. Bond spürte zudem, dass sie den Raum gleich stürmen würden, alle auf einmal. Sie würden ausschwärmen und nach oben, unten, links und rechts zugleich sichern. Gegen so eine Formation hatte Bond keine Chance.

Die Schatten kamen näher.

Es blieb nur ein Ausweg, und der war weder besonders schlau noch subtil. Bond schleuderte einen Stuhl durch das Fenster und sprang hinterher. Der Boden lag knapp zwei Meter tiefer. Bond landete hart, verletzte sich aber nicht. Er rannte auf das Gelände, auf dem sich keine Arbeiter mehr befanden.

Dann wandte er sich erneut in die Richtung seiner Verfolger und ging beim Auferstehungstrakt hinter einer abmontierten Bulldozerschaufel in Deckung. Er zielte auf das kaputte Fenster und eine nahe Tür.

Noch acht Schuss übrig, acht Schuss, acht…

Er legte den Finger um den empfindlichen Abzug und wartete, wartete… atmete so kontrolliert wie möglich.

Doch die Wachen fielen nicht auf die Falle herein. Niemand zeigte sich an dem Fenster. Das bedeutete, sie würden das Gebäude durch andere Ausgänge verlassen. Ihre Absicht war natürlich, ihn in die Zange zu nehmen. Was sie nun taten – und zwar sehr effektiv. Am Südende des Gebäudes liefen Dunne und zwei Posten hinter einige Lastwagen in Deckung.

Bond schaute instinktiv in die andere Richtung und sah die beiden Wachen, die im Korridor auf ihn geschossen hatten. Sie näherten sich aus Richtung Norden und gingen nun ebenfalls in Deckung, hinter einem gelb-grünen Bagger.

Die Bulldozerschaufel schützte ihn nur gegen Angriffe aus westlicher Richtung, die Gegner kamen aber aus Norden und Süden. Bond rollte sich weg, gerade als einer der Kerle aus dem Norden das Feuer eröffnete. Das Bushmaster war ein kurzes, aber erschreckend treffsicheres Gewehr. Die Projektile hämmerten in den Boden und mit lautem metallischem Klang gegen den Seitenarm der Bulldozerschaufel, an dem sie zerplatzten. Heiße Blei- und Kupfersplitter prasselten auf Bond nieder.

Sobald die zwei Männer im Norden Bond auf diese Weise festgenagelt hatten, rückte unter Dunnes Führung das andere Team aus der entgegengesetzten Richtung weiter vor. Bond hob vorsichtig den Kopf, um nach einem Ziel Ausschau zu halten, doch die Angreifer blieben fast durchgängig hinter Müllhaufen, Ölfässern oder irgendwelchen Geräten in Deckung. Bond schaute erneut, konnte aber niemanden mehr entdecken.

Plötzlich explodierte überall um ihn herum der Boden, denn beide Gruppen nahmen ihn ins Kreuzfeuer. Bond kauerte sich in eine Bodensenke, aber die Einschläge kamen näher und näher. Die Männer im Norden verschwanden hinter einem flachen Hügel. Vermutlich wollten sie ihn erklimmen und Bond aus dieser erhöhten Schussposition erledigen.

Er musste seinen Standort sofort verlassen. Er drehte sich um und kroch so schnell er konnte durch Gras und Unkraut nach Osten, tiefer in das Gelände. Dabei fühlte er sich völlig ungeschützt. Der Hügel lag halb links hinter ihm, und er wusste, dass die beiden Schützen ihn von dort aus jeden Moment ins Visier nehmen würden.

Wie weit hatten sie es noch bis nach oben? Fünf Meter, drei, einen? Bond stellte sich vor, wie sie sich die Hügelflanke hinaufschoben und auf ihn anlegten.

Jetzt!, dachte er.

Doch er wartete noch fünf qualvolle Sekunden, nur um sicherzugehen. Sie kamen ihm wie Stunden vor. Dann rollte er sich auf den Rücken und zielte über seine Füße hinweg.

Einer der Posten stand tatsächlich oben auf dem Hügel und gab ein deutliches Ziel ab. Sein Partner kniete neben ihm.

Bond drückte ab, visierte das zweite Ziel an und feuerte erneut.

Der stehende Kerl griff sich an die Brust, kippte nach vorn und rollte den Hügel hinunter. Das Bushmaster rutschte ihm hinterher. Der andere Posten hatte sich rechtzeitig nach hinten fallen lassen und war unverletzt geblieben.

Noch sechs Schuss. Sechs.

Und vier Gegner.

Dunne und die anderen eröffneten das Feuer auf seine Position. Bond rollte sich zwischen Ölfässer, die im hohen Gras standen, und sah sich genauer um. Seine einzige Fluchtmöglichkeit war der Vordereingang in dreißig Metern Entfernung. Der Durchgang war offen. Doch das Gelände bis dahin war weitgehend ungeschützt. Dunne und seine zwei Begleiter würden eine gute Schussposition erhalten und der Posten auf dem nördlichen Hügel ebenfalls. Er konnte …

Auf einmal brach Dauerfeuer los. Bond drückte sein Gesicht in den staubigen Boden, bis die Schützen eine Pause einlegten. Er verschaffte sich einen kurzen Überblick, sprang auf und rannte auf einen fahlen Baum zu, an dessen Fuß es gute Deckung gab: Ölfässer sowie ausgeschlachtete Motoren und Getriebe. Bond lief, so schnell er konnte. Doch auf halbem Weg blieb er abrupt stehen und wirbelte herum. Einer von Dunnes Begleitern hatte angenommen, Bond würde weiterrennen, und war aufgestanden, um ihn mit einem vorgehaltenen Feuerstoß zu erledigen. Er hatte nicht damit gerechnet, dass Bond nur losgelaufen war, um selbst ein Ziel aus der Deckung zu locken. Zwei Treffer aus Bonds Glock setzten seinem Leben ein Ende. Die anderen Männer duckten sich sofort. Bond schaffte es bis zu dem Baum und sogar weiter bis zu einem kleinen Abfallhügel. Noch fünfzehn Meter bis zum Tor. Eine Reihe von Schüssen aus Dunnes Richtung zwangen ihn, sich in ein flaches Dickicht zu rollen.

Vier Schuss.

Drei Gegner.

Er konnte es in zehn Sekunden bis zum Tor schaffen, aber während fünf davon würde er voll sichtbar sein.

Doch es blieb ihm kaum eine andere Wahl. Sie würden ihn bald wieder in die Zange nehmen. Dann registrierte er zwischen zwei hohen Haufen Bauschutt eine Bewegung. Dicht über dem Boden und kaum sichtbar im hohen Gras waren dort drei Köpfe unmittelbar nebeneinander. Der überlebende Posten aus dem Norden war zu Dunne und dessen Begleiter gestoßen. Sie hatten keine Ahnung, dass Bond sie sehen konnte, und schienen eifrig flüsternd ihr weiteres Vorgehen zu besprechen.

Alle drei Männer befanden sich in seinem Schussfeld.

Das leichte Kaliber und die ungewohnte Waffe waren ein Nachteil für Bond, aber es schien nicht unmöglich.

Er durfte sich diese Gelegenheit nicht entgehen lassen. Er musste handeln. Sie würden jeden Moment bemerken, dass sie angreifbar waren, und sofort in Deckung gehen.

Bond lag ausgestreckt da. Er visierte das erste Ziel an. Beim Wettschießen ist man sich nie bewusst, wann man den Abzug betätigt. Treffsicherheit basiert auf Atemkontrolle und der Fähigkeit, Arm und Körper völlig reglos zu halten, während die Waffe gleichbleibend auf das Ziel gerichtet ist. Dann spannt der Abzugsfinger sich scheinbar aus eigenem Antrieb immer weiter an, bis der Schuss sich löst; die besten Schützen sind stets ein wenig überrascht, wenn ihre Waffe feuert.

Unter den gegebenen Umständen würden der zweite und dritte Schuss natürlich sehr viel schneller erfolgen müssen. Aber der Erste war für Dunne bestimmt, und Bond wollte ihn keinesfalls verfehlen.

Und das tat er auch nicht.

Ein lauter Knall, sogleich gefolgt von zwei weiteren.

Beim Schießen ist es wie beim Golf: Für gewöhnlich weiß man sofort nach dem Schuss beziehungsweise Schlag, ob man gut oder schlecht gezielt hat. Und diese drei schnellen kleinen Projektile trafen exakt ins Schwarze.

Nur dass ihm das auch nicht weiterhalf, erkannte Bond bestürzt. Denn die drei Ziele waren nicht etwa seine Gegner gewesen, sondern lediglich ihre Spiegelbilder. Einer der Männer – bestimmt der Ire – musste irgendwo in der Nähe ein großes Chromteil gefunden haben. Das hatten sie dann so ausgerichtet, dass ihre Köpfe sich darin spiegelten und Bonds Feuer auf sich zogen. Das Stück Metall kippte um.

Verdammt…

Der Mann, der an alles denkt…

Die Männer teilten sich sofort auf und gingen in Position. Bond hatte ja dankenswerterweise seinen genauen Standort verraten.

Zwei schnitten Bond rechts vom Tor ab, und Dunne hielt sich links.

Er hatte noch einen Schuss übrig. Einen Schuss.

Sie wussten nicht, dass ihm kaum noch Munition blieb, aber sie würden es bald herausgefunden haben.

Er saß in der Falle. Seine einzige Deckung war ein niedriger Haufen aus Pappe und Büchern. Die Männer kreisten ihn ein, Dunne in einer Richtung, die zwei Wachen gemeinsam in der anderen. Gleich konnten sie ihn wieder ins Kreuzfeuer nehmen, und diesmal war er völlig ungeschützt.

Bond überlegte, dass seine einzige Chance darin bestand, ihnen einen Grund zu geben, sein Leben zu schonen. Er würde behaupten, er könne ihnen zur Flucht verhelfen, oder er würde ihnen viel Geld bieten. Egal was, Hauptsache Zeit schinden. »Ich hab keine Munition mehr!«, rief er, stand auf, warf die Pistole weg und hob die Hände.

Die beiden Wachen rechts von ihm reckten die Köpfe aus der Deckung. Als sie sahen, dass er unbewaffnet war, wagten sie sich geduckt näher. »Keine Bewegung!«, rief einer. »Die Hände oben lassen!« Die Mündungen ihrer Gewehre waren genau auf ihn gerichtet.

»Was, zum Teufel, soll denn das?«, fragte eine Stimme in der Nähe. »Wir brauchen keinen Gefangenen, verflucht noch mal. Legt ihn um!« Der Akzent war natürlich irisch.

60

Die Wachen sahen sich an und kamen offenbar zu der still-schweigenden Übereinkunft, sich den Ruhm zu teilen. Immer-hin hatte der Mann hier vor ihnen den Gehenna-Plan vereitelt und mehrere ihrer Kollegen getötet.

Sie hoben beide die schwarzen Gewehre an die Schultern.

Doch gerade als Bond den verzweifelten Versuch unterneh-men wollte, mit einem Hechtsprung den Kugeln zu entgehen, ertönte hinter ihm ein lautes Krachen. Ein weißer Kleintrans-porter hatte das Tor durchbrochen und Gitter und Stachel-draht durch die Luft geschleudert. Nun kam das Fahrzeug mit einer Vollbremsung zum Stehen, und die Türen gingen auf. Ein hochgewachsener Mann in einem Anzug, der unter dem Jackett eine Schutzweste trug, sprang heraus und eröffnete das Feuer auf die beiden Wachen.

Es war Kwalene Nkosi, nervös und angespannt, aber ent-schlossen.

Die Posten traten sofort den Rückzug nach Osten an, tiefer hinein in das Green-Way-Gelände. Nach ein paar ungezielten Schüssen verschwanden sie im Unterholz. Bond sah Dunne, der sich ruhig einen Überblick verschaffte, dann umdrehte und in dieselbe Richtung wie die Wachen lief.

Bond hob die Glock auf und rannte zu dem Polizeiwagen. Bheka Jordaan stieg aus und stellte sich neben Nkosi, der nach weiteren Zielen Ausschau hielt. Auch Gregory Lamb wagte sich nach einem prüfenden Blick vorsichtig ins Freie.

Er hielt eine große 45er Colt Automatik, Modell 1911, in der Hand.

»Sie haben sich ja doch noch entschlossen, an der Party teilzunehmen«, sagte Bond.

»Ich dachte, es könnte nicht schaden, mit einigen Beamten herzukommen«, sagte Jordaan. »Wir haben ein Stück entfernt geparkt. Dann hörte ich Schüsse. Ich vermutete Wilderei, und das ist eine Straftat. Damit war ein hinreichender Tatverdacht gegeben, und wir konnten das Gelände betreten.«

Sie wirkte nicht, als würde sie scherzen. Er fragte sich, ob sie diese Zeilen für ihre Vorgesetzten einstudiert hatte. Falls ja, sollte sie lieber noch mal daran arbeiten, fand Bond.

»Ich habe ein kleines Team mitgebracht«, fuhr Jordaan fort. »Sergeant Mbalula und einige Kollegen sichern das Hauptgebäude.«

»Hydt ist da drinnen – oder war es zumindest«, sagte Bond. »Seine drei Partner auch. Ich nehme an, sie sind inzwischen bewaffnet. Und es dürfte noch weitere Wachposten geben.« Er beschrieb, wo die Leute sich aufgehalten hatten, und schilderte in groben Zügen den Aufbau des Gebäudes. Auch auf Jessicas Büro wies er hin und fügte hinzu, dass die ältere Frau ihm geholfen habe und keine Bedrohung darstellen würde.

Jordaan nickte Nkosi zu. Er lief geduckt ins Gebäude.

Sie seufzte. »Es war schwierig, Verstärkung zu bekommen. Hydt wird durch jemanden in Pretoria geschützt. Aber ich habe einen Freund bei den Recces angerufen – unseren Special Forces. Ein Team ist unterwegs. Die kümmern sich nicht so viel um Politik, sondern sind froh über jeden Einsatz. Aber es wird noch zwanzig oder dreißig Minuten dauern, bis sie hier sind.«

Gregory Lamb erstarrte plötzlich. Dann lief er geduckt auf ein paar Bäume im Süden zu. »Ich übernehme die Flanke.«

Die Flanke? *Wessen* Flanke?

»Halt«, rief Bond. »Da ist niemand. Gehen Sie mit Kwalene! Schnappen Sie sich Hydt.«

Doch der massige Mann schien ihn nicht gehört zu haben und stapfte wie ein alter Kaffernbüffel voran ins Unterholz. Was, zum Teufel, machte er da?

In dem Moment schlugen um sie herum einige Kugeln in den Boden ein. Bond und Jordaan ließen sich fallen. Er vergaß Lamb und hielt nach einem Ziel Ausschau.

Dunne und die beiden Wachen in seiner Begleitung hatten sich in mehreren Hundert Metern Entfernung neu gruppiert und das Feuer auf ihre Verfolger eröffnet. Sie richteten jedoch keinen Schaden an. Dann verschwanden die drei Männer hinter Müllbergen am Rand des Schwarzen Lochs. Die Möwen dort flohen vor den Schüssen.

Bond setzte sich ans Steuer des Kleintransporters. Erfreut stellte er fest, dass hinten ein halbes Dutzend große Munitionsbehälter standen. Er ließ den Motor an. Jordaan lief zur Beifahrerseite. »Ich komme mit«, sagte sie.

»Das sollte ich lieber allein erledigen.« Er musste plötzlich an Philly Maidenstone und ihren Vers aus Kiplings Gedicht denken, der ihm ganz gut als Schlachtruf gefallen hatte.

Abwärts zu Gehenna oder bis zum Thron, reist er am schnellsten, wer reist allein …

Doch Jordaan setzte sich neben ihn und zog die Tür zu. »Ich sagte, falls es legal wäre, würde ich Seite an Seite mit Ihnen kämpfen. Es ist jetzt legal. Also los! Die hauen ab.«

Bond zögerte nur einen Moment, dann legte er den Gang ein und raste eine der unbefestigten Straßen hinunter, die den gewaltigen Komplex durchzogen, vorbei am Siliziumtrakt, dem Auferstehungstrakt, den Kraftwerken.

Und natürlich Müll – Millionen Tonnen davon: Papier, Tragetaschen, stumpfe und glänzende Metallstücke, Keramikscherben und Essensreste, über denen sich der unheimliche Baldachin aus kreischenden Möwen allmählich wieder schloss.

Es war keine einfache Fahrt, denn sie mussten Bagger und Planierraupen umkurven, dazu Container und Müllballen, doch wenigstens gaben sie auf diese Weise für Dunne und die beiden Wachen kein einfaches Ziel ab. Die drei Männer drehten sich hin und wieder um und schossen, aber hauptsächlich waren sie mit der Flucht beschäftigt.

Jordaan funkte die Zentrale an und meldete, wo sie sich befanden und wen sie verfolgten. Bond hörte, wie man ihr mitteilte, dass die Soldaten frühestens in einer halben Stunde vor Ort sein würden.

Gerade als Dunne und die anderen Männer den Zaun erreichten, der das dreckige Gelände von dem urbar gemachten Teil trennte, drehte einer der Posten sich um und leerte ein komplettes Magazin in ihre Richtung. Die Kugeln schlugen in den Kühler und die Reifen ein. Der Wagen brach nach rechts aus und rammte einen Berg aus Papierballen. Die Airbags zündeten, und Bond und Jordaan blieben benommen sitzen.

Als sie sahen, dass der Feind angeschlagen war, eröffneten Dunne und die anderen gezielt das Feuer.

Während die Kugeln in das Fahrzeugblech einschlugen, rollten Bond und Jordaan sich aus dem Wagen und in einen Graben. »Sind Sie verletzt?«, fragte er.

»Nein. Ich … Es ist so laut!« Ihre Stimme zitterte, aber ihr Blick verriet Bond, dass sie ihre Angst in den Griff bekam.

Bond spähte unter dem Kotflügel hindurch und hatte freie Sicht auf einen ihrer Gegner. Er hob die Glock.

Die letzte Patrone.

Er drückte ab – doch im selben Moment duckte der Mann sich, und der Schuss ging fehl.

Bond schnappte sich einen der Munitionsbehälter und öffnete den Deckel. Er enthielt nur Gewehrmunition, Kaliber

5,56 Millimeter. Der zweite ebenfalls. Die anderen auch. Es gab hier keine 9-Millimeter-Pistolenmunition. Bond seufzte und sah sich im Wagen um. »Haben Sie irgendwas, das die da verfeuert?« Er wies auf die nutzlose Munition.

»Ein Sturmgewehr? Nein. Ich habe nur den hier.« Sie zog die eigene Waffe. »Hier, nehmen Sie ihn.«

Es war ein Colt Python, Kaliber 357 Magnum – kraftvoll, mit einer Trommel ohne Spiel und erstklassigem Abzugswiderstand. Eine gute Waffe. Aber ein Revolver, mit nur sechs Patronen.

Nein, korrigierte er sich, als er nachsah. Jordaan war im Umgang mit Waffen konservativ und ließ die Kammer unter dem Hahn leer. »Haben Sie Schnelllader dabei? Oder lose Patronen?«

»Nein.«

Ihnen blieben also fünf Schuss – gegen drei Feinde mit halb automatischen Waffen. »Habt ihr denn noch nie was von Glocks gehört?«, murmelte er, steckte sich die leere Automatik hinten in den Gürtel und nahm den Colt.

»Ich untersuche Verbrechen«, erwiderte Jordaan kühl. »Dabei ergibt sich nur selten die Gelegenheit, auf Menschen zu schießen.«

Aber falls es *doch* mal dazu kommt, wäre es hilfreich, das geeignete Werkzeug zu haben, dachte er wütend. »Ziehen Sie sich zurück«, sagte er. »Bleiben Sie in Deckung.«

Sie sah ihm ruhig ins Gesicht. An ihrem Haaransatz sammelten sich Schweißperlen. »Wenn Sie die Verfolgung aufnehmen, komme ich mit.«

»Ohne Waffe können Sie nichts ausrichten.«

Jordaan schaute Dunne und den anderen hinterher. »Die haben mehrere Waffen und wir nur eine. Das ist unfair. Wir müssen ihnen eine wegnehmen.«

Vielleicht hatte Captain Bheka Jordaan ja doch Sinn für Humor.

Sie lächelten sich an. In Jordaans dunklen entschlossenen Augen spiegelten sich die orangefarbenen Flammen des brennenden Methans. Ein bemerkenswerter Anblick, fand Bond.

Geduckt schlichen sie sich in die elysischen Gefilde, wo ein Garten aus diversen feinnadligen Fynbos-Pflanzen, Watsonien, Gräsern, Jakarandas und Königsproteen ihnen Deckung bot. Es gab auch Leberwurstbäume und ein paar junge Baobabs. Trotz des Spätherbstes besaß das Laub noch größtenteils seine volle Farbe, dank des Klimas der westlichen Kapregion. Zwei Perlhühner musterten die Störenfriede verärgert und stolzierten dann unbeholfen weiter. Ihr Gang erinnerte Bond an den von Niall Dunne.

Er und Jordaan waren siebzig Meter weit vorgedrungen, als der Angriff begann. Die drei Männer waren zwar zurückgewichen, aber anscheinend nur, weil sie Bond und die SAPS-Beamtin tiefer in die Wildnis locken wollten ... und in eine Falle. Sie hatten sich aufgeteilt. Einer der Posten lag auf einem Hügel aus weichem grünem Gras und gab Sperrfeuer, während der andere – und Dunne vermutlich auch, obwohl Bond ihn nicht sehen konnte – durch das hohe Unterholz in ihre Richtung vorstieß.

Bond hatte kurz freie Sicht und schoss, aber der Mann ging im selben Moment in Deckung. Wieder daneben. Mach langsamer, ermahnte er sich.

Noch vier Schuss. Vier.

Jordaan und Bond krochen in eine Senke neben einem kleinen Feld voller Sukkulenten und einem Teich, im dem im nächsten Frühling wahrscheinlich stattliche Kois schwimmen würden. Sie spähten über das Grasland und hielten nach Zielen Ausschau. Dann regneten plötzlich Schüsse auf sie herab, kamen immer näher, ließen Fels splittern und Wasser aufspritzen. Es fühlte sich an wie tausend Projektile; in Wahrheit waren es wohl eher vierzig oder fünfzig.

Die beiden Männer in Khaki waren offenbar frustriert, weil ihre Flucht sich verzögerte. Sie versuchten es jedenfalls mit einem Sturmangriff aus zwei Richtungen. Bond feuerte zweimal auf den Gegner zur Linken und traf sein Gewehr und den linken Unterarm. Der Posten schrie vor Schmerz auf und ließ die Waffe fallen. Sie landete am Fuß des Hügels. Bond sah, dass der Mann mit der Rechten eine Pistole zog und trotz seiner Verwundung weiterhin kampffähig war. Der zweite Angreifer lief auf eine Deckung zu. Bond feuerte schnell und erwischte ihn irgendwo am Oberschenkel, aber auch das schien nur eine oberflächliche Verletzung zu sein. Der Mann verschwand im Dickicht.

Nur noch ein Schuss übrig, ein Schuss.

Wo steckte Dunne?

Schlich er sich von hinten an sie heran?

Dann wieder Stille, wenngleich ihnen die Ohren dröhnten und die Herzen bis zum Hals schlugen. Jordaan zitterte. Bond schaute zu dem Sturmgewehr, das der verletzte Wachposten fallen gelassen hatte. Es lag etwa zehn Meter weit weg.

Er ließ den Blick aufmerksam über die umliegende Landschaft schweifen, die Pflanzen, die Bäume.

Dann fielen ihm in fünfzig oder sechzig Metern Entfernung schwankende hohe Gräser auf. Die beiden Wachen hielten etwas Abstand zueinander. Sie blieben im dichten Bewuchs zwar unsichtbar, näherten sich aber wieder. In ein oder zwei Minuten würden sie Bond und Jordaan erreicht haben. Er würde einen mit seiner letzten Kugel vielleicht ausschalten können, aber der andere würde Sieger bleiben.

»James«, flüsterte Jordaan und drückte seinen Arm. »Ich lenke die Männer ab – ich laufe da entlang.« Sie wies auf eine Ebene mit niedrigem Grasbewuchs. »Falls Sie einen der beiden erwischen, wird der andere womöglich in Deckung gehen, und Sie können sich das Gewehr holen.«

»Das ist Selbstmord«, flüsterte er zurück. »Sie wären vollkommen ungeschützt.«

»Sie müssen wirklich mit Ihren ständigen Flirtversuchen aufhören, James.«

Er lächelte. »Hören Sie, falls einer hier den Helden spielt, dann ich. Ich gehe den beiden entgegen. Wenn ich Ihnen ein Zeichen gebe, holen Sie sich das Gewehr.« Er zeigte auf das schwarze Bushmaster im Staub. »Können Sie damit umgehen?«

Sie nickte.

Die Wachen kamen näher. Noch dreißig Meter.

»Bleiben Sie unten, bis ich Sie rufe«, flüsterte Bond. »Machen Sie sich bereit.«

Die Posten bahnten sich vorsichtig einen Weg durch das hohe Gras. Bond suchte erneut die Umgegend ab, atmete tief durch, stand dann ruhig auf und ging auf die Männer zu. Die Mündung der Pistole wies nach unten. Er hob seine linke Hand.

»James, nein!«, flüsterte Jordaan.

Bond reagierte nicht darauf. »Ich will mit Ihnen reden«, rief er den Männern zu. »Falls Sie mir behilflich sind, die Namen der anderen Beteiligten herauszufinden, bekommen Sie eine Belohnung. Man wird keine Anklage gegen Sie erheben. Verstehen Sie?«

Die beiden Männer, ungefähr zehn Schritte voneinander entfernt, blieben stehen. Sie waren verwirrt. Sie sahen, dass er sie nicht beide treffen konnte, bevor er selbst erschossen wurde, und doch kam er langsam und ruhig auf sie zu, ohne die Pistole zu heben.

»Verstehen Sie mich? Die Belohnung beläuft sich auf fünfzigtausend Rand.«

Sie sahen einander an und nickten mit etwas zu viel Begeisterung. Bond wusste, dass sie sein Angebot nicht ernsthaft in Betracht zogen; sie wollten ihn nur näher heranlocken, bevor sie schossen. Sie sahen ihn an.

Und während sie noch so dastanden, bellte der große Revolver in Bonds Hand, dessen Mündung noch immer nach unten wies, einmal auf und versenkte die letzte Kugel im Boden. Die Wachen duckten sich erschrocken. Bond lief nach links und brachte eine Baumreihe zwischen sich und die Männer.

Die beiden warfen einander einen Blick zu und rannten dann ein Stück vor, um Bond besser sehen zu können. Er hechtete hinter einen Hügel, als sie das Feuer eröffneten.

Die ganze Welt explodierte.

Das Mündungsfeuer aus den Waffen der beiden Posten entzündete das Methan, das aus einer der falschen Baumwurzeln entwich, mit denen das Gas der alten Deponie unter ihnen auf das Green-Way-Gelände geleitet wurde. Bond hatte mit seiner letzten Kugel ein Loch hineingeschossen.

Die zwei Männer verschwanden in einer Feuerwalze, einem tosenden Flammensturm. Sie selbst und der Boden unter ihnen waren plötzlich nicht mehr da. Vögel stoben panisch in den Himmel auf, und Bäume und Sträucher fingen Feuer, als hätte man sie mit Brandbeschleuniger überschüttet.

In sechs Metern Entfernung rappelte Jordaan sich verunsichert auf. Sie wollte das Bushmaster holen. »Neuer Plan«, rief Bond und lief zu ihr. »Vergessen Sie's!«

»Was machen wir jetzt?«

In der Nähe brach ein weiterer Feuerpilz aus dem Untergrund empor und warf sie beide zu Boden. Das Donnern war so laut, dass Bond seine Lippen an Jordaans prächtiges Haar drücken musste, damit sie ihn verstand. »Wir sollten vielleicht lieber von hier verschwinden.«

61

»Sie machen einen schrecklichen Fehler!«

Severan Hydts Stimme war leise und drohend, doch sein langes bärtiges Gesicht zeugte von einer ganz anderen Gemütsverfassung: Entsetzen über die Zerstörung seines Imperiums, sowohl physisch, wie die fernen Feuer belegten, als auch juristisch, weil das Gelände und die Büros von Polizisten und Soldaten der Special Forces auf den Kopf gestellt wurden.

An ihm war nichts Herrisches mehr.

Hydt, in Handschellen, stand mit Jordaan, Nkosi und Bond auf der unbebauten Fläche zwischen dem Verwaltungsgebäude und dem Auferstehungstrakt. Außerdem standen hier mehrere Bulldozer und Lastwagen geparkt. Ganz in der Nähe wäre Bond beinahe getötet worden ... hätte nicht Bheka Jordaan ihren dramatischen Auftritt hingelegt, um die »Wilderer« zu verhaften.

Sergeant Mbalula brachte Bond die Walther, Reservemagazine und das Mobiltelefon aus dem Subaru.

»Vielen Dank, Sergeant.«

SAPS-Beamte und südafrikanische Soldaten durchstreiften das Gelände, suchten nach weiteren Verdächtigen und sicherten Beweise. In der Ferne kämpfte die Feuerwehr – und es war ein Kampf – gegen die Methanflammen, während der westliche Rand der elysischen Gefilde sich in einen Vorposten der Hölle verwandelte.

Offenbar hatten die korrupten Politiker in Pretoria, die in

Hydts Tasche steckten, doch nicht so viel Einfluss wie behauptet. Leitende Beamte ordneten kurzerhand ihre Festnahme an und sicherten Jordaans Ermittlungen in Kapstadt umfassende Unterstützung zu. Alle Green-Way-Filialen Südafrikas wurden von der Polizei besetzt und durchsucht.

Hier vor Ort liefen auch Sanitäter umher und kümmerten sich um die Verwundeten, bei denen es sich ausschließlich um Hydts Sicherheitsleute handelte.

Hydts drei Partner – Huang, Eberhard und Mathebula – befanden sich in Gewahrsam. Es war noch nicht klar, welche Verbrechen man ihnen zur Last legen konnte, doch das würde nicht mehr lange dauern. Sie alle hatten zumindest Schusswaffen ins Land geschmuggelt, was ihre Verhaftung ermöglichte.

Auch vier der überlebenden Wachen waren festgenommen worden, und die meisten der etwa hundert Green-Way-Arbeiter, die den Parkplatz bevölkert hatten, mussten vorläufig hierbleiben und würden befragt werden.

Dunne war entkommen. Die Special-Forces-Soldaten hatten Hinweise auf ein Motorrad gefunden, das anscheinend unter einer mit Stroh getarnten Plane versteckt gewesen war. Der Ire hatte natürlich vorgesorgt.

»Ich bin unschuldig!«, beharrte Severan Hydt. »Sie schikanieren mich, weil ich Brite bin. Und ein Weißer. Sie sind voreingenommen.«

Das konnte Jordaan nicht auf sich sitzen lassen. »Voreingenommen? Ich habe sechs Schwarze, vier Weiße und einen Asiaten verhaftet. Wenn das kein Regenbogen ist, dann weiß ich auch nicht.«

Die Katastrophe wurde ihm mehr und mehr bewusst. Sein Blick löste sich von den Feuern und schweifte über den Rest des Geländes. Wahrscheinlich hielt er nach Dunne Ausschau. Ohne seinen Ingenieur war er verloren.

Nach einem kurzen Blick auf Bond wandte er sich verzweifelt an Jordaan. »Können wir denn nicht ein Übereinkommen treffen? Ich bin sehr wohlhabend.«

»Das trifft sich gut«, sagte sie. »Ihre Anwaltskosten dürften nämlich ziemlich hoch ausfallen.«

»Das soll keine Bestechung sein.«

»Das will ich auch nicht hoffen. Denn das wäre ein sehr ernstes Vergehen.« Dann fügte sie in sachlichem Tonfall hinzu: »Ich will wissen, wohin Niall Dunne geflohen ist. Falls Sie mir bei seiner Ergreifung behilflich sind, werde ich die Staatsanwaltschaft entsprechend unterrichten.«

»Ich kann Ihnen die Adresse seiner Wohnung hier geben…«

»Ich habe bereits Leute dorthin geschickt. Nennen Sie mir ein paar andere Orte, die er aufsuchen könnte.«

»Ja… da fällt mir bestimmt etwas ein.«

Bond sah Gregory Lamb aus einem verlassenen Teil des Geländes kommen; der Mann hielt die große Pistole, als hätte er noch nie eine Waffe abgefeuert. Bond ließ Jordaan und Hydt zwischen den Paletten mit leeren Ölfässern zurück und fing Lamb an einem verbeulten Müllcontainer ab.

»Ah, Bond«, sagte der Six-Agent. Er keuchte und schwitzte, trotz der kühlen Herbstluft. Sein Gesicht war schmutzig, und der Ärmel seines Jacketts war eingerissen.

»Haben Sie was abgekriegt?« Bond wies auf die Beschädigung, die anscheinend durch eine Kugel aus nächster Nähe verursacht worden war; in den Stoff hatten sich Pulverrückstände eingebrannt.

»Nein, ich zum Glück nicht. Nur mein Lieblingsanzug.«

Er hatte wirklich Glück gehabt. Ein Stück weiter links, und das Projektil hätte ihm den Oberarm zerschmettert.

»Was ist aus den Leuten geworden, denen Sie gefolgt sind?«, fragte Bond. »Ich hatte die gar nicht gesehen.«

»Die konnten leider fliehen. Sie haben sich aufgeteilt. Ich wusste, sie wollten mich in die Zange nehmen, aber ich bin dennoch einem von denen hinterher. So habe ich mir meinen Lord Nelson hier eingefangen.« Er berührte den Ärmel. »Aber verdammt, die kannten das Gelände, und ich nicht. Immerhin konnte ich einem von denen eine Kugel verpassen.«

»Wollen Sie der Blutspur folgen?«

Er blickte verständnislos drein. »Oh. Bin ich schon. Aber sie hat sich verloren.«

Bond hingegen verlor das Interesse an dem Abenteuerausflug in den Busch und ging ein Stück beiseite, um in London anzurufen. Er gab gerade die Nummer ein, als er in nur wenigen Metern Entfernung ein mehrfaches lautes Hämmern hörte. Er erkannte es sofort als den Einschlag großer Geschosse; erst dann erklangen aus weiter Ferne die Schussgeräusche eines Gewehrs.

Bond wirbelte herum, griff nach der Walther und suchte das Gelände ab. Doch er sah keine Spur von dem Schützen – nur das Opfer: Bheka Jordaan, deren Brust und Gesicht sich in eine blutige Masse verwandelt hatten, torkelte mit den Armen rudernd nach hinten und stürzte in einen schlammigen Graben.

62

»Nein!«, rief Bond.

Er wollte ihr zu Hilfe eilen. Doch die Menge an Blut, Knochen und Gewebe verriet ihm, dass sie die verheerenden Treffer unmöglich überlebt haben konnte.

Nein…

Bond dachte an Ugogo, an den orangefarbenen Schimmer des Feuers in Jordaans Augen, als sie den beiden Wachen in die elysischen Gefilde gefolgt waren, und an das leise Lächeln.

Die haben mehrere Waffen und wir nur eine. Das ist unfair. Wir müssen ihnen eine wegnehmen…

»Captain!«, schrie Nkosi, der in Deckung gegangen war. Andere SAPS-Beamte gaben ungezielte Schüsse ab.

»Feuer einstellen!«, rief Bond. »Das bringt nichts. Behalten Sie den Horizont im Auge. Achten Sie auf Mündungsfeuer.«

Die Special Forces verhielten sich professioneller und warteten in guter Deckung, bis sich ein Ziel bieten würde.

Also hatte der Ingenieur *doch* einen Fluchtplan für seinen geliebten Boss vorbereitet. *Danach* hatte Hydt Ausschau gehalten. Dunne sollte die Beamten festnageln, damit Hydt fliehen konnte, vermutlich in den nahen Wald, wo die anderen Sicherheitsleute mit einem Wagen auf ihn warteten. Vielleicht war sogar irgendwo auf dem Gelände ein Hubschrauber versteckt. Hydt war jedoch noch nicht losgerannt; er musste sich weiterhin zwischen den Paletten verstecken, bei denen Jordaan ihn befragt hatte. Er wartete wohl auf mehr Sperrfeuer.

Geduckt arbeitete Bond sich bis dorthin vor. Der Mann würde jeden Augenblick die Flucht ergreifen, geschützt durch Dunne und womöglich andere loyale Wachen.

Und James Bond würde nicht zulassen, dass das passierte.

Er hörte Gregory Lamb flüstern: »Ist es wieder sicher?«, konnte ihn aber nicht sehen. Dann wurde ihm klar, dass der Mann in einen vollen Müllcontainer gehechtet war.

Bond musste weiter. Auch wenn das bedeutete, dass er sich zum Ziel für Dunnes Präzisionsgewehr machte, er würde Hydt nicht entkommen lassen. Bheka Jordaan durfte nicht umsonst gestorben sein.

Mit schussbereiter Waffe lief er in die dunkle Gasse zwischen den hohen Paletten voller Ölfässer.

Und erstarrte. Severan Hydt würde nirgendwohin mehr fliehen. Der Lumpensammler, der visionäre König des Zerfalls, der Herr der Entropie lag auf dem Rücken. Er hatte zwei Schusswunden in der Brust und eine dritte in der Stirn. Ein beträchtlicher Teil seines Hinterkopfes fehlte.

Bond steckte die Pistole weg. Die Soldaten um ihn herum kamen aus der Deckung. Einer rief, der Heckschütze habe seine Position verlassen und sich zurückgezogen.

Dann ertönte hinter ihm plötzlich ein barscher Aufschrei, eine Frauenstimme: »*Sihlama!*«

Bond fuhr herum und sah Bheka Jordaan aus dem Graben kriechen. Sie wischte sich das Gesicht ab und spuckte Blut. Ihr war nichts geschehen.

Dunne hatte entweder komplett danebengeschossen oder es auf seinen Boss abgesehen gehabt. Das Blut stammte von Hydt – es war auf Jordaan gespritzt, die dicht neben ihm gestanden hatte.

Bond zog sie hinter die Ölfässer in Deckung. Der widerwärtige Kupfergeruch des Blutes stieg ihm in die Nase. »Dunne ist noch irgendwo da draußen.«

»Sind Sie in Ordnung, Captain?«, rief Nkosi.

»Ja, ja.« Sie winkte ab. »Was ist mit Hydt?«

»Der ist tot«, sagte Bond.

»*Masende!*«, fluchte sie.

Nkosi grinste breit.

Jordaan zog die Bluse aus – unter der sie eine Schutzweste über einem schwarzen Baumwoll-T-Shirt trug – und wischte sich Gesicht, Hals und Haare damit ab.

Einer der Beamten meldete sich über Funk von der Hügelkette: Der Schütze war weg. Weshalb hätte Dunne auch bleiben sollen? Er hatte sein Ziel erreicht.

Bond musterte ein weiteres Mal die Leiche. Die eng beieinanderliegenden Treffer bedeuteten wohl tatsächlich, dass Hydt das beabsichtigte Ziel gewesen war. Und es ergab auch einen Sinn: Dunne hatte sicherstellen wollen, dass der Mann ihn nicht an die Polizei verriet. Bond erinnerte sich nun an manch finsteren Blick, den Dunne seinem Boss während der letzten Tage zugeworfen hatte. Es hatte Verärgerung darin gelegen, Unmut. Fast schon Missgunst. Vielleicht steckte noch etwas anderes hinter der Ermordung des Lumpensammlers, etwas Persönliches.

Aber was auch immer der Anlass gewesen sein mochte – Dunne hatte den Job mit der üblichen Gründlichkeit erledigt.

Jordaan eilte in das Bürogebäude. Zehn Minuten später kehrte sie zurück. Sie hatte irgendwo eine Dusche oder einen Wasserhahn gefunden; ihr Gesicht und Haar waren feucht und weitgehend blutfrei. Sie war wütend auf sich selbst. »Ich habe meinen Gefangenen verloren. Ich hätte ihn besser bewachen müssen. Ich hätte nie gedacht…«

Ein schauriges Aufheulen unterbrach sie. Jemand rannte an ihr vorbei. »Nein, nein, nein…«

Es war Jessica Barnes. Sie fiel neben Hydts Leichnam auf die Knie und barg seinen Kopf in den Armen, ungeachtet der grotesken Wunden.

Bond trat vor, packte ihre schmalen zitternden Schultern und half ihr auf. »Nein, Jessica. Kommen Sie mit mir hier rüber.« Er führte sie hinter einen Bulldozer. Bheka Jordaan gesellte sich hinzu.

»Er ist tot, er ist tot…« Jessica vergrub ihr Gesicht an Bonds Schulter.

Bheka Jordaan nahm ihre Handschellen aus dem Futteral. »Sie hat versucht, mir zu helfen«, erinnerte Bond sie. »Sie wusste nichts von Hydts Machenschaften, da bin ich mir sicher.«

Jordaan steckte die Handschellen wieder ein. »Sie fährt mit uns zur Zentrale und gibt ihre Aussage zu Protokoll. Ich schätze, dabei können wir es bewenden lassen.«

Bond löste sich von Jessica und fasste sie bei den Schultern. »Danke, dass Sie mir geholfen haben. Ich weiß, es war schwierig.«

Sie atmete tief durch und beruhigte sich ein wenig. »Wer war es?«, fragte sie. »Wer hat ihn erschossen?«

»Dunne.«

Sie schien nicht überrascht zu sein. »Ich habe ihn nie gemocht. Severan war leidenschaftlich, impulsiv. Er hat die Dinge nie durchdacht. Niall hat das erkannt und ihn mit all seinen schlauen Plänen in Versuchung geführt. Ich hielt ihn nicht für vertrauenswürdig. Aber mir hat immer der Mut gefehlt, etwas zu sagen.« Sie schloss kurz die Augen.

»Dafür hat Ihr Gebet gut funktioniert«, sagte Bond.

»Zu gut«, flüsterte sie.

An Jessicas Wange und Hals klebte Hydts dunkles Blut. Bond wurde bewusst, dass er zum ersten Mal Farbe an ihr sah. Er blickte ihr in die Augen. »Ich kenne ein paar Leute, die Ihnen helfen können, wenn Sie nach London zurückkehren. Man wird sich bei Ihnen melden. Ich kümmere mich darum.«

»Danke«, murmelte Jessica.

Eine Polizistin führte sie weg.

»Jetzt alles klar?«, fragte urplötzlich jemand in der Nähe und ließ Bond zusammenzucken.

Er runzelte die Stirn, denn er konnte den Sprecher nirgendwo entdecken. Dann begriff er. Gregory Lamb steckte immer noch in dem Container. »Ja, alles klar.«

Der Agent kroch aus seinem Versteck.

»Achten Sie auf das Blut«, warnte Bond, als Lamb beinahe in welches trat.

»O mein Gott!«, murmelte er und sah aus, als würde ihm schlecht werden.

Bond ignorierte ihn. »Ich muss wissen, wie weit Gehenna reicht«, sagte er zu Jordaan. »Können Ihre Leute sämtliche Akten und Computer der Forschungs- und Entwicklungsabteilung sicherstellen? Und Ihre Computerspezialisten müssten die Passwörter für mich knacken.«

»Ja, natürlich. Wir lassen alles in unser Büro bringen. Dort steht es dann zu Ihrer Verfügung.«

»Ich regele das, Commander«, sagte Nkosi.

Bond dankte ihm. Das runde Gesicht des Mannes wirkte nicht mehr so fröhlich und unbekümmert wie zuvor. Bond nahm an, dass dies sein erster Schusswechsel gewesen war. Eine solche Erfahrung war einschneidend, doch nach allem, was Bond hier sah, würde der junge Beamte nicht darunter leiden, sondern gestärkt aus ihr hervorgehen. Nkosi winkte einige Beamte der Spurensicherung zu sich und führte sie in das Gebäude.

Bond schaute zu Jordaan. »Darf ich Sie etwas fragen?«

Sie sah ihn an.

»Was haben Sie gesagt? – Als Sie aus dem Graben gekrochen sind, haben Sie etwas gesagt.«

Dank ihrer Hautfarbe war schwer zu erkennen, ob sie errötete. »Aber verraten Sie's nicht Ugogo.«

»Versprochen.«

»Das erste Wort war Zulu für… ich schätze, auf Englisch würden Sie ›Scheiße‹ sagen.«

»Da könnte ich auch ein paar Varianten beisteuern. Und das andere Wort?«

Sie warf ihm einen verstohlenen Blick zu. »Ich glaube, das werde ich Ihnen nicht verraten, James.«

»Warum nicht?«

»Weil es sich auf einen bestimmten Teil der männlichen Anatomie bezieht… und ich es für unklug halte, Sie in dieser Hinsicht zu ermutigen.«

63

Es war Nachmittag, und die Sonne senkte sich allmählich gen Nordwesten. James Bond fuhr vom Table Mountain Hotel, wo er geduscht und sich umgezogen hatte, zur Polizeizentrale von Kapstadt.

Als er eintrat und Jordaans Büro ansteuerte, fiel ihm auf, dass er von zahlreichen Augenpaaren angestarrt wurde. Dies war auch bei seinem ersten Besuch vor einigen Tagen schon so gewesen, aber die Mienen der Leute zeugten nicht länger von Neugier, sondern von Bewunderung. Vielleicht hatte sich herumgesprochen, welche Rolle er bei der Vereitelung von Severan Hydts Plan gespielt hatte. Oder wie er mit einer einzigen Kugel zwei Gegner ausgeschaltet und eine Mülldeponie in die Luft gejagt hatte, was keine geringe Leistung war. (Bond hatte gehört, dass das Feuer inzwischen weitgehend gelöscht war – zu seiner großen Erleichterung. Er wäre nur ungern als der Mann in Erinnerung geblieben, der ein beträchtliches Stück des Kapstadter Umlands bis auf die Sandsteinschicht niedergebrannt hatte.)

Bheka Jordaan erwartete ihn bereits auf dem Flur. Sie hatte noch einmal geduscht, um auch die letzten Reste von Severan Hydts Blut von sich abzuwaschen, und dann eine dunkle Hose und eine gelbe Bluse angezogen, deren helle, fröhliche Farbe womöglich als eine Art Gegengewicht zu den schrecklichen Ereignissen bei Green Way gedacht war.

Sie bat Bond in ihr Büro und nahm mit ihm auf zwei Stühlen vor ihrem Schreibtisch Platz. »Dunne hat es geschafft, nach Mosambik zu fliehen. Die Behörden dort haben ihn gesichtet, aber er konnte in einem unappetitlichen Teil von Maputo untertauchen – na ja, ehrlich gesagt, trifft die Bezeichnung fast auf die ganze Stadt zu. Ich habe einige Kollegen in Pretoria verständigt, bei der Financial Intelligence, der Special Investigations Unit und dem Banking Risk Information Centre. Sie haben seine Konten überprüft – selbstverständlich auf richterliche Anordnung. Gestern Nachmittag wurden zweihunderttausend Pfund auf ein Schweizer Konto von Dunne transferiert. Vor einer halben Stunde hat er den Betrag auf Dutzende anonymer Online-Konten verteilt. Er kann von überallher darauf zugreifen, also haben wir keine Ahnung, wohin er will.«

Bonds verärgerter Gesichtsausdruck ähnelte verblüffend dem von Jordaan.

»Falls er in Mosambik wieder auftaucht oder das Land verlässt, erhalte ich von den Kollegen dort Bescheid. Aber bis dahin kommen wir nicht an ihn heran.«

Nkosi tauchte auf. Er hatte einen großen Karren voller Kartons mitgebracht – die Dokumente und Laptops aus der Forschungs- und Entwicklungsabteilung von Green Way.

Der Warrant Officer und Bond folgten Jordaan zu einem leeren Büro, wo Nkosi die Kartons rund um den Schreibtisch aufstapelte. Bond wollte einen der Deckel lüften, aber Jordaan hielt ihn zurück. »Ziehen Sie die hier an«, sagte sie und reichte ihm ein Paar blaue Latexhandschuhe. »Ich lasse nicht zu, dass Sie mein Beweismaterial verunreinigen.«

Bond lachte gequält auf, nahm die Handschuhe jedoch entgegen. Jordaan und Nkosi überließen ihn seiner Arbeit. Bevor er die Kartons öffnete, rief er bei Bill Tanner an.

»James«, sagte der Stabschef. »Wir haben die Rapporte erhalten. Bei Ihnen da unten ist anscheinend die Hölle los.«

Bond musste über die Wortwahl lachen und berichtete dann

ausführlich von der Schießerei bei Green Way, Hydts Schicksal und Dunnes Flucht. Er erzählte außerdem von dem Leiter des Arzneimittelkonzerns, der Hydt angeheuert hatte; Tanner würde das FBI in Washington darum bitten, eigene Ermittlungen in die Wege zu leiten und den Mann zu verhaften.

»Ich benötige ein Zugriffs- und Überstellungsteam, um Dunne zu erwischen – falls wir herausfinden können, wo er steckt«, sagte Bond. »Halten sich zufällig einige unserer Doppel-Eins-Agenten in der Nähe auf?«

Tanner seufzte. »Mal sehen, was ich tun kann, James, aber mir stehen derzeit kaum freie Leute zur Verfügung, nicht angesichts der Situation im Ostsudan. Wir unterstützen das FCO und die Marines bei den Sicherheitsmaßnahmen. Vielleicht kann ich Ihnen ein paar Männer der Special Forces verschaffen – vom SAS oder SBS. Ginge das auch?«

»Aber ja. Ich werde mir jetzt das Material vornehmen, das wir in Hydts Hauptquartier gesichert haben. Danach melde ich mich noch mal und erstatte M Bericht.«

Sie beendeten das Gespräch, und Bond fing an, die Gehenna-Dokumente auf dem großen Tisch vor sich auszubreiten. Er zögerte. Dann streifte er die blauen Handschuhe über, obwohl er sich dabei lächerlich vorkam. Nun ja, es würde zumindest eine amüsante Anekdote für seinen Freund Ronnie Vallance beim Yard dabei herausspringen. Vallance sagte oft, Bond würde einen furchtbaren Detective Inspector abgeben, weil er die Täter lieber verprügelte oder erschoss, anstatt sie mit gesammelten Beweisen auf die Anklagebank zu bringen.

Nun wühlte Bond sich fast eine Stunde lang durch die Unterlagen. Als er der Meinung war, genug für einen ersten Überblick zu wissen, rief er erneut in London an.

»Die Lage hier ist ein Albtraum, 007«, sagte M barsch. »Dieser Narr von der Division Three hat mächtig großes Geschütz aufgefahren und ganz Whitehall abriegeln lassen, einschließlich der Downing Street. Für die Boulevardpresse gibt es kein gefundeneres Fressen als eine internationale Sicherheitskonferenz, die wegen eines verdammten Sicherheitsalarms abgeblasen werden muss.«

»Waren die Maßnahmen denn völlig unbegründet?« Bond war zwar von York als Anschlagsort überzeugt gewesen, aber das hieß nicht, dass keine Gefahr für London bestanden hätte. Bei seinem Anruf via Satellitentelefon aus Jessica Barnes' Büro hatte er Tanner darauf hingewiesen.

»Da war gar nichts. Green Way ist zum Teil natürlich ein ganz legales Unternehmen. Die Ingenieure der Firma haben bereitwillig mit der Polizei zusammengearbeitet, um die Sicherheit der Entsorgungstunnel rund um Whitehall zu gewährleisten. Keine gefährliche Strahlung, kein Sprengstoff, kein Guy Fawkes. Es gab einen kurzen Anstieg der SIGINT in Afghanistan, aber der Grund dafür war, dass wir und die CIA letzten Montag in Scharen dort eingefallen sind und alle sich gefragt haben, was zum Teufel wir dort suchen würden.«

»Und Osborne-Smith?«

»Irrelevant.«

Bond wusste nicht, ob sich das auf den Mann persönlich bezog oder heißen sollte, dass sein weiteres Schicksal nicht der Rede wert war.

»Also, was ist da unten bei Ihnen los, 007? Ich will Einzelheiten.«

Bond fing mit Hydts Tod und der Verhaftung seiner drei wichtigsten Partner an. Er schilderte außerdem Dunnes Flucht und seinen Plan, den am Sonntag erteilten Einsatzbefehl der Stufe 2 auszuführen. Dieser Befehl war immer noch in Kraft und erlaubte die Ergreifung und Überstellung des Iren.

Dann ging Bond auf Gehenna ein – Hydts Diebstahl und Rekonstruierung geheimer Informationen zwecks nachfolgender Erpressung, und nannte die Städte, in denen Green Way hauptsächlich tätig geworden war: »London, Moskau, Paris, Tokio, New York und Mumbai, und es gibt kleinere Filialen in Belgrad, Washington, Taipeh und Sydney.«

Einen Moment lang herrschte Stille, und Bond stellte sich vor, wie M auf seiner Zigarre herumkaute, während er die Neuigkeiten auf sich wirken ließ. »Verdammt clever, das alles aus dem Müll zu klauben«, sagte der Mann dann.

»Hydt sagte, niemand würde je auf Müllmänner achten, und das stimmt. Sie sind unsichtbar. Sie sind überall, und doch sieht man mitten durch sie hindurch.«

M lachte leise auf, was wirklich selten vorkam. »Ich habe gestern praktisch das Gleiche gedacht.« Dann wurde er wieder ernst. »Wie lauten Ihre Empfehlungen, 007?«

»Ich würde unsere Leute in den Botschaften und bei Six darauf ansetzen, alle Green-Way-Filialen schnellstmöglich aufzurollen, bevor die Drahtzieher untertauchen können. Man sollte die Betriebsvermögen einfrieren und sämtliche Zahlungseingänge zurückverfolgen. Das führt uns dann zu den restlichen Gehenna-Kunden.«

»Hmm«, sagte M und klang dabei ungewohnt heiter. »Das *könnten* wir natürlich tun.«

Was hatte der alte Mann vor?

»Doch vielleicht sollten wir lieber nichts überstürzen. Wir verhaften an allen Standorten die Firmenleitung, ja, aber was halten Sie davon, wenn wir diese Leute durch Doppel-Eins-Agenten ersetzen und Gehenna an manchen Orten noch ein wenig weiterbetreiben würden, 007? Ich möchte wirklich gern wissen, was GRS Aerospace außerhalb von Moskau so alles wegwirft. Und ich frage mich, was das pakistanische Konsulat in Mumbai wohl schreddert. Es wäre doch interessant, das herauszufinden. Wir müssten ein paar Gefallen bei den Medien einfordern, damit sie nicht verraten, was Hydt im Schilde geführt hat. Six soll die Fehlinformation durchsickern lassen, er habe sich mit dem organisierten Verbrechen zusammengetan oder irgendwas in der Art. Wir drücken uns möglichst vage aus. Die Wahrheit wird irgendwann ans Licht kommen, aber bis dahin haben wir hoffentlich ein paar wertvolle Erkenntnisse gewonnen.«

Der alte Fuchs. Bond lachte in sich hinein. Die ODG würde also ins Recyclinggeschäft einsteigen. »Hervorragend, Sir.«

»Leiten Sie alle Einzelheiten an Bill Tanner weiter, und wir übernehmen hier.« M hielt kurz inne, dann platzte es aus ihm heraus: »Dieser verfluchte Osborne-Smith hat den Verkehr in London komplett zum Stillstand gebracht. Ich werde eine Ewigkeit benötigen, um nach Hause zu kommen. Ich habe sowieso noch *nie* verstanden, weshalb man die M4 nicht bis nach Earls Court verlängert hat.«

Er trennte die Verbindung.

64

James Bond zog Felicity Willings Visitenkarte aus der Brieftasche und rief sie im Büro an, um ihr mitzuteilen, dass einer ihrer Spender sich als Krimineller erwiesen hatte ... und im Zuge seiner versuchten Festnahme ums Leben gekommen war.

Doch sie wusste schon darüber Bescheid. Die Presse hatte sie bereits um eine Stellungnahme gebeten, denn immerhin habe Green Way ja enge Beziehungen zur Mafia und Camorra unterhalten. (Bond dachte bei sich, dass Six mit den Fehlinformationen wohl nicht lange gefackelt hatte.)

Felicity war wütend, dass manche Journalisten andeuteten, sie habe von Hydts anrüchigen Geschäften gewusst, sein Geld aber dennoch gern angenommen. »Wie können die sich nur erdreisten, mir so etwas zu unterstellen, Gene? Herrje, Hydt hat uns fünfzig- oder sechzigtausend Pfund im Jahr gegeben, was zwar durchaus großzügig war, aber längst nicht so viel wie die Beiträge vieler anderer Spender. Falls ich den Eindruck hätte, dass das Geld aus illegalen Quellen stammt, würde ich mich sofort von dem Betreffenden trennen.« Ihre Stimme wurde weicher. »Aber dir geht es gut, ja?«

»Ich war nicht mal da, als die Razzia über die Bühne gegangen ist. Die Polizei hat mich angerufen und ein paar Fragen gestellt. Das ist alles. Aber es war ein Mordsschreck.«

»Das glaube ich gern.«

Bond fragte sie, wie die Lieferungen vorangingen. Sie erzählte, die Tonnage sei sogar höher als zugesagt, und die Verteilung habe bereits begonnen. Insgesamt zehn subsaharische Länder würden Hilfsgüter erhalten, und Hunderttausende von Menschen könnten über Monate ernährt werden.

Bond gratulierte ihr. »Hast du nicht zu viel zu tun für Franschhoek?«, fragte er.

»Falls du glaubst, du könntest dich aus deinem Wochenende im Grünen herausmogeln, dann hast du dich aber geschnitten, Gene.«

Sie verabredeten, sich am Morgen zu treffen. Bond nahm sich vor, den Subaru waschen und polieren zu lassen. Der Wagen gefiel ihm, trotz der knalligen Farbe und des weitgehend überflüssigen Heckspoilers.

Nach dem Telefonat lehnte er sich zurück und hing noch ein wenig dem vergnügten Klang ihrer Stimme nach. Und den Erinnerungen an die gemeinsam verbrachte Zeit. Er dachte an die Zukunft.

Wenn du schon manch einen dunklen Ort aufsuchen musst, könntest du mir versprechen, wenigstens die… schlimmsten zu meiden?

Lächelnd schnipste er gegen ihre Visitenkarte, steckte sie ein und streifte erneut die Handschuhe über, um sich wieder den Dokumenten und Computern zu widmen. Dabei fertigte er über Green Ways Filialen und die Gehenna-Operation Notizen an, die M und Bill Tanner die Arbeit erleichtern sollten. Nach etwa einer Stunde beschloss er, dass es an der Zeit für einen Drink war.

Er streckte sich ausgiebig.

Dann hielt er inne und ließ langsam die Arme sinken. Ihm war gerade ein Gedanke durch den Kopf geschossen. Er kannte das Gefühl, es kam in seiner Branche gelegentlich vor. In der Welt der Spionage steht das meiste zwischen den Zeilen, und kaum etwas ist so, wie es zu sein scheint. Die Ursache für solch einen beunruhigenden Stich ist häufig das plötzliche Misstrauen, dass eine grundlegende Annahme falsch war, vielleicht sogar verheerend falsch.

Bond starrte auf seine Notizen. Sein Atem beschleunigte sich, seine Lippen wurden trocken, sein Herz schlug schneller.

Er blätterte Hunderte von Dokumenten ein weiteres Mal durch, nahm dann sein Mobiltelefon und schickte Philly Maidenstone per E-Mail eine dringliche Anfrage. Während er auf ihre Antwort wartete, stand er auf und lief in dem Büro hin und her. Sein Verstand quoll über vor Fragen; sie schwebten und kreisten in seinem Schädel umher wie die kreischenden Möwen über dem Schwarzen Loch von Green Way.

Als Philly antwortete, schnappte Bond sich sein Telefon, las die Nachricht und sank langsam auf den unbequemen Stuhl nieder.

Ein Schatten fiel auf ihn. Er blickte hoch und sah Bheka Jordaan dort stehen. »Ich habe Ihnen einen Kaffee gebracht, James«, sagte sie. »In einem anständigen Becher.« Auf ihm waren die lächelnden Spieler der Bafana Bafana in ihrem prächtigen Fußballdress zu sehen.

Als Bond nichts sagte und den Becher nicht entgegennahm, stellte Jordaan das Getränk ab. »James?«

Bond wusste, dass seine Miene verriet, wie beunruhigt er war. »Ich glaube, ich habe mich geirrt«, flüsterte er nach einem Moment.

»In welcher Hinsicht?«

»In jeder. Über Gehenna, über den Vorfall Zwanzig.«

»Reden Sie.«

Bond beugte sich vor. »Laut der ursprünglichen Nachricht, die wir aufgefangen haben, war jemand namens Noah in das heutige Ereignis verwickelt – das Ereignis, das zu so vielen Toten führen würde.«

»Ja.« Sie setzte sich neben ihn. »Severan Hydt.«

Bond schüttelte den Kopf und wies mit weit ausholender

Geste auf die Kartons voller Dokumente von Green Way. »Aber ich bin so gut wie alle Schriftstücke und die meisten der Mobiltelefone und Computer durchgegangen. Nirgendwo wird auch nur ein einziges Mal jemand namens Noah erwähnt. Und auch bei all meinen Zusammenkünften mit Hydt und Dunne ist der Name nie gefallen. Falls das wirklich sein Spitzname war, wieso taucht er dann nicht *irgendwo* mal auf? Dann bin ich auf eine Idee gekommen und habe eine Kollegin vom MI6 kontaktiert. Sie kennt sich ziemlich gut mit Computern aus. Wissen Sie, was Metadaten sind?«

»In Computerdateien eingebettete Zusatzinformationen«, sagte Jordaan. »Mit ihrer Hilfe konnten wir einen Minister der Korruption überführen.«

Bond wies auf sein Telefon. »Meine Kollegin hat sich das halbe Dutzend Internetverweise angesehen, laut denen Hydt unter dem Spitznamen Noah bekannt war. Die Metadaten zeigen, dass jeder der Texte in dieser Woche verfasst und hochgeladen wurde.«

»Genau wie *wir* Daten über Gene Theron hochgeladen haben, um Ihre Tarnidentität zu etablieren.«

»Richtig. Der echte Noah hat das getan, damit wir uns weiter auf Hydt konzentrieren würden. Und das bedeutet, dass Vorfall Zwanzig – die Tausende von Toten – *nicht* der Bombenanschlag in York gewesen ist. Gehenna und Vorfall Zwanzig sind zwei völlig verschiedene Pläne. Es wird noch etwas anderes passieren. Und zwar bald – noch heute Abend. So stand es in der ursprünglichen E-Mail. Diese Menschen, wer sie auch sein mögen, befinden sich immer noch in Gefahr.«

Trotz des Erfolgs bei Green Way stellten sich ihm wieder die gleichen entscheidenden Fragen: Wer war der Gegner, und was war seine Absicht?

Solange Bond die Antworten nicht kannte, konnte er nicht reagieren. Doch er musste. Es blieb kaum noch Zeit.

bestätigen vorfall für freitag, den 20., abends, rechnen mit
tausenden unmittelbaren opfern …

»James?«

Fragmente von Fakten, Erinnerungen und Theorien wirbelten ihm durch den Kopf. Und genau wie in der Forschungs- und Entwicklungsabteilung von Green Way fing er auch jetzt an, die einzelnen Stücke zu sammeln und die geschredderte Blaupause von Vorfall Zwanzig irgendwie wieder zusammenzusetzen. Bond stand auf, verschränkte die Hände auf dem Rücken und beugte sich vor. Sein Blick schweifte über die Papiere und Notizen auf dem Schreibtisch.

Jordaan war verstummt.

Schließlich flüsterte er: »Gregory Lamb.«

Sie runzelte die Stirn. »Was ist mit ihm?«

Bond antwortete nicht sofort. Er setzte sich wieder. »Ich brauche Ihre Hilfe.«

»Natürlich.«

65

»Was ist denn los, Gene? Du hast gesagt, es sei dringend.«

Sie waren allein in Felicity Willings Büro bei der Wohltätigkeitsorganisation im Zentrum von Kapstadt, unweit des Lodge Clubs, in dem sie sich am Mittwochabend kennengelernt hatten. Bond war mitten in ein Treffen mit einem Dutzend Männern und Frauen geplatzt – wichtigen Helfern bei den Nahrungsmittellieferungen – und hatte darum gebeten, Felicity unter vier Augen sprechen zu dürfen. Nun schloss er die Bürotür. »Ich hoffe, du kannst mir helfen. Es gibt hier in Kapstadt kaum jemanden, dem ich vertraue.«

»Sicher.« Sie setzten sich auf das billige Sofa. Felicity, die eine schwarze Jeans und eine weiße Bluse trug, rückte etwas näher. Ihre Knie berührten sich. Sie wirkte sogar noch erschöpfter als gestern. Bond erinnerte sich, dass sie sein Hotelzimmer noch vor Tagesanbruch verlassen hatte.

»Zunächst mal muss ich dir etwas gestehen. Und, na ja, es könnte Einfluss auf unsere Pläne für Franschhoek haben – und auf vieles andere.«

Sie nickte stirnrunzelnd.

»Und ich muss dich bitten, es für dich zu behalten. Das ist überaus wichtig.«

Sie sah ihn fragend an. »Natürlich. Aber jetzt rede bitte endlich. Du machst mich ganz nervös.«

»Ich bin nicht der, für den du mich hältst. Ich arbeite hin und wieder für die britische Regierung.«

»Du bist ein … Spion?«, flüsterte sie.

Er lachte. »Nein, nichts so Eindrucksvolles. Die Bezeichnung lautet Sicherheits- und Integritätsanalytiker. Und die Arbeit ist meistens stinklangweilig.«

»Aber du bist einer von den Guten?«

»So könnte man es ausdrücken.«

Felicity lehnte ihren Kopf an seine Schulter. »Als du gesagt hast, du würdest in der Sicherheitsbranche arbeiten … in Afrika ist das für gewöhnlich die Umschreibung für einen Söldner. Du hast behauptet, du wärst keiner, aber ich habe dir nicht ganz geglaubt.«

»Das war meine Tarnung. Ich habe gegen Hydt ermittelt.«

Ihre Miene wirkte zutiefst erleichtert. »Da bitte ich dich noch, dich ein wenig zu ändern. Und … nun bist du plötzlich jemand *völlig* anderes, als ich dachte. Um hundertachtzig Grad gedreht.«

»Ziemlich selten bei einem Mann, was?«, merkte Bond lakonisch an.

Sie lächelte kurz. »Das heißt … dein Name ist nicht Gene? Und du kommst nicht aus Durban?«

»Nein. Ich wohne in London«, sagte er ohne den schwachen Afrikaander-Akzent und streckte die Hand aus. »Ich heiße James. Es freut mich, Sie kennenzulernen, Miss Willing. Werfen Sie mich jetzt raus?«

Sie zögerte nur einen Moment und schloss ihn dann lachend in die Arme. Dann lehnte sie sich zurück. »Du hast gesagt, du brauchst meine Hilfe.«

»Ich würde dich nicht darum bitten, wenn es eine andere Möglichkeit gäbe, aber mir läuft die Zeit weg. Es stehen Tausende von Leben auf dem Spiel.«

»Mein Gott! Was kann ich tun?«

»Weißt du etwas über Gregory Lamb?«

»Lamb?« Felicitys schmale Augenbrauen zogen sich zusammen. »Der spielt sich als ziemlich große Nummer auf, also habe ich ihn schon mehrmals wegen Spenden angehauen. Er hat immer gesagt, er würde uns was geben, aber letztlich nie etwas gezahlt. Ein komischer Kauz. Und Manieren hat er auch nicht.«

»Ein wenig mehr steckt schon hinter ihm.«

»Wir haben Gerüchte gehört, er würde auf irgendeiner Lohnliste stehen. Aber wer sollte jemanden wie ihn schon als Spion ernst nehmen?«

»Ich glaube, das ist alles Theater. Er spielt den Narren, um die Leute in Sicherheit zu wiegen, sodass niemand auf den Gedanken kommt, Lamb könnte in halbseidene Geschäfte verwickelt sein. Du warst doch während der letzten Tage oft am Hafen, oder?«

»Ja, sehr oft sogar.«

»Hast du irgendetwas über eine große Charterfahrt gehört, die Lamb heute Abend auf die Reise schicken will?«

»Das schon, aber ich kenne keine Einzelheiten.«

Bond schwieg für einen Moment. »Hast du mal mitbekommen, dass jemand ihn Noah genannt hat?«, fragte er dann.

Felicity überlegte. »Ich kann es nicht mit Sicherheit sagen, aber ... warte mal, doch, jetzt weiß ich wieder: Jemand hat ihn mal mit diesem Spitznamen bezeichnet. Wegen seiner vielen Frachtgeschäfte. Aber was hast du gerade gemeint, als du sagtest, es würden Tausende von Leben auf dem Spiel stehen?«

»Ich bin mir nicht sicher, was er vorhat. Ich vermute aber, dass er das Frachtschiff benutzen will, um ein Kreuzfahrtschiff zu versenken, ein britisches.«

»O Gott, nein! Warum um alles in der Welt sollte er so etwas tun?«

»Bei Lamb muss Geld dahinterstecken. Er wurde angeheuert – von Islamisten, Warlords oder Piraten. Bald wissen wir mehr. Wir haben sein Telefon angezapft. Er trifft sich in ungefähr einer Stunde mit jemandem, bei einem verlassenen Hotel südlich der Stadt, dem Sixth Apostle Inn. Ich werde auch dort sein und herausfinden, was er plant.«

»Aber... James, wieso musst du dorthin? Ruf doch einfach die Polizei und lass ihn verhaften.«

Bond zögerte. »Die Polizei möchte ich lieber heraushalten.«

»Wegen deines Jobs als ›Sicherheitsanalytiker‹?«, fragte sie ruhig.

Er stockte. »Ja.«

»Ich verstehe.« Felicity Willing nickte. Dann beugte sie sich schnell vor und küsste ihn auf den Mund. »Um deine Frage zu beantworten: Was auch immer du tust, James, und was auch immer du tun *wirst* – es wird nicht den geringsten Einfluss auf unsere Pläne für Franschhoek haben. Oder auf unsere sonstigen Pläne, soweit es mich betrifft.«

66

Im Mai geht die Sonne in Kapstadt gegen siebzehn Uhr dreißig unter. Bond folgte in hohem Tempo der Victoria Road in
Richtung Süden, und das prächtige Farbenspiel ließ die Gegend beinahe surreal wirken. Dann brach die Dämmerung herein, während purpurfarbene Wolkenfetzen über dem aufge-
wühlten Atlantik hingen.

Der Tafelberg blieb hinter Bond zurück, der Löwenkopf
ebenfalls. Die Straße verlief nun parallel zu den zerklüfteten
Felsformationen einer erhabenen Bergkette, den Zwölf Aposteln. Sie ragten zu seiner Linken auf, übersät mit Gräsern, Fynbos-Pflanzen und Flecken voller Proteen. An den unmöglichs-
ten Stellen wuchsen trotzige Strandkiefern.

Eine halbe Stunde nachdem er Felicity Willings Büro verlassen hatte, erreichte Bond die Abfahrt zum Sixth Apostle Inn.
Zwei Schilder wiesen den Weg nach links, in östliche Richtung. Auf dem ersten stand der Name des Hotels in abblätternder, ausgeblichener Farbe. Das Schild darunter war heller
und neuer; es warnte vor einer Baustelle und verbot den unbe-
fugten Zutritt.

Bond bog mit dem Subaru ab, schaltete die Scheinwerfer
aus und folgte vorsichtig der langen gewundenen Zufahrt. Unter den Reifen knirschte der Kies. Der Weg führte direkt auf
die imposante Apostel-Kammlinie zu, die sich im Abstand von
dreißig oder mehr Metern hinter dem Gebäude erhob.

Das Hotel war heruntergekommen und hatte die versprochene Sanierung dringend nötig, obwohl es früher einmal bestimmt die angesagteste Adresse für einen Urlaub oder einen Abstecher mit der Geliebten aus London oder Hongkong gewesen war. Der weitläufige eingeschossige Bau stand inmitten ausgedehnter, aber mittlerweile verwilderter Gärten.

Bond fuhr auf den von Unkraut überwucherten Parkplatz hinter dem Gebäude und versteckte den Subaru zwischen einigen Sträuchern und hohen Gräsern. Er stieg aus, schaute zu dem dunklen Wohnwagen der Bauarbeiter und richtete kurz seine Taschenlampe darauf. Es war niemand zu sehen. Dann zog er seine Walther und schlich auf das Hotel zu.

Die Vordertür war unverschlossen. Bond ging hinein. Es roch nach Schimmel, aber auch nach neuem Beton und frischer Farbe. Die Rezeption am Ende der Lobby hatte keinen Tresen. Zur Rechten lagen Tagungsräume und eine Bibliothek, zur Linken ein großer Frühstücksraum und Salon mit verglaster Außenwand. Der Blick von hier aus ging nach Norden über die Gärten, hin zu den Zwölf Aposteln, die sich im Halbdunkel immer noch schwach abzeichneten. Die Bauarbeiter hatten hier ihre Bohrständer, Tischsägen und anderen Werkzeuge zurückgelassen, allesamt angekettet und mit Vorhängeschlössern gesichert. Im Hintergrund führte ein Durchgang in die Küche. Bond sah die Schalter für die Wand- und Deckenbeleuchtung, beließ aber alles im Dunkeln.

Unter den Bodenbrettern und in den Wänden huschten winzige Tierfüße umher.

Bond setzte sich auf eine Werkzeugkiste, die in einer Ecke des Frühstücksraumes stand. Nun musste er einfach ausharren, bis der Feind auftauchte.

Bond dachte daran, was Lieutenant Colonel Bill Tanner kurz nach seinem Beitritt zur ODG zu ihm gesagt hatte: »Hören Sie, 007, Sie werden in Ihrem Job häufig warten müssen. Ich hoffe, Sie sind ein geduldiger Mann.«

Das war er nicht. Aber falls die Mission es erforderte, wartete er.

Es ging schneller als gedacht. Ein Lichtstrahl traf die Wand. Bond stand auf und blickte zu einem der Vorderfenster hinaus. Ein Wagen kam auf das Hotel zu und hielt dann im Dickicht unweit des Eingangs.

Jemand stieg aus. Bonds Augen verengten sich. Es war Felicity Willing. Sie hielt sich den Bauch.

Bond steckte die Pistole ein, riss die Tür auf und rannte zu ihr. »Felicity!«

Sie torkelte vorwärts und fiel auf den Kies. »James, hilf mir! Ich bin … hilf mir! Ich bin verletzt.«

Vorn auf ihrer Bluse befand sich ein roter Fleck. Auch ihre Finger waren blutig. Bond kniete sich hin und nahm sie in den Arm. »Was ist passiert?«

»Ich bin … ich bin zum Hafen gefahren, um nach einer Ladung zu sehen. Da war ein Mann«, keuchte sie. »Er hat eine Pistole gezogen und auf mich geschossen! Er hat nichts gesagt – er hat einfach geschossen und ist weggelaufen. Ich habe mich zum Wagen geschleppt und bin hergefahren. Du musst mir helfen!«

»Wieso hast du nicht die Polizei …?«

»Er *war* von der Polizei, James.«

»*Was?*«

»Ich habe die Dienstmarke an seinem Gürtel gesehen.«

Bond hob sie hoch und trug sie in den Frühstücksraum. Dort legte er sie auf einige zusammengefaltete Planen, die jemand vor der Wand aufgestapelt hatte. »Ich suche einen Verband«, murmelte er. Dann fügte er wütend hinzu: »Das ist alles meine Schuld. Ich hätte es vorhersehen müssen! *Du* bist das Ziel von Vorfall Zwanzig. Lamb hat es nicht auf ein Kreuzfahrtschiff abgesehen, sondern auf die Hilfsgütertransporte. Er wurde von einem der großen amerikanischen oder europäischen Agrarkonzerne angeheuert, von denen du mir erzählt hast. Der Auftrag beinhaltet deinen Tod und die Zerstörung der Nahrungsmittel. Er muss jemanden bei der Polizei bestochen haben, ihm zu helfen.«

»Lass mich nicht sterben!«

»Das wird schon wieder. Ich besorge dir etwas Verbandmaterial und verständige Bheka. Ihr können wir vertrauen.«

Er wollte die Küche ansteuern.

»Nein«, sagte Felicity mit erschreckend ruhiger Stimme.

Bond blieb stehen und drehte sich um.

»Wirf dein Telefon weg, James.«

Der Blick ihrer wachsamen grünen Augen war wie der eines Raubtiers auf ihn gerichtet. Sie hatte seine Waffe in der Hand, die Walther PPS.

Er griff nach dem leeren Holster. Felicity hatte die Pistole entwendet, als er sie ins Haus getragen hatte.

»Das Telefon«, wiederholte sie. »Berühre nicht das Display. Halt es einfach am Rahmen, und wirf es in die Ecke.«

Er tat wie ihm geheißen.

»Es tut mir leid«, sagte sie. »Es tut mir so leid.«

Und James Blond glaubte, dass das in einem winzigen Winkel ihres Herzens sogar ehrlich gemeint war.

67

»Was ist das?«, fragte James und wies auf ihre Bluse.

Es war natürlich Blut. Echtes Blut. Ihr eigenes. Felicity spürte immer noch den Schmerz auf ihrem Handrücken, wo sie mit einer Sicherheitsnadel eine Vene angestochen hatte. Das austretende Blut hatte ausgereicht, um ihre Bluse zu beflecken und den glaubhaften Eindruck einer Schusswunde zu hinterlassen.

Sie antwortete ihm nicht. Aber sein Blick fiel auf den blauen Fleck an ihrer Hand, und er kam von selbst darauf. »Im Hafen war kein Polizist.«

»Da hab ich wohl gelogen, was? Setz dich. Auf den Boden.«

Sobald er gehorcht hatte, lud Felicity die Walther durch. Es wurde eine Patrone ausgeworfen, aber nur so konnte sie sichergehen, dass die Waffe wirklich feuerbereit war. »Ich weiß, dass du trainiert bist, Leute zu entwaffnen. Ich habe zuvor schon getötet, und es macht mir nichts aus. Dein Überleben ist nicht erforderlich, also werde ich dich mit Freuden erschießen, falls du irgendwas versuchst.«

Doch bei »mit Freuden« stockte fast ihre Stimme. Was, zum Teufel, ist los mit dir?, tadelte sie sich wütend. »Leg sie dir an.« Sie warf ihm Handschellen zu.

Er fing sie auf. Gute Reflexe, dachte sie. Sie wich einen Meter weiter zurück.

Felicity hatte von eben, als er sie getragen hatte, immer noch seinen angenehmen Geruch in der Nase. Es musste Seife oder

Shampoo aus dem Hotel sein. Er war nicht der Typ für Rasierwasser.

Wieder der Zorn. Verdammter Kerl!

»Die Handschellen«, wiederholte sie.

Er zögerte und ließ die Fesseln dann um seine Handgelenke einrasten. »Und? Was soll das?«

»Enger.«

Er drückte die Handschellen fester zu. Sie war zufrieden.

»Für wen genau arbeitest du?«, fragte sie.

»Für einen Laden in London. Dabei müssen wir es belassen. Und du arbeitest also mit Lamb zusammen?«

Sie lachte auf. »Mit diesem fetten, verschwitzten Spinner? Nein. Weswegen auch immer er herkommt, es hat nichts mit meinem Projekt zu tun. Wahrscheinlich hat er mal wieder irgendeine lächerliche Geschäftsidee. Vielleicht will er diesen Schuppen hier kaufen. Ich habe gelogen, als ich sagte, ich hätte gehört, wie jemand ihn Noah genannt hat.«

»Und was machst du dann hier?«

»Ich bin hier, weil ich sicher bin, dass du deinen Bossen in London mitgeteilt hast, dass Lamb dein Hauptverdächtiger ist.«

Ein Aufflackern in seinen Augen bestätigte das.

»Captain Jordaan und ihre halbwegs kompetenten Beamten werden hier morgen früh den Schauplatz eines erbitterten Kampfes vorfinden. Zwischen dir und dem Verräter Gregory Lamb, der ein Kreuzfahrtschiff versenken wollte, sowie der Person oder den Personen, die sich hier mit ihm getroffen haben. Du hast die Leute überrascht, und es gab einen Schusswechsel. Alle wurden getötet. Es werden offene Fragen bleiben, aber alles in allem ist die Angelegenheit damit erledigt. Oder zumindest für mich wird sie kein Grund zur Sorge mehr sein.«

»Sodass du tun kannst, was auch immer du vorhast. Aber ich verstehe nicht. Wer, zum Teufel, ist Noah?«

»Nicht wer, James, sondern was. N-O-A-H.«

Sein gut aussehendes Gesicht wirkte verwirrt. Dann dämmerte es ihm allmählich. »Mein Gott… deine Gruppe ist die International Organisation Against Hunger. IOAH. Bei der Wohltätigkeitsveranstaltung hast du erzählt, ihr hättet erst kürzlich ausländische Filialen eröffnet. Das heißt, bis dahin wart ihr die National Organisation Against Hunger. NOAH.«

Sie nickte.

Er runzelte die Stirn. »In der Nachricht, die letztes Wochenende aufgefangen wurde, stand ›noah‹ in Kleinbuchstaben, so wie alles andere auch. Ich bin einfach davon ausgegangen, dass es sich um eine *Person* handele.«

»Wir waren da etwas nachlässig. Es heißt schon eine ganze Weile nicht mehr NOAH, aber wir haben uns so an den ursprünglichen Namen gewöhnt, dass wir ihn immer noch verwenden.«

»Wir? Von wem stammt denn die Nachricht?«

»Von Niall Dunne. Er arbeitet für *mich*, nicht für Hydt. An den war er bloß ausgeliehen.«

»Für dich?«

»Schon seit ein paar Jahren.«

»Und wie hängt ihr mit Hydt zusammen?«

»Niall und ich haben im subsaharischen Afrika mit zahlreichen Warlords und Diktatoren zu tun. Vor neun oder zehn Monaten erfuhr Niall durch einige von ihnen von Hydts Plan, diesem Gehenna. Es war zwar ziemlich weit hergeholt, aber es klang so, als könnte eine Investition sich lohnen. Ich gab Dunne zehn Millionen, um mit einzusteigen. Er erzählte Hydt, es stamme von einem anonymen Geschäftsmann. Eine Bedingung für die Zahlung war, dass Dunne mit Hydt zusammenarbeitete, um die Verwendung des Geldes zu überwachen.«

»Ja«, sagte James, »er hat andere Investoren erwähnt. Hydt wusste also nichts von dir?«

»Nicht das Geringste. Und wie sich herausstellte, war Severan begeistert von der Idee, Dunne als taktischen Planer einzusetzen. Ohne ihn wäre Gehenna nicht mal annähernd so weit gediehen.«

»Der Mann, der an alles denkt.«

»Ja, er war recht stolz, dass Hydt ihn so bezeichnet hat.«

»Es gab noch einen anderen Grund, aus dem Dunne in der Nähe von Hydt geblieben ist, nicht wahr?«, mutmaßte James. »Er war dein Fluchtplan, ein mögliches Ablenkungsmanöver.«

Felicity nickte. »Falls jemand misstrauisch werden sollte – so wie du –, konnten wir Hydt opfern. Er war der perfekte Sündenbock, den niemand hinterfragen würde. Deshalb hat Dunne ihn auch davon überzeugt, den Bombenanschlag in York am heutigen Tag stattfinden zu lassen.«

»Du würdest einfach so zehn Millionen Dollar abschreiben?«

»Eine gute Versicherung ist teuer.«

»Ich habe mich immer gefragt, wieso Hydt seinen Plan weiter durchgezogen hat, obwohl ich in Serbien und in March aufgetaucht war. Ich habe meine Spuren zwar sorgfältig verwischt, aber er hat mich hier als Gene Theron weitaus bereitwilliger akzeptiert, als ich das an seiner Stelle getan hätte. Der Grund dafür war, dass Dunne ihm versichert hat, er könne mir trauen.«

Sie nickte. »Severan hat immer auf Niall Dunne gehört.«

»Also war es Dunne, der im Internet die Hinweise auf Noah als angeblichen Spitznamen Hydts platziert hat. Und dass er in Bristol ein eigenes Boot gebaut habe.«

»Richtig.« Die Wut und Enttäuschung stiegen wieder in ihr auf. »Aber verdammt! Warum hast du dich nicht damit zufriedengegeben, sondern nach Hydts Tod weitergemacht?«

Er musterte sie kalt. »Und dann was? Du würdest warten, bis ich neben dir eingeschlafen bin … und mir dann die Kehle durchschneiden?«

»Ich habe gehofft, du wärst der, der du zu sein behauptet hast«, herrschte sie ihn an. »Ein Söldner aus Durban. Deshalb habe ich gestern Abend nachgebohrt und dich gebeten, dich zu ändern. Ich wollte dir die Chance geben, mir zu gestehen, dass du tatsächlich ein Killer bist. Ich dachte, es könnte ...« Ihre Stimme erstarb.

»Etwas aus uns werden?« Seine Lippen wurden schmal. »Falls es dich tröstet, das habe ich auch gedacht.«

Schon komisch, dachte Felicity. Sie war zutiefst enttäuscht, dass er sich als einer von den Guten entpuppt hatte. Er musste ebenso enttäuscht sein, dass sie völlig anders war als gedacht.

»Und was hast du nun heute Abend vor? Was ist das Projekt, das wir Vorfall Zwanzig getauft haben?«, fragte er und verlagerte sein Gewicht. Die Handschellen klirrten.

Sie behielt die Waffe auf ihn gerichtet. »Weißt du über die Konfliktherde der Welt Bescheid?«

»Ich höre die BBC«, erwiderte er trocken.

»Als ich noch in der Londoner Bankenwelt gearbeitet habe, haben meine Kunden bisweilen in Firmen mit Sitz in diversen Krisenregionen investiert. Mit der Zeit lernte ich ein Menge über die Verhältnisse in diesen Gegenden, und mir fiel auf, dass sie alle einen kritischen Faktor gemeinsam hatten: Hunger. Wer Hunger hat, ist verzweifelt. Wenn man ihm Nahrung verspricht, tut er alles – er wechselt das politische Lager, zieht in den Kampf, tötet Zivilisten, stürzt Diktatoren oder Demokratien. Alles. Mir wurde klar, dass man Hunger als Waffe benutzen kann. Daher wurde ich eine Art Waffenhändlerin, könnte man sagen.«

»Du bist eine Hungermaklerin.«

Gut ausgedrückt, dachte Felicity.

»Die IOAH kontrolliert zweiunddreißig Prozent der hier eingehenden Ernährungshilfe. Bald werden wir einen ähnlichen Status in mehreren lateinamerikanischen Ländern erreicht haben, dazu in Indien und Südostasien. Falls beispielsweise ein Warlord in der Zentralafrikanischen Republik an die Macht will und mir zahlt, was ich verlange, sorge ich dafür, dass seine Soldaten und Unterstützer ausreichend mit Nahrungsmitteln versorgt werden, während die Anhänger seines Konkurrenten leer ausgehen.«

Er sah sie überrascht an. »Sudan. *Das* ist es, was heute Abend passieren wird – ein Krieg im Sudan.«

»Genau. Ich stehe mit der Zentralregierung in Khartum in Verbindung. Der Präsident möchte nicht, dass die Östliche Allianz sich abspaltet und einen säkularen Staat gründet. Das Regime im Osten hat vor, die Bindungen zum Vereinigten Königreich zu stärken und sein Öl lieber dorthin zu verkaufen als nach China. Doch Khartum ist nicht stark genug, um den Osten ohne Unterstützung in die Knie zu zwingen. Also bezahlt es mich dafür, Nahrungsmittel nach Eritrea, Uganda und Äthiopien zu liefern. Deren Truppen werden gemeinsam mit den Streitkräften der Zentralregierung im Osten einfallen. Die Östliche Allianz hat keine Chance.«

»Die Tausende von unmittelbaren Opfern, die in der aufgefangenen Nachricht erwähnt werden, sind demnach die Toten zu Beginn der Invasion.«

»Korrekt. Ich musste ein gewisses Ausmaß an Verlusten der Östlichen Allianz zusichern. Falls es mehr als zweitausend werden, bekomme ich einen Bonus.«

»Und die nachteiligen Auswirkungen auf britische Interessen? Damit ist das Öl gemeint, das an Peking geht und nicht an uns?«

Sie nickte. »Die Chinesen haben Khartum geholfen, meine Rechnung zu bezahlen.«

»Wann gehen die Kämpfe los?«

»In etwa anderthalb Stunden. Die Invasion des Ostsudan beginnt, sobald die Flugzeuge mit den Hilfsgütern in der Luft sind und die Schiffe internationale Gewässer erreicht haben.« Felicity schaute auf ihre schlichte Armbanduhr, Marke Baume & Mercier. Gregory Lamb musste bald eintreffen. »Ich benötige noch etwas anderes: deine Kooperation.«

Er lachte kalt.

»Falls du dich weigerst, wird deine Freundin Bheka Jordaan sterben. Ganz einfach. Ich habe überall in Afrika Freunde, die sich sehr gut aufs Töten verstehen und ihr Talent immer wieder gern zur Geltung kommen lassen.«

Sie nahm erfreut zur Kenntnis, wie sehr ihn das beunruhigte. Felicity Willing genoss es, die wunden Punkte eines Menschen herauszufinden.

»Was willst du?«, fragte er.

»Du schickst deinen Vorgesetzten eine Nachricht, in der du bestätigst, dass Gregory Lamb einen Anschlag auf ein Kreuzfahrtschiff geplant hat. Es ist dir gelungen, den Plan zu vereiteln, und du wirst dich nun bald mit ihm treffen.«

»Du weißt, dass ich das nicht tun kann.«

»Es geht hier um das Leben deiner Freundin. Komm schon, James, sei ein richtiger Held. Du wirst sowieso sterben.«

Er sah sie an und wiederholte: »Ich dachte wirklich, es könnte was aus uns werden.«

Ein Schauder lief Felicity Willings Wirbelsäule entlang.

Doch dann verhärtete sich seine Miene, und er rief: »Okay, das reicht. Wir müssen uns beeilen.«

Sie runzelte die Stirn. Wovon redete er da?

Er fügte hinzu: »Schießt sie nicht über den Haufen ... falls es sich vermeiden lässt.«

»O Gott, nein«, flüsterte Felicity.

Die Wand- und Deckenbeleuchtung ging an und blendete sie. Als sie sich dem Geräusch schneller Schritte zuwenden wollte, riss ihr auch schon jemand die Walther aus der Hand. Zwei Personen warfen sie bäuchlings zu Boden. Eine der beiden drückte ihr das Knie ins Kreuz und fesselte ihr mit gekonntem Griff die Hände auf den Rücken.

Dann hörte Felicity eine schneidende Frauenstimme: »Gemäß Abschnitt fünfunddreißig der südafrikanischen Verfassung von 1996 belehre ich Sie hiermit, dass Sie das Recht haben zu schweigen. Alles, was Sie sagen, kann vor Gericht gegen Sie verwendet werden.«

68

»Nein!«, keuchte Felicity Willing ungläubig. Dann wiederholte sie das Wort zornig, schrie es fast hinaus.

James Bond schaute hinunter auf die zierliche Frau, die ungefähr an derselben Stelle saß wie er noch vor einem Moment.

»Du hast es gewusst!«, rief sie. »Du Scheißkerl hast es gewusst! Du hattest Lamb nie im Verdacht!«

»Da hab ich wohl gelogen, was?«, entgegnete er frostig mit ihren eigenen Worten.

Auch Bheka Jordaan blickte leidenschaftslos auf ihre Gefangene.

Man hatte Bond von den Fesseln befreit. Er rieb sich die Handgelenke. Gregory Lamb stand in der Nähe und telefonierte. Lamb und Jordaan waren schon vor Bond eingetroffen und hatten für den Fall, dass Felicity den Köder schluckte, Mikrofone platziert, um das Gespräch mitzuschneiden. Dann hatten sie sich in dem Wohnwagen der Bauarbeiter versteckt. Bei seiner Ankunft hatte Bond sich mit Hilfe der Taschenlampe vergewissert, dass sie nicht zu sehen waren, und ihnen dadurch gleichzeitig mitgeteilt, dass er nun das Haus betreten würde. Er hatte kein Funkgerät benutzen wollen.

Jordaans Telefon klingelte. Sie nahm das Gespräch an, hörte zu und machte sich Notizen. »Meine Leute haben Miss Willings Büro durchsucht«, sagte sie dann. »Wir kennen nun die Zielorte aller Flugzeuge und die Routen aller Schiffe, mit denen die Hilfsgüter transportiert werden.«

Gregory Lamb blickte ihr über die Schulter und gab die Informationen an seinen Gesprächspartner durch. Obwohl er als Agent immer noch nicht überzeugend wirkte, schien er tatsächlich über gute Kontakte zu verfügen, die er nun nutzte.

»Das können Sie nicht machen!«, jammerte Felicity. »Sie begreifen es nicht!«

Bond und Jordaan ignorierten sie und musterten Lamb. Schließlich trennte er die Verbindung. »Vor der Küste kreuzt ein amerikanischer Flugzeugträger. Es sind bereits Jets aufgestiegen, um die Maschinen mit den Hilfsgütern abzufangen. Die RAF und das südafrikanische Militär haben Kampfhubschrauber losgeschickt, um die Schiffe zurückzuholen.«

Bond dankte dem großen schwitzenden Mann für seine Bemühungen. Er hatte Lamb zu keinem Zeitpunkt verdächtigt – der Kerl verhielt sich so seltsam, weil er im Wesentlichen ein Feigling war. Lamb hatte eingeräumt, dass er während des Einsatzes auf dem Green-Way-Gelände verschwunden war, um sich im Unterholz zu verstecken, wenngleich er nicht zugab, dass er sich außerdem selbst durch den Ärmel geschossen hatte. Für Bond war er jedenfalls der perfekte Köder gewesen, um ihn seiner wahren Verdächtigen zu präsentieren: Felicity Willing.

Bheka Jordaan erhielt noch einen Anruf. »Unsere Leute werden sich etwas verspäten – es gab einen schweren Unfall auf der Victoria Road. Kwalene sagt, sie sind in zwanzig oder dreißig Minuten hier.«

Bond schaute zu Felicity. Sogar jetzt, da sie auf dem dreckigen Boden dieser klapprigen Baustelle saß, strahlte sie Stärke und Herausforderung aus, wie eine wütende Löwin im Käfig.

»Woher … woher hast du es gewusst?«, fragte sie.

Sie konnten die besänftigende, aber kraftvolle Brandung des Atlantiks hören, die Rufe von Vögeln, das Hupen eines Wagens in der Ferne. Das Zentrum von Kapstadt lag gar nicht weit entfernt und schien sich doch in einem anderen Universum zu befinden.

»Es haben mich mehrere Dinge stutzig gemacht«, sagte Bond. »Zunächst mal Dunne selbst. Wieso der mysteriöse Geldtransfer auf sein Schweizer Konto am gestrigen Tag, noch *vor* Gehenna? Das deutete darauf hin, dass Dunne einen unbekannten Partner hatte. Gestützt wurde dieser Eindruck durch eine aufgefangene Nachricht, in der stand, statt Hydt könne auch jemand anders das Projekt fortführen. Wem sollte man so etwas mitteilen? Zum Beispiel jemandem, der in keinerlei direkter Verbindung zu Gehenna stand.

Dann fiel mir ein, dass Dunne nach Indien, Indonesien und in die Karibik gereist war. Bei der Wohltätigkeitsveranstaltung hast du gesagt, ihr hättet Filialen in Mumbai, Jakarta und Port-au-Prince eröffnet. Ein erstaunlicher Zufall, nicht wahr? Du und Dunne hattet beide Verbindungen nach London und Kapstadt, und ihr hattet euch hier in Südafrika etabliert, *bevor* Hydt seine Green-Way-Zweigstelle eröffnet hat. Auf die NOAH-Verbindung bin ich von selbst gekommen«, fuhr Bond fort. Als er in der SAPS-Zentrale auf ihre Visitenkarte gestarrt hatte, war ihm plötzlich bewusst geworden, dass zur IOAH nur ein Buchstabe Unterschied bestand. »Ich habe das Firmenregister in Pretoria überprüft und den ursprünglichen Namen der Gruppe herausgefunden. Als du mir erzählt hast, du hättest gehört, dass jemand Lamb als Noah bezeichnet hat, wusste ich also, dass du lügst. Und du hast dadurch deine Schuld bestätigt. Aber wir mussten dich immer noch dazu verleiten, uns weitere Einzelheiten zu verraten, vor allem über Vorfall Zwanzig.« Er musterte sie kalt. »Für aggressivere Verhörmethoden blieb mir keine Zeit.«

Absicht ... Reaktion.

Da er Felicitys Absicht nicht gekannt hatte, war diese Täuschung ihm als die bestmögliche Reaktion erschienen.

Felicity schob sich in Richtung Wand und warf dabei einen Blick zum Fenster hinaus.

In Bonds Verstand fügten sich mehrere Einzelteile schlagartig zu einem Bild zusammen: Felicitys Seitenblick, der »Unfall«, der die Victoria Road blockierte, Dunnes geniale Begabung als Planer und die Autohupe, die vor etwa drei Minuten erklungen war. Es hatte sich dabei natürlich um ein Signal gehandelt, und Felicity hatte seitdem die Sekunden gezählt.

»Volle Deckung!«, rief Bond und warf sich auf Bheka Jordaan.

Sie beide und Lamb gingen zu Boden, während im selben Moment Projektile durch die Fenster schlugen und den Raum mit glitzernden Konfettischerben füllten.

69

Bond, Lamb und Jordaan gingen so gut wie möglich in Deckung, was nicht einfach war, weil die gesamte Nordwand des Raumes aus Glas bestand. Die Tischsägen und anderen Werkzeuge boten zwar einigen Schutz, aber dank der eingeschalteten Beleuchtung konnte der Heckenschütze in aller Ruhe Maß nehmen.

Felicity duckte sich noch tiefer.

»Wie viele Männer hat Dunne dabei?«, herrschte Bond sie an.

Sie antwortete nicht.

Er zielte dicht neben ihr Bein und gab einen ohrenbetäubenden Schuss ab, der ihr Gesicht und ihren Oberkörper mit Holzsplittern überschüttete. »Erst mal nur er«, flüsterte sie sofort. »Seine Verstärkung ist unterwegs. Hör mal, lass mich einfach gehen, und…«

»Halt die Klappe!«

Dunne hatte also einen Teil seines Geldes dazu benutzt, Sicherheitskräfte in Mosambik zu bestechen, damit sie behaupten würden, er sei dort gesichtet worden. In Wahrheit war er hiergeblieben, um auf Felicity aufzupassen. Und um notfalls Söldner zu ihrer Unterstützung anzuheuern.

Bond ließ den Blick durch den Frühstücksraum und die benachbarte Lobby schweifen. Es gab einfach keine Möglichkeit, sich geschützt vom Fleck zu bewegen. Er zielte sorgfältig und schoss die Wandleuchten aus, aber die Lampen über ihren Köpfen strahlten immer noch hell und waren zu zahlreich, um sie ebenfalls auf diese Weise verlöschen zu lassen. Dunne hatte den gesamten Innenraum im Blick. Bond hob kurz den Kopf, worauf sofort zwei Schüsse unmittelbar neben ihm einschlugen. Er hatte kein Ziel gesehen. Draußen schien zwar der Mond, aber die Helligkeit hier drinnen überstrahlte alles. Dunne schien aus einer erhöhten Position zu schießen, also irgendwo von den Hängen der Apostel. Aber der Ire konnte praktisch überall dort oben stecken.

Ein oder zwei Momente vergingen. Dann schlugen weitere Projektile im Raum ein und ließen den Mörtel abplatzen. Es stieg Staub auf, und Bond und Jordaan husteten. Bond war aufgefallen, dass der Winkel der Schüsse sich verändert hatte; Dunne arbeitete sich zu einer Stellung vor, von der aus er sie erledigen konnte.

»Das Licht«, rief Lamb. »Wir müssen es ausschalten.«

Der Schalter befand sich jedoch in dem Durchgang zur Küche, und um ihn zu erreichen, musste einer von ihnen an mehreren Glastüren und Fenstern vorbeilaufen und sich Dunne als perfektes Ziel präsentieren.

Bond unternahm den Versuch, aber er war in der schlechtesten Position, und sobald er sich erhob, hämmerten die Geschosse in eine Säule und die Werkzeuge neben ihm. Er ließ sich wieder zu Boden fallen.

»Ich gehe«, sagte Bheka Jordaan und schätzte die Entfernung zum Lichtschalter ab. »Ich bin am nächsten dran. Es müsste zu schaffen sein. Habe ich Ihnen schon mal erzählt, James, dass ich auf der Universität eine der besten Rugbyspielerinnen gewesen bin? Ich war pfeilschnell.«

»Nein«, sagte Bond entschieden. »Das ist Selbstmord. Wir warten auf Ihre Beamten.«

»Die werden nicht rechtzeitig hier sein. In ein paar Minuten hat er eine Stelle erreicht, von der aus er uns alle erschießen kann. James, Rugby ist ein wunderbares Spiel. Haben Sie es schon mal ausprobiert?« Sie lachte. »Nein, natürlich nicht. Ich kann Sie mir nicht in einer Mannschaft vorstellen.«

Sein Lächeln entsprach dem ihren.

»Sie geben mir Deckung«, sagte Bond. »Ihr großer Colt wird ihm einen Mordsschreck einjagen. Ich starte auf drei. Eins … zwei …«

»Oh, bitte!«, rief plötzlich eine Stimme.

Bond schaute zu Lamb.

»Diese Countdown-Szenen in Filmen sind so schreckliche Klischees«, fuhr der MI6-Agent fort. »Blödsinn. Im wahren Leben zählt man nicht, sondern steht einfach auf und geht!«

Und genau das tat Lamb nun. Er sprang auf die massigen Beine und trampelte auf den Lichtschalter zu. Bond und Jordaan feuerten beide in die Dunkelheit hinaus. Sie hatten keine Ahnung, wo Dunne steckte, und es war unwahrscheinlich, dass ihre Kugeln auch nur in seine Nähe trafen. Der Ire wurde jedenfalls nicht davon abgehalten, einen gezielten Feuerstoß auf Lamb abzugeben, als dieser noch drei Meter von dem Lichtschalter entfernt war. Die Kugeln zerschmetterten die Fenster neben ihm und fanden ihr Ziel. Das Blut des Agenten spritzte auf den Boden und an die Wand. Lamb torkelte noch ein Stück weiter, brach zusammen und rührte sich nicht mehr.

»Nein«, rief Jordaan. »O nein.«

Die Treffer mussten Dunne neues Selbstvertrauen gegeben haben, denn seine nächsten Schüsse waren sogar noch platzierter als bisher. Schließlich musste Bond seine Position aufgeben. Er kroch zu Jordaan, die hinter einer Tischkreissäge kauerte, deren Blatt Dunnes 5,56-Millimeter-Projektile bereits verbeult hatten.

Bond und die Polizistin pressten sich aneinander. Die schwarzen Schlitze der Fensteröffnungen starrten sie an. Sie konnten nirgendwohin. Eine Kugel zischte über Bonds Kopf hinweg und durchschlug die Schallmauer nur wenige Zentimeter von seinem Ohr entfernt.

Er spürte, auch wenn er es nicht sehen konnte, wie Dunne sich zum Fangschuss vorarbeitete.

»Ich kann das enden lassen«, sagte Felicity. »Lasst mich einfach gehen. Ich rufe ihn an. Gebt mir ein Telefon.«

Mündungsfeuer blitzte auf. Bond drückte Jordaans Kopf nach unten, und die Wand neben ihnen explodierte. Die Kugel streifte tatsächlich das Haar auf Höhe von Jordaans Ohr. Sie keuchte auf und drückte sich zitternd an Bond. Es roch nach verbrannten Haaren.

»Niemand wird erfahren, dass ihr mich freigelassen habt«, sagte Felicity. »Gebt mir ein Telefon. Ich rufe Dunne an.«

»Ach, fahr doch zur Hölle, du Schlampe!«, rief eine Stimme vom anderen Ende des Raumes. Lamb kam schwankend auf die Beine und hielt sich die blutige Brust. Er machte ein paar Schritte auf die Wand zu und betätigte noch im Fallen den Lichtschalter. Im Hotel war es schlagartig stockfinster.

Bond lief sofort los und stieß mit einem Tritt eine der Seitentüren auf. Dann schlug er sich ins Unterholz, um seine Beute zu verfolgen.

Noch vier Schuss und ein volles Magazin.

Bond rannte durch das Dickicht, das bis zur Basis der steilen Klippe verlief, die zur Kette der Zwölf Apostel gehörte. Dabei lief er in Schlangenlinien, während Dunne auf ihn feuerte. Der Mond war nicht voll, aber sein Licht reichte zum Schießen aus. Dennoch schlug keines der Projektile näher als einen oder anderthalb Meter neben Bond ein.

Schließlich stellte der Ire das Feuer ein. Er musste annehmen, dass er Bond getroffen hatte oder dass dieser geflohen war, um Hilfe zu holen. Dunnes Ziel war nicht notwendigerweise, seine Opfer zu töten. Es reichte aus, sie an einen Ort zu binden, bis seine Verstärkung eintraf. Wie lange würde das noch dauern?

Bond drückte sich an einen großen Felsen. Es war inzwischen eiskalt hier draußen, und es war Wind aufgekommen. Dunne musste sich etwa dreißig Meter direkt über ihm befinden. Seine Stellung war ein Felsvorsprung mit erstklassiger Sicht auf das Hotel, auf die Zufahrtswege ... und auf Bond im Mondschein, hätte Dunne sich einfach vorgebeugt und nachgesehen.

Dann wurde über ihm eine starke Taschenlampe eingeschaltet und gab ein Signal. Bond schaute in die Richtung, in die sie wies. Ein Boot kämpfte sich durch die Wogen auf das Ufer zu. Die Söldner, natürlich.

Er fragte sich, wie viele wohl an Bord waren und welche Waffen sie mitbrachten. In zehn Minuten würden sie landen und ihn und Jordaan überrennen – Dunne hatte bestimmt dafür gesorgt, dass die Victoria Road ausreichend lange unpassierbar blieb. Dennoch zückte Bond sein Telefon und schickte Kwalene Nkosi eine SMS über die bevorstehende Ankunft der Männer.

Dann schaute er wieder die Felswand hinauf.

Nur zwei Wege führten zu Dunne. Rechts, im Süden, gab es eine Reihe steiler, aber glatter Traversen – schmale Quergänge für Wanderer –, die von der Rückseite des Sixth Apostle Inn an dem Vorsprung vorbeiführten, auf dem Dunne lag. Falls Bond diesen Weg wählte, würde er sich fast die ganze Zeit in Dunnes Schussfeld befinden, denn es gab auf dem Pfad keine Deckung.

Die andere Möglichkeit war ein direkter Vorstoß die zerklüftete, aber steile Felswand hinauf, dreißig vertikale Meter.

Bond betrachtete diese mögliche Route.

Fast auf den Tag genau vier Jahre nach dem Tod seiner Eltern hatte der fünfzehnjährige James Bond beschlossen, er habe genug von den Albträumen und Ängsten, die ihn beim

Anblick von Bergen oder Felswänden befielen – sogar bei dem imposanten, aber harmlosen Gesteinssockel von Edinburgh Castle, wie er sich vom Parkplatz auf der Castle Terrace aus darstellte. Er hatte einen der Lehrer am Fettes College überredet, einen Kletterclub ins Leben zu rufen, der regelmäßige Ausflüge ins Hochland unternahm, wo die Mitglieder den Sport erlernen konnten.

Es dauerte zwei Wochen, dann war der Drache der Furcht besiegt gewesen, und Bond hatte das Felsklettern seiner Liste von Freizeitaktivitäten hinzugefügt. Nun steckte er die Walther ein, blickte nach oben und rief sich die Grundregeln ins Gedächtnis: Setze nur so viel Kraft ein, dass du ausreichend Halt hast, nicht mehr. Nutze deine Beine, um den Körper zu stützen, und die Arme, um das Gleichgewicht zu halten oder zu verlagern. Bleib dicht an der Felswand. Wähle den nächsten Griff immer möglichst im Scheitelpunkt einer schwungvollen Aufwärtsbewegung.

Und so machte Bond sich an den Aufstieg – ohne Seil, ohne Handschuhe, ohne Kreide und in modischen Lederschuhen, die denkbar ungeeignet für eine feuchte Felswand waren.

70

Niall Dunne folgte den Wanderwegen nach unten zum Hotel. Er hatte seine Beretta Automatik gezogen und blieb sorgfältig außer Sicht des Mannes, der sich so clever als Gene Theron ausgegeben hatte – und der in Wahrheit James mit Vornamen hieß und britischer Agent war, wie der Ire seit etwa einer Stunde von Felicity wusste.

Obwohl er ihn nun nicht mehr sehen konnte, hatte Dunne den Mann vor einigen Minuten beim Aufstieg in der Felswand entdeckt. James hatte den Köder geschluckt und griff die Zitadelle an – während Dunne gewissermaßen zur Hintertür hinausschlich und sich vorsichtig über die Traversen absetzte. In fünf Minuten würde er das Hotel erreichen, während der britische Agent immer noch in der Felswand hing.

Alles verlief nach Plan... nun ja, nach dem *revidierten* Plan.

Nun blieb nur noch, schnell und endgültig das Land zu verlassen. Aber natürlich nicht allein. Er würde in Begleitung der Person verschwinden, die er wie keine sonst auf der Welt bewunderte, die er liebte, die im Zentrum all seiner Fantasien stand.

Sein Boss, Felicity Willing.

Das ist Niall. Er ist brillant. Er ist bei mir für die Planung zuständig...

So hatte sie ihn vor einigen Jahren vorgestellt. Sein Gesicht war vor Freude darüber ganz warm geworden, und nun trug er diese Worte in seiner Erinnerung mit sich, als wäre es eine

Haarlocke von ihr. Das Gleiche galt für die Erinnerung an ihre erste Zusammenarbeit. Sie war damals für eine Londoner Bank tätig gewesen und hatte ihn mit der Inspektion einiger Werksanlagen beauftragt, deren Fertigstellung ihr Kunde finanzieren wollte. Dunne hatte von dem verpfuschten Bau abgeraten und damit sie und ihren Kunden vor einem Verlust in Millionenhöhe bewahrt. Daraufhin hatte sie ihn zum Abendessen eingeladen. Er hatte zu viel Wein getrunken und darüber geschwafelt, dass im Krieg und im Geschäftsleben kein Platz für Moral sei und, verflucht noch mal, eigentlich *nirgendwo*. Die schöne Frau hatte ihm zugestimmt. Mein Gott, hatte er gedacht, hier ist jemand, den es nicht stört, dass meine Füße in unterschiedliche Richtungen zeigen, dass ich wie aus Ersatzteilen zusammengesetzt bin, dass ich ums Verrecken keine Witze erzählen oder meinen Charme spielen lassen kann.

Felicity war genauso gleichgültig wie er. Ihr Streben nach Geld entsprach exakt seinem Streben nach der Konstruktion effizienter Maschinen.

Am Ende waren sie in Felicitys Luxuswohnung in Knightsbridge gelandet und hatten miteinander geschlafen. Das war fraglos die beste Nacht seines ganzen Lebens gewesen.

Von da an arbeiteten sie häufiger zusammen und übernahmen Aufträge, die, nun ja, offen gesagt, deutlich profitabler und illegaler waren als die prozentuale Beteiligung an vermittelten Revolvingkrediten.

Die Arbeit wurde riskanter, finsterer und lukrativer, aber diese andere Sache – die zwischen ihnen –, tja, die änderte sich … wie er schon die ganze Zeit befürchtet hatte. Sie würde eben nicht *das* für ihn empfinden, gestand sie schließlich. Die gemeinsame Nacht, ja, die sei schön gewesen, und sie habe sehr mit sich gerungen, aber sie habe Angst, es würde ihre erstaunliche intellektuelle – nein, *spirituelle* – Verbindung zerstören. Außerdem habe man ihr schon übel mitgespielt, ganz schlimm. Ihr Herz sei gebrochen und noch nicht wieder geheilt. Könnten sie nicht einfach Partner und Freunde bleiben, o bitte? Du kannst für uns die Planung übernehmen ...

Die Geschichte klang etwas dürftig, aber er hatte beschlossen, ihr zu glauben, wie man es nun mal macht, wenn eine geliebte Person den Schmerz der Wahrheit mit einer Lüge mildert.

Geschäftlich hingegen lief es blendend – eine Unterschlagung hier, eine Erpressung da –, und Dunne wartete ab, denn er hoffte, dass Felicity sich letztlich doch für ihn entscheiden würde. Er tat so, als wäre auch er über die Sache hinweg, und es gelang ihm, seine Sehnsucht nach ihr verborgen zu halten. Doch unter der Oberfläche blieb das Gefühl so explosiv wie eine vergrabene Landmine.

Nun aber hatte sich alles geändert. Bald würden sie zusammen sein.

Niall Dunne glaubte von ganzem Herzen daran.

Denn er würde ihre Liebe gewinnen, indem er sie rettete. Komme, was da wolle, er würde sie in Sicherheit bringen, nach Madagaskar, wo er eine behagliche Zuflucht für sie beide geschaffen hatte.

Während er sich dem Hotel näherte, musste Dunne daran denken, dass James die Neugier von Hydt mit einer Bemerkung über den Isandlwana geweckt hatte – das Zulu-Massaker im neunzehnten Jahrhundert. Nun dachte er an die *zweite* Schlacht an jenem Januartag, die bei Rorke's Drift. Dort hatte eine Streitmacht von viertausend Zulus einen kleinen Außenposten samt Krankenstation angegriffen, insgesamt etwa hundertdreißig britische Soldaten. So unglaublich es scheinen mochte, die Briten konnten sich erfolgreich verteidigen und erlitten nur geringe Verluste.

Für Niall Dunne war an dieser Schlacht jedoch vor allem Lieutenant John Chard bemerkenswert, der Kommandant der britischen Besatzung. Er gehörte zum Corps of Royal Engineers – ein Pionier, genau wie Dunne. Chard hatte einen Plan zur Verteidigung gegen eine gewaltige Übermacht ersonnen und ihn brillant ausgeführt. Dafür wurde ihm das Victoria Cross verliehen. Niall Dunne würde sich nun seinen eigenen Orden verdienen – das Herz von Felicity Willing.

Er drang langsam immer weiter durch den Herbstabend vor, bis er das Hotel erreichte. Dabei achtete er darauf, nicht in das Sichtfeld der Felswand und damit des britischen Spions zu gelangen.

Dunne ging den Plan noch einmal durch. Der fette Agent war tot oder lag im Sterben, das wusste er. Er rief sich ins Gedächtnis, was er durch das Zielfernrohr von dem Frühstücksraum oder Speisesaal gesehen hatte, bevor der Mann ärgerlicherweise doch noch an den Lichtschalter gelangt war. Der einzige andere Gegner in dem Hotel schien die SAPS-Beamtin zu sein. Die stellte kein Problem dar – er würde etwas durch das Fenster werfen, um sie abzulenken, sie dann töten und Felicity da rausholen.

Sie beide würden zum Strand laufen, wo das Boot auf sie wartete, und dann so schnell wie möglich per Hubschrauber nach Madagaskar in die Freiheit fliegen.

Gemeinsam ...

Vorsichtig näherte er sich einem der Fenster des Sixth Apostle Inn und wagte einen Blick hinein. Der britische Agent, den er angeschossen hatte, lag mit glasigem Blick tot auf dem Boden.

Felicity saß in der Nähe, die Hände auf den Rücken gefesselt, und atmete schwer.

Dunne war erschüttert, seine Geliebte so misshandelt zu sehen. Die Wut kam zurück. Und diesmal legte sie sich nicht wieder. Dann hörte er aus der Küche die Polizistin, die sich gerade über Funk nach der Verstärkung erkundigte. »Wie lange soll es denn *noch* dauern?«, herrschte sie jemanden an.

Vermutlich noch eine ganze Weile, dachte Dunne. Seine Leute hatten einen großen Lastwagen umgekippt und in Brand gesetzt. Die Victoria Road war vollständig blockiert.

Dunne schlich sich auf den Parkplatz hinter dem Hotel, der voller Unkraut und Müll war, und öffnete geräuschlos die Küchentür. Die Pistole lag schussbereit in seiner Hand. Er hörte eine Stimme aus dem Funkgerät, irgendeine Meldung über ein Löschfahrzeug.

Gut, dachte er. Die SAPS-Beamtin konzentrierte sich auf den Funkverkehr. Er würde sie von hinten überraschen.

Er ging weiter und folgte einem schmalen Gang zur Küche. Er konnte …

Aber in der Küche war niemand. Auf einem Tresen stand das Funkgerät, aus dem die rauschende Stimme immer weiter und weiter plapperte. Er begriff, dass es sich lediglich um zufällige Meldungen der SAPS-Funkzentrale handelte; es ging um Brände, Raubüberfälle, Beschwerden wegen Ruhestörung.

Das Funkgerät war auf Scannen geschaltet, nicht auf Übertragung.

Was hatte das zu bedeuten?

Dies konnte keine Falle für ihn sein. James konnte unmöglich wissen, dass er seine Scharfschützenposition verlassen hatte und nun hier war. Er ging zum Fenster und schaute zur Felswand, wo der Mann langsam nach oben kletterte.

Sein Herzschlag setzte kurz aus. Nein … Der Schemen befand sich immer noch an derselben Stelle, wie schon vor zehn Minuten. Und Dunne wurde klar, dass das von vornherein nicht der Spion gewesen sein mochte, sondern vielleicht seine Jacke, die an einer Felsspitze hing und sich im Wind bewegte.

Nein, nein …

»Lassen Sie die Waffe fallen«, erklang plötzlich eine Stimme mit sanftem britischen Akzent. »Nicht umdrehen, oder Sie werden erschossen.«

Dunnes Schultern sackten herab. Er starrte weiterhin hinaus auf die Bergkette der Zwölf Apostel. Dann lachte er kurz auf. »Es war absolut logisch, dass Sie die Felswand hinaufklettern würden. Ich war mir so sicher.«

»Und es war absolut logisch, dass Sie ein Täuschungsmanöver versuchen und herkommen würden«, erwiderte der Spion. »Ich bin nur ein Stück geklettert, um meine Jacke zu hinterlassen, für den Fall, dass Sie nachsehen würden.«

Dunne warf einen Blick über die Schulter. Die SAPS-Beamtin stand neben dem Spion. Beide waren bewaffnet. Dunne konnte die kalten Augen des Mannes sehen. Die südafrikanische Polizistin wirkte ebenso entschlossen. Jenseits des Durchgangs zum Frühstücksraum erhaschte Dunne einen Blick auf Felicity Willing, seine Geliebte, seinen Boss, die sich reckte, um in die Küche schauen zu können. »Was ist da drinnen los?«, rief Felicity. »Hallo, kann mich jemand hören?«

Er ist bei mir für die Planung zuständig…

»Ich sag's nicht noch mal«, warnte der britische Agent barsch. »In fünf Sekunden jage ich Ihnen Kugeln durch die Arme.«

Hierfür gab es keinen Plan. Und dieses eine Mal ließen auch die unumstößliche Logik der Ingenieurskunst und die Wissenschaft der Mechanik Niall Dunne im Stich. Fast belustigte es ihn, als ihm der Gedanke durch den Kopf schoss, dass dies nun vielleicht die erste vollkommen irrationale Entscheidung sein würde, die er je getroffen hatte. Aber bedeutete das, dass sie nicht von Erfolg gekrönt sein würde?

Bisweilen reichte es, fest an sich zu glauben, hatte man ihm erzählt.

Er sprang auf seinen langen Beinen zur Seite, fuhr geduckt herum und riss seine Pistole in Richtung der Frau hoch.

Die Schüsse mehrerer Waffen zerrissen die Stille, im Klang ähnlich, in der Tonhöhe nicht.

71

Die Krankenwagen und SAPS-Fahrzeuge trafen ein. Über dem Boot der Söldner, die gekommen waren, um Dunne und Felicity abzuholen, schwebte ein Hubschrauber der Recces und hatte gleißend helle Scheinwerfer sowie die Läufe von zwei 20-Millimeter-Kanonen nach unten gerichtet. Eine kurze Salve vor den Bug reichte aus, und die Männer ergaben sich.

Ein ziviler Polizeiwagen kam in einer Staubwolke direkt vor dem Hotel zum Stehen. Kwalene Nkosi sprang heraus und nickte Bond zu. Andere Beamte folgten. Bond erkannte manche von ihnen von der Razzia auf dem Green-Way-Gelände wieder.

Bheka Jordaan half Felicity Willing auf die Beine. »Ist Dunne tot?«, fragte die Gefangene.

Das war er. Bond und Jordaan hatten gleichzeitig gefeuert, bevor er die Mündung seiner Beretta zum Schuss heben konnte. Kurz darauf war er gestorben, die blauen Augen im Tod so ausdruckslos, wie sie im Leben gewesen waren. Sein letzter Blick hatte jedoch Felicity gegolten, nicht Bond und Jordaan, die ihn erschossen hatten.

»Ja«, sagte Jordaan. »Es tut mir leid.« Sie sagte das mit einigem Mitgefühl, weil sie anscheinend davon ausging, dass zwischen den beiden nicht nur eine professionelle, sondern auch eine persönliche Verbindung bestanden hatte.

»*Ihnen* tut es leid«, entgegnete Felicity zynisch. »Was soll er mir denn tot noch nützen?«

Bond begriff, dass sie nicht den Verlust eines Partners, sondern den eines Faustpfands bedauerte.

Felicity, der Dickschädel…

»Hören Sie gut zu. Sie haben ja keine Ahnung, worauf Sie sich einlassen«, flüsterte sie Jordaan zu. »Ich bin die Königin der Hilfsgüter. Ich bin diejenige, die die verhungernden Babys rettet. Falls Sie versuchen sollten, mich zu verhaften, können Sie Ihre Dienstmarke gleich mit abgeben. Und falls *das* keinen Eindruck auf Sie macht, denken Sie an meine Partner. Sie haben heute einige sehr gefährliche Leute um viele Millionen Dollar gebracht. Hier ist mein Angebot: Ich schließe meinen Laden hier und verlege den Firmensitz. Ihnen wird nichts geschehen. Das garantiere ich.

Falls Sie nicht einwilligen, erleben Sie das Monatsende nicht mehr. Ihre Familie auch nicht. Und glauben Sie ja nicht, Sie könnten mich irgendwo in ein inoffizielles Gefängnis werfen. Sobald auch nur der Hauch eines Verdachts aufkommt, der SAPS gehe mit seinen Gefangenen gesetzwidrig um, werden die Medien und die Gerichte Sie ans Kreuz nageln.«

»Man wird dich nicht verhaften«, teilte Bond ihr mit.

»Gut.«

»Die Geschichte wird lauten, dass du von den Konten der IOAH fünf Millionen Dollar veruntreut und dich ins Ausland abgesetzt hast. Deine Partner werden sich nicht an Captain Jordaan oder sonst wem rächen wollen. Sie werden es allein auf dich abgesehen haben… und auf ihr Geld.«

In Wahrheit würde man sie in ein geheimes Verhörzentrum verfrachten, um sie ausgiebig zu »befragen«.

»Das könnt ihr nicht tun!«, tobte sie mit blitzenden grünen Augen.

In dem Moment fuhr ein schwarzer Lieferwagen vor. Zwei Uniformierte stiegen aus und gingen zu Bond. Auf ihren Ärmeln prangte das Wappen des britischen Special Boat Service.

Es zeigte ein Schwert über einem Wahlspruch, der Bond schon immer gefallen hatte: »By Strength and Guile – Durch Stärke und List«.

Dies war das Überstellungsteam, das Bill Tanner ihm geschickt hatte.

Einer der Männer salutierte. »Commander.«

Bond, der Zivilist, nickte. »Das ist das Paket.« Ein Blick zu Felicity Willing.

»Was?«, rief die Löwin. »Nein!«

»Hiermit ermächtige ich Sie, einen ODG-Einsatzbefehl der Stufe Zwei auszuführen, ausgestellt am letzten Sonntag«, sagte Bond zu den Soldaten.

»Jawohl, Sir. Die Papiere liegen uns vor. Wir übernehmen.«

Sie packten die sich sträubende Gefangene, setzten sie in den Lieferwagen und fuhren in hohem Tempo davon.

Bond drehte sich zu Bheka Jordaan um, doch die eilte soeben zu ihrem Wagen. Ohne sich noch einmal umzusehen, stieg sie ein, ließ den Motor an und fuhr weg.

Er ging zu Kwalene Nkosi und händigte ihm Dunnes Beretta aus. »Und da oben liegt ein Gewehr, Warrant Officer. Das sollten Sie holen lassen.« Er zeigte ihm den ungefähren Ort, von dem aus Dunne geschossen hatte.

»Ja, unbedingt. Meine Familie und ich sind oft am Wochenende zum Wandern hier. Ich kenne die Apostel gut und werde das Gewehr selbst holen.«

Bond schaute den Heckleuchten von Jordaans Wagen hinterher. »Sie ist ziemlich überhastet aufgebrochen. Doch nicht etwa wegen der Überstellung, oder? Unsere Botschaft hat Ihre Regierung informiert. Ein Richter in Bloemfontein hat den Plan abgesegnet.«

»Nein, nein«, sagte der Beamte. »Captain Jordaan muss ihre Ugogo heute Abend zu ihrer Schwester bringen. Sie kommt nie zu spät; nicht, wenn es um ihre Großmutter geht.«

Nkosi musterte Bond, der den Blick immer noch nicht von Jordaans Wagen abgewendet hatte. Er lachte. »Eine außergewöhnliche Frau, nicht wahr?«

»In der Tat. Nun, dann gute Nacht, Warrant Officer. Falls Sie je nach London kommen, lassen Sie unbedingt von sich hören.«

»Das werde ich, Commander Bond. Ich glaube, ich bin doch kein so guter Schauspieler. Aber das Theater mag ich trotzdem. Vielleicht könnten wir uns im West End ja zusammen ein Stück ansehen.«

»Vielleicht könnten wir das.«

Es folgte ein traditioneller Händedruck. Bond achtete darauf, fest zuzudrücken, die drei Teile geschmeidig aufeinander folgen zu lassen und den Griff vor allem bloß nicht zu früh zu lösen.

72

James Bond saß draußen, in einer Ecke des Terrassenrestaurants im Table Mountain Hotel.

Heizgeräte spendeten Wärme von oben. Der Geruch des Propangases war in der kühlen Nachtluft seltsam angenehm.

Er hielt ein schweres Kristallglas mit Baker's Bourbon auf Eis. Der Stoff hatte die gleiche DNS wie Basil Hayden's, enthielt aber mehr Alkohol. Aus diesem Grund schwenkte Bond das Glas, damit die Eiswürfel die Wucht etwas mildern würden. Andererseits war er sich gar nicht sicher, ob er das wollte; nicht nach diesem Abend.

Schließlich trank er einen großen Schluck und schaute zu den umliegenden Tischen, an denen ausschließlich Paare saßen. Hände streichelten Hände, und Knie pressten sich an Knie, während nach Wein duftender Atem Geheimnisse und Versprechungen flüsterte. Schleier aus seidigem Haar senkten sich, als Frauen ihre Köpfe neigten, um den sanften Worten ihrer Begleiter zu lauschen.

Bond dachte an Franschhoek und an Felicity Willing.

Wie wäre der Samstag wohl abgelaufen? Hatte sie vorgehabt, dem skrupellosen Söldner Gene Theron von ihrer Karriere als Hungermaklerin zu erzählen und ihn anzuheuern?

Und falls sie die Frau gewesen wäre, die sie vorgab zu sein, die Retterin Afrikas, hätte *er* ihr gestanden, dass er für die britische Regierung als Agent im Außeneinsatz tätig war?

Doch Spekulationen ärgerten James Bond, denn sie waren

reine Zeitverschwendung, und so war er erleichtert, als sein Mobiltelefon summte.

»Bill.«

»Also, es sieht folgendermaßen aus, James«, sagte Tanner. »Die Streitkräfte der Länder rund um den Ostsudan sind nicht vorgerückt. Khartum hat eine Stellungnahme veröffentlicht, der Westen habe sich wieder einmal ›in die demokratischen Abläufe einer souveränen Nation eingemischt, um die ganze Region mit Feudalismus zu überziehen‹.«

»Feudalismus?«, fragte Bond kichernd.

»Ich vermute, der Verfasser hat ›Imperialismus‹ gemeint und sich vertan. Warum kann Khartum nicht einfach via Google nach einem geeigneten Pressesprecher suchen? Alle anderen machen es doch auch so.«

»Und die Chinesen? Denen ist ziemlich viel billiges Benzin durch die Lappen gegangen.«

»Die können sich kaum lauthals beschweren, denn sie waren mit verantwortlich dafür, dass dort beinahe ein überaus unerfreulicher Krieg ausgebrochen wäre. Die Regierung der Östlichen Allianz ist jedenfalls selig. Deren Gouverneur hat gegenüber unserem Premierminister durchblicken lassen, man werde nächstes Jahr für eine Abspaltung von Khartum stimmen und demokratische Wahlen abhalten. Man möchte langfristige Wirtschaftsbeziehungen zu uns und den Amerikanern.«

»Und es gibt dort eine Menge Öl.«

»Springquellen, James, bestätigte Springquellen«, sagte Tanner. »So, fast alle Hilfsgüter, die Felicity Willing auf die Reise geschickt hat, sind auf dem Rückweg nach Kapstadt. Das World Food Programme wird für die Verteilung sorgen. Es ist ein guter Laden. Die Nahrungsmittel werden bei den Menschen landen, die sie wirklich benötigen.« Er hielt inne. »Tut mir leid wegen Lamb.«

»Er hat sich geopfert, um uns zu retten. Man sollte ihn dafür nachträglich auszeichnen.«

»Ich gebe Vauxhall Cross entsprechend Bescheid. Und leider brauche ich Sie am Montag wieder hier, James. In Malaysia braut sich was zusammen. Es gibt eine Verbindung nach Tokio.«

»Merkwürdige Kombination.«

»Allerdings.«

»Ich bin um neun Uhr morgens da.«

»Zehn wird reichen. Sie hatten eine recht anstrengende Woche.«

Sie beendeten das Gespräch, und Bond hatte gerade genug Zeit für einen Schluck Whiskey, bis das Telefon schon wieder vibrierte. Er schaute auf das Display.

Beim dritten Summen drückte er auf das grüne Symbol.

»Philly.«

»James. Ich habe die Rapporte gelesen. Mein Gott – geht es Ihnen gut?«

»Ja. Der Tag hatte es zwar in sich, aber wie es aussieht, haben wir alles hinbekommen.«

»Das nenne ich eine Untertreibung. Gehenna und Vorfall Zwanzig waren also zwei völlig verschiedene Dinge? Das hätte ich nie gedacht. Wie sind Sie dahintergekommen?«

»Durch eine wechselseitige Analyse. Und man muss natürlich dreidimensional denken«, sagte Bond ernst.

Eine Pause. Dann fragte Philly Maidenstone: »Sie nehmen mich gerade auf den Arm, oder, James?«

»Könnte man so sagen.«

Ein leise perlendes Lachen. »So, ich bin sicher, Sie sind total geschafft und brauchen etwas Ruhe, aber ich habe ein weiteres Teil des Steel-Cartridge-Puzzles gefunden. Sofern es Sie interessiert.«

Bleib ruhig, ermahnte er sich.

Doch es gelang ihm nicht. War sein Vater ein Verräter gewesen oder nicht?

»Ich kenne die Identität des KGB-Maulwurfs bei Six, der ermordet wurde.«

»Ich verstehe.« Er atmete langsam ein. »Wer war er?«

»Eine Sekunde … wo ist denn der Zettel? Ich hatte ihn doch gerade noch.«

Höllenqualen. Er riss sich mit aller Kraft zusammen.

Dann sagte sie: »Ah, da haben wir ihn. Sein Tarnname war Robert Witherspoon. Vom KGB angeworben, als er in Cambridge auf der Uni war. 1988 wurde er im Zuge einer aktiven Maßnahme in der Station Piccadilly Circus vor eine U-Bahn gestoßen.«

Bond schloss die Augen. Andrew Bond hatte nicht in Cambridge studiert. Und er und seine Frau waren 1990 gestorben, auf einem Berg in Frankreich. Sein Vater war kein Verräter gewesen. Und auch kein Spion.

Philly fuhr fort: »Außerdem habe ich herausgefunden, dass als Teil von Steel Cartridge ein weiterer MI6-Mitarbeiter getötet wurde. Das war aber kein Doppelagent, sondern offenbar so eine Art Superstar, der für die Abwehr in den Reihen von Six und der CIA nach Maulwürfen gesucht hat.«

Bond schwenkte das in Gedanken hin und her, so wie den Whiskey in seinem Glas. »Weiß man etwas über seinen Tod?«

»Das wird ziemlich geheim gehalten. Ich konnte immerhin feststellen, dass es etwa 1990 gewesen sein muss, irgendwo in Frankreich oder Italien. Es wurde auch diesmal als Unfall getarnt, und als Warnung für andere Agenten ließ man eine Stahlpatrone am Schauplatz zurück.«

Bond verzog den Mund zu einem gequälten Lächeln. Vielleicht war sein Vater also *doch* ein Spion gewesen – wenn auch kein Verräter. Wenigstens nicht an seinem Land. Aber hatte er seine Familie und seinen Sohn verraten?, grübelte Bond. War es nicht tollkühn von Andrew gewesen, seinen Sohn zu Treffen mit feindlichen Agenten mitzunehmen, die er in Sicherheit wiegen wollte?

»Aber eines noch, James: Sie haben gesagt ›seinen Tod‹.«

»Verzeihung?«

»War wohl meine Schuld; ich habe mich nicht deutlich genug ausgedrückt. Ein Rapport in den Archiven besagt, es habe sich um eine Frau gehandelt, eine Agentin.«

Mein Gott, dachte Bond. Nein… Seine *Mutter* eine Spionin? Monique Delacroix Bond? Unmöglich. Aber sie *war* eine freiberufliche Fotografin gewesen, was häufig als inoffizielle Tarnidentität gewählt wurde. Und sie war bei Weitem der abenteuerlustigere Teil seiner Eltern gewesen; es ging auf ihre Anregung zurück, dass sie und ihr Mann mit dem Felsklettern und Skifahren angefangen hatten. Bond erinnerte sich auch noch an ihre höfliche, aber entschiedene Weigerung, sich bei ihren Fotoaufträgen vom kleinen James begleiten zu lassen.

Eine Mutter würde ihr Kind natürlich niemals in Gefahr bringen, völlig egal, was die Ausbilder empfahlen.

Bond kannte die damaligen Vorschriften nicht, aber die Tatsache, dass seine Mutter aus der Schweiz stammte, hätte für eine Tätigkeit als Auftragsagentin vermutlich kein Hindernis bedeutet.

Es waren selbstverständlich noch weitere Nachforschungen erforderlich, um den Verdacht zu überprüfen. Und falls er sich als wahr erwies, würde Bond herausfinden, wer den Mord befohlen und wer ihn ausgeführt hatte. Doch das ging nur Bond etwas an. »Danke, Philly«, sagte er. »Ich glaube, mehr brauche ich nicht. Sie sind meine Heldin. Man sollte Sie zum OBE ernennen.«

»Ein Geschenkgutschein für Selfridges reicht aus… Wenn in der Lebensmittelabteilung das nächste Mal Bollywood-Woche ist, mache ich einen Großeinkauf.«

Ah, schon wieder ein gemeinsames Interesse. »In dem Fall weiß ich was Besseres: Ich lade Sie in ein indisches Restaurant in der Brick Lane ein. Das beste in London. Die haben zwar nur eine eingeschränkte Schanklizenz, aber wir können eine Flasche von dem Bordeaux mitbringen, von dem Sie erzählt haben. Wie wäre es mit Samstag in einer Woche?«

Sie hielt inne, wohl um in ihrem Terminkalender nachzusehen, glaubte Bond. »Ja, James, das wäre schön.«

Er stellte sie sich wieder vor: das üppige rote Haar, die funkelnden braunen Augen, das Rascheln, wenn sie die Beine übereinanderschlug.

Dann fügte sie hinzu: »Und kommen Sie bitte in Begleitung.«

Der Whiskey stoppte auf halbem Weg zum Mund. »Na klar«, sagte Bond automatisch.

»Sie und Ihre Begleitung, Tim und ich. Das wird bestimmt Spaß machen.«

»Tim. Ihr Verlobter.«

»Sie haben vielleicht gehört, dass wir ein paar Schwierigkeiten hatten. Aber er hat einen großen Job in Übersee abgelehnt, um in London bleiben zu können.«

»Guter Mann. Ist er also doch noch zur Besinnung gekommen.«

»Man kann ihm kaum vorwerfen, dass er darüber nachgedacht hat. Es ist schwierig, mit mir auszukommen. Aber wir haben beschlossen, es noch mal miteinander zu versuchen. Uns verbindet so viel. O ja, lassen Sie uns den Samstag festhalten. Sie und Tim können sich über Autos und Motorräder unterhalten. Er weiß ziemlich viel darüber. Sogar mehr als ich.«

Sie redete schnell – zu schnell. Ophelia Maidenstone war nicht dumm, in keinerlei Hinsicht, und sie wusste genau, was da letzten Montag im Restaurant gelaufen war. Sie hatte gespürt, wie greifbar die Verbindung zwischen ihnen war, und würde jetzt noch darüber nachdenken, was daraus werden könnte… hätte sich nicht ihre Vergangenheit gemeldet.

Die Vergangenheit, dachte Bond sarkastisch: Severan Hydts große Leidenschaft.

Und seine Nemesis.

»Ich freue mich sehr für Sie, Philly«, sagte er aufrichtig.

»Danke, James«, erwiderte sie hörbar gerührt.

»Aber hören Sie, ich lasse nicht zu, dass Sie Ihr Leben damit verbringen, ein Kind nach dem anderen in der Karre durch Clapham zu schieben. Sie sind die beste Verbindungsoffizierin, die wir je hatten, und ich bestehe darauf, mit Ihnen bei so vielen Einsätzen wie möglich zusammenzuarbeiten.«

»Ich werde für Sie da sein, James. Wann immer und wo immer Sie mich wollen.«

Unter den gegebenen Umständen war das vermutlich nicht die beste Wortwahl, dachte er und lächelte. »Ich muss jetzt los, Philly. Zur Nachbereitung von Vorfall Zwanzig melde ich mich nächste Woche.«

Sie beendeten das Gespräch.

Bond bestellte sich noch einen Drink. Als er kam, leerte er ihn halb und schaute hinaus über den Hafen, wenngleich er von dessen spektakulärer Schönheit kaum etwas wahrnahm. Und das hatte nichts – nun ja, ein wenig – mit Ophelia Maidenstones gekitteter Verlobung zu tun.

Nein, seine Gedanken kreisten um ein wichtigeres Thema.

Seine Mutter, eine Spionin…

»Ich bin spät dran, tut mir leid«, riss eine Stimme ihn plötzlich aus der Versunkenheit.

James Bond sah Bheka Jordaan an, die gegenüber von ihm Platz nahm. »Geht es Ugogo gut?«

»Oh, ja, aber sie hat uns bei meiner Schwester gezwungen, die Wiederholung einer Folge *'Sgudi 'Snaysi* mit ihr anzuschauen.«

Bond hob eine Augenbraue.

»Eine alte Sitcom, die auf Zulu gedreht wurde.«

Unter dem Heizgerät war es warm, und Jordaan zog ihre marineblaue Jacke aus. Ihre rote Bluse hatte kurze Ärmel, und Bond konnte sehen, dass sie die Brandnarbe nicht überschminkt hatte. Das Andenken an ihre früheren Kollegen war deutlich zu erkennen. Er fragte sich, weshalb sie es heute Abend nicht versteckte.

Jordaan musterte ihn eindringlich. »Es hat mich überrascht, dass Sie meine Einladung zum Abendessen angenommen haben. Übrigens, die Rechnung übernehme *ich*.«

»Das ist nicht nötig.«

»Das habe ich auch nicht angenommen«, sagte sie stirnrunzelnd.

»Dann vielen Dank.«

»Ich war mir nicht sicher, ob ich Sie fragen sollte. Ich habe wirklich eine ganze Weile hin und her überlegt. Das sieht mir nicht ähnlich. Normalerweise entscheide ich mich ziemlich schnell, wie ich Ihnen schon mal erzählt habe, glaube ich.« Sie hielt inne und wandte den Blick ab. »Es tut mir leid, dass aus dem Ausflug in die Weinregion nichts geworden ist.«

»Nun, alles in allem bin ich lieber hier mit Ihnen als in Franschhoek.«

»Das kann ich mir vorstellen. Ich bin eine schwierige Frau, aber keine Massenmörderin.« Sie senkte bedrohlich die Stimme. »Aber wehe, Sie flirten mit mir... Ach, streiten Sie es nicht ab! Ich kann mich noch genau an Ihren Blick vorgestern im Flughafen erinnern.«

»Ich flirte viel seltener, als Sie glauben. Psychologen nennen so etwas Projektion. Sie projizieren Ihre eigenen Gefühle auf mich.«

»Diese Bemerkung ist an sich schon ein Flirt.«

Bond lachte und winkte dem Sommelier. Der Mann brachte

die Flasche südafrikanischen Schaumwein, die Bond bei Jordaans Ankunft bestellt hatte, und öffnete sie.

Bond probierte einen Schluck und nickte beifällig. »Der wird Ihnen schmecken«, sagte er dann zu Jordaan. »Ein Graham Beck Cuvée Clive. Chardonnnay und Pinot Noir. Jahrgang 2003. Aus Robertson, westliche Kapregion.«

Jordaan schenkte ihm ein seltenes Lachen. »Da halte ich Ihnen die ganze Zeit Vorträge über Südafrika, aber ein paar Dinge scheinen Sie schon selbst zu wissen.«

»In Reims bekommen Sie auch keinen besseren Wein.«

»Wo ist das?«

»In Frankreich – wo der Champagner herkommt. Östlich von Paris. Eine herrliche Gegend. Die würde Ihnen gefallen.«

»Es ist bestimmt hübsch da, aber für einen Besuch besteht wohl kein Anlass, wenn unser Wein genauso gut ist.«

Ihre Logik war unangreifbar. Sie stießen an. »*Khotso*«, sagte sie. »Frieden.«

»*Khotso.*«

Sie tranken einen Schluck und saßen eine Weile schweigend da. Er fühlte sich in Gegenwart dieser »schwierigen Frau« überraschend wohl.

Sie stellte ihr Glas ab. »Darf ich Sie etwas fragen?«

»Bitte«, erwiderte Bond.

»Als Gregory Lamb und ich in dem Wohnwagen hinter dem Hotel gesessen und Ihre Unterredung mit Felicity Willing aufgezeichnet haben, sagten Sie zu ihr, Sie hätten gehofft, es könnte etwas aus Ihnen beiden werden. War das die Wahrheit?«

»Ja.«

»Dann tut es mir leid. Ich habe in dieser Hinsicht auch schon des Öfteren Pech gehabt. Ich weiß, wie es sich anfühlt, wenn einem das Herz bricht. Aber wird sind zähe Geschöpfe.«

»Das sind wir in der Tat. Komme, was da wolle.«

Ihr Blick richtete sich auf den Hafen und verweilte dort.

»Wissen Sie«, sagte Bond, »es war meine Kugel, die ihn getötet hat – Niall Dunne, meine ich.«

Sie war sichtlich erschrocken. »Woher konnten Sie wissen, dass ich …?« Ihre Stimme erstarb.

»War dies das erste Mal, dass Sie auf jemanden geschossen haben?«

»Ja, war es. Aber wie können Sie sicher sein, dass es Ihre Kugel gewesen ist?«

»Ich hatte mich entschieden, auf diese Entfernung als Zielvektor einen Kopfschuss zu wählen. Dunne hatte ein Loch in der Stirn und eines im Rumpf. Der Kopfschuss war meiner. Er war tödlich. Die andere Wunde, Ihre, war oberflächlich.«

»Sind Sie sicher, dass es Ihr Schuss war, der den Kopf getroffen hat?«

»Ja.«

»Warum?«

»Weil ich bei einer solchen Schussanordnung mein Ziel unmöglich verfehlen konnte«, sagte Bond einfach.

Jordaan schwieg einen Moment. »Ich schätze, ich muss es Ihnen wohl glauben«, sagte sie dann. »Wer Begriffe wie ›Zielvektor‹ und ›Schussanordnung‹ benutzt, weiß bestimmt, wo seine Kugeln gelandet sind.«

Bis vor Kurzem hätte sie das wohl nur mit Spott gesagt, dachte Bond – als Anspielung auf seine gewalttätige Natur und eklatante Missachtung der Gesetze –, aber nun traf sie einfach eine Feststellung.

Sie lehnten sich zurück und plauderten eine Weile – über ihre Familie und sein Leben in London, seine Reisen.

Inzwischen war endgültig die Nacht hereingebrochen, mit mildem Wetter, wie es für diesen Teil der südlichen Erdhalbkugel im Herbst üblich war. Überall an Land und auf dem Wasser funkelten Lichter und über ihnen die Sterne – nur nicht in den schwarzen Tiefen ganz in der Nähe, wo der König und der Prinz von Kapstadts Felsformationen sich vor dem Himmel abzeichneten: der Tafelberg und der Löwenkopf.

Aus der Bucht stieg der klagende Baritonruf eines Schiffshorns auf.

Bond fragte sich, ob es wohl von einem der Frachter mit Hilfsgütern stammte.

Vielleicht aber auch von einem der Ausflugsdampfer auf dem Rückweg vom Gefängnismuseum des nahen Robben Island, wo während der Apartheid Leute wie Nelson Mandela, Kgalema Motlanthe und Jacob Zuma – allesamt spätere Präsidenten Südafrikas – für viele lange Jahre in Haft gesessen hatten.

Oder von einem Kreuzfahrtschiff, das zum nächsten Anlaufhafen aufbrechen wollte und mit dem Signal die müden Passagiere herbeirief, mit ihren Tüten voller Biltong in Frischhaltefolie, Pinotage-Weinen und schwarz-grün-gelben ANC-Geschirrtüchern sowie den zahllosen Touristenimpressionen aus diesem komplizierten Land.

Bond winkte dem Kellner, der daraufhin die Speisekarten brachte. Als Jordaan ihr Exemplar entgegennahm, streifte ihr verletzter Arm kurz Bonds Ellbogen. Sie lächelten sich beide an, etwas weniger kurz.

Doch ungeachtet des vertrauten und versöhnlichen Gesprächs, das sie hier gerade führten, wusste Bond, dass er sie am Ende des Abends in ein Taxi nach Bo-Kaap setzen würde, um dann in seinem Zimmer die Sachen für den morgigen Rückflug nach London zu packen.

Und er wusste das, wie Kwalene Nkosi sagen würde, ganz ohne Zweifel.

Oh, der Gedanke an eine Frau, die perfekt mit ihm im Einklang war und mit der er alle Geheimnisse – und sein Leben – teilen konnte, gefiel James Bond und hatte sich in der Vergangenheit oft als tröstlich und kraftspendend erwiesen. Doch letztlich konnte eine solche Frau – und auch jede andere – in der sonderbaren Welt, in der er lebte, nur eine untergeordnete Rolle spielen. Seine Aufträge hielten ihn ständig in Bewegung, führten ihn von Ort zu Ort, und sein Überleben und sein Seelenfrieden hingen davon ab, dass er sich schnell bewegte, unbarmherzig schnell, um seine Zielpersonen zu überraschen und seine Verfolger abzuhängen.

Und sofern er sich korrekt an den von Philly Maidenstone so tadellos aufgesagten Gedichtvers erinnerte, bedeutete schnelles Reisen, dass man auf ewig allein reise.

Glossar

AIVD: Algemene Inlichtingen- en Veiligheidsdienst. Der Geheimdienst der Niederlande, mit Schwerpunkt auf der Beschaffung von Informationen und der Bekämpfung inländischer, nicht militärischer Bedrohungen.

BIA: Bezbednosno-informativna Agencija. Der serbische Auslands- und Inlandsnachrichtendienst.

CIA: Central Intelligence Agency. Die wichtigste nachrichtendienstliche Auslandsspionageorganisation der Vereinigten Staaten. Ian Fleming hatte angeblich indirekt mit der Gründung der CIA zu tun. Während des Zweiten Weltkriegs verfasste er ein umfangreiches Memorandum über die Konstituierung und Führung einer Spionageeinheit für General William »Wild Bill« Donovan, den Leiter des amerikanischen Office of Strategic Services. Donovan war später wesentlich an der Entstehung der CIA als Nachfolgerin des OSS beteiligt.

COBRA: Cabinet Office Briefing Room A. Ein hochrangig besetzter Großer Krisenstab des Vereinigten Königreichs, für gewöhnlich unter Vorsitz des Premierministers oder eines anderen leitenden Regierungsvertreters. Seine Zusammensetzung richtet sich nach der jeweiligen Gefahr für die nationale Sicherheit. Obwohl der Name – zumindest in den Medien – normalerweise mit dem Konferenzraum A im Kabinettsgebäude von Whitehall in Verbindung gebracht wird, finden die Sitzungen an verschiedenen Orten statt.

CCID: Crime Combating and Investigation Division. Die wichtigste Ermittlungsabteilung des SAPS (siehe dort), hauptsächlich spezialisiert auf Schwerverbrechen wie Mord, Vergewaltigung und Terrorismus.

DI: Defence Intelligence. Der Nachrichtendienst des britischen Militärs.

Division Three: Eine fiktive Sicherheitsabteilung der britischen Regierung mit Sitz im Thames House, locker verknüpft mit dem Security Service (siehe dort). Die Division Three führt innerhalb der Grenzen des Vereinigten Königreichs taktische und operative Missionen durch, um Gefahren zu untersuchen und gegebenenfalls auszuschalten.

FBI: Federal Bureau of Investigation. Der wichtigste Inlandssicherheitsdienst der Vereinigten Staaten. Das FBI untersucht kriminelle Machenschaften innerhalb der Landesgrenzen sowie gewisse Bedrohungen der USA und ihrer Bürger aus dem Ausland.

Five: Ein umgangssprachlicher Verweis auf den MI5, den Security Service (siehe dort).

FO oder FCO: Foreign and Commonwealth Office. Das Außenministerium des Vereinigten Königreichs. Es wird geleitet vom Außenminister, der wiederum zu den wichtigsten Kabinettsmitgliedern zählt.

FSB: Federalnaja Sluschba Besopasnosti Rossijskoj Federazii. Der Inlandsgeheimdienst der Russischen Föderation. Entspricht dem FBI (siehe dort) und dem Security Service (siehe dort). Für seine Aufgaben war früher der KGB (siehe dort) zuständig.

GCHQ: Government Communications Headquarters. Die Regierungseinrichtung im Vereinigten Königreich, die den ausländischen Daten-, Funk- und Telefonverkehr sammelt und analysiert. Entspricht der amerikanischen NSA (siehe dort). Wegen der Form des Hauptgebäudes in Cheltenham wird das GCHQ umgangssprachlich oft als Donut bezeichnet.

GRU: Glawnoje Raswedywatelnoje Uprawlenije. Der Nachrichtendienst des russischen Militärs.

KGB: Komitet Gossudarstwennoi Besopasnosti. Der sowjetische Auslands- und Inlandsnachrichtendienst bis 1991, als er durch den SWR (siehe dort) für das Ausland und den FSB (siehe dort) für das Inland ersetzt wurde.

Metropolitan Police Service: Für den Großraum London zuständige Polizeibehörde (ausgenommen der Bezirk City of London, der über eine eigene Polizei verfügt). Umgangssprachlich bekannt als die Met, Scotland Yard oder der Yard.

MI5: Der Security Service (siehe dort).

MI6: Der Secret Intelligence Service (siehe dort).

MoD: Ministry of Defence. Das Verteidigungsministerium des Vereinigten Königreichs; ihm ist das Militär unterstellt.

NIA: National Intelligence Agency. Der südafrikanische Inlandssicherheitsdienst. Entspricht dem Security Service (siehe dort) oder dem FBI (siehe dort).

NSA: National Security Agency. Die Regierungsbehörde in den Vereinigten Staaten, die ausländischen Daten-, Funk- und Telefonverkehr und die damit verknüpften Informationen sammelt und analysiert. Es handelt sich um die amerikanische Variante des britischen GCHQ (siehe dort); die beiden Dienste operieren sowohl in England als auch in den USA von gemeinsam betriebenen Anlagen aus.

ODG: Overseas Development Group. Eine verdeckt operierende Einheit des britischen Auslandsgeheimdienstes, die weitgehend unabhängig, aber letztlich unter der Aufsicht des FCO (siehe dort) arbeitet. Ihre Aufgabe ist es, Gefahren für die nationale Sicherheit zu identifizieren und zu eliminieren. Die fiktive ODG ist in einem Bürogebäude in der Nähe des Londoner Regent's Park untergebracht. James Bond ist Agent in der Sektion 00 der Abteilung O (für Operations) der ODG. Ihr Generaldirektor ist bekannt als M.

SAPS: South African Police Service. Die wichtigste Polizeibehörde Südafrikas. Ihre Zuständigkeit reicht von Streifenfahrten bis zur Ermittlung bei Kapitalverbrechen.

SAS: Special Air Service. Die Spezialeinheit der britischen Armee. Sie wurde im Zweiten Weltkrieg formiert.

SBS: Special Boat Service. Die Spezialeinheit der Royal Navy (der britischen Kriegsmarine). Sie wurde im Zweiten Weltkrieg formiert.

Security Service: Der Inlandsgeheimdienst des Vereinigten Königreichs. In seine Zuständigkeit fallen sowohl ausländische Bedrohungen als auch kriminelle Machenschaften innerhalb der Landesgrenzen. Er entspricht dem amerikanischen FBI (siehe dort), obwohl er hauptsächlich ermittelt und überwacht – im Gegensatz zum FBI ist er nicht befugt, Verhaftungen vorzunehmen. Umgangssprachlich auch bekannt als MI5 oder Five.

SIS: Secret Intelligence Service. Der Auslandsnachrichten- und -spionagedienst des Vereinigten Königreichs. Er entspricht der amerikanischen CIA (siehe dort). Umgangssprachlich auch bekannt als MI6 oder Six.

SOCA: Serious Organised Crime Agency. Die Strafverfolgungsbehörde des Vereinigten Königreichs, die in besonders schweren Fällen von kriminellen Aktivitäten innerhalb der Landesgrenzen ermittelt. Ihre Mitarbeiter sind befugt, Verhaftungen vorzunehmen.

Speznas: Wojska Spetsialnogo Naznachenija. Die allgemeine Bezeichnung für Spezialeinheiten der russischen Geheimdienste und des Militärs. Umgangssprachlich meistens nur als Speznas bezeichnet.

SWR: Sluschba Wneschnei Raswedki. Der Auslandsnachrichten- und -spionagedienst der Russischen Föderation. Für seine Aufgaben war früher der KGB (siehe dort) zuständig.

Danksagung

Jeder Roman ist bis zu einem gewissen Grad eine gemeinschaftlich erbrachte Leistung – und dieser mehr als die meisten anderen. Ich möchte den folgenden Personen von ganzem Herzen dafür danken, dass sie mir so unermüdlich zur Seite gestanden haben, um dieses Projekt nicht nur zu verwirklichen, sondern zum bestmöglichen Abschluss zu bringen: Sophie Baker, Francesca Best, Felicity Blunt, Jessica Craig, Sarah Fairbairn, Cathy Gleason, Jonathan Karp, Sarah Knight, Victoria Marini, Carolyn Mays, Zoe Pagnamenta, Betsy Robbins, Deborah Schneider, Simon Trewin, Corinne Turner und meine Freunde in der Familie Fleming. Ein besonderer Dank gebührt der Lektorin aller Lektorinnen, Hazel Orme, und Vivienne Schuster, deren famose Titelformulierung diesen Roman ziert.

Schließlich danke ich den Agenten meiner eigenen Overseas Development Group: Will und Tina Anderson, Jane Davis, Julie Deaver, Jenna Dolan und natürlich Madelyn Warcholik.

All jenen Lesern, denen das Kapstadter Table Mountain Hotel aus diesem Buch irgendwie vertraut vorkommt, sei verraten, dass ich mich am real existierenden Cape Grace Hotel orientiert habe. Es ist genauso hübsch, wird aber meines Wissens nicht von Spionen frequentiert.

Ian Fleming

Ian Fleming, der Schöpfer von James Bond, wurde am 28. Mai 1908 in London geboren. Er ging in Eton zur Schule und verbrachte später einige prägende Jahre im österreichischen Kitzbühel, wo er seine Fremdsprachenkenntnisse verbesserte und erste vorsichtige Ausflüge auf das Gebiet der Schriftstellerei unternahm. In den Dreißigerjahren des zwanzigsten Jahrhunderts arbeitete er bei Reuters, wo er seine Fähigkeiten als Autor weiterentwickelte und dank eines beruflichen Abstechers nach Moskau wertvolle Einblicke in sein späteres literarisches Reich des Bösen gewann – die Sowjetunion.

Im Zweiten Weltkrieg war er im Nachrichtendienst der Marine als Assistent des Direktors tätig und ersann dank seiner produktiven Fantasie eine Vielzahl verdeckter Operationen, die sich durch Wagemut und Raffinesse auszeichneten. Die hierbei gesammelten Erfahrungen sollten ihm zukünftig als reichhaltiger Materialschatz dienen.

Nach dem Krieg arbeitete er als Auslandskorrespondent für die *Sunday Times*, was ihm gestattete, zwei Monate pro Jahr auf Jamaika zu verbringen. Dort verfasste er 1952 in seinem Haus namens Goldeneye ein Buch mit dem Titel *Casino Royale*. Ein Jahr später wurde es veröffentlicht – und James Bond war geboren. In den nächsten zwölf Jahren erschienen elf weitere Romane um den Agenten 007, der zum berühmtesten Spion des Jahrhunderts wurde. Flemings Interesse an Autos, Reisen, gutem Essen und schönen Frauen sowie seine Vorliebe für Golf und Glücksspiel spiegelten sich in den Büchern wider, die letztlich Millionenauflagen erreichten, vor allem seit den ungemein erfolgreichen Verfilmungen.

Sein literarisches Schaffen war nicht auf Bond beschränkt. Neben seinen erfolgreichen Veröffentlichungen als Journalist und Reiseschriftsteller verfasste er *Tschitti Tschitti Bäng Bäng*, ein viel geliebtes Kinderbuch über ein fliegendes Auto, das sowohl verfilmt als auch als Theaterstück umgesetzt wurde. Fleming war zudem ein angesehener Bücherliebhaber, dessen umfangreiche Sammlung von Erstausgaben für so wichtig erachtet wurde, dass man sie während der deutschen Luftangriffe auf London in Sicherheit brachte. Und 1952 gründete er einen eigenen kleinen Verlag, die Queen Anne Press.

Fleming starb 1964 im Alter von sechsundfünfzig Jahren an einem Herzinfarkt. Er erlebte nur noch die ersten beiden Bond-Filme, *James Bond jagt Dr. No* und *Liebesgrüße aus Moskau*, und dürfte kaum geahnt haben, was er da in Gang gebracht hatte. Heutzutage hat – laut Schätzungen – etwa jeder fünfte Mensch dieser Erde schon mal einen Bond-Film gesehen, und James Bond ist nicht nur ein geläufiger Begriff, sondern ein weltweites Phänomen.

Weitere Informationen (in englischer Sprache)
über Ian Fleming und seine Bücher finden Sie auf
www.ianfleming.com.

Jeffery Deaver

Im Jahre 2004 wurde dem Bestsellerautor Jeffery Deaver für seinen Thriller *Garden of Beasts* der Ian Fleming Steel Dagger Award der Crime Writer's Association verliehen. In seiner Dankesrede erzählte der Autor von der lebenslangen Bewunderung, die er für Flemings Werke hege, und dem Einfluss, den die Bond-Bücher auf seine eigene Karriere genommen hätten. Corinne Turner, die Geschäftsführerin der Ian Fleming Publications Ltd., saß damals im Publikum und erklärt: »In dem Moment kam mir zum ersten Mal der Gedanke, dass James Bond ein interessantes Abenteuer aus Jeffery Deavers Feder erleben könnte.«

Deaver sagt: »Ich kann gar nicht beschreiben, wie elektrisiert ich war, als Ian Flemings Erben bei mir anfragten, ob ich Interesse hätte, das nächste Buch der James-Bond-Reihe zu schreiben. Meine Beziehung zu Bond reicht fünfzig Jahre zurück. Ich war ungefähr acht oder neun Jahre alt, als ich meinen ersten Bond-Roman las. In der Hinsicht war ich ein wenig frühreif, doch das habe ich meinen Eltern zu verdanken. Bei uns herrschte die Regel, dass ich zwar manche Filme nicht anschauen durfte, doch dafür alles lesen konnte, was ich in die Finger bekam. Das entbehrt nicht einer gewissen Ironie, denn in den 1950er- und frühen 1960er-Jahren gab es im Kino explizit weder Sex noch Gewalt zu sehen. Also – ich durfte jedes Bond-Buch lesen, das mein Vater nach Hause brachte oder ich mir von meinem Taschengeld leisten konnte.

Schon früh spürte ich Flemings Einfluss. Meine erste Erzählung, verfasst im Alter von elf Jahren, basierte auf Bond. Es ging um einen Spion, der ein geheimes Flugzeug der Russen stiehlt. Der Agent war Amerikaner, hatte aber einen britischen Hintergrund, denn war er im Zweiten Weltkrieg, genau wie mein Vater, in East Anglia stationiert gewesen.

Ich weiß noch, wie ich in den Nachrichten hörte, Fleming sei gestorben – da war ich vierzehn Jahre alt. Es war, als hätte ich einen guten Freund oder Onkel verloren. Fast ebenso beunruhigend war die Bekanntmachung des Nachrichtensprechers, auch Bond werde das letzte Buch, *Der Mann mit dem goldenen Colt*, nicht überleben. Ich litt Höllenqualen, bis ich den Roman endlich kaufen konnte. Ich las ihn noch am Erscheinungstag durch und erfuhr die Wahrheit – dass ich wenigstens nur den Verlust *eines* meiner Helden zu beklagen hatte, nicht den von zwei.

Meine Thriller sind für eine Reihe von Preisen nominiert worden und haben manche sogar gewonnen. Am stolzesten aber bin ich auf den Ian Fleming Steel Dagger Award. Er hat die Form eines Kampfmessers, wie Fleming es im Zweiten Weltkrieg während seiner Zeit beim Nachrichtendienst der Marine angeblich bei sich getragen hat. Die beeindruckende Trophäe steht bei mir zu Hause auf dem Kaminsims, genau in der Mitte.

Was Parallelen zwischen Bonds und meinem Leben angeht – da gibt es ein paar, das gebe ich zu. Ich habe Spaß an schnellen Autos – mir haben mal ein Maserati und ein Jaguar gehört, und heutzutage fahre ich mit meinem Porsche 911 Carrera S oder Infiniti G37 gelegentlich auf die Rennstrecke. Ich bin Skiabfahrtsläufer und Sporttaucher. Ich mag Single Malt Scotch und amerikanischen Bourbon – aber keinen Wodka, obwohl Bond wesentlich häufiger Whisky getrunken hat als seine ›geschüttelten, nicht gerührten‹ Martinis.«

Jeffery Deaver ist ein ehemaliger Journalist (wie Fleming), Folksänger und Anwalt und hat mit dem Schreiben von Spannungsromanen als Berufspendler angefangen, auf den langen Fahrten zwischen seinem Wohnort und seinem Büro in der Wall Street. Inzwischen ist er ein internationaler Bestsellerautor und hat zwei Bände mit Kurzgeschichten sowie achtundzwanzig Romane veröffentlicht. Seine Bücher sind in 150 Ländern erhältlich und wurden in fünfundzwanzig Sprachen übersetzt.

Am bekanntesten sind die Romane um Kathryn Dance und Lincoln Rhyme, vor allem *Der Knochenjäger*, der 1999 mit Denzel Washington und Angelina Jolie verfilmt wurde. Der zu keiner Reihe gehörende Roman *Nachtschrei* wurde 2009 bei den International Thriller Writers' Awards als Roman des Jahres ausgezeichnet.

Jeffery Deavers jüngster Lincoln-Rhyme-Thriller heißt *Opferlämmer*, und sein Einzelroman *Schutzlos* erscheint im März 2012 als Taschenbuch.

Jeffery Deaver wurde in der Nähe von Chicago geboren und wohnt heute in North Carolina.

Weitere Informationen
finden Sie auf
www.007carteblanche.com

und
www.jefferydeaver.de

Wenn niemand dich schützen kann!

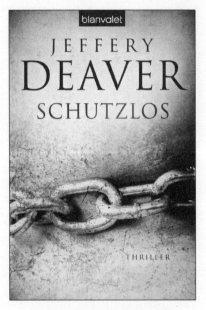

512 Seiten. ISBN 978-3-442-37720-6

Sein Name ist Corte und er ist ein »Schäfer«. Im Auftrag
des Staates übernimmt er die Fälle, bei denen normale
Bodyguards nichts ausrichten können. Als er erfährt, dass
die Familie Kessler von Henry Loving – einem berüchtigten Entführer und Folterer – bedroht wird, ist er sofort
bereit, ihren Schutz zu übernehmen. Zwischen Corte und
Loving ist noch eine alte Rechnung offen. Um den Kess-
lers wirklichen Schutz bieten zu können, muss Corte
allerdings erst einmal herausfinden, worauf Loving es
eigentlich abgesehen hat. Denn in dieser Familie ist niemand, was er auf den ersten Blick zu sein scheint …

blanvalet

DAS IST MEIN VERLAG

... auch im Internet!

 twitter.com/BlanvaletVerlag

 facebook.com/blanvalet